CB012767

GRANDES OBRAS DA CULTURA UNIVERSAL

(Clássicos de Sempre)

1. A DIVINA COMÉDIA — Dante Alighieri — Ilustrações de Gustave Doré — Tradução, nota e um estudo biográfico, por Cristiano Martins.
2. OS LUSÍADAS — Luís de Camões — Introdução de Antônio Soares Amora — Modernização e Revisão do Texto de Flora Amora Sales Campos — Notas de Antônio Soares Amora, Massaud Moisés, Naief Sáfady, Rolando Morel Pinto e Segismundo Spina.
3. FAUSTO — Goethe — Tradução de Eugênio Amado.
4. LÍRICA — Luís de Camões — Introdução e notas de Aires da Mata Machado Filho.
5. DOM QUIXOTE DE LA MANCHA — Miguel de Cervantes Saavedra — Com 370 ilustrações de Gustave Doré — Tradução e notas de Eugênio Amado — Introdução de Júlio G. Garcia Morejón.
6. GUERRA E PAZ — Leon Tolstói — Com índice de personagens históricos, 272 ilustrações originais do artista russo S. Shamarinov. Tradução, introdução e notas de Oscar Mendes.
7. ORIGEM DAS ESPÉCIES — Charles Darwin — Com esboço autobiográfico e esboço histórico do progresso da opinião acerca do problema da origem das espécies, até publicação da primeira edição deste trabalho. Tradução de Eugênio Amado.
8. CYRANO DE BERGERAC — Edmond Rostand — Com uma "Nota dos Editores" ilustrada por Mario Murtas. Tradução em versos por Carlos Porto Carreiro.
9. TESTAMENTO — François Villon — Edição bilingue — Tradução, cronologia, prefácio e notas de Afonso Félix de Souza.
10. DOM QUIXOTE APÓGRIFO — Alonso Fernandez de Avelaneda — Tradução, prefácio e notas de Eugênio Amado — Ilustrações de Poty.
11. GARGÂNTUA E PANTAGRUEL — Rabelais — Tradução de David Jardim Júnior.
12. AVENTURAS DO BARÃO DE MÜNCHHAUSEN — G.A. Burger — Tradução de Moacir Werneck de Castro — Ilustração de Gustave Doré.
13. O PARAÍSO PERDIDO — John Milton — Ilustrações de Gustave Doré — Tradução de Antônio José Lima Leitão.
14. SHAKESPEARE - Peças Escolhidas - (Romeu e Julieta, Hamlet, Macbeth) - William Shakespeare
15. GIL BLAS DE SANTILLANA — Lesage — Em 2 volumes. Tradução de Bocage — Ilustrações de Barbant — Vinheta de Sabatacha.
16. DECAMERON — Giovanni Boccaccio — Tradução de Raul de Polillo — Introdução de Eldoardo Bizzarri.
17. QUO VADIS — Henrik Sienkiewicz — Tradução de J. K. Albergaria — Ilustrações Dietricht, Alfredo de Moraes e Sousa e Silva — Gravuras de Carlos Traver.
18. MEMÓRIAS DE UM MÉDICO — Alexandre Dumas (1. José Bálsamo — 2. O Colar da Rainha — 3. A Condessa de Charny — 4. Angelo Pitou — 5. O Cavalheiro da Casa Vermelha).
19. A ORIGEM DO HOMEM (e a seleção sexual) — Charles Darwin — Tradução Eugênio Amado.
20. CONVERSAÇÕES COM GOETHE — Johann Peter Eckermann — Tradução do alemão e notas de Marina Leivas Bastian Pinto.
21. PERFIS DE MULHERES — José de Alencar
22. ÚLTIMOS CONTOS — Hans Christian Andersen
23. ANNA KARÊNINA — Leon Tolstói
24. CONTOS — Machado de Assis
25. E O VENTO LEVOU — Margaret Mitchell

DOM QUIXOTE
APÓCRIFO

GRANDES OBRAS DA CULTURA UNIVERSAL

Diretor editorial
Henrique Teles

Produção editorial
Eliana Nogueira

Arte gráfica
Ludmila Duarte

Revisão
Cláudia Rajão

Tradução
Eugênio Amado

Capa
Cláudio Martins

Ilustrações
Poty

EDITORA GARNIER
Belo Horizonte
Rua São Geraldo, 67 - Floresta - Cep.: 30150-070 - Tel.: (31) 3212-4600
e-mail: vilaricaeditora@uol.com.br

ALONSO FERNANDEZ DE AVELLANEDA

DOM QUIXOTE APÓCRIFO
(1614)

Título Original em Espanhol:

"Segundo Tomo del Ingenioso Hidalgo Don Quijote de la Mancha",
atualmente editado com o título de
"El Quijote Apócrifo".

Dados Internacionais de Catalogação na Publicação (CIP) de acordo com ISBD

A9491 Avellaneda, Alonso Fernandez de

    Dom Quixote Apócrifo / Alonso Fernandez de Avellaneda - 2ª
ed. - Belo Horizonte, MG : Garnier, 2020.
    328 p. : il. ; 16cm x 23 cm.

    Inclui índice.
    ISBN 978-85-7175-168-2

    1. Literatura espanhola. I. Título..

2020-316   CDD 860
            CDU 821.134.2

Elaborado por Vagner Rodolfo da Silva - CRB-8/9410

Índice para catálogo sistemático:

1. Literatura espanhola 860
2. Literatura espanhola 821.134-2

Copyright © 2020 Editora Garnier.

Todos os direitos reservados pela Editora Garnier.
Nenhuma parte desta publicação poderá ser reproduzida
sem a autorização prévia da Editora.

ÍNDICE

Aprovação	9
Licença	10
Prólogo	12
Soneto	15
Capítulo I	16
Capítulo II	25
Capítulo III	35
Capítulo IV	42
Capítulo V	52
Capítulo VI	57
Capítulo VII	66
Capítulo VIII	74
Capítulo IX	82
Capítulo X	86
Capítulo XI	92
Capítulo XII	102
Capítulo XIII	111
Capítulo XIV	121
Capítulo XV	130
Capítulo XVI	141
Capítulo XVII	149
Capítulo XVIII	159
Capítulo XIX	168
Capítulo XX	177

Capítulo XXI 184

Capítulo XXII 190

Capítulo XXIII 199

Capítulo XXIV 207

Capítulo XXV 219

Capítulo XXVI 230

Capítulo XXVII 240

Capítulo XXVIII 251

Capítulo XXIX 261

Capítulo XXX 268

Capítulo XXXI 275

Capítulo XXXII 283

Capítulo XXXIII 291

Capítulo XXXIV 300

Capítulo XXXV 308

Capítulo XXXVI 316

Frases e Expressões latinas constantes do original 327

APROVAÇÃO

Por comissão do senhor doutor Francisco de Torme y de Liori, da Santa Igreja de Tarragona, Oficial e Vigário geral, pelo ilustríssimo e revendíssimo senhor Dom Juan de Moncada, Arcebispo de Tarragona e do Conselho de Sua Majestade, eu, Rafael Ortoneda, doutor em Santa Teologia, li o livro intitulado SEGUNDO TOMO DO ENGENHOSO FIDALGO DOM QUIXOTE DE LA MANCHA, composto pelo Lincenciado Alonso Fernández de Avellaneda, e a mim parece que não contém coisa desonesta ou proibida pela qual não se deva imprimir, e que se trata de livro curioso e de entretenimento. E por esta razão firmo de próprio punho a presente aprovação, hoje, aos 18 dias de abril do ano de 1614.

DOUTOR RAFAEL ORTONEDA.

LICENÇA

    Nós, o doutor Francisco de Torme y de Liori, cônego da Santa Igreja de Tarragona, e pelo ilustríssimo e reverendíssimo senhor Dom Juan de Moncada, pela graça de Deus Arcebispo de Tarragona e do Conselho de Sua Majestade, no espiritual e no temporal, Vigário geral e Oficial: atendida a relação do doutor Rafael Ortoneda, a quem incumbimos que visse e examinasse este livro que se intitula SEGUNDO TOMO DE DOM QUIXOTE DE LA MANCHA, composto pelo Licenciado Alonso Fernández de Avellaneda, o qual não contém coisa desonesta ou proibida, damos e outorgamos licença para que se possa imprimi-lo e vendê-lo neste Arcebispado. Escrita e firmada de nosso próprio punho, na dita cidade de Tarragona, a 4 de junho de 1614.

DOUTOR E CÔNEGO FRANCISCO DE TORMES Y DE LIORI
Vig. Ger. e Of.

AO ALCAIDE E AOS CONSELHEIROS E FIDALGO DA NOBRE VILA DE ARGAMESILLA DE LA MANCHA, PÁTRIA DITOSA DO FIDALGO CAVALEIRO DOM QUIXOTE, ILUSTRE DOS PRATICANTES DA CAVALARIA ANDANTESCA.

Antigo é o costume de dedicar os livros que tratam das excelências e façanhas de algum homem famoso às pátrias ilustres que, quais mães, os criaram e deram à luz, donde competirem mil cidades pelo privilégio de serem o torrão natal de todo personagem assim o é o fidalgo cavaleiro Dom Quixote de la Mancha — tão conhecido no mundo por suas inauditas proezas —, justo é que seja também essa venturosa vila que Vossas Mercês regem, pátria tanto dele como de seu fidelíssimo escudeiro Sancho Pança, à qual dedico esta Segunda Parte, que relata as vitórias daquele e os bons serviços deste, não menos invejados que verdadeiros.

Recebam, pois, Vossas Mercês, sob sua manchega proteção, o livro e o zelo de quem, contra mil detrações, o elaborou, fazendo por merecê-la tanto por isto, como pelo perigo a que se expôs, colocando-o nas mãos do público, vale dizer, nos chifres de um touro indômito, etc.

PRÓLOGO

    Como a história de Dom Quixote de la Mancha é quase uma comédia, não pode nem deve começar sem prólogo. Assim, sai no princípio desta segunda parte de suas façanhas este, menos fanfarronesco e agressivo que o escrito por Miguel de Cervantes Saavedra em sua primeira parte, e mais humilde que o anteposto em suas novelas, mais satíricas que exemplares, conquanto não pouco engenhosas. Não se parecerão com as dele são as razões desta história, que se prossegue com a autoridade com a qual ele a começou, e com a cópia de fiéis relatos chegados a sua mão — e digo no singular porque ele próprio com a autoridade com a qual ele a começou, e com a cópia de fiéis relatos chegados a sua mão — e digo no singular porque ele próprio confessa só possuir uma; e falando tanto de todos, temos de dizer dele que, como soldado, tão velho em anos como moço em brios, possui mais língua que mãos — mas que se queixe de meu trabalho pelo ganho que lhe tiro de sua segunda parte; pois não poderá, pelos menos, deixar de confessar termos ambos o mesmo fim, qual seja o de desterrar a perniciosa lição dos vãos livros de cavalaria, tão encontradiça em gente rústica e ociosa. Nos meios, porém, nós nos diferenciamos, pois ele tomou por tais ofender-me, como também ofender a quem justamente celebram as nações mais estrangeiras, e a nossa deve tanto, por haver levado honestíssimo e fecundo entretenimento aos teatros de Espanha durante anos, com estupendas e inúmeras comédias, com o rigor artístico exigido pelo mundo, e com a segurança e limpeza que de um ministro do Santo Ofício se deve esperar.

    Não só tomei por meio entremear a presente comédia com as ingenuidades de Sancho Pança, evitando ofender a quem quer que seja ou fazer ostentação de sinônimos desnecessários, embora pudesse fazer bem o segundo, e mal o primeiro. Só digo que ninguém deve espantar-se de pertencer a autor diferente esta segunda parte, pois não é novidade pessoas diferentes prosseguirem a mesma história. Quantos não trataram dos amores de Angélica e de seus sucessos? As Arcádias, diversos as descreveram. A Diana não é toda de uma só mão. E como Miguel de Cervantes já está tão velho como o castelo de São Cervantes, e devido aos anos seja tão difícil de contentar, de vez que tudo e todos o enfadam, estando por isso tão falto de amigos que, quando quer enfeitar seus livros com sonetos pomposos, tenha de dedicá-los — como ele o faz — ao Preste João das Índias ou ao imperador de Trapisonda, por não encontrar em toda a Espanha, quiçá, portador de título de nobreza que não se ofenda ouvindo o nome em sua boca, enquanto tantos permitem que os seus constem dos inícios dos livros do autor contra o qual ele tanto murmura, e praza a Deus que deixe de fazê-lo, agora que ele foi acolhido e consagrado pela Igreja! Contente-se com sua Galateia e suas comédias em prosa, que disso não passa a maior parte de suas novelas. Não nos canse. Santo Tomás, na 2, 2, q. 36, ensina que a inveja é a tristeza causada pelas posses e pelo crescimento alheio, doutrina que extraiu de São João Damasceno. A esse vício, dá por filhos São Gregório, no livro 31, cap. 31 da exposição moral que fez a propósito do Santo Jó, ao ódio, ao murmúrio e à detração do próximo, ao prazer por seus pesares e ao pesar por suas venturas. E bem se chama a este pecado da *inveja a non videndo, quia invidus non potest videre bona aliorum*[1]. Efeitos todos tão infernais como sua causa, tão contrários aos da caridade cristã, de quem disse São Paulo, em 1.° Corínt., v. 13: *Charitas patiens est, benigna est, non emulatur; non agit perperam, non inflatur, non est ambitiosa, congaudet, veritati,*[2] etc. Todavia, pode desculpar os erros de sua primeira parte, no tocante a este assunto, o fato de ter sido escrita entre encarcerados, pois assim não pôde deixar de sair maculada por eles, nem se

13

mostrar menos queixosa, murmuradora, impaciente e colérica, quais os que se acham no cárcere. Em algo esta segunda parte se diferencia da sua primeira, porquanto tenho humor oposto ao seu, e, em matéria de opiniões quanto às coisas da História, e tão autênticas quanto esta, cada qual pode dar as que melhores lhe parecerem, mormente se para tanto lhe abre campo dilatado a cáfila dos papéis que para compô-la ele leu, e que são tantos como os que deixeis de ler.

Não me venha quem quer que seja murmurar que não se deveria permitir a impressão de semelhantes livros, pois este não ensina a ser desonesto, mas sim a não ser louco. E permitindo-se tantas Celestinas, que já andam mãe e filha pelas praças, bem se pode permitir pelos campos um Dom Quixote e um Sancho Pança, a quem jamais se conheceu vício; antes mui bons desejos de desagravar órfãs, desfazer tortos, etc.

NOTAS
1 e 2 — A tradução destas e das outras expressões e frases latinas constantes do texto aparecem no final deste volume.

DE PERO FERNÁNDEZ

SONETO

Embora as descrições das valentias
caibam melhor aos doutos e sisudos,
e eu seja o mais minguado entre os miúdos,
de bom talante expondo altas porfias.
E já que a Fama, num sem-fim de dias,
escondidos guardava em livros mudos
os feitos mais sem tino e cabeçudos
que se viram de Illescas até Olias,
entrego a vós, que tanto as aprecias,
as segundas sandices sem medida
do manchego fidalgo Dom Quixote,
para que, por seus feitos, aprendais
que quem só quer correr em ágil trote,
não pode desfrutar da boa vida.

QUINTA PARTE

CAPÍTULO I

DE COMO DOM QUIXOTE DE LA MANCHA VOLTOU A SUAS ALUCINAÇÕES DE CAVALEIRO ANDANTE, E A CHEGADA A ARGAMESILLA, SUA TERRA, DE CERTOS CAVALHEIROS GRANADINOS.

O sábio Alissolão, historiador não menos moderno que verdadeiro, diz que, sendo expulso os mouros agarenos de Aragão, de cuja nação ele descendia, entre certos anais de histórias achou, escrita em caracteres arábicos, terceira saída empreendida pelo invicto fidalgo Dom Quixote de la Mancha, deixando o povoado de Argamesilla para participar das justas que se realizaram na insigne cidade de Saragoça, e diz desta maneira:

"Depois de haver sido levado Dom Quixote pelo Cura e pelo Barbeiro, além da formosa Dorotea, a sua terra, numa jaula, acompanhado de Sancho Pança, seu escudeiro, foi encerrado num aposento, tendo ao pé uma grossa e pesada cadeia. Ali, tratado a caldos e outros alimentos fortes e substâncias, fizeram-nos voltar pouco a pouco a seu juízo natural. E para que não retomasse as antigas alucinações de seus fabulosos livros de cavalaria, passados alguns dias de seu comportamento, começou instantemente a rogar a Magdalena, sua sobrinha, que lhe buscasse algum bom livro com o qual pudesse entreter aqueles setecentos anos que julgava iria durar aquele tenebroso encantamento. A sobrinha, seguindo o conselho do cura Pedro Pérez e de mestre Nicolás, o barbeiro, deu-lhe um

Flos Sanctorum, de Villegas, os Evangelhos e as Epístolas de todo um ano, em vulgar, e o *Guia dos Pecadores*, de Frei Luís de Granada. Com tais lições, esquecendo-se das quimeras dos cavaleiros andantes, em seis meses ele retornou a seu antigo juízo, sendo libertado da prisão em que se achava. Depois disto, começou a ir à missa, levando nas mãos o rosário e as *Horas de Nossa Senhora*, e ouvindo com grande atenção os sermões.

Deste modo, todos os vizinhos do lugar julgavam-no inteiramente recuperado de seu acidente, dando muitas graças a Deus, sem que ninguém ousasse mencionar — a conselho do cura — nenhum dos incidentes que ele havia enfrentado. Não mais o chamavam de *Dom Quixote*, mas sim de *Senhor Martín Quijada*, que era seu nome verdadeiro. Em sua ausência, porém, costumavam divertir-se com os casos que dele se contavam, e dos quais todos se recordavam, como o de resgatar e libertar os galeotes, o da penitência que fez na Sierra Morena e tudo o mais que nas primeiras partes de sua história se refere.

Sucedeu pois nesse tempo, que, sobrevindo a sua sobrinha, durante o mês de agosto, uma febre daquelas que os físicos chamam de *efêmeras*, e que duram vinte e quatro horas, o acidente foi tal, que bastou esse tempo para que Magdalena morresse, deixando o bom fidalgo só e desconsolado. O cura enviou-lhe uma boa cristã, velha e muito devota, para morar em sua casa, preparar a comida, fazer a cama e acudir a tudo o que fosse necessário a sua pessoa, e para que, por fim, aviasse a ele ou ao barbeiro acerca de tudo o que Dom Quixote fizesse ou dissesse dentro ou fora de casa, a fim de que vissem se ele sofrera alguma recaída na néscia porfia de sua cavalaria andantesca.

Sucedeu, pois, nesse tempo, que num dia santo excessivamente quente, depois da refeição, veio visitá-lo Sancho Pança. Achando-o em seu quarto, lendo o *Flos Sanctorum*, disse-lhe:

— Que faz, Senhor Quijada? Como vai?

— Ó, Sancho! — respondeu Dom Quixote. — Sê bem-vindo. Senta-te aqui um pouco; por minha fé que estava com grande desejo de conversar contigo.

— Que livro é esse — disse Sancho — que vosmecê está lendo? Será de cavalarias como aquelas em que nos metemos tão isentamente no ano passado? Leia um pouco mais, peço a vosmecê, para ver se há aí algum escudeiro que tenha tido melhor sorte que a minha. Quero que se rasgue o meu saio, se aquela burla de cavalaria não me custou mais de vinte e seis reais, o meu bom Ruço, furtado por aquele tratante do Ginesillo, e se não acabei sem rei nem roque, correndo o risco de ser eleito o rei dos galos pela rapaziada, durante os folguedos do carnaval. Enfim, todo o meu trabalho até agora foi em vão.

— Não estou lendo livro de cavalaria — respondeu Dom Quixote —, pois não tenho um sequer. Estou lendo este *Flos Sanctorum*, que é muito bom.

— E quem foi esse *Flossantório*? — perguntou Sancho. — Foi rei, ou algum gigante daqueles que se transformaram em moinhos há coisa de um ano?

— Como sempre, Sancho — respondeu Dom Quixote —, não passas de néscio e rude. Este livro trata das vidas dos santos, como a de São Lourenço, que morreu assado; de São Bartolomeu, que morreu esfolado; de Santa Catarina, que teve de passar pela roda das navalhas, e assim conta a de todos os demais santos e mártires de calendário. Senta-te, para que te leia a vida do santo que hoje, 20 de agosto, é celebrado pela Igreja: São Bernardo.

— Por Deus! — exclamou Sancho — que não sou amigo de saber das vidas alheias. Além do mais, de má vontade deixaria que me arrancassem a pele ou me assassem na grelha! Mas diga-me: a São Bartolomeu esfolaram e a São Lourenço puseram para assar depois de mortos, ou ainda com um restinho de vida?

— Ouçam que insensatez! — disse Dom Quixote. — Vivo, esfolaram um; vivo, assaram o outro.

— Que filho da puta esse tal de *Flossantório*! — disse Sancho. — Como deve ter ardido lá neles! Nesses assuntos, por Deus, não valho um figo! Rezar de joelhos meia dezena de credos, vá lá; até mesmo jejuar, desde que comesse razoavelmente uma três vezes por dia, bem que poderia suportar.

— Todas as agruras — disse Dom Quixote — que padeceram os santos de que te falei, bem como os demais de que trata este livro, eles as aceitaram valorosamente por amor de Deus, e desse modo ganharam o reino dos céus.

— Por minha fé — disse Sancho —, faz um ano que passamos por enormes infortúnios, para ganhar o reino de Micomicão, e acabamos feito micos; mesmo assim, vossa mercê parece querer agora que nos tornemos santos andantes, para ganhar o paraíso terrestre! Mas vamos deixar isso de lado. Leia, e vamos ver como foi a vida de São Bernardo.

Leu-a o bom fidalgo e a cada folha fazia alguns comentários edificantes, mesclados com sentenças filosóficas, donde demonstrava ser homem de bom entendimento e juízo claro, se o não houvesse perdido em razão de se entregar sem moderação à leitura de livros de cavalarias, quer formam a causa de toda a sua alucinação.

Disse Dom Quixote, ao acabar de ler a vida de São Bernardo:

— Que te parece, Sancho? Já leste a vida de um santo que tenha amado Nossa Senhora mais do que este? Que fosse mais devoto em orações, mais terno em lágrimas e mais humilde em obras e palavras?

— Afianço — disse Sancho — que era santo dos legítimos! Quero ser devoto dele daqui por diante, pois se me acontecer algum problema, como aquele em que fui manteado na venda, espero que ele me venha ajudar, já que vossa mercê não pôde saltar a cerca do pátio. Mas, sabe, senhor Quijada, acabo de me lembrar que o filho de Pedro Alonso, aquele que está na escola, domingo passado nos reuniu debaixo de uma árvore, perto do moinho, e ficou mais de duas horas lendo um livro para nós! O livro é uma verdadeira maravilha, muito maior que esse *Flossantório*, tendo na capa um homem armado e montado a cavalo, com uma espada mais larga que esta mão — e isso fora da bainha! Está dando um tal golpe numa pedra, que a rachou pelo meio — que porretada! — e pela rachadura está saindo uma serpente, e ele está cortando a cabeça dela! Isso sim, corpo que não é de Deus, é que é livro bom!

— Como se chama? — perguntou Dom Quixote. — Se não me engano, o rapaz do Pedro Alonso creio que me furtou, há coisa de um ano, esse livro, e deve ser um que se chama *Dom Florisbião de Candária*, valorosíssimo cavaleiro. Ali também aparecem outros também valorosos, como Almiral de Suácia, Palmeirim do Pomo, Blastrodas da Torre e o gigante Maleorte de Bradanca, além de duas famosas feiticeiras: Zuldasa e Dalfadeia.

— Por minha fé que vossa mercê tem razão — confirmou Sancho. — Foram essas duas que levaram um cavaleiro ao castelo de não-sei-como-se-chama.

— De Azefaros — disse Dom Quixote.

— Isso mesmo! — disse Sancho . — Se puder, hei de furtá-lo e trazê-lo para cá no próximo domingo, para que o possamos ler. Embora eu não saiba ler, fico satisfeito de escutar aquelas terríveis cutiladas que partem homem e cavalo de um só golpe.

— Então, Sancho — disse Dom Quixote, — Faz-me o favor de trazê-lo, mas há de ser de maneira que nem Cura, nem ninguém, fique sabendo.

— Prometo — disse Sancho, — e ainda esta noite, se puder, hei de trazê-lo guardado embaixo da barra do saio. Fique vossa mercê com Deus, que minha mulher deve estar esperando por mim para jantar.

Foi-se Sancho, deixando o bom fidalgo de cabeça quente com as lembranças que ele lhe trouxera à memória, de suas esquecidas cavalarias. Fechou o livro e começou a passear pelo quarto, imaginando terríveis quimeras e trazendo à fantasia tudo aquilo que outrora costumava absorvê-lo inteiramente.

Nisto, o sino chamou para as vésperas, e ele, tomando a capa e o rosário, foi assisti-las, junto com o Alcaide, que morava perto de sua casa. Terminadas as preces, foram-se os alcaides, o Cura, Dom Quixote e todas as demais pessoas de prol do povoado à praça, onde, formando um grupo, começaram a prosear sobre o que mais lhes agradava. Foi então que viram entrar pela rua principal quatro nobres a cavalo, seguidos de seus criados e pajens, além de doze lacaios conduzindo doze cavalgaduras ricamente ajaezadas. Avistando-os os que estavam na praça, aguardaram um pouco, sem saber do que se tratava. Então, disse o Cura, dirigindo-se a Dom Quixote:

— Benza-nos Deus, Senhor Quijada, que se essa gente estivesse chegando aqui há coisa de seis meses, a vossa mercê isso haveria de imaginar que esses cavaleiros estariam levando, contra a sua vontade, alguma princesa de nobre estirpe, e que aqueles que agora estão apeando seria quatro descomunais gigantes, senhores do castelo de Bramiforão, o feiticeiro.

— Já tudo isso, senhor Licenciado — disse Dom Quixote — são águas passadas, as quais, como se costuma dizer, não movem moinhos. Mas cheguemo-nos até eles para saber quem são, porque se não me engano, devem estar indo para a Corte resolver negócios de importância, já que seus trajes, demonstram tratar-se de gente de alto coturno.

Chegaram-se todos para perto deles e, após as devidas cortesias, o Cura, adiantando-se aos demais, dirigiu-lhes a palavra, dizendo:

— Por certo, senhores cavaleiros, que nos aflige muito ver que pessoas de tal envergadura venham pousar num lugar tão acanhado quanto este, tão desprovido de todo o conforto e boa acolhida dignos de vossas mercês. Aqui não existe estalagem ou pousada em que caibam tantas pessoas e cavalos. Contudo, estes senhores que aqui se encontram, e aos quais junto minha modesta pessoa, se formos de algum proveito no caso de decidirem pernoitar aqui, procuraremos que se lhes dê o melhor tratamento que for possível.

Um dos nobres, que parecia ser o principal, agradeceu em nome de todos, dizendo:

— Somos extremamente gratos, senhores, pela boa vontade que demonstram mesmo sem nos conhecer, e ficaremos obrigados, com mui justa razão, a manter na memória tamanha prova de cortesia. Somos cavaleiros granadinos e nos dirigimos à insigne cidade de Saragoça, a fim de participarmos das justas que ali se realizam. Desde que tivemos notícia de serem elas patrocinadas por uma valente cavaleiro, dispusemo-nos a enfrentar tal desafio, esperando obter nelas alguma honra, impossível de se alcançar sem ousadia. Pensávamos prosseguir ainda por umas duas léguas, mas os cavalos e os criados estão algo fatigados, donde nos ter parecido sensato pernoitarmos hoje por aqui, mesmo correndo o risco de dormir no poial da igreja, desde que o senhor Cura nos dê licença para tal.

Um dos alcaides, que entendia mais de colher e de jungir as mulas e os bois de sua lavoura, que de razões cortesãs, respondeu:

—Não é preciso dar licença nenhuma a suas mercês, que aqui lhes faremos a mercê de alojá-los esta noite. Umas setecentas vezes por ano chegam-nos bandos de fanfarrões maiores ainda, e não são tão agradecidos e bem-falantes quanto o são vossas mercês; e por minha fé que nos custa ao Conselho mais de noventa maravedis por ano.

O Cura, a fim de impedir que as asneiras fossem mais longe, disse-lhes:

— Vossas mercês, meus senhores, hão de ter paciência, pois iremos alojá-los a nosso modo, e há de ser desta maneira: os dois senhores alcaides levarão para suas casas estes dois senhores cavaleiros, com todos os seus criados e cavalos; eu levarei vossa mercê, e o Senhor Quijada a estoutro senhor. Cada qual, de acordo com seus recursos e possibilidades, procure tratar bem o hóspede que lhe couber, porque, como se diz, o hóspede, seja quem for, merece ser honrado. E por se tratar destes senhores, tanto maior obrigação temos de servir-lhes, pelo menos para que não possam dizer que, chegando a um lugar de gente tão polida, embora pequeno, tiveram de dormir, como disse este senhor que o fariam, no poial da igreja.

Dom Quixote dirigiu-se ao que lhe coubera por sorte, e que parecia ser o mais importante de todos:

21

— Por certo, senhor cavaleiro, fui mui ditoso por querer vossa mercê servir-se de minha casa, a qual, embora desprovida do necessário para acudir ao perfeito serviço de tão grande cavaleiro, estará pelo menos repleta de boa vontade, da qual poderá vossa mercê desfrutar sem quaisquer cerimônias.

— Por certo, senhor fidalgo — respondeu o cavaleiro, — que me considero bem-afortunado em receber mercê de quem tão gentis palavras profere, e com as quais, certamente, haverão de concordar as obras.

Em seguida, despedindo-se uns dos outros, seguiu cada qual com seu hóspede, depois de acertarem sair de manhã bem cedo, por causa do excessivo calor que então estava fazendo.

Seguiu Dom Quixote para casa com o cavaleiro que lhe coubera por sorte. Deixando os cavalos num pequeno estábulo, ordenou à velha ama que preparasse umas aves e uns pombinhos, que tinha em casa com não pequena abundância, a fim de que toda aquela gente ceasse. Em seguida, mandou um menino chamar Sancho Pança, para que ele ajudasse naquilo que fosse mister. Este acorreu prontamente, de muito boa vontade.

Enquanto se preparava a ceia, Dom Quixote e o cavaleiro ficaram passeando no pátio, tomando a fresca, e entre outros assuntos, perguntou-lhe Dom Quixote a causa que o havia movido a vir de tantas léguas para aquelas justas, e como ele se chamava.

Respondeu o cavaleiro que se chamava Dom Álvaro Tarfe, e que descendia da antiga linhagem dos mouros Tarfes, de Granada, parentes próximos de seus reis, e valorosos por suas próprias pessoas, conforme se lê nas crônicas dos reis daquele reino, com respeito aos Abencerrages, Zegris, Gomeles e Maças, que se tornaram cristãos depois que o Rei Católico Fernando conquistou a insigne cidade de Granada. Ele agora estava fazendo essa jornada em honra de um anjo, um verdadeiro serafim em trajes de mulher.

— Esse serafim — prosseguiu — é a rainha de minha vontade, o objeto de meus desejos, o centro dos meus suspiros, o arquivo do meu pensamento, o paraíso de minhas memórias, e, finalmente, a glória consumada da vida que possuo. Foi ele, ou melhor, ela, que me ordenou partir para essas justas e disputá-las em seu nome, a fim de trazer-lhe alguma das ricas joias e preciosos artigos com os quais se premiam os venturosos aventureiros vencedores. Vou certo, bastante seguro, e meus trabalhos alcançarão a glória que por tão longos dias tenho almejado com tão inflamado desejo.

— Por certo, senhor Dom Álvaro Tarfe — disse Dom Quixote, — tem essa senhora enorme obrigação de corresponder aos justos rogos de vossa mercê, por diversas razões. Primeiro, pelo trabalho que está tendo vessa mercê de empreender tão longa viagem, enfrentando este tempo tão terrível. Segundo, por seguir unicamente por mandado dela, pois assim, ainda que as coisas sucedam ao contrário de seu desejo, terá cumprido sua obrigação de fiel amante, fazendo de sua parte tudo o que era possível. Mas suplico a vossa mercê esclareça-me melhor quanto a essa formosa senhora, informando-me sua idade e seu nome, bem como o de seus nobres pais.

— Mister seria — respondeu Dom Álvaro —um alentado calepino para dar conta de uma dessas três informações que vossa mercê solicita. Assim, passando por alto as duas derradeiras, pelo respeito que devo a sua qualidade, falo apenas de sua idade, que é dezesseis, e de sua formosura, que é tanta, que mesmo aqueles que miram com olhos menos apaixonados que os meus são concordes em afirmar jamais haverem visto, não só em Granada, mas em toda a Andaluzia, criatura mais formosa. Porquanto, afora as virtudes do espírito, ela é sem dúvida branca como o sol, tendo faces da cor das rosas recém-colhidas, dentes de marfim, lábios de coral, colo de alabastro, mãos de leite; em suma: tem todas as graças perfeitíssimas, pelo que a vista pode julgar; embora, a bem de verdade, seja algo pequena de porte.

— Parece-me, senhor Dom Álvaro — replicou Dom Quixote, — que isso não deixa de ser um pequeno defeito, porque uma das condições estabelecidas pelos curiosos para que se considere uma dama formosa é a boa estatura, conquanto seja verdade que várias damas remediam tal defeito com um palmo de chapins valencianos. Porém, tirados tais chapins, que não se podem usar a todo o tempo e lugar, e ficando tais damas de sapatos baixos, eis que se apresentam algo feias, pois as saias e roupas de seda e brocados, cortadas de acordo com a altura que alcançam calçadas em chapins, tornam-se de tal modo compridas que ficam arrastando dois palmos pelo chão. Deste modo, não deixará de tal estatura constituir uma pequena imperfeição quanto à dama de vossa mercê.

— Antes, senhor fidalgo — disse Dom Álvaro, — considero-a maravilhosa perfeição. É bem verdade que Aristóteles, no quarto livro de suas *Éticas*, relaciona, entre as qualidades que deve possuir uma mulher formosa, uma estatura tendente a grande; todavia, outros houve de contrário parecer, uma vez que a natureza, segundo afirmam os filósofos, maiores milagres realiza nos corpos pequenos que nos grandes; além do mais, se ela em algum ponto tivesse cometido erro na formação de um corpo pequeno, este seria mais difícil de ser constatado do que se ocorrido num corpo grande. Não há pedra preciosa que não seja pequena, e os olhos que temos são as menores partes do corpo, e nem por isto deixam de ser as mais belas e formosas. Portanto, meu serafim é um milagre da natureza, que nele quis dar-nos a conhecer como é possível, em diminuto espaço, recolher, com seu maravilhoso artifício, o incontável número de graças que ela pode produzir. Conforme diz Cícero, a formosura em outra coisa não consiste que na conveniente disposição dos membros, fazendo com que os olhos alheios se deleitem em admirar aquele corpo cujas partes se correspondem entre si com certo capricho.

— Parece-me, senhor Dom Álvaro — disse Dom Quixote, — que vossa mercê satisfez com sutilíssimas razões a objeção que propus contra a pequenez de corpo de sua rainha. E como já me parece que a ceia, por ser modesta, já deve estar pronta, suplico a vossa mercê que entremos, pois após a refeição tenho um negócio importante a tratar com vossa mercê, que vejo tratar-se de pessoa que tão bem discorre sobre todas as matérias.

CAPÍTULO II

DAS CONVERSAS HAVIDAS ENTRE DOM ÁLVARO TARFE E DOM QUIXOTE APÓS A CEIA, E DE COMO ESTE LHE REVELOU SEUS AMORES COM DULCINEIA DEL TOBOSO, MOSTRANDO-LHE DUAS CARTAS RIDÍCULAS, DONDE TER O CAVALEIRO CAÍDO NA CONTA DE COMO ERA DOM QUIXOTE.

Depois de oferecer uma ceia razoável a seu nobre hóspede, à guisa de sobremesa, tiradas as toalhas, ouviu Dom Quixote de seus sensatos lábios as seguintes palavras:

— Por certo, Senhor Quijada, causou-me grande estranheza notar que, durante toda a ceia, se tenha mostrado vossa mercê algo diferente da pessoa que conheci quando entrei em sua casa. Na maior parte do tempo, vossa mercê esteve inteiramente absorto, entregue a não sei quais pensamentos, dando-me respostas não muito coerentes, mas antes tão *ad Ephesios*, conforme se diz, que cheguei a suspeitar de que algum grave problema o aflige e oprime o ânimo. De fato, observei-o manter-se durante longo tempo com o bocado sem mastigar, os olhos sem pestanejar, fitando as toalhas num enlevo tal que, tendo-lhe perguntado se era casado, respondeu-me: "Rocinante, senhor, é o melhor cavalo que jamais se criou em Córdova". É por isto que digo haver alguma paixão ou preocupação atormentando vossa mercê, pois não é possível que tal efeito possa provir de outra causa. E essa preocupação costuma ser de tal monta que, como tantas vezes vi em outras pessoas, pode até tirar-lhe a vida, ou então, se for intensa, corromper-lhe o juízo. Assim como o coração se desafoga e descansa, sentindo-se aliviado das melancolias que o oprimem, quando as lágrimas, que são o seu sangue, se evaporam pelos lacrimais dos olhos, do mesmo modo as pessoas sentem alívio de suas dores e aflições, quando comunicam a outrem sua causa, já que o que escuta, não estando dominado pela paixão, pode assim dar ao aflito um conselho sensato e seguro.

Dom Quixote então respondeu-lhe:

— Agradeço, senhor Dom Álvaro, essa boa vontade e do desejo que mostra ter vossa mercê de ajudar-me, mas é normal que os que professamos a ordem da cavalaria e já defrontamos uma infinidade de perigos, seja com feros e descomunais gigantes, seja com malandrins sábios, ou com magos, desencantando princesas, matando grifos e serpentes, rinocerontes e endríagos, fiquemos absortos com alguma dessas ideias, já que se trata de assuntos da honra, quedando suspensos e enlevados, tomados do honroso êxtase, como o que vossa mercê em mim disse ter observado, embora eu não tenha deixado de notá-lo. Mas a verdade é que nenhuma dessas coisas me deixou há pouco absorto e enlevado, pois todas já me aconteceram no passado.

Admirou-se muito Dom Álvaro de ouvi-lo dizer que havia desencantado princesas e matado gigantes, passando a considerá-lo como alguém aquem faltava um pouco de juízo. Assim, para inteirar-se melhor, perguntou:

— Não se poderá saber que causa presentemente aflige vossa mercê?

— São assuntos — respondeu Dom Quixote — que, embora aos cavaleiros andantes nem sempre seja lícito revelar, por ser tão nobre e discreto, além de estar ferido com a própria seta com a qual o filho de Vênus a mim também feriu, vou descobrir-lhe minha dor, não para que me remedie, que só o poderá fazer aquela ingrata bela e dulcíssima Dulcineia, arrebatadora de minha vontade, mas sim para que vossa mercê veja que eu trilho e tenho trilhado a estrada real da cavalaria andantesca, imitando em obras e em amores aqueles valorosos e antigos cavaleiros andantes que foram luz e espelho de todos os que, depois deles, por suas boas prendas fizeram por merecer professar a sacra ordem de cavalaria que professo, quais foram o invicto Amadis de Gaula, Dom Belians de Grécia e seu filho Esplandião, Palmeirim de Oliva, Tablante de Ricamonte, o Cavaleiro do Febo e seu irmão Rosicler, além de outros valentíssimos príncipes, mesmo dos nossos tempos, a todos os quais, já que os tenho imitado em obras e façanhas, imito também quanto aos amores. Portanto, fique sabendo vossa mercê que estou enamorado.

Homem de sutil entendimento, Dom Álvaro logo se deu conta de como era seu hospedeiro. Espantado com sua louca enfermidade, quis avaliar melhor sua extensão, e por isto lhe disse:

— Estou não pouco admirado, senhor Quijada, de que um homem como vossa mercê, magro e enxuto de carnes, e que deduzo já passar dos quarenta e cinco, esteja enamorado, porque o amor não se alcança senão com muitos

26

trabalhos, más noites, piores dias, mil desgostos, ciúmes, aflições, pendências e perigos: estes, e outros que tais, são os caminhos que o amor percorre. Se vossa mercê há de seguir por eles, não me parece possua condições para enfrentar duas incômodas noites de sereno, chuva e neve, como sei por experiência que enfrentam os apaixonados. Diga-me, contudo: essa mulher que vossa mercê ama é daqui mesmo, ou de outro lugar? Gostaria muito, se fosse possível, de vê-la antes de seguir viagem, pois um homem de tamanho bom gosto como o é vossa mercê não deverá ter posto os olhos em anda menos que uma Diana efésia, uma Policena troiana, uma Dido cartaginesa, uma Lucrécia romana ou uma Doralice granadina.

— A todas essas — respondeu Dom Quixote — ela excede em formosura e graça, e só imita em braveza e crueldade a inumana Medeia, mas Deus há de permitir que, com o tempo, que muda todas as coisas, se modifique seu coração diamantino e, com as novas que de mim e de minhas invencíveis façanhas ela venha a ouvir, ele se abrande e se sujeite a minhas súplicas, não menos importunas que justas. Assim, senhor, ela se chama Princesa Dulcineia del Toboso, enquanto eu sou Dom Quixote de la Mancha. Talvez vossa mercê nunca tenha escutado seu nome, mas o mais certo é que o já tenha ouvido, sendo ela tão célebre por seu milagres e prendas celestiais.

Quis Dom Álvaro dar boas gargalhadas quando ouviu nomear a princesa Dulcineia del Toboso, mas dissimulou, para que seu hospedeiro não se aborrecesse com aquilo. Assim, disse-lhe:

— Por certo, senhor fidalgo, ou, melhor dizendo, senhor cavaleiro, que não escutei, em todos os dias de minha vida, o nome de tal princesa, nem creio que haja alguma dessa condição em toda a Mancha, a não ser que se trate de alcunha, do mesmo modo que há aquelas chamadas de Marquesas.

— Nem todos sabem as coisas — replicou Dom Quixote, —mas farei, antes de muito tempo, que seu nome seja conhecido não somente em Espanha, mas em todos os reinos e províncias mais distantes do mundo. É esta, pois, senhor, a que me eleva os pensamentos, a que me faz ficar fora de mim; por ela, estive desterrado muitos dias de minha casa pátria, empreendendo, a seu serviço, heroicas façanhas, enviando-lhe possantes e bravos gigantes e cavaleiros, rendidos a seus pés. Apesar de tudo isso, ela se mostra, aos meus rogos, uma leoa da África e uma tigresa da Hircânia, respondendo-me as cartas que lhe envio, repletas de amor de doçura, com a maior rudeza e desdém que jamais uma princesa escreveu a algum cavaleiro andante. Escrevo-lhe missivas mais longas que as que Catilina endereçou ao senado de Roma, mais heroicas poesias que as de Homero ou Virgílio, mais ternas que as de Petrarca a sua querida Laura, e com episódios mais agradáveis que os que Lucano ou Ariosto descreveram em sua época, ou que na nossa escreveu Lope de Vega a Fílis, e Célia, a Lucinda ou a tantas outras que ele tão divinamente celebrou; por ela, tornei-me , em aventuras, um Amadis; em circunspecção, um Scevola; em sofrimento, um Perineu de Pérsia;

em nobreza, um Eneias; em astúcia, um Ulisses; em constância, um Belisário, e, em derramar sangue humano, um bravo Cid Campeador. E para que vossa mercê, senhor Dom Álvaro, veja ser verdade tudo o que digo, quero mostrar duas cartas que tenho ali naquela escrivaninha: uma, que com meu escudeiro Sancho Pança lhe enviei há alguns dias; outra, que ela me enviou em resposta.

Levantou-se para pegá-las, e Dom Álvaro ficou persignando-se por ver a loucura do hospedeiro, dando-se conta finalmente de que ele estava assaz perturbado com os vãos livros de cavalaria, tendo-os por autênticos e verazes.

Enquanto Dom Quixote abria a escrivaninha, entrou Sancho, de pança bem cheia devido aos sobejos de ceia. Quando Dom Quixote sentou-se com as cartas na mão, ele se debruçou atrás do espaldar de sua cadeira, para acompanhar a conversa.

— Veja aqui — disse Dom Quixote — vossa mercê a Sancho Pança, meu escudeiro, que não me deixará mentir no que toca ao desumano rigor daquela minha senhora.

— Afianço — disse Sancho Pança — que Aldonza Lorenzo, aliás Nogales (pois assim se chamava a infanta Dulcineia del Taboso, conforme consta das primeiras partes desta grave história) não passa de uma grandíssima… faz de conta que eu o disse, porque, por tudo quanto é santo! Há de andar meu senhor metendo-se em tantas cavalarias de dia e de noite, e fazendo cruel penitência na Sierra Morena, dando tantas cabeçadas, e sem comer, por causa de uma…? Mas, cala-te, boca; que por lá se avenha e com seu pão que o coma; que quem erra e se emenda, a Deus se encomenda; que uma alma em solidão não quer choro e nem canção; pois quando e perdiz canta é sinal de chuva, e, à falta de pão, tortas boas são.

Teria Sancho prosseguido com seus refrãos, se Dom Quixote não lhe ordenasse, *imperativo modo*, que se calasse. Mesmo assim, ele ainda replicou, dizendo:

— Quer saber, senhor Dom Tarfe, o que fez a desavergonhada quando lhe entreguei essa carta que agora meu senhor quer ler? Estava a muito porca na cavalariça, porque chovia, enchendo de esterco um cesto, com uma pá. Quando lhe disse que trazia uma carta do meu senhor — infernal dor de barriga lhe mande Deus por isso! — ela pegou uma grande pazada do esterco que estava mais fundo e mais úmido, e atirou-me tudo aquilo, sem dizer "água vai", nestas pecadoras barbas. Eu, como por meus pecados as tenho mas espessas que escova de barbeiro, fiquei mais de três dias tentando tirar os últimos restos daquela porcaria, até terminar, finalmente.

Ouvindo isso, Dom Álvaro deu-se uma palmada na testa, dizendo:

— Por certo, senhor Sancho, que semelhante comportamento não o merecia a vossa grande discrição.

— Não se espante vossa mercê — replicou Sancho, — pois afianço que nos sucedeu, a mim e a meu senhor, quando por amor dela andamos o ano passado em aventuras e desventuras, receber, mais de quatro vezes, umas boas bordoadas!

— Prometo-te — disse colérico Dom Quixote — que, se me levanto, dom velhaco sem-vergonha, e apanho um carapau daquele carro, hei de moer-te as costelas, de modo que te lembrarás disso *per omnia saecula saeculorum*.

— Amém — respondeu Sancho.

Ter-se-ia, levantado Dom Quixote para lhe castigar a ousadia, se Dom Álvaro o não tivesse segurado pelo braço e mantido sentado na cadeira, fazendo com o dedo sinais a Sancho para que se calasse, o que este então o fez.

Abrindo a carta, Dom Quixote disse:

— Vossa mercê está vendo aqui a carta que este aqui levou, dias atrás, a minha senhora, e, junto dela, a resposta que recebi, para que de ambas colija vossa mercê se tenho ou não razão de me queixar de sua inaudita ingratidão.

Sobrescrito da carta: — *À Infanta Dulcineia del Toboso.*

"Se o extremado amor, ó bela ingrata! que assaz abule pelos poros de minhas veias, desse lugar a que me assanhasse contra vossa fermosura, cedo se envergonharia da sandice com que minhas coitas vos causam aborrecido reproche. Cuidai, doce inimiga minha, que não atendo com todas as minhas forças senão em desfazer os tortos de gente desprotegida. Não obstante com frequência eu ande envolto em sangue de ferrabrases, logo meu pensamento se entrega à lembrança de ser prisioneiro de uma das mais eminentes damas que, entre as rainhas de proa, falar se pode. Malgrado tal fato, o que agora vos suplico é que, se algum descomedimento cometi, perdoai-me, que os erros por amar, dignos são de se relevarem. Isto vo-lo solicito de joelhos, ante vosso imperial acatamento. Vosso até o fim da vida,
      o Cavaleiro da Triste Figura
      Dom Quixote de la Mancha."

— Por Deus — disse Dom Àlvaro, rindo — que é a mais galante carta que em seu tempo poderia ter escrito el-rei Dom Sancho de León à nobre Dona Ximena Gomes, na ocasião em que, estando ele ausente, El Cid a consolava! O que me espanta é que, sendo vossa mercê destes nossos tempos, escrevesse agora uma carta em estilo tão antigo, pois já não se usam tais expressões em Castela senão nas comédias que mostram os reis e condes daqueles séculos dourados.

— Escrevi-a deste modo — disse Dom Quixote — porque, já que imito os antigos na fortaleza, qual a que possuíam o conde Fernão Gonçalves, Peranúles, Bernardo e El Cid, quero também imitá-lo quanto às palavras.

— E para que — indagou Dom Álvaro — firmou-se vossa mercê "O Cavaleiro da Triste Figura"?

Sancho Pança, que estivera quieto escutando a carta, disse:

— Fui eu que o aconselhei, e por minha fé que não há nela coisa mais verdadeira do que essa.

— Chamei-me "O da Triste Figura" — retrucou Dom Quixote — não pelo que diz esse néscio, mas porque a ausência de minha senhora Dulcineia me causava tamanha tristeza, que toda a alegria já se me fugira; assim, fiz como Amadis, que se chamou Beltenebros; outro, Cavaleiro dos Fogos; outro, o das Imagens, ou o da Ardente Espada.

Replicou Dom Álvaro:

— E o chamar-se vossa mercê Dom Quixote; foi por imitação a quem?

— A ninguém — respondeu Dom Quixote; — simplesmente porque, como me chamo Quijada, tirei deste nome o de Dom Quixote, no dia em que recebi a ordem de cavalaria. Mas escute vossa mercê, suplico-lhe, a resposta que me escreveu aquela inimiga de minha liberdade:

Sobrescrito: — *A Martin Quijada, o mentecapto.*

"O portador desta bem poderia ser um dos meus irmãos, para lhe dar a resposta nas costelas com um bom porrete. Não entende o que lhe digo, senhor Quijada? Pois juro pela vida de minha mãe, que, se de outra vez me chamar de imperatriz ou rainha, pondo-me nomes burlescos como Infanta Manchega Dulcineia del Toboso, ou outros que tais, conforme é de seu costume, hei de fazê-lo recordar que meu nome verdadeiro é Aldonza Lorenzo ou Nogales, por mar e por terra"

— Veja vossa mercê se haverá no mundo cavaleiro andante mais discreto e sofrido, que possa, sem morrer, tolerar semelhante resposta!

— Ah, filha da puta! — disse Sancho Pança. — Comigo aquela cara-lambida havia de ver! Por minha fé que era capaz de espremê-la que até peidasse! Sei que é moça forçuda, mas se a agarro, não me haveria de escapar entre unhas. Meu senhor Dom Quixote é muito mole! Se lhe enviasse meia dúzia de coices dentro de uma carta, para que lhe fossem aplicados bem na barriga, garanto que não seria tão respondona. Saiba vossa mercê que essas moças — conheço-as melhor que uma moeda de real! — se um homem lhes fala com gentileza, respondem com pescoções e bofetões que até fazem as lágrimas saltar dos olhos! Mas comigo elas não brincam, pois retruco com um coice mais redondo que o de mula de frade-jerônimo, ainda mais se estiver de sapatos novos! Um mais forte não lhes conseguiria dar nem mesmo a mula do Preste João!

Levantou-se rindo Dom Álvaro e disse:

— Por Deus, que se o rei de Espanha soubesse do divertimento que se tem aqui neste lugar, havia de querer tê-lo em casa, mesmo que lhe custasse um milhão. Senhor Dom Quixote, pena que tenhamos de madrugar pelos menos uma hora antes da raiar o dia, para fugirmos do calor do sol. Assim, com licença de vossa mercê, queria tratar de deitar-me.

30

Dom Quixote deu-lhe a licença, e em seguida Dom Álvaro começou a tirar a roupa, pois iria dormir naquele aposento. Assim, pediu a Sancho Pança que lhe descalçasse as botas.

Logo se adiantaram dois de seus pajens, que estavam escutando a conversa parados junto à porta, querendo descalçá-lo, mas Sancho Pança o não consentiu, encarregando-se ele próprio da tarefa. Isto agradou extremamente Dom Álvaro, que lhe disse, enquanto Dom Quixote havia saído do quarto para lhe trazer umas peras em conservas:

— Tirai-as, irmão Sancho; quanto a vós outros, tende paciência.

— Claro que terão — respondeu Sancho, — pois eles não são bestas. Posso não ser um Dom, mas meu pai o era.

— Quê?! — espantou-se Dom Álvaro. — Vosso pai era um Dom?

— Sim, chamavam-no de Dom, ou melhor, de Dão, mas não na frente do nome, e sim atrás.

— Atrás? Como assim? — estranhou Dom Álvaro. — Chamava-se Francisco Dão. José Dão ou Diego Dão?

— Não, senhor — respondeu Sancho. — Chamava-se Pedro, o Remendão.

Riram muito da brincadeira os pajens e Dom Álvaro, que prosseguiu a conversa, perguntando-lhe se seu pai era vivo. Sancho respondeu:

— Não, senhor, ele morreu há mais de dez anos, e de uma das piores enfermidades que se possa imaginar.

— E de que morreu ele? — indagou Dom Álvaro.

— De frieira — respondeu Sancho.

— Santo Deus! — exclamou Dom Álvaro, rindo às gargalhadas. — De frieira! O primeiro homem que, nos dias de minha vida, ouvi dizer que tivesse morrido dessa enfermidade foi vosso pai. Não, não posso acreditar nisso.

— Cada pessoa — disse Sacho — não pode morrer da morte que achar melhor? Pois se meu pai quis morrer de frieira, que tem vossa mercê com isso?

Em meio aos risos de Dom Álvaro e de seus pajens, entrou Dom Quixote e a velha ama, com um prato de peras em conserva e uma garrafa de bom vinho. O fidalgo disse:

— Vossa mercê, meu senhor Dom Álvaro, poderá comer um par destas peras, rebatendo com um cálice de vinho, que isso lhe dará mil vidas.

— Beijo as mãos de vossa mercê — respondeu Dom Álvaro, — senhor Dom Quixote, pelo obséquio que me faz, mas não poderei seguir conselho, pois não tenho o costume de comer coisa alguma depois da ceia, já que me faz mal. Além disso, tenho larga experiência pessoal quanto à verdade do aforismo de Avicena ou Galeno, que reza: o cru sobre o não digerido engendra enfermidade.

— Pois pela vida daquela que me pariu — disse Sancho, — que, embora esse Açucena ou Galena de que sua mercê falou me dissesse mais latinórios que existem em todo o a-b-c, de maneira alguma deixaria eu de comer, tendo-o à mão, assim como não posso deixar de cuspir. Olha só que corpo de São Berlógio! Fique o não comer para os castraleões, que se sustentam de ar.

— Pois pela vida da que adoro — disse Dom Álvaro, espetando uma pera com faca, — que haveis de comer esta daqui, com licença do senhor Dom Quixote.

— Ah, não, por minha vida, senhor Dom Tarfe — respondeu Sancho, — pois essas coisas doces, sendo poucas, me fazem mal, embora seja bem verdade que, quando em quantidade, me trazem grandíssimo proveito.

Mesmo assim, comeu-a. Em seguida, Dom Álvaro se deitou, assim como os pajens, que fizeram outra cama no mesmo quarto. Disse então Dom Quixote a Sancho:

— Vamos, Sancho amigo, ao quarto de cima, onde poderemos dormir durante o resto de noite que nos sobra. Não há para que ir-te agora para tua casa, pois tua mulher já se terá deitado; além disso, tenho um assunto para tratar contigo esta noite, com respeito a um negócio muito importante.

— Por Deus, senhor — disse Sancho, — que esta noite estou para dar bons conselhos, pois estou redondo como uma bola. O único problema é que adormecerei logo, porque meus bocejos estão cada vez mais numerosos.

Subiram os dois para o quarto, deitando-se na mesma cama. Disse então Dom Quixote:

— Sancho, meu filho, bem sabes, ou talvez tenhas lido, que a ociosidade é a mãe e princípio de todos os vícios, e que o homem ocioso está predisposto a imaginar todo tipo de mal, e que, imaginando-o, acabará por torná-lo realidade, e que o diabo quase sempre acomete e derrota facilmente os ociosos, porque faz como o caçador que não atira nas aves enquanto as vê voando, pois assim seria a caça incerta e difícil, mas prefere aguardar que pousem; só então, vendo-as ociosas, é que lhes atira e as mata. Digo isto, amigo Sancho, porque vejo que estamos ociosos há já alguns meses, sem cumprir, eu, com a ordem de cavalaria que recebi; tu, com a lealdade de escudeiro fiel que me prometeste. Eu queria, pois — para que não se diga que tenha recebido em vão o talento que Deus me deu, e seja repreendido como aquele do Evangelho, que embrulhou no lenço o que seu amo lhe confiou, sem querer aumentá-lo, — que retornássemos na possível urgência ao nosso exército militar, a fim de alcançarmos duas coisas: uma, prestar grande serviço a Deus; outra, ser úteis ao mundo, dele desterrando os descomunais ferrabrases e ferozes gigantes que fazem tortos de seus direitos, agravando cavaleiros necessitados e donzelas aflitas. Assim, juntos, ganharemos honra a fama para nós e nossos descendentes, conservando e aumentando a de nossos antepassados. Depois disso, conquistaremos mil reinos e províncias num dá-cá-aquela-palha, com o que seremos ricos e enriqueceremos nossa pátria.

— Senhor — disse Sancho, — não tem que enfiar-me na cachola essas batalhações, pois já conhece o tanto que me custaram aquelas do ano passado, com a perda do meu Ruço, que bom destino tenha; além do quê, jamais me cumpriu com o que mil vezes me tinha comprometido, de que nos veríamos, no prazo de um ano, eu, governador, ou pelo menos rei; minha mulher, almiranta; meus filhos, infantes; nenhuma dessas promessas vejo cumpridas. Vossa mercê está escutando ou dormindo? E minha mulher continua tão Mari-Guitiérrez hoje como era um ano atrás. De mim, não quero cachorro com cincerro. Além do mais, se nosso cura, o licenciado Pero Pérez, fica sabendo que queremos tornar a nossas cavalarias, logo inventará de prender vossa mercê com uma cadeia, por uns seis ou sete meses em *domus Jetro*,[3] como dizem, igual daquela vez. Por isso, digo que não quero seguir com vossa mercê, e me deixe dormir, por sua vida, que meus olhos já estão pregando.

— Olha, Sancho — disse Dom Quixote, — não quero que fiques como da outra vez. Ao contrário, quero comprar-te um asno, no qual vás montado como um patriarca, melhor que o furtado pelo Ginesillo. Dessa vez, iremos ambos com melhor ordem, levando dinheiros e provisões, além de uma maleta com nossa roupa, o que agora vejo ser muito necessário, para que não nos suceda o que sucedeu naqueles malditos castelos encantados.

— Se for dessa maneira — respondeu Sancho, — e pagando-me cada mês meu trabalho, irei de muito boa vontade.

Ouvindo essa resolução, Dom Quixote prosseguiu alegre, dizendo:

— Como Dulcineia se me mostrou tão desumana e cruel, e o que é pior, mal-agradecida a meus serviços, surda a meus rogos, incrédula a minhas palavras e, finalmente, contrária a meus desejos, quero provar, à imitação do Cavaleiro do Febo, que deixou Claridana, e outros muitos, que buscaram novo amor, e ver se em outra acho melhor fé e maior correspondência a meus fervorosos intentos, e ver ainda... Dormes, Sancho? Ah, Sancho!

Nisto, Sancho acordou, dizendo:

— Digo, senhor, que tem razão; que esses gigantaços não passam de grandíssimos velhacos, e está muito certo que lhes causemos problemas.

— Por Deus — queixou-se Dom Quixote, — que estás entendendo bem a história! Eu aqui quebrando a cabeça para explicar aquilo que, depois de Deus, a ti e a mim mais importa, e tu aí, dormindo que nem um arganaz! O que digo, Sancho, é, entendes?...

— Oh, arrenego a puta que me pariu! — exclamou Sancho. — Deixei-me dormir com Barrabás, que creio bem e verdadeiramente em tudo quanto me disser e pensa dizer todos os dias de minha vida!

— Demasiado trabalho tem um homem — disse Dom Quixote — que trata coisas de peso com selvagens como este. Que durma, então. Quanto a mim, enquanto não der cabo e fim a essas honradas justas, nelas obtendo, durante o primeiro, o segundo e o terceiro dia, as joias de mais importância que houver, não haverei de dormir, mas só de velar, traçando com a imaginação o que depois terei de realizar, assim como o arquiteto sábio, que antes de iniciar sua obra já traz confusamente na cabeça todos os aposentos, pátios, capitéis e janelas da casa, para depois construí-los com perfeição.

Por fim, ao bom fidalgo se lhe passou o que da noite restava, imaginando enormes quimeras em sua louca fantasia, ora conversando com os cavaleiros, ora com os juízes das justas, reclamando seu prêmio, e em seguida saudando com reverente mesura uma formosíssima dama ricamente adereçada, a quem presentava, estendendo-lhe, na ponta da lança, rica joia. Com esses e outros desvarios semelhantes, por fim adormeceu.

CAPÍTULO III

DE COMO O CURA E DOM QUIXOTE SE DESPEDIRAM DAQUELES CAVALEIROS, E DO QUE SUCEDEU A ELE E A SANCHO PANÇA DEPOIS QUE ELES SE FORAM.

Uma hora antes de amanhecer, chegaram à porta de Dom Quijada o Cura e os alcaides, que vinham chamar Dom Àlvaro. A suas vozes, Dom Quixote disse a Sancho Pança que lhes fosse abrir a porta, tendo este despertado com enorme tristeza em seu coração.

Entretanto no aposento de Dom Àlvaro, o Cura se assentou juntou a sua cama e lhe perguntou como se houvera com seu hospedeiro, tendo este respondido com breve narrativa do que ocorrera aquela noite. Se não fora tão curto prazo de que dispunha para entrar nas justas, para desfrutar daquela conversa; todavia, pretendia parar ali durante alguns dias, quando de seu regresso. O Cura contou-lhe como era Dom Quixote, e o que lhe havia acontecido no ano anterior, deixando-o deveras assombrado. Entrementes, vendo que o fidalgo se aproximava, mudaram de assunto, fingindo tratarem de outra coisa. Ouvindo seus bons dias, levantou-se Dom Àlvaro, ordenando que se preparassem os cavalos e se tomassem as demais providências à partida.

Neste ínterim, os alcaides e o Cura voltaram a suas casas, para servir o almoço aos seus hóspedes, ficando acertado que todos tornariam à de Dom Quixote, de onde partiriam juntos.

Vendo-se a sós com Dom Quixote, disse-lhe Dom Álvaro:

— Senhor meu, vossa mercê faça-me obséquio de guardar para mim umas armas gravadas em Milão, as quais trago comigo num baú grande. Quando regressar de Saragoça, pegá-las-ei de volta. Não serão necessárias nas justas, onde não me faltarão amigos que me forneçam outras menos delicadas, pois estas o são tanto, que só se prestam para serem admiradas; além disso, causa-me notável embaraço levá-las comigo.

Dizendo isto, mostrou-lhe todas as armas, e eram um peitoral, um espaldar, gola, braceleiras, escarcelas e morrião. Quando as viu Dom Quixote, bateu-se-lhe a passarinha, pois logo imaginou o que poderia fazer com elas. Assim, respondeu:

— Por certo, meu senhor Dom Álvaro, que isto seria o mínimo que eu poderia fazer por vossa mercê. Há de chegar o tempo, espero em Deus, em que vossa mercê se folgará mais de ver-me a seu lado, do que aqui em Argamesilla.

Enquanto se devolviam as armas ao baú, prosseguiu perguntando que divisas pensava ostentar nas justar, que librés, que palavras, que motes. A tudo respondia Dom Álvaro pacientemente, sem compreender que lhe passava pela imaginação ir a Saragoça e fazer o que fez, conforme adiante se dirá.

Nisto, entrou Sancho, muito corado e de cara suada, dizendo:

— Já pode, senhor Dom Tarfe, sentar-se à mesa, que o almoço está pronto.

Dom Álvaro respondeu:

— Tendes apetite para almoçar, Sancho amigo?

— Isso — disse ele, senhor meu, *gloria tibi, Domine*, nunca me falta; é como se diz: a quem bem se alimenta, o diabo não atormenta. Não me lembro, em todos os dias de minha vida, de me haver levantado farto da mesa, a não ser há coisa de um ano, quando meu tio Diego Alonso, mordomo do Rosário, me nomeou repartidor do pão e do queijo da caridade, doados pela confraria. Naquela ocasião, tive de frouxar dois buracos no cinto.

— Deus conserve — disse Dom Álvaro — essa disposição, que dela e de vossa boa condição sinto inveja.

Almoçou Dom Álvaro, e logo depois chegaram os três cavaleiros com o restante da comitiva e o Cura. Já começava a amanhecer. Vendo-os, Dom Álvaro calçou as esporas e montou. Dom Quixote tirou do estábulo o seu Rocinante, já ensilhado, e disse a Dom Álvaro, segurando seu cavalo pelo freio:

— Vossa mercê está vendo aqui, senhor Dom Álvaro, um dos melhores cavalos que a duras penas se poderiam achar em todo o mundo. Não há Bucéfalo, Alfana, Sejano, Babieca ou Pégaso que se lhe iguale.

— Por certo — disse Dom Álvaro, olhando-o e sorrindo — que pode ser como diz vossa mercê, mas ele o não mostra no talhe, porque é demasiado alto e excessivamente comprido, sem falar que está muito magro. Isto, porém, deve ser por causa de sua natureza, já que parece ter algo de astrólogo ou filósofo, ou então pela vasta experiência que haverá de ter das coisas do mundo, uma vez que não terá experimentado poucas, como o mostram os ferimentos encobertos pela sela. Seja como for, é um cavalo digno de louvores, pelo que demonstra ter de discreto e pacífico.

Em seguida, todos foram embora. O Cura e Dom Quixote os acompanharam por quase um quarto de légua. O sacerdote aproveitou para conversar com Dom Álvaro sobre as coisas de Dom Quixote, deixando-o cada vez mais impressionado com aquela estranha forma de loucura. Por fim, em razão dos rogos dos cavaleiros, os dois se despediram e regressaram a Argamesilla, indo cada qual para a sua casa. Chegando Dom Quixote à sua, a primeira coisa que fez, após apear, foi mandar chamar Sancho Pança, com a recomendação de que trouxesse consigo o que prometera, isto é, o *Florisbião de Candária*, livro não menos néscio que impertinente.

Sancho veio voando. Fechados os dois no aposento, tirou debaixo da camisa o livro e o entregou ao fidalgo, que o tomou nas mãos com grande alegria, dizendo:

— Vês aqui, Sancho, um dos melhores e mais verdadeiros livros do mundo, que trata de cavaleiros de grande fama e valor. Quem são El Cid e Bernardo del Cárpio para chegar-lhes aos sapatos!

Colocou-o imediatamente sobre a escrivaninha e repetiu a Sancho por extenso tudo o que lhe dissera na noite anterior, e que este não pudera entender por estar sonolento. Concluindo a conversa, revelou querer partir para Saragoça, a fim de participar das justas, e que pretendia esquecer a ingrata infanta Dulcineia del Toboso, saindo em busca de outra dama que melhor correspondesse a suas atenções. Dali, pensava seguir até a corte do rei de Espanha, onde se daria a conhecer por suas façanhas.

— E travarei amizade — acrescentava o bom Dom Quixote — com os grandes: os duques, marqueses e condes que assistem ao serviço de sua real pessoa. Ali hei de ver se alguma daquelas formosas damas que ficam com a Rainha, enamorada de meu talhe e porte, rivalizando com outras, revela sinais de um verdadeiro amor, seja pelas aparências exteriores de aspecto e vestimenta, seja com cartas ou recados enviados ao aposento que sem dúvida o Rei me há de reservar em seu real palácio, para que dessa maneira, sendo invejado por muitos cavaleiros principais, procurem estes por diversos modos indispor-me com Sua Majestade; sabendo disto, lanço-lhes um desafio, matando a maior parte; deste modo, dada a grande valentia que demonstro em nome de El-Rei nosso senhor, há de Sua Majestade Católica considerar-me como um dos melhores cavaleiros de toda a Europa.

Tudo isso ele dizia com brio, erguendo as sobrancelhas, com voz sonora, empunhando a guarnição da espada (que não havia tirado desde que fora acompanhar Dom Álvaro), que até parecia estar acontecendo naquele momento tudo o que ia descrevendo.

— Quero, pois, Sancho — prosseguiu, — que agora contemples umas armas que o sábio Alquife, meu grande amigo, me trouxe esta noite, quando eu estava planejando a ida da Saragoça. É seu desejo que eu entre com elas naquelas justas, ali obtendo o melhor prêmio que for conferido pelos juízos, com inaudita forma e glória de meu nome e dos andantes cavaleiros do passado, a quem imito, senão mesmo excedo.

E, abrindo uma grande arca onde as havia colocado, tirou-as. Quando Sancho viu as armas novas e tão boas, cheias de emblemas e gravações milanesas, brunidas e limpas, achou que eram de prata, e disse, com pasmo:

— Pela vida do fundador da torre de Babilônia! Se fossem minhas, havia de trocá-las por moedas de oito reais, destas que correm agora, mais redondas que hóstias, pois somente a prata, sem contar as imagens que têm, vale, no barato, vendida no meio da rua, mais de noventa mil milhões. Ah, filhas da puta, traidoras; como reluzem!

E disse, tomando o morrião nas mãos:

— Um chapelão de prata, olha só! Pelas barbas de Pilatos, se tivesse mais quatro dedos de aba, no dia da procissão do Rosário, havemos de pô-lo na cabeça do senhor Cura. Com este chapéu e com aquela capa de brocado, ele há de sair por essas ruas brilhando como um relógio! Mas diga-me, senhor, estas armas, quem as fez? Foi esse tal sábio Esquife, ou nasceram assim do ventre de sua mãe?

— Oh, grande néscio! — disse Dom Quixote. — Estas foram feitas e forjadas junto ao rio Lete, a meia légua da barca de Caronte, pelas mãos de Vulcano, ferreiro do inferno.

— Ih, pestilência dê no ferreiro! — exclamou Sancho. — O diabo poderá ir a sua forja fabricar a ponta da relha do arado! Posso apostar que, como não me conhece, havia de me arrojar uma tijelada daquele piche com terebintina que lá fica ardendo, sobre estas virginais barbas, tão difícil de arrancar quanto o esterco que nelas me atirou Aldonza Lorenzo dias atrás.

Nisto, Dom Quixote tomou as armas, dizendo:

— Quero, amigo Sancho, que vejas como me ficam. Ajuda-me a vesti-las.

E, dizendo e fazendo, logo pôs gorjal, peitoral e ombreira, comentando em seguida:

— Por Deus que estas pranchas parecem um capote, e se não fossem tão pesadas, seriam ótimas para ceifar; ainda mais com essas luvas.

Isto disse enquanto segurava as manoplas.

Por fim, armado de todas as peças, dirigiu-se a Sancho com voz empostada:

— Que te parece, Sancho? Caem bem? Não estás admirado com minha galhardia e brava postura?

Dizia isto marchando pelo quarto, estacando, fazendo continências, pisando duro, alçando a voz fazendo-a mais grossa, grave e repousada. Foi então que lhe sobreveio subitamente uma tal alucinação, que ele, sacando da espada com grande presteza, acercou-se de Sancho, aparentando fúria e dizendo:

— Espera, dragão maldito, serpe da Líbia, basilisco infernal: verás por experiências própria o valor de Dom Quixote, segundo São Jorge em fortaleza.

Verás, digo, se de um golpe não posso partir, não somente a ti, mas a dez dos mais feros gigantes que a nação gigântica jamais produziu.

Sancho, vendo-o avançar contra ele de maneira tão desaforada, começou a correr pelo aposento e, refugiando-se atrás da cama, ia para lá e para cá, fugindo da cólera do amo, o qual dizia, dando cutiladas a torto e a direito pelo quarto, com as quais às vezes arrancava pedaços das cortinas, matas e almofadas da cama:

— Espere, soberbo gigante; chegou a hora em que a divina Majestade quer que pagues as más obras que fizeste no mundo.

Enquanto isto, perseguia Sancho ao redor da cama, proferindo mil injúrias, cada qual seguida por terríveis estocadas e cutiladas. Não fosse cama tão larga, e o pobre Sancho teria passado bem mal. Este, por fim, suplicou:

— Senhor Dom Quixote, por todas quantas chagas tiveram Jó, o senho São Lázaro, o senhor São Francisco, e quem mais é, ou seja, Nosso Senhor Jesus Cristo, e por aquelas benditas setas que seus pais atiraram no senhor São Sebastião, tenha compaixão, piedade, lástima e misericórdia de minha alma pecadora.

Ouvindo isto, enfureceu-se mais ainda Dom Quixote, que disse:

— Oh, soberbo! Pensas agora aplacar, com tuas brandas palavras e rogos, a justa ira que comigo tenho? Devolve, devolve as princesas e cavaleiros que contra toda lei e razão manténs neste castelo! Devolve os ricos tesouros que usurpaste, as donzelas que estão encantadas, e a feiticeira encantadora, causadora de todos esses males.

— Senhor, pecador de mim! — gritava Sancho Pança. — Não sou princesa, nem cavaleiro, nem essa senhora feiticeira que diz, mas tão-somente o infeliz do Sancho Pança, seu vizinho e antigo escudeiro, marido da boa Mari-Gutiérrez, que já se encontra meia-viúva, por obra e graça de vossa mercê! Desventurada da mãe que me pariu e de quem me trouxe aqui!

— Traze-me aqui logo — continuava Dom Quixote, mais encolerizado ainda, — sã e salva e sem lesão nem ferimento algum a imperatriz que mencionei, e depois ficará tua vil e soberba pessoa a minha mercê, entregando-te a mim como vencido que estás.

— Entrego-me, com todos os diabos! — gemeu Sancho. — abre-me a porta, mas primeiro meta a espada na bainha, que logo lhe trarei não somente todas as princesas que há no mundo, mas até mesmo Anás e Caifás, cada qual e quando vossa mercê quiser.

Com vagar e gravidade, Dom Quixote embainhou a espada, esfalfado de tanto dar cutiladas na pobre cama, cujas mantas e almofadas ficaram feito um crivo, e o mesmo teria feito do pobre Sancho, se houvesse podido alcançá-lo.

Este saiu de detrás da cama, pálido, ofegante e cheio de lágrimas de medo, e, pondo-se de joelhos diante de Dom Quixote, disse-lhe:

— Dou-me por vencido, senhor cavaleiro andante. Sua mercê mande perdoar-me, que serei bom todo o resto de minha vida.

— Dom Quixote respondeu-lhe com um verso latino que ele sempre costumava citar:

— *Parcere prostrastis docuit nobis ira leonis* [4].

E concluiu:

— Soberbo gigante, embora tua arrogância não mereça clemência alguma, por imitação àqueles cavaleiros e príncipes antigos, a quem imito e penso imitar, vou perdoar-te, pressupondo que de todo abandones as más obras passadas, e te tornes, doravante, amparo dos pobres e necessitados, desfazendo os tortos e agravos que no mundo, com tanta sem-razão, se fazem.

— Juro e prometo — disse Sancho — fazer tudo isso que me diz. Nisto de desfazer os tortos, porém, diga-me: há de entrar na relação o licenciado Pedro Garcia, beneficiado de Toboso, que é torto de um olho? Pergunto isto, porque não quero intrometer-me em coisas que dizem respeito a nossa Santa Madre Igreja.

Dom Quixote, então, levantou Sancho, dizendo:

— Que te parece, amigo Sancho? Quem faz isto num quarto fechado, contra um único homem, melhor o faria em campo aberto, contra uma centena de homens, por mais bravos que fossem.

— O que me parece — disse Sancho — é que, se quer repetir muitas vezes comigo essas experiências, pode desistir de meu concurso.

Dom quixote lhe respondeu:

— Não vês, Sancho, que era fingido, apenas para mostrar-te meu vigor em combater, minha destreza em derribar e minha manha em acometer?

— Dane-se o puto de minha linhagem! — replicou Sancho. — Por que me atirava aquelas descomunais cutiladas? Não fosse eu ter-me encomendado ao glorioso Santo Antônio, numa delas me teria levado a metade do nariz, pois o vento da espada me passou zunindo pelas orelhas! Esses ensinamentos, quisera que vossa mercê os tivesse aplicado na ocasião em que aqueles pastores, os do exército de ovelhas, lhe arrancaram, com as pedras de suas fundas, aquelas lágrimas de Moisés, juntamente com metade dos seus dentes molares, e não comigo. Como foi a primeira vez, vá lá; mas veja o que faz daqui por diante; e perdoe-me, que vou comer.

— Isso não, Sancho — disse Dom Quixote; — desarma-me e come aqui junto comigo, para que depois possamos tratar de nossa partida.

O convite foi logo aceito por Sancho, que, depois da refeição, foi mandado à casa de um sapateiro, para que trouxesse ao fidalgo duas ou três badanas grandes, para fazer um belo escudo. Ele o fez com papelão e grude, grande como uma roda de fiar cânhamo. Vendeu também dois terrenos e uma excelente vinha, apurando um bom dinheiro para a jornada que planejava empreender. Fez também uma lança comprida, com um ferro da largura de uma mão, e comprou um jumento para Sancho. O jumento é que carregaria a maleta contendo camisas suas e de Sancho, com seu jumento, e Dom Quixote, com Rocinante, segundo narra a nova e fiel história, empreenderam sua terceira e mais célebre saída de Argamesilla, aí pelo final de agosto daquele ano que só Deus sabe, sem que o Cura, o Barbeiro, ou qualquer outra pessoa desse tento senão no dia seguinte ao da sua partida.

CAPÍTULO IV

COMO DOM QUIXOTE DE LA MANCHA E SEU ESCUDEIRO SANCHO PANÇA SAÍRAM PELA TERCEIRA VEZ DE ARGAMESILLA, À NOITE, E DO QUE LHES SUCEDEU NO CAMINHO DESTA TERCEIRA E CÉLEBRE SAÍDA.

Três horas antes de que o rubro Apolo espargisse seus raios sobre a terra, saíram de sua terra o bom fidalgo Dom Quixote de la Mancha e Sancho Pança; o primeiro, sobre seu cavalo Rocinante, armado de todas as peças e de morrião na cabeça, com garboso aspecto e postura; e Sancho, com seu jumento albardado, com uns belos alforjes por cima, além de uma pequena maleta, onde levavam roupa branca.

Saídos da aldeia, disse Dom Quixote a Sancho:

— Já vês, Sancho, como em nossa saída tudo se nos mostra favorável, pois, como podes notar, a lua resplandece e está clara; não topamos até aqui com coisa alguma que se possa tomar por mau agouro; ninguém nos viu sair; em suam: até agora, tudo nos está saindo bem a calhar.

— É verdade — disse Sancho, — mas temo que, não nos encontrando os amigos, hão de sair atrás de nós o Cura e o Barbeiro, junto com outros, e encontrando-nos, mesmo contra a nossa vontade, hão de trazer-nos de volta a nossas casas, amarrados ou metidos numa jaula, como aconteceu no ano passado. Se tal ocorresse, por Deus que seria pior a queda que a recaída.

— Barbeiro covarde — disso Dom Quixote. — Juro pela ordem de cavalaria que recebi, que só por isso que disseste, e para que vejas que não pode caber temor algum em meu coração, estou para regressar e desafiar para um duelo não somente o Cura, como quantos curas, vigários, sacristães, cônegos, arcediágos, deães, chantres, econômos e beneficiados possui toda a Igreja romana, grega e latina, e a quantos barbeiros, médicos, cirurgiães e alveitares militam sob a bandeira de Esculápio, Galeno, Hipócrates ou Avicena. É possível, Sancho, que em tão pouca opinião me tenhas que nunca enxergaste o valor de minha pessoa, as invencíveis forças de meu braço, a inaudita ligeireza de meus pés e o vigor intrínseco de meu ânimo? Ousaria apostar, pois não tenho a menor dúvida disso, que se me abrissem pelo meio e me retirassem o coração, achá-lo-iam como o de Alexandre Magno, de quem se diz que o tinha revestido por um velo, sinal evidentíssimo de sua grande virtude e fortaleza. Portanto, Sancho, doravante não tentes assombrar-me, ainda que me ponhas por defronte mais tigres que produz a Hircânia, mais leões que sustenta a África, mais serpentes que habitam a Líbia e mais exércitos que tiveram César, Aníbal ou Xerxes. E fiquemos nisto, por ora, que a verdade total verás nas famosas justas de Saragoça, aonde agora vamos. Ali verás, com esses olhos que a terra há de comer, o que digo. Para isto, porém, é mister, Sancho, que neste escudo que trago — melhor que aquele de Fez que pedia o bravo mouro granadino, quando em altas vozes ordenava que lhe ensilhassem o potro ruço do alcaide dos Vélez — colocar algum dístico ou divisa, expondo a paixão que leva no coração o cavaleiro que o porta no braço. Assim, quero que, no primeiro lugar que estejam enamoradas de meu brio, encimadas pelo deus Cupido, o qual me assesta uma flecha que eu consigo defender com o escudo, rindo-me dele e olhando as jovens com desdém; e tudo isso encimado pelo dístico O CAVALEIRO DESAMORADO, abaixo do qual vai esta trova, curiosa, embora alheia, e colocada entre minha figura, a de Cupido e a das damas:

As flechas, extrai cupido
das jazidas do Peru
aos homens dando o C-u
a às damas p e o ido.

— E nós — perguntou Sancho, — que vamos fazer com esse tal de "céu"? Trata-se acaso de alguma das joias que havemos de trazer das justas?

— Não — replicou Dom Quixote. — As letras C e U representam as formas de duas belíssimas plumas que alguns soem colocar na cabeça, moldando-as às vezes em ouro, às vezes em prata, ou então da madeira de que se extrai a cera diáfana que reveste as lanternas, chegando alguns com essas plumas até o signo de Áries, outros ao de Capricórnio, enquanto outros se fortificam no castelo de São Cervantes.

— Por Deus — disse Sancho; — se eu tivesse de pôr essas plumas, havia de querer as que são de ouro e prata.

— A ti não convêm — replicou Dom Quixote — esses enfeites, pois tens mulher boa cristã e feia.

— Isso não importa — retrucou Sancho, — pois de noite todos os gatos são pardos; ademais, à falta de colchas, a gente se cobre com manta.

— Deixemos isso — replicou Dom Quixote, — porque diante de nós eis que um dos melhores castelos que a duras penas se poderão encontrar em todos os países altos e baixos, e nos estados de Milão e Lomardia.

Disse isto ao divisar uma venda distante um quarto de légua.

Sancho respondeu:

— Em boa fé que me alegro, porque aquilo que vossa mercê chama de castelo é uma venda, para a qual, visto que o sol já se põe, será bom que enderecemos o caminho, para ali passarmos a noite muito a nosso prazer, prosseguindo a viagem amanhã.

Insistiu Dom Quixote em que era castelo, e Sancho em que era venda. Nisto, vinham passando dois caminhantes a pé, os quais, espantados com a figura de Dom Quixote, armado de todas as peças e com morrião, apesar do calor que então fazia, ali se detiveram a contemplá-lo. Dom Quixote aproximou-se dos dois, dizendo-lhes:

— Valorosos cavaleiros, a quem algum soberbo gigante, contra todas as ordenações da cavalaria, após batalhar convosco, apoderou-se de vossos cavalos, além de raptar alguma formosa donzela que em vossa companhia trazíeis, filha de algum príncipe ou senhor destes reinos, a qual devia ser casada com o filho de um conde, que embora moço possui fama de valoroso cavaleiro: contai-me, ponto por ponto, vossa coita, pois aqui está em vossa presença o Cavaleiro Desamorado, cujo nome talvez já ouvistes mencionar — e certamente o escutastes, dada a fama de suas façanhas, —o qual vos jura pelas ingratidões da infanta Dulcineia del Toboso, causa total de meu desamor, de vingar-vos tão a vosso sabor, que até podereis bendizer o dia em que a fortuna vos apresentou neste caminho quem vos desfaça o torto que sofrestes.

Os dois caminhantes, sem saber o que lhe responder, entreolharam-se e, por fim, disseram:

— Senhor cavaleiro, não pelejamos com nenhum gigante, nem temos cavalos ou donzelas que nos tenham sido tirados; contudo, se vossa mercê se refere a uma batalha que tivemos ali debaixo daquelas árvores com certo número de inimigos que nos perturbavam demasiadamente na gola do gibão e nas pregas dos calções, já os derrotamos. De fato, a não ser que algum tenha escapado por entre os bosques dos remendos, todos os demais foram mortos pelo Conde de Unhadas...

Antes que Dom Quixote respondesse, antecipou-se Sancho, dizendo:

44

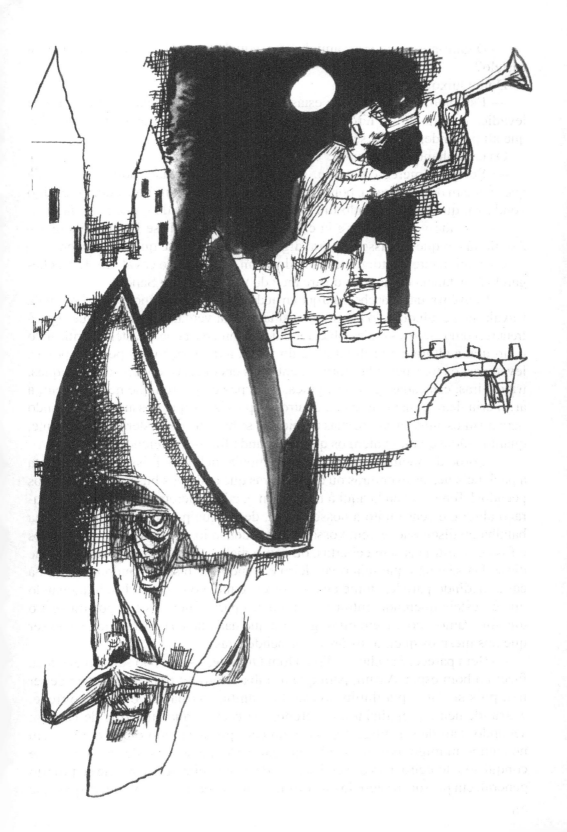

— Digam-nos, senhores caminhantes, aquela casa que ali se vê é venda ou castelo?

Dom Quixote replicou:

— Estúpido, insensato; não estás vendo os altos capitéis, a famosa ponte levadiça e os dois mui feros grifos que defendem sua entrada contra aqueles que ali pretendem entrar sem licença do castelão?

Os caminhantes disseram:

— Se vossa mercê é servido, senhor cavaleiro armado, aquela é a venda que chamam do Enforcado, pois faz um ano que enforcaram junto dela o antigo vendeiro, que havia matado um hóspede e roubado tudo o que possuía.

— Pois ide-vos embora, e já estais indo tarde! — disse Dom Quixote. — Aquilo lá é o que eu disse que era, digam os outros o que quiserem dizer.

Os caminhantes se foram, espantados com a loucura do cavaleiro. Este, chegando à distância de um tiro de arcabuz da venda, disse a Sancho:

— Convém muito, Sancho, para que em tudo por tudo cumpramos com a ordem da Cavalaria, seguindo pelo caminho ensinado pela verdadeira milícia, que sigas à frente e, como fazem os espias, observes cuidadosamente aquele castelo, verificando a largura, a altura e a profundidade do fosso, a disposição das portas e pontes levadiças, os torreões, plataformas, entradas encobertas, diques, contradiques, trincheiras, estacadas, guaritas, praças e corpos de guarda que nele existem; a artilharia de que dispõem os de dentro; as provisões que possuem, calculando para quantos anos bastarão; suas munições; se há água nas cisternas; finalmente, quantos são e quanto valem os que tão grande fortaleza defendem.

— Corpo de quem me pariu! — exclamou Sancho. — É isso que me esgota a paciência nestas aventuras ou desventuras que andamos buscando por nossos pecados! Temos a venda aqui à nossa frente, e lá poderemos entrar sem embaraço algum, e cear muito a nosso prazer, desde que paguemos, sem nenhuma batalha ou discussão, e vem vossa mercê ordenando que eu vá verificar pontes e fossos, e estradas sem cobertas, ou como diabos se chama essa ladainha que disse. Dá-se então que saia o vendeiro e, vendo-me bisbilhotando ao redor da casa, medindo paredes, tome de um porrete e me moa as costelas, imaginando que eu esteja querendo entrar no galinheiro para roubar os frangos ou seja o que for. Vamos, confie em mim: garanto que nada nos há de suceder, a não ser que nós mesmos queiramos provocar pendências.

— Bem parece, Sancho — disse Dom Quixote, — que não sabes o que toca fazer ao bom espia. Assim, para que o saibas, digo-te: primeiro, ele tem de ser fiel, pois se for espia duplo, avisando a ambas as partes o que acontece, é grandemente prejudicial ao exército, merecendo qualquer tipo de castigo; segundo, tem de ser diligente, avisando com presteza tudo o que ouviu e viu no campo inimigo, pois se o aviso chegar tarde, pode-se perder tudo o que se conquistou; terceiro, tem de ser discreto, de tal maneira que só revele ao próprio general, em pessoa, o segredo que traz no peito, nada contando a quem quer que seja, nem mesmo ao seu maior amigo ou camarada. Portanto, Sancho, vai já e faze o que te mando, sem réplica alguma, pois bem sabes e leste que uma das coisas pelas quais os espanhóis são a nação mais temida e estimada do mundo, além de seu valor e fortaleza, é a pronta obediência que têm a seus superiores na milícia. É isto o que os faz vitoriosos em quase todas as ocasiões; é isto que apavora os inimigos; é isto que dá ânimo aos cobardes e tímidos; finalmente, é por isto que os reis de Espanha lograram tornar-se senhores de todo o orbe; porquanto, sendo obedientes os inferiores aos superiores, com boa ordem e concerto se fazem firmes e estáveis, dificilmente são rompidos e desbaratados, como vemos que ocorre com muitas nações, por lhes faltar esta obediência, chave de todo sucesso próspero, tanto na guerra como na paz.

— Está certo — concordou Sancho, — não vou replicar mais, que seria um nunca acabar. Vossa mercê siga devagar atrás de mim, que vou com o jumento fazer o que me manda. Se não houver nada disso que vossa mercê falou, podemos pernoitar ali, pois por minha fé que tenho as tripas roncando de pura fome.

— Deus te dê a ventura nas lides — disse Dom Quixote, — para que te saias com muita honra nessa empresa, e alcances, por intercessão dos mestres de campo ou generais de algum exército, alguma vantagem honrosa para todos os dias de tua vida: alcancem-te a minha benção e a de Deus. E trata de não te olvidares do que te ensinei a respeito do bom espia.

Sancho picou o asno de tal maneira, que rapidamente chegou à venda. Logo viu que não havia fossos. Pontes ou capitéis, conforme imaginava o amo. Rindo, falou consigo mesmo:

— Sem dúvida que todos os torreões e fossos que meu amo pensou haver nesta venda, ele é que os deve ter enterrados na cabeça. Não vejo aqui senão uma casa com um grande pátio — como eu disse, é uma venda, sem sombra de dúvida.

Chegando-se à porta, perguntou ao vendeiro se havia pousada. Tendo este dito que sim, desceu do asno e entregou-lhe a maleta, para que a guardasse até que ele a pedisse. Em seguida, perguntou-lhe se havia algo para jantar.

Respondeu o vendeiro que havia um bom cozido de vaca, carneiro e toucinho, com lindas couves-galegas e um coelho assado.

Ouvindo os ingredientes daquele devoto cozido, deu dois pulos de alegria o bom Sancho, e logo pediu cevada e palha para seu jumento, indo alimentá-lo na cavalariça. Enquanto estava ocupado cuidando do animal, aproximou-se Dom Quixote da venda montando em seu rocim, vestido como já foi dito.

O vendeiro e outros quatro ou cinco que com ele estavam junto à porta ficaram estupefatos ao verem semelhante abantesma, e esperaram para ver o que ele faria ou diria. Dom Quixote foi-se chegando sem dizer palavra e, a alguns passos da porta, olhando de soslaio e com semblante grave os que ali se encontravam, passou por eles calado e prosseguiu cadenciadamente, dando uma volta inteira ao redor da venda, examinando-a por cima e por baixo das cercas, e às vezes medindo com a lança determinados trechos. Terminada a volta, parou diante da porta e, com voz arrogante, de pé sobre os estribos, começou a falar:

— Castelão desta fortaleza, e vós outros, cavaleiros, que, para defendê-la com todos os soldados que aí dentro se acham, ficais de atalaia, em perpétua sentinela dias e noites, durante inverno e verão, suportando intoleráveis frios e fastidiosos calores, tudo isso por causa dos inimigos que vos vêm assaltar e vos obrigam a sair em campo para enfrentá-los: dai-me prontamente, aqui e sem réplica alguma, um escudeiro meu que, como falsos e aleivosos que sois, contra toda a ordem da Cavalaria, haveis prendido, sem que primeiro houvésseis batalhado com ele. Sei, por experiência, que ele é de tal jaez, que tal batalha não aceitaria, a não ser que fosse contra dez dos vossos. E como tenho certeza de que o prendestes aleivosamente, usando a força do encantamento da velha maga que aí dentro conservais, ou então à traição, assaz paciente sou de vo-lo pedir da maneira que vo-lo peço. Entregai-mo, repito, aqui e agora, se quiserdes conservar vossas vidas e evitar que vos passe a todos pelos fios de minha espada e que destrua este castelo sem deixar pedra sobre pedra! Vamos, entregai-mo — prosseguiu, erguendo a voz encolerizadamente — aqui, são, salvo e ileso, juntamente com todos os cavaleiros, donzelas e escudeiros que em vossas escuras masmorras tendes presos, com crueldade desumana. Se assim não fizerdes, presunçosos cavaleiros, vinde aqui fora com vossas fortes couraças e vossas aguçadas lanças de rijo lenho, que vos estou esperando, a todos!

Dizendo isto, puxava Rocinante pelas rédeas para trás, pois este demonstrava evidentes sinais de querer entrar na venda, atacado da mesma comichão que dera em Sancho Pança.

O vendeiro e os demais, assombrados com as palavras de Dom Quixote, vendo que este, de lança baixa, os desafiava para a luta, chamando-os de galinhas e de covardes e esticando o corpo em atitude de desafio, chegaram perto dele, e o vendeiro então falou:

— Senhor cavaleiro, aqui não há castelo, fortaleza, quartel ou forte. Forte, aqui, só mesmo o nosso vinho, que basta não só para derrubar, como para fazer com que a pessoa fale tudo isto que vossa mercê nos disse, e mais ainda! Assim, respondendo em nome de todos, digo que não nos chegou aqui nenhum escudeiro de vossa mercê. Se quer pousada, entre, que lhe daremos boa ceia e melhor cama; além disso, se for mister, não lhe faltará uma criada galega que lhe descalce as botas: é moça erada, farta de peitos e roliça de braços, os quais ela não há de cruzar, mas sim de recebê-lo dentro deles, desde que vossa mercê não lhe cerre a bolsa.

— Pela ordem de cavalaria que professo — replicou Dom Quixote, — que, como disse, se não me entregardes meu escudeiro, juntamente com a princesa galante que referistes, havereis de conhecer a mais dolorosa morte que jamais algum vendeiro andante conheceu neste mundo.

Ouvindo a discussão, acorreu Sancho, dizendo:

— Senhor Dom Quixote, entre, que tão logo cheguei e se deram todos por vencidos. Desça, vamos, que todos aqui são amigos e, em vez de nos esperarem com armas, aguardam-nos com um delicioso cozido de carne de vaca, toucinho, carneiro, nabos e couve que nos está dizendo: me come! me come!

Vendo Sancho tão alegre, disse-lhe Dom Quixote:

48

— Por Deus, amigo Sancho, dize-me se esta gente te fez algum torto ou desaguisado, pois aqui estou, como bem vês, pronto para a luta.

— Senhor — disse Sancho, — ninguém desta casa me fez torto, pois, como bem vê vossa mercê, meus dois olhos estão retos, sãos e bons como os recebi ao sair do ventre de minha mãe. Também nada sei de desaguisado; ao contrário, sei é do guisado que fizeram, metendo na panela um coelho tão tenro, que o próprio João Esperendeus o poderia comer.

— Sendo assim, Sancho — disse Dom Quixote, — segura este escudo e ajuda-me com o estribo para que eu apeie. Esta gente parece-me de boa condição, mesmo sendo pagã.

— Pagã, sim, e como! — respondeu Sancho. — Pagando três reais e meio, seremos senhores *dissolutos* daquele riquíssimo cozido.

Apeando-se Dom Quixote, Sancho levou Rocinante para a cavalariça, onde já se encontrava o jumento.

O vendeiro, então, dirigiu-se ao fidalgo, dizendo-lhe que se desarmasse, já que se achava em local seguro, no qual, desde que pegasse pela ceia e pela cama, não haveria pendência alguma. Ele, porém, não o quis fazer, dizendo que, entre pagãos, não se devia confiar em qualquer um. Sancho, que já voltara, à custa de muitos rogos, conseguiu que ele tirasse o morrião. Depois disso, levou-o a uma mesa pequena, arrumada com as toalhas, ordenando ao vendeiro que trouxesse logo o cozido e o coelho assado, o que se fez logo em seguida. Dos dois pratos, porém, pouco comeu Dom Quixote, que passou quase toda a refeição discursando e gesticulando. Foi Sancho que livrou o amo de vergonha maior, dando cabo em dois tempos das duas iguarias, mas para tanto contando com a ajuda de uma generosa jarra de vinho de Yepes, de maneira que terminou a refeição redondo como uma trompa.

Tirada a mesa, o vendeiro levou Sancho e Dom Quixote a um quarto bem razoável, para que se deitassem. Depois de ajudar o fidalgo a se desarmar, Sancho foi providenciar a segunda ração de Rocinante e do jumento, e levar-lhes água.

Enquanto ele se desincumbia desses bestiais exercícios, entrou no quarto a moça galega que, por ser muito cortês, era fácil de prometer e facílima de cumprir, e disse a Dom Quixote:

— Boas noites tenha vossa mercê, senhor cavaleiro. Manda algo a seu serviço? Disponha, pois somos de pele escura, mas não deixamos mancha. Quer vossa mercê que lhe tire as botas, ou limpe os sapatos, ou passe a noite aqui em troca de algum? Digo-lhe, por vida de minha mãe, que me parece tê-lo visto aqui outra ocasião... mas, não; era outro. Sua figura e seu rosto me lembraram certa pessoa, a quem eu muito quis. Mas isso são águas passadas que não movem moinhos: ele me deixou e eu o deixei, livre como um cuco. Não, não sou mulher de todo o mundo, como certas dissolutas. Donzela, sim, mas recolhida; mulher de bem e criada de um honrado vendeiro. Fui enganada por um traidor de um capitão, que me tirou de casa com promessas de casamento. Foi-se ele embora para a Itália e me deixou perdida, como vê vossa mercê, levando consigo todas as minhas roupas e joias que eu havia trazido da casa de meu pai.

Pôs-se então a moça a chorar, dizendo:

— Ai de mim! Ai de mim, órfã e sozinha, sem ajuda alguma, senão a do céu! Ai de mim! Trouxesse-me Deus alguém que desse umas boas punhaladas naquele velhaco, vingando-me dos tantos agravos que ele me fez!

Ouvindo a moça chorando, Dom Quixote compadeceu-se dela e lhe disse:

— Sabei, fermosa donzela, que vossas dolorosas coitas de tal maneira machucaram meu coração, que este, embora para as lides seja de aço, parece ter-se tornado em cera. Assim, pela Ordem de Cavalaria, juro e prometo, como vero cavaleiro andante cujo ofício consiste em desfazer semelhantes tortos, não mais comer pão à mesa, nem folgar com a Rainha, nem pentear barba e cabelo, nem cortar as unhas dos pés e das mãos, nem mesmo entrar em nenhum povoado, passadas as justas de Saragoça, para onde ora me dirijo, até que possa ver-vos bem vingada desse desleal cavaleiro ou capitão, e tão a vosso sabor que possais dizer ter-vos Deus colocado diante de um verdadeiro desfazedor de agravos. Dai-me, ó donzela minha, essa mão, que vos dou minha de cavaleiro, apalavrando-me de cumprir o quanto vos disse. Logo que raie a manhã, subi no vosso precioso palafrém, com vosso véu diante dos olhos, sozinha, ou então com vosso anão, que vos seguirei, e podereis prosseguir comigo até as justas reais, pois lá irei defender, com os fios de minha espada, contra tudo e contra todos, vossa formosura, após o quê providenciarei tornar-vos rainha de algum longínquo reino ou ilha, onde vos casareis com algum príncipe poderoso. Assim sendo, ide agora repousar. Dormi em vosso macio leito e confiai em minha palavra, que esta nunca falta.

A dissoluta moçoila, vendo-se despedida daquela maneira, contra a esperança que tinha de dormir com o cavaleiro e dele receber três ou quatro reais, ficou muito triste com aquela resoluta resposta dada através de tão prolixa arenga, e assim lhe disse:

— Por ora, senhor, não posso deixar esta casa, em razão de certo inconveniente. O que suplico a vossa mercê, se algum favor me pensa fazer, é que se sirva de me emprestar dois reais, dos quais tenho grande precisão, pois ontem quebrei dois pratos de louça, enquanto os lavava, e se os não pago, me dará meu amo duas dúzias de pauladas muito bem dadas.

— Quem ousar tocar em vós — disse Dom Quixote — estará tocando nas meninas dos meus olhos, e eu sozinho serei bastante para desafiar a singular batalha não somente a esse vosso amo que dissestes, mas a quantos amos hoje governam castelos e fortalezas. Ide repousar sem temor, pois a proteção de meu braço jamais haverá de faltar-vos.

— Não duvido disso — replicou a moça, — mas prefiro que vossa mercê me entregue esses dois reais agora, pois aqui estou para tudo o que ordenar.

Dom Quixote não entendeu bem a música que a galega cantava, e assim lhe disse:

— Senhora infanta, quero dar-vos agora não esses dois reais que me pedis, mas sim duzentos ducados.

A moça, que sabia que quem muito abraça pouco segura, e que mais vale um pássaro na mão que um abutre voando, foi-se chegando perto dele, decidida a abraçá-lo, já que deste modo acreditava mais seguro arrancar-lhe os dois reais, mas Dom Quixote se levantou, dizendo:

50

— De muito poucos cavaleiros tive notícia ou conhecimento que, estando em semelhantes transes qual este em que me vejo, hajam caído em alguma desonestidade. Sendo assim, e como pretendo imitá-los, também eu tampouco nela cairei.

Em seguida, começou a chamar Sancho, dizendo:

— Sancho, Sancho, sobe e traze-me essa maleta.

Subiu Sancho — que até então estivera conversando com o vendeiro e os hóspedes, louvando a singular fortaleza de seu senhor, sentindo-se beatificamente satisfeito com o guisado da ceia — levando consigo a maleta, e se apresentou a Dom Quixote, que lhe disse:

— Abre essa maleta, Sancho, e entrega a esta senhora infanta, sem mais delongas, duzentos ducados por empréstimo, pois ela, depois que eu a vingar de certo agravo que contra sua vontade lhe foi feito, devolver-te-á não somente essa soma, como diversas joias preciosas das que um descortês cavaleiro lhe roubou.

Ouvindo tal ordem, respondeu Sancho, colérico:

— Como duzentos ducados! Pelos ossos dos meus pais, e mais os dos meus avós, tanto posso dar esse dinheiro, como dar uma cabeçada no céu! Esta vagabunda, filha de uma outra, não se enxerga! Pois não foi ela mesma que há pouco me disse na cavalariça que, se lhe desse oito quartos, dormiria comigo e me faria toda a mercê que eu quisesse? Por minha fé que, se a agarro pelos cabelos, hei de jogá-la escada abaixo de uma só vez!

Vendo a cólera de Sancho, disse-lhe a pobre galega:

— Irmão, vosso amo ordenou que me désseis dois reais, pois não lhe pedi, nem quero, duzentos ducados. Bem vejo que ele só disse isso para fazer burla de mim.

Ainda espantado com as palavras que Sancho proferia, disse-lhe Dom Quixote:

— Faze logo, Sancho, o que te disse: dá-lhe os duzentos ducados, ou mesmo mais, se ela assim pedir, que amanhã mesmo seguiremos com ela para a sua terra, onde seremos pagos pontualmente.

— Está bem — concordou Sancho, — abaixa-te aqui, senhora, pois senhora só és da cadela que te pariu.

E, abaixando-se os dois, tirou da maleta quatro quartos e lhos entregou, dizendo:

— Pelas armas do gigantes Golias, que se disseres a meu amo que não te dei os duzentos ducados, hás de ficar com mais roxos no corpo do que os furos que há na albarda do meu asno.

— Senhor — respondeu-lhe a galega, — dê-me esses quatro quartos, que com eles fico contentíssima.

Sancho os entregou, dizendo:

— Pelo trabalho que não fizeste, estás mais do que bem paga, espertalhona.

O vendeiro, nesse momento, chamou Sancho para que ele se deitasse numa cama arranjada com duas albardas. Usando a maleta como travesseiro, Sancho ali se refestelou, dormindo a noite inteira mui sossegadamente.

CAPÍTULO V

DA REPENTINA PENDÊNCIA QUE SE OFERECEU AO VENDEIRO E A DOM QUIXOTE, QUANDO ESTE SAÍA DA VENDA.

Chegada a manhã, Sancho deu de comer a Rocinante e a seu jumento, e ordenou que se pusesse no forno um razoável pedaço de carneiro, que também poderia ser da ovelha sua mãe — que da virtude do vendeiro, tudo se podia presumir — e, depois disso, foi despertar Dom Quixote, que durante toda a noite não havia pregado os olhos, só o fazendo um pouco quando a manhã estava por chegar. Maldormido em razão dos planos para suas ansiadas justas, agora somara a eles a ideia de defender a formosura da galega contra todos os cavaleiros saragoçanos e forasteiros, para depois levá-la ao reino ou província de onde imaginava que ela fosse rainha ou princesa. Aos gritos de Sancho que o chamava, acordou assustado, dizendo:

— Dá-te por vencido, ó valente cavaleiro, e confessa a formosura desta princesa galega, a qual é tão grande, que nem Policena, Pórcia, Albana ou Dido seriam digna, se vivas fossem, de descalçar-lhe seu mimoso sapatinho.

— Senhor — disse Sancho, — a galega está satisfeita e bem paga, pois entreguei a ela os duzentos ducados que ordenou vossa mercê. Ela diz que beija as mãos de vossa mercê e que está às suas ordens, para o que quiser ordenar-lhe.

— Diz-lhe, pois, Sancho — respondeu Dom Quixote, — que aparelhe seu precioso palafrém, enquanto me visto e armo, para que partamos logo em seguida.

Desceu Sancho, e a primeira coisa que fez foi verificar se esteva pronta a refeição. Depois, ensilhou Rocinante e pôs as albardas no jumento, deixando à mão o escudo e a lança do fidalgo. Este desceu empunhando as armas e pedindo a Sancho que o vestisse, pois queria partir logo. Sancho insistiu que almoçasse primeiro, e que se armasse depois, coisa que ele recusou, não querendo nem mesmo sentar-se à mesa, dizendo que não podia comer sobre toalhas até acabar certa aventura que havia prometido. Mesmo assim, comeu em pé quatro pedaços de pão e um pouco de carneiro assado, para logo depois subir no cavalo com grande compostura, dizendo ao vendeiro e aos demais hóspedes que ali se achavam:

— Castelão e cavaleiros, vede se ora se vos oferece alguma coisa para a qual eu vos seja útil, que aqui estou pronto e aparelhado para servir-vos.

O vendeiro respondeu:

— Senhor cavaleiro, aqui não temos mister de coisa alguma, mas tão-somente de que vossa mercê ou este lavrador que segue consigo me paguem a ceia, a cama, a palha e a cevada; depois, podem seguir seu caminho, e que Deus os acompanhe.

— Amigo — disse Dom Quixote, — jamais li em livro algum que tenha existindo um castelão ou senhor de fortaleza que, quando tem a fortuna de hospedar em sua casa algum cavaleiro andante, lhe peça dinheiro pela pousada. Como vós, no entanto, deixando o honroso nome de castelão, preferis passar por vendeiro, vá lá que se vos pague. Vede quanto vos devemos.

Respondeu o vendeiro que eram quatorze reais e quatro quartos.

— Em quatro quartos vos retalharia eu pela pouca a vergonha dessa conta — replicou Dom Quixote , — mas não pretendo empregar tão mal o meu valor.

E, voltando-se para Sancho, ordenou-lhe que pagasse a conta. Foi então que avistou, junto ao vendeiro, a moça galega, que estava com a vassoura na mão, pronta para varrer o pátio. Com grande cortesia, disse-lhe:

— Soberana senhora, estou disposto a cumprir tudo aquilo que vos prometi ontem à noite. Sereis prestamente recolocada em vosso precioso reino, pois não é justo que uma infanta como vós ande assim desse modo, tão mal vestida, tendo de varrer as vendas de gente tão infame quanto é essa. Portanto, subi logo em vosso vistoso palafrém; e se acaso, em razão das voltas que a fortuna dá, não possuís, subi no jumento de Sancho Pança, meu fiel escudeiro. Vinde comigo à cidade de Saragoça, que ali, depois das justas, defenderei contra todo mundo vossa extremada formosura, armando uma rica tenda em meio à praça, e junto dela colocando um cartaz, próximo ao qual estará um pequeno mas rico tablado, com um precioso escabelo, onde vos postareis ricamente trajada, enquanto eu estarei pelejando contra vários cavaleiros, que ali estarão ansiosos por conquistar a boa vontade de suas damas, razão pela qual exibirão infinitos dísticos e motes, com os quais pretenderão declarar a paixão que trazem em seus fogosos corações, bem como o desejo de vencer-me, empresa bastante difícil — ou, melhor dizendo, impossível, — já que eu, escudado na força de vossa beleza, hei de derrotá-los com facilidade. Por isto, repito, senhora: largai tudo e vinde logo comigo.

O vendeiro e os demais hóspedes, ouvindo semelhante arrazoado, tiveram Dom Quixote por louco varrido, rindo-se muito de ouvi-lo chamar a galega de princesa e infanta. Isto não impediu que o vendeiro ficasse com a moça, e que se dirigisse a ela com palavras ásperas, dizendo-lhe:

— Espera tu aí, dona puta desavergonhada, que já terás a paga pela combinação que fizeste com este louco. Então é assim que me agradeces por tê-la tirado do puteiro de Alcalá, trazendo-te aqui para minha casa, devolvendo-te a honra e comprando-te essa saia, que me custou dezesseis reais, sem falar nos três e meio dos sapatos, e tampouco na camisa, que ainda não comprei, mas que pretendia fazê-lo de hoje para amanhã, já que a tua velha está em andrajos? Que nunca mais eu corte a barba, se não te fizer pagar-me por tudo isto, e depois te devolva para donde vieste, com um aguilhão — como se diz — enfiado no rabo, para veres se achas alguém que te faça o mesmo bem que nesta venda te fiz. Ah, velhaca, trata de ir lavar os pratos, que depois tratarei de teu caso!

E rematou o sermão com um sonoro tabefe, seguido de três ou quarto pontapés, que a fizeram retirar-se dali aos tropeções.

Oh, santo Deus, quem seria capaz de descrever a inflamada ira e acendida cólera que naquela hora invadiu o coração do nosso cavaleiro! Não há áspide pisada cuja raiva se compare àquela com a qual ele empunhou a espada e, erguendo-se sobre os estribos, falou com voz soberba e arrogante:

— Oh sandeu e vil cavaleiro! Esbofeteastes nas faces uma das mais formosas damas que a duras penas em todo o mundo se poderia achar! Não há de permitir o céu que tão desaforada felonia e sandice fique sem punição!

Isto dizendo, desferiu terrível golpe no vendeiro, descendo-lhe a espada sobre a cabeça com toda a sua força. Não fosse a circunstância de haver torcido um pouco a mão, e sem dúvida que o golpe poderia ser fatal. Apesar de tudo, o vendeiro ficou bastante maltratado.

Alvoroçaram-se todos os da venda, e cada qual tomou da arma que mais por perto encontrou. O vendeiro entrou na cozinha e de lá voltou com um enorme espeto triplo, seguido de sua mulher, que empunhava um chuço de colher uvas. Enquanto isto, Dom Quixote, puxando as rédeas de Rocinante, vociferava:

— Guerra! Guerra!

A venda ficava numa encosta, próxima de um prado bem extenso. Foi para lá que se dirigiu Dom Quixote, fazendo gambetas com o Cavalo e brandindo a espada, já que Sancho ficara com o escudo e a lança. Este, por sua vez, vendo todo o caldo revirado, imaginou que seria manteado pela segunda vez, e assim fazia tudo o que podia para sossegar o pessoal e aplacar a pendência, mas o vendeiro estava qual um leão ferido, e sem parar pedia que lhe trouxessem sua escopeta. Tivesse-a nas mãos, e sem dúvida teria matado Dom Quixote com ela, não fosse tê-lo o céu guardado para maiores transes. Por fim, ouvindo os rogos de Sancho, a mulher e os hóspedes dissuadiram-no daquela ideia, dizendo-lhe que aquele homem era falto de juízo, e que, como a ferida era superficial, melhor seria deixá-lo ir-se com todos os diabos. Ele aos poucos sossegou, e Sancho, desculpando-se e dizendo que não tinha culpa do que sucedera, despediu-se cortesmente de todos e foi-se juntar ao amo, levando o jumento pelo cabresto e carregando a lança e o escudo. Chegando perto de Dom Quixote, disse-lhe:

— Será possível, senhor, que por uma mulherzinha de aluguel, pior que a de Pilatos, Anás e Caifás, e que não passa de uma espertalhona, queira vossa mercê que entrássemos numa confusão que quase nos custa a pele, pois o vendeiro por pouco a não arrancava com a sua escopeta? E se ele a usasse, garanto que de nada lhe serviriam suas armas de prata, mesmo que estivessem forradas de veludo.

— Ó, Sancho! — disse Dom Quixote. — Quanta gente vem aí? Vem um esquadrão volante, ou está dividido em terços? Que me dizes da artilharia, das couraças e morriões que trazem? Quantas são as companhias de frecheiros? E os soldados, são veteranos ou inexperientes? Os soldos estão em dia? Grassa a peste ou há fome no exército? Quantos são os alemães, tudescos, franceses, espanhóis, italianos e turcos? Como se chamam os generais, mestres de campo, prebostes e capitães de campanha? Rápido, Sancho, rápido, dize-me tudo isto, pois, conforme for, teremos de cavar trincheiras, fossos, contrafossos; erguer revelins, plataformas, bastiões, estacadas, abrigos e reparos, para que contra eles arrojemos granadas e bombas de fogo, disparando simultaneamente nossa artilharia, iniciando com as peças cheias de pregos e meias-balas, já que estas causam grande efeito no primeiro impacto e assalto.

Respondeu, Sancho:

— Aqui, senhor, não há pato nem salto, pecador que sou! Não existe nenhum exército de turquescos, nem de verter-ânus, nem burricadas, nem bestiões. Bestas, sim, seremos nós se não formos embora agora mesmo. Tome o escudo e a lança, que quero subir no asno. E como Nossa Senhora das Dores nos livrou daquelas que nos poderiam causar as cacetadas que por pouco nos dariam merecidamente, vamos fugir desta venda como se da baleia de Jonas, pois não faltarão a vossa mercê, por este mundo afora, outras aventuras mais fáceis de vencer que esta.

— Cala-se, Sancho — disse Dom Quixote, — que eles, se me virem fugir, dirão que sou uma galinha covarde.

— Por Deus — replicou Sancho, — que pouco me importa ser chamado de galinha, capão ou faisão. Temos de ir embora, e pronto! Arre, senhor jumento, vem cá!

Vendo a resolução inabalável de Sancho, não quis mais contradizê-lo Dom Quixote; assim, pôs-se a segui-lo, dizendo:

— Por certo, Sancho, que cometemos grande erro em não regressar à venda e lançar um desafio a todos aqueles traidores e aleivosos, que outra coisa eles não são, matando-os um por um, já que tão vil canalha não merece estar viva sobre a face da terra. E vivos como os deixamos ficar, eis que amanhã hão de dizer que não tivemos ânimo para acometê-los, coisas que, se eu escutar, antes preferia estar morto. É como te digo, Sancho: indo-nos, agimos como verdadeiros borra-botas.

— Borra-botas, senhor? — respondeu Sancho. — Que borremos nossas botas diante do Senhor, pois fizemos tudo o que era possível dentro de nossas forças. Portanto, caminhemos, antes que o sol fique mais alto. Esteja certo vossa mercê de que deixou bem castigados todos os daquela venda.

CAPÍTULO VI

DA NÃO MENOS ESTRANHA QUE PERIGOSA BATALHA QUE TRAVOU NOSSO CAVALEIRO COM O GUARDA DE UM MELOAL, QUE ELE JULGAVA TRATAR-SE DE ROLDÃO, O FURIOSO.

   Prosseguiram pela estrada de Saragoça o bom fidalgo Dom Quixote e Sancho Pança, seu escudeiro, e caminharam seis dias sem que lhes sucedesse coisa digna de menção, a não ser que, por todos os lugares que passavam, chamavam grandemente a atenção das pessoas, sempre dando enorme motivo de riso as simploriedades de Sancho Pança e as quimeras de Dom Quixote. Passando por Ariza, ocorreu ao fidalgo pintar ele próprio um cartaz e afixá-lo num poste da praça, dizendo que qualquer cavaleiro natural ou andante que dissesse que as mulheres mereciam ser amadas pelos cavaleiros mentia, e que ele sozinho o faria confessar, de um em um, ou de dez em dez; dizia ainda que elas bem mereciam ser defendidas e amparadas em suas aflições, conforme o prescreve a ordem da Cavalaria; quanto ao demais, que delas se servissem os homens para a procriação, desde que atados pelo vínculo do santo matrimônio, sem mais arrebiques de festas, pois bem o demonstrava a grande loucura em que consistia o contrário disso, o fato das ingratidões cometidas pela infanta Dulcineia del Toboso. Ao pé do cartaz, ele se assinava: "O Cavaleiro Desamorado".

Além deste, ocorreram outros curiosos e estranhos casos nos demais lugares do caminho, até que sucedeu chegarem os dois, perto de Calatayud, a um lugar que chama de Ateca. À distância de um tiro de mosquete desse lugar, indo conversando os dois sobre o que pretendia cada qual fazer nas justas de Saragoça, e como dali pensava Dom Quixote chegar até a Corte real, a fim de dar a conhecer o valor de sua pessoa, eis que ele voltou a cabeça e viu, no meio de um meloal, uma cabana, e junto dela um homem que vigiava a plantação, tendo na mão uma lança. Deteve-se o cavaleiro mirando-o fixamente e, depois de dar asas a sua desvairada fantasia, disse:

— Detém-se, Sancho, detém-se, porque, se não me engano, esta é uma das mais estranhas e nunca vistas aventuras que já viste ou ouviste dizer durante todos os dias de tua vida. Aquele que ali vês de venábulo na mão é, indubitavelmente, o senhor de Anglante, Orlando, o Furioso, que, como se narra no autêntico e verdadeiro livro que chamam "Espelho de Cavalarias", foi encantado por um mouro e obrigado a guardar e defender a entrada de certo castelo, uma vez que seria o cavaleiro de maiores forças do universo. O tal mouro encantou-o de sorte a não poder ser ferido ou morto por nenhuma parte do corpo, salvo pela planta do pé. Este é aquele furioso Roldão, o mesmo que, cheio de ira porque um mouro de Agramante, chamado Medoro, lhe roubou Angélica, a bela, enlouqueceu, passando a arrancar as árvores pela raiz. Também se afirma como verdadeiro — e eu bem creio que esteja dentro do alcance de suas forças — que segurou pela perna uma égua e arrojou-a a duas léguas de distância, juntamente com um desditoso pastor que a montava. Muitos outros fatos estranhos, seme-lhantes a este, são ali narrados por extenso; tu hás de lê-los um dia. E é por isto, meu caro Sancho, que resolvi não prosseguir até enfrentá-lo. E se me favorecer a fortuna — e deverá fazê-lo, dados o meu esforço e a ligeireza do meu cavalo — e eu puder derrotá-lo e matá-lo, todas as glórias, vitórias e bons sucessos que ele alcançou reverterão para meu nome, e a mim apenas serão atribuídas todas as façanhas, vitórias, mortes de gigantes, desqueixamentos de leões e rompimentos de exército que ele sozinho realizou. Assim, se ele arrojou, conforme consta como certo, a égua e o pastor a duas léguas de distância, dirá todo o mundo que quem derrotou aquele que realizou tal feito, bem poderá arrojar outro pastor como aquele a quatro léguas de distância. Desse modo, serei famoso pelo mundo e será temido o meu nome. Por fim, ciente disso o rei de Espanha, haverá de chamar-me e me perguntará ponto por ponto como foi a batalha, que golpes lhe apliquei, com que ardis o derrubei e com que estratagemas consegui que seus golpes caíssem no vazio, e, finalmente, como logrei matá-lo enfiando-lhe um alfinete de prata pela planta do pé. Informado Sua Majestade de tudo, e confirmado por teu testemunho ocular, serei sem dúvida acreditado; ademais, levando, como levaremos, a cabeça nestes alforjes, o Rei irá comtemplá-la e dirá: "Ah, Roldão, Roldão! Vós que sois a cabeça dos Doze Pares de França, perdestes a vossa e encontrastes vosso par! De nada valeu, ó forte cavaleiro, vosso encantamento, nem o haverdes rompido de um só golpe uma enorme penha! Oh, Roldão, Roldão; agora aumentaste a gala e a fama do invicto manchego e grande espanhol Dom Quixote!" Por isto, Sancho, não te movas daqui até que eu haja dado cabo e fim a esta perigosa aventura, derrotando o senhor de Alglante e cortando-lhe a cabeça.

Sancho, que havia estado muito atento a tudo o que o amo dizia, respondeu:

— Senhor Cavaleiro Desamorado, o que a mim me parece é que aqui não existe, pelo que entendo, nenhum senhor de Argante, porque o que ali vejo nada mais é que um homem armado de lança, vigiando uma plantação de melões, pois como passa por aqui muita gente demandando Saragoça para as festas, é possível que façam suas próprias festas pelos melões; assim, digo que meu parecer, apesar do que pensa vossa mercê, é que não perturbemos aquele que vigia sua fazenda, pois ele faz bem em vigiá-la, já que eu também vigio a minha. Que tem vossa mercê de se meter com esse tal de Geraldão Furioso, ou de cortar a cabeça de um pobre meloeiro? Quer que todos fiquem sabendo disso, e que logo venha atrás de nós a Santa Irmandade, para nos enforcar e crivar de flechas, e depois nos mandar para as galés por setecentos anos, para que só saiamos de lá depois que embranquecer o cabelo de nossas panturrilhas? Senhor Dom Quixote, não sabe o que diz o refrão, que quem ama o perigo, nele há de cair, mesmo que não queira? Mande tudo isso para o diabo, e vamos até à aldeia que está aqui perto. Cearemos a nosso gosto e daremos de comer às cavalgaduras, pois por minha fé que se vossa mercê perguntasse a Rocinante, que está meio cabisbaixo, se ele preferia chegar à estalagem ou guerrear com o moleiro, garanto que ele responderia preferir meio celamim de cevada que cem fanegas de meloeiros. Se um simples animal, que além do mais é irracional, diz isso, e se eu, em nome dele e do meu jumento, rogo e suplico encarecidamente que prossigamos nosso caminho, já nos sucederam algumas desgraças. O que podemos fazer é o seguinte: vou ao meloeiro e tento comprar dois melões para a nossa ceia; se ele vier com histórias de que seu nome é Gaiteiros, ou Bradamonte, ou esse outro demônio que vossa mercê falou, então concordo que devemos estripá-lo; mas se nada disso acontecer, deixemo-lo em paz e prossigamos nosso caminho para as justas reais.

— Oh, Sancho, Sancho! — exclamou Dom Quixote. — Que pouco sabes de assuntos de aventuras! Não saí de casa senão para ganhar honra e fama, e para tal temos agora uma oportunidade bem à mão. Como bem sabes, os antigos pintavam a Ocasião com um topete na frente e uma calva atrás, dando-nos com isso a entender que, se ela passou, não há com agarrá-la mais. Apesar de tudo o que me disseres e todo o mundo confirmar, não hei de deixar de tentar essa empresa, nem de levar comigo, no dia que entrar em Saragoça, a cabeça deste Roldão fincada numa lança, em cima de um cartaz com os dizeres: "Venci o vencedor". Imagina, Sancho, quanto glória se me advirá em decorrência disto! É de se crer que, nas justas, todos me rendam vassalagem e se me deem por vencidos, em razão do quê todos os prêmios reverterão para mim. Portanto, Sancho, encomenda-me a Deus, que estou para meter-me num dos maiores perigos em que me vi por todos os dias de minha vida. Se por acaso, já que são vários os perigos da guerra, eu vier a morrer nesta batalha, haverás de levar-me a San Pedro de Cardenã, pois mesmo morto, estando com minha espada à mão, como El Cid, sentado num palafrém, fio-me de que, se como aconteceu com ele, algum judeu quiser por burla chegar-me às barbas, meu braço hirto saiba como agir, deixando-o em pior estado que o daquele que fez o mesmo com o mui católico Campeador.

— Oh, senhor — respondeu Sancho, — pela arca de Noé, suplico-lhe que não me venha com essa de morrer, que me faz saltar dos olhos lágrimas do tamanho de um punho! Meu coração fica em pedaços ouvindo tal coisa, de sentimental que sou. Infeliz da mãe que pariu! Que faria depois o triste Sancho Pança sozinho em terra alheia, levando duas bestas, se vossa mercê morresse nessa batalha?

Põe-se Sancho a chorar de verdade, e prosseguiu:

— Ai de mim, senhor Dom Quixote! Preferia nunca tê-lo conhecido por tão pouco! Que vai ser das donzelas desaguisadas? Quem irá fazer e desfazer tortos? De hoje em diante, fica perdida toda a nação manchega. Os cavaleiros andantes não mais darão frutos, pois hoje acabou a flor deles em vossa mercê, mais valia que nos tivessem matado há um ano atrás aqueles pastores desalmados que nos moeram os costados a cacetadas! Ai, senhor Dom Quixote, pobre de mim! Que hei de fazer sem vossa mercê? Ai de mim!

Consolou-o Dom Quixote, dizendo:

— Não chores, Sancho, que ainda não morri. Pelo que ouvi e li de muitos e muitos cavaleiros, principalmente de Amadis de Gaula, eles, tendo estado muitas vezes a pique de morrer, viviam depois muitos anos, terminando por morrer em suas terras, na casa de seus pais, rodeados de filhos e mulheres. Seja como for, dito está: se eu vier a morrer, faze o que te disse.

— Prometo, senhor — disse Sancho, — que se Deus o levar para junto de Si, hei de levar seu corpo para ser enterrado não só em San Pedro de Cardeña, como disse, mas que, mesmo que me custe o valor do jumento, hei de levá-lo a enterrar em Constantinopla. E já que está determinado a matar esse meloeiro, dê-me, antes de partir, sua benção e sua mão, para que a beije; e que a minha e a do senhor São Cristóvão o acompanhem.

Abençoou-o Dom Quixote com muito amor, e em seguida esporeou Rocinante, que de cansado mal conseguia mover-se.

Entrando pela plantação e rumando direto à cabana do vigia, o fidalgo a cada passo maldizia Rocinante, pois o animal não podia ver um pé de melão que, espicaçado pelo apetite, parava e provava das folhas ou do fruto.

Quando o vigia viu que aquele abantesma se aproximava, causando danos à plantação, começou a gritar-lhe que saíssse dali, senão teria de se haver com

60

ele. Não se importando com as ameaças do homem, Dom Quixote prosseguiu e, chegando a poucos passos dele, descansou a lança no chão e lhe disse:

— Valoroso conde Orlando, cuja fama e cujos feitos celebrou o famoso e laureado Ariosto, e cuja figura seus divinos e heroicos versos esculpiram: é hoje o dia, invencível cavaleiro, em que tenho de provar contigo a força de minhas armas e os agudos fios de minha cortante espada. Hoje é o dia, valente Roldão, em que não te haverão de valer teus encantamentos, nem o seres a cabeça daqueles Doze Pares de cuja nobreza e esforço a grande França se gloria, pois serás por mim, se assim o dispuser a Fortuna, derrotado e morto, e levada tua soberba cabeça, ó valente francês, nesta lança espetada, até a cidade de Saragoça. Hoje é o dia em que reverterão para mim todas as tuas façanhas e vitórias, sem que te possa valer o poderoso exército de Carlos Magno, nem a valentia de Reinaldo de Montalvão, teu primo, ou a de Montesinos e de Oliveiros, nem mesmo os encantamentos do feiticeiro Malgisi. Vem, vem para mim, que sou só um, e espanhol! Não sou seguido, como Bernardo del Cárpio e o rei Marsílio de Aragão, por um poderoso exército, mas venho apenas com minhas armas e meu cavalo contra ti, que de certa feita te envergonhaste de enfrentar apenas dez cavaleiros simultaneamente. Não fiques mudo, responde! A pé ou a cavalo, como quiseres, vem enfrentar-me. Todavia, como depreendo que o bruxo que aqui te colocou não te forneceu cavalo, conforme li ter ocorrido em outra ocasião, descerei do meu, pois não desejo enfrentar-te levando qualquer vantagem que seja.

Dizendo isto, apeou, enquanto Sancho, de longe, gritava:

— Ataque, meu amo, ataque, que aqui estarei rezando por vossa mercê. Prometi uma missa às almas benditas e outra ao senhor Santo Antônio, para que guardem a vossa mercê e a Rocinante!

O meloeiro, vendo avançar Dom Quixote protegido pelo escudo e empunhando a lança, gritou-lhe que se afastasse, se não o mataria a pedradas.

Como o fidalgo não parasse, ele lhe arrojou sua lança e pôs na funda uma pedra um pouco maior que um ovo. Em seguida, dando meia volta ao braço, atirou-a com toda a força contra Dom Quixote, que a defendeu com o escudo; porém, como este era só de badana e papelão, a pedra atravessou e acertou o braço esquerdo do nosso cavaleiro, num golpe tão terrível que, se ele não estivesse armado com o bracelete, tê-lo-ia quebrado facilmente. Mesmo assim, foi um golpe extremamente doloroso para o fidalgo, que, sem fazer caso, continuou avançado. Vendo isto, o meloeiro colocou outra pedra maior na funda e arrojou-a com tamanha força e pontaria, que deu com ela no meio do peito do cavaleiro. Novamente, não fosse a proteção, e a pedra se lhe teria enfiado pelo estômago a dentro. Dada a força do arremesso, porém, fê-lo cair ao solo de costas, sem conseguir levantar-se, seja por causa do peso das armas, seja pela própria força do golpe.

Vendo-o inerte no chão, o vigia pensou tê-lo matado ou aleijado, e tratou de fugir dali imediatamente.

Também Sancho, avistando o amo caído, imaginou que a pedrada havia acabado com ele o com todas as aventuras, e acorreu para lá, levando o jumento pelo cabresto e lamentando-se em alta voz, dizendo:

— Oh, pobre do meu amo desamorado! Não lhe disse eu para não batalharmos contra esse meloeiro, que é mais luterano que o gigante Golias? Então, como se atreveu a enfrentá-lo sem que ele montasse a cavalo, sabendo que não era possível matá-lo senão enfiando-lhe uma agulha de prata pela planta do pé?

Acercando-se do amo, perguntou-lhe se estava malferido. Ele respondeu que não, mas que aquele soberbo Roldão lhe arrojara tremendo rochedo, e que este o derrubara por terra. E acrescentou:

— Dá-me a mão, Sancho, e vê que derrotei meu inimigo, já que este fugiu sem ousar esperar que eu me levantasse. Ao rival que foge, como se diz, cede-lhe a ponte de prata. Deixemos que ele se vá, pois há de chegar o tempo em que nos encontremos de novo e, mesmo que ele não queira, possamos acabar a batalha que começamos. Só me dói muito este braço esquerdo, atingido que foi por uma terrível clava que o furioso, Orlando tinha na mão e que me arrojou. Não me tivessem defendido minhas magníficas armas, e acho que meu braço, a esta hora, estaria quabrado.

— Clava, bem sei que trazia — disse Sancho, — mas o que lhe atirou foram dois bonitos calhaus, com a funda, e qualquer um deles, se lhe acertasse a cabeça, por mais que ela estivesse coberta com esse capital de prata, ou sei lá como se chama, teria dado fim aos problemas que teremos de enfrentar nas justas de Saragoça. Agradeça a vida que conservou a uma oração que lhe rezei, a do conde de Peranzules, que é um porrete para a dor de ilhargas.

— Vamos, Sancho, dá-me a mão — disse Dom Quixote — e entremos um pouco naquela cabana para descansarmos, que depois iremos à aldeia que fica aqui perto.

Levantou-se Dom Quixote e tirou o freio de Rocinante, enquanto Sancho tirava a maleta e a albarda das costas do jumento. Entraram os dois na cabana, deixando Rocinante e o asno senhores absolutos da plantação de melões, da qual colheu Sancho dois belíssimos frutos, partindo-os com sua faca e pondo os pedaços em cima da albarda, para que Dom Quixote os comesse. O amo, porém, apenas provou uns quatro pedaços pequenos, ordenando a Sancho que guardasse o resto para cearem à noite na hospedaria.

Mal havia Sancho comido meia dúzia de fatias, quando chegaram o meloeiro e três rapazes de muito boa disposição, trazendo cada qual um grosso porrete na mão. Vendo o rocim e o asno soltos na plantação, pisando nos melões e comendo à vontade, encheram-se de cólera e entraram na cabana, chamando-os de ladrões da fazenda alheia, e complementando os impropérios com meia dúzia de porretadas, que lhes caíram em cima antes que pudessem levantar. A Dom Quixote, que por desgraça sua havia tirado o morrião, aplicaram três ou quatro na cabeça, deixando-o meio aturdido e muito maltratado. Quem mais sofreu, porém, foi Sancho, que não tinha proteção de corselete: os porretes lhe acertaram nas costas, nos braços e na cabeça, ficando ele tão aturdido como o amo.

Deixando-os ali mesmo, foram-se os quatro, levando consigo o rocim e o jumento, à guisa de reparação pelos danos causados.

Algum tempo depois, voltando Sancho a si e, vendo o estado em que se achavam as coisas, tentou levantar-se, fazendo-o com dificuldade, de tanto que lhe doíam as costas e os braços. Pôs-se então a chamar Dom Quixote, dizendo:

— Ah, senhor cavaleiro andante (ande ele com todos os diabos que há nos infernos!), parece-lhe que estamos bem? Então será isto o triunfo que nos há de preceder nas justas de Saragoça? Que é da cabeça de Roldão, o encantado, que íamos levar para lá espetada na lança? Os diabos que o espetem no seu chuço, valha-nos Santa Apolônia! Já lhe disse setecentas vezes que não nos metamos nessas batalhas impertinentes, mas que sigamos nosso caminho sem fazer mal a ninguém, e não há como convencê-lo! Pois veja o que nos aconteceu com esses patifes que aqui estiveram! Peça a Deus que não nos apareça outra meia dúzia dos tais, dispostos a acabar a batalha que os primeiros começaram. Levante-se, pelas ferraduras do cavalo de São Martinho, e contemple sua cabeça cheia de galos e o sangue que lhe escorre pela cara abaixo, tornando-o agora, deveras, o cavaleiro da Triste Figura, por seus bem merecidos disparates.

Voltando a si e acalmando-se um pouco, disse Dom Quixote:

> *"Rei Dom Sancho, Rei Dom Sancho,*
> *Não digas que eu não te disse*
> *Que do cerco de Zamora*
> *Um traidor escapuliu."*

— Que se dane a alma de Anticristo! — exclamou Sancho. — Estamos aqui deste jeito, e lá vem sem qualquer propósito o romance de rei Dom Sancho! Saiamos daqui, pelas estranhas de nossos antepassados, e tratemos de nos curar, que esses Barrabases de Gaiteiros, ou seja lá quem forem, nos deixaram mais moídos do que sal, e a mim com os braços em tal estado, que nem consigo levantá-los à altura da cabeça.

— Ó bom escudeiro e amigo! — respondeu Dom Quixote — fica sabendo que o traidor que assim me deixou foi Belido de Olfos, filho de Olfos Belido.

— Para o diabo com esse Balido e esse outro velhaco, e também com que nos meteu nesta plantação de melões.

— Esse traidor — prosseguiu Dom Quixote, — encontrando-me a caminho de Zamora, enquanto desci do cavalo para desapertar-me atrás de uma moita, atirou-me um venábulo à traição, deixando-me de maneira que vês. Portanto, ó fiel vassalo, convém que subas num robusto cavalo e, tomando o nome de Dom Diego Ordóñez de Lara, te encaminhes para Zamora; lá chegando, junto à muralha, verás entre duas ameias e bondoso ancião Arias Gonzalo, perante o qual desafiarás toda a cidade, inclusive torres, cimentos, ameias, homens, crianças e mulheres, o pão que comem e a água que bebem, com todos os demais reptos com que o filho de Dom Bermudo desafiou aquela cidade, e matarás os filhos de Arias Gonzalo: Pedro Arias e todos os outros.

— Corpo de São Quintino! — exclamou Sancho. — Se vossa mercê já está vendo como nos deixaram quatro meloeiros, para que diabos quer que vamos a Zamora desafiar uma cidade inteira, e grande como aquela? Quer que saiam dela cinco ou seis milhões de homens e cavalo e acabem com nossas vidas, sem que ganhemos os prêmios das justas reais de Saragoça? Dê-me sua mão e levante-se, para irmos à aldeia vizinha, a fim de que nos curem e lhe estanquem esse sangue.

Levantou-se Dom Quixote, com grande dificuldade, e saíram os dois da cabana. Quando não avistaram lá fora nem Rocinante e nem o jumento, foi enorme a sua tristeza. Enquanto rodeava a cabana e procurava pelo asno, dizia Sancho, entre lágrimas:

— Ai, asno de minha alma! Que pecados cometeste para que te tenham levado para longe de meus olhos? Deles eras a luz, asno de minhas entranhas, espelho em que eu me mirava! Quem te levou daqui? Ai, jumento meu, que por ti só e por tua excelência podias ser o rei de todos os asnos do mundo! Onde acharei outro jumento que seja um homem de bem como tu o és? Oh, alívio de meus trabalhos, consolo de minhas tribulações; só tu me compreendias os pensamentos, e só eu compreendia os teus, como se fosse teu próprio irmão de leite! Ai, asno meu, posso até enxergar como fazias quando eu ia levar-te a refeição na estrearia: só de ver peneirar a cevada, zurravas e rias como gente; e quando respiravas para dentro, davas um gracioso silvo, respondendo pelo órgão traseiro com um som tão mavioso, que nem a guitarra do barbeiro de minha terra, quando ele cata o passacale à noite, consegui soar com maior beleza!

Dom Quixote o consolou, dizendo:

— Sancho, não te aflijas tanto por teu jumento, pois eu acabo de perder o melhor cavalo do mundo, e dissimulo a minha dor, sabendo que hei de encontrá-lo, já que pretendo procurá-lo por toda a redondez do universo.

— Oh, senhor! — queixou-se Sancho. — Não quer que me lamente, pecador que sou, mas não sabe que me afirmaram que meu asno era parente próximo daquele retórico asno de Balaão, que em bom lugar esteja? Ele bem demonstrou seu valor nessa renhida batalha que travamos com os mais soberbos meloeiros do mundo.

— Sancho — disse Dom Quixote. — para o que já se passou, não há poder algum, conforme diz Aristóteles. Assim, o que podes fazer por ora é segurar esta maleta debaixo do braço e levar albarda nas costas até a aldeia vizinha, onde nos informaremos de tudo o que for necessário para que possamos achar nossos animais.

— Seja como vossa mercê diz — concordou Sancho, pegando a maleta e pedindo a Dom Quixote que lhe pusesse a albarba por cima.

— Vê se dás conta de levar as duas — replicou Dom Quixote; — se não, melhor que faças duas viagens.

— Claro que dou conta — disse Sancho, — pois esta não é a primeira vez na vida que carrego uma albarda nas costas.

Dom Quixote colocou-a nas costas de Sancho, mas como a correia da retranca lhe estivesse batendo na boca, ele pediu ao amo que a jogasse para trás da cabeça, pois ela cheirava a palha mal mascada.

CAPÍTULO VII

COMO DOM QUIXOTE E SANCHO CHEGARAM A ATECA, E COMO UM CARIDOSO CLÉRIGO CHAMADO MONSENHOR VALENTÍN OS RECOLHEU SEM SUA CASA, ACOLHENDO-OS FIDALGAMENTE.

Seguiram pelo caminho Dom Quixote com seu escudo e Sancho com a albarda, que lhe caía bem como um anel ao dedo, e, entrando pela primeira rua da aldeia, começou a juntar uma grande multidão de garotos em torno deles. Chegando à praça, todos os que ali se encontravam começaram a rir, vendo chegar aquelas estranhas figuras. Logo se acercaram deles os jurados, seis ou sete clérigos e outras pessoas honradas que com eles estavam. Vendo-se Dom Quixote na praça, cercado de tantas pessoas que dele se riam, começou a dizer:

— Senado ilustre e povo romano invicto, cuja cidade é e foi a cabeça do universo: dizei-me se é lícito que de vossa famosa cidade tenham saído salteadores, os quais jamais consentistes em vossa honesta república nos séculos antigos, e me hajam roubado, a mim, meu precioso cavalo, e a meu fiel escudeiro, seu jumento, carregado das joias e prêmios que em diferentes justas e torneios ganhei. Deste modo, se em vossos corações de piedosos romanos ainda está presente aquele valor antigo, entregai-nos aqui o que se nos foi roubado, juntamente com os traidores que, vendo-nos a pé e desprevenidos, nos deixaram feridos do modo que estais vendo. Se tal não fizerdes, acuso-vos de aleivosos e filhos de outros tais, desafiando-vos a me enfrentar em singular batalha um a um, ou todos de uma só vez.

Ouvindo esses disparates, deram todos grandes gargalhadas, mas um clérigo que parecia mais discreto pediu-lhes que se calassem, pois estava mais ou menos a par da enfermidade daquele homem e saberia como tratar com ele, sem prejuízo do entretenimento geral. Tendo os circunstantes feito completo silêncio, o clérigo se aproximou de Dom Quixote e lhe disse:

— Vossa mercê, senhor cavaleiro, saberá descrever-nos aqueles que o machucaram e lhe furtaram o cavalo, para que estes ilustres cônsules possam prender e castigar os malfeitores, devolvendo-lhe todo o cabedal que lhe furtaram.

Respondeu-lhe Dom Quixote:

— Ao que combateu contra mima, dificultosa empresa há de ser o encontrá-lo, pois me parece que seria o valente Orlando, o Furioso, ou pelo menos o traidor Belido de Olfos.

Riram-se todos, mas Sancho, ainda com a albarda às costas, disse:

— Para que é mister andar por *circunloucos*? O que derrubou meu amo com uma pedrada é o vigia de uma plantação de melões, moço de barba rala, mas comprida, e de bigodes revirados — que Deus o confunda. Foi ele quem furtou o rocim de meu amo e que levou meu jumento. A perdê-lo, preferia que me tivesse roubado as orelhas.

Monsenhor Valentín (assim se chamava o clérigo) acabou de ver de qual pé coxeavam Dom Quixote e seu escudeiro, e assim, como era homem caridoso, disse ao fidalgo:

— Vossa mercê, senhor cavaleiro, venha comigo e chame e seu criado, que tudo se fará a seu gosto.

Levou-os em seguida até sua casa e fez com que Dom Quixote se deitasse num confortável leito. Depois, mandou chamar o barbeiro local, para que este lhe curasse os ferimentos que tinha na cabeça, os quais não eram muito perigosos. Vendo Dom Quixote o barbeiro, disse-lhe:

— Folgo em extremo, mestre Elicebad, de haver caído em vossas habilidosas mãos, pois sei e li que as tendes tais, sem falar nas medicinas e ervas que aplicais nos ferimentos, que Avicena, Averróis e Galeno até poderiam vir aprender convosco. Assim, sábio mestre, dizei-me se estas profundas feridas são mortais, porquanto quem as causou foi aquele furioso Orlando, usando para isso um terrível tronco de azinheiro; destarte, é impossível que não sejam letais. E como o são, juro pela ordem de cavalaria que professo, de não consentir ser curado até que se tome inteira satisfação e vingança de quem tão sem se arriscar me feriu à traição, sem aguardar, como o faria um bom cavaleiro, que eu pudesse empunhar minha espada.

O clérigo e o barbeiro, ouvindo Dom Quixote pronunciar semelhantes palavras, acabaram de constatar que ele era louco e, sem responder-lhe, combinaram que o barbeiro não lhe diria coisa alguma enquanto lhe ministrasse o tratamento, a fim de não lhe propiciar assunto novo para discorrer. Encerrado o tratamento, ordenou Monsenhor Valentín que o deixassem repousar, o que se fez.

Sancho, que estivera segurando a vela para iluminar o aposento, estava arrebentando de vontade de falar. Assim, quando dali saiu, disse ao clérigo:

— Vossa mercê fique sabendo que aquele Geraldão Furioso também me bateu, não sei se com o mesmo tronco de azinheira que deu em meu amo, ou com alguma barra de ouro, e sei que poderia fazê-lo, pois dizem que está encantado; além do mais, pelo que me doem as costas, sem dúvida que ele soube bem como esquentá-las. É de tal sorte meu mal-estar, que em todo o meu corpo, que Deus o tenha, nenhuma coisa me sobrou ilesa; quando muito, uma pequenina vontade de comer, que esta, se ele me tirasse, ao diabo teria eu mandado todos os Roldões, Ordões e Bordões do mundo.

Monsenhor Valentín, ficando a par do apetite do Sancho, mandou servir-lhe um bom jantar, enquanto procurava informar-se de quem seria o ladrão do cavalo e do jumento. Averiguada a identidade do meloeiro, providenciou em seguida que fosse feita a devolução dos dois animais. Quando estes chegaram, Sancho, que estava sentado no saguão, ouvindo o barulho, levantou-se da mesa e correu para fora, abraçando o jumento e dizendo:

— Ai, asno de minha alma! Sê tão bem-vindo como as boas páscoas, e que Deus te dê tudo aquilo que desejares, e que sejam coisas tão boas como a alegria que me deste com tua volta! Mas diz logo: como te houveste no cerco de Zamora com aquele Rolamonte, a que rolando veja eu pela montanha abaixo, desde o pico em que Satanás tentou a Nosso Senhor Jesus Cristo?

Monsenhor Valentín, vendo alegria de Sancho, disse-lhe:

— Não precisavas ficar preocupado, Sancho, porque, se teu asno não tivesse sido achado, eu mesmo, pela afeição que te tenho, dar-te-ia uma jumenta tão boa como ele, senão melhor.

— Isso seria impossível — replicou Sancho, — porque este jumento já conhece o meu natural, e eu o dele, e tanto, que mal ele começa a zurrar, e já sei se está pedindo palha ou cevada, ou se quer beber, ou que lhe tire as albardas e o ponha na cavalariça; enfim, conheço-o melhor do que se parido.

— E como — indagou o clérigo — sabes, Sancho, quando é que ele quer repousar?

— Pois saiba, senhor padre — respondeu Sancho, — que entendo maravilhosamente o jumentês.

Riu-se o clérigo muito daquela resposta, e mandou que lhe dispensassem ótimo tratamento, assim como a Rocinante e ao asno, já que Dom Quixote estava repousando. Fizeram-no tal qual ele ordenou. Depois de cear, chegaram outros dois clérigos, amigos de Monsenhor Valentín, querendo saber como estavam os hóspedes. E lhes disse:

— Por Deus, amigos, que estamos tendo com eles mais divertido passatempo que se possa imaginar, porque o principal deles, que agora repousa no leito, imagina ser cavaleiro andante, como aqueles antigos Amadis e Febo, cujas aventuras são narradas pelos mentirosos livros de cavalaria. Segundo concluí, ele presume, em sua loucura, ir às justas de Saragoça e ali fazer jus a muitas joias e prêmios. Entrementes, enquanto estiver aqui em casa sob tratamento, desfrutaremos de sua conversão, aumentando nosso entretenimento a intrínseca simplicidade do lavrador que o acompanha, e que ele diz ser seu fiel escudeiro.

Em seguida, foram conversar com Sancho, e o clérigo perguntou-lhe sobre tudo o que se referia a Dom Quixote. Sancho narrou-lhes sobre tudo o que ocorrera com eles no ano anterior: a paixão por Dulcineia del Toboso, o motivo do nome de Dom Quixote, por que ele queria ser chamado agora de Cavaleiro Desamorado, que pretendia alcançar indo às justas de Saragoça, e assim desembuchou tudo o que sabia sobre seu amo. O que mais lhes fez rir foram a aventura dos galeotes, a penitência da Sierra Morena e encerramento na jaula. Com tais relatos, acabaram de entender o que era Dom Quixote e como era grande a simploriedade de Sancho, que, além de segui-lo, louvava seus feitos.

E assim foi que ficaram em casa de Monsenhor Valentín quase oito dias, ao cabo dos quais, parecendo a Dom Quixote que já estava curado e era tempo de prosseguir seu caminho e alcançar Saragoça, onde poderia mostrar o valor de sua pessoa nas justas, disse um dia a seu hospedeiro, após a refeição:

— Quer-me parecer, bondoso sábio Lirgando (que tal o sois por me terdes trazido a vosso insigne castelo, curando-me pelo emprego de vosso grande saber, e isso sem que vos tivesse prestado qualquer serviço), já ser tempo de que, com vossa boa licença, eu me parta logo para Saragoça, porquanto sabeis o muito que importa à minha honra e reputação alcançar aquela cidade. Se a fortuna me for benévola, e o será, já que estareis de meu lado, penso presentear-vos com alguma das mais preciosas joias que houver recebido. Sei que ireis aceitá-la para me fazer mercê; assim sendo, suplico-vos que não me olvideis nas maiores necessidades, porque muitos dias faz que o sábio Alquife, a quem compete deixar por escrito o relato de minhas façanhas, não se apresenta pela frente, e creio que age assim por indústria, deixando-me a sós com alguns trabalhos, para que assim aprenda a, como se diz, comer o pão com a casca e alcançar valor por meus próprios méritos. Por conseguinte, quero partir imediatamente. Se fordes servido de deixar comigo uma carta de recomendação dirigida à sábia Urganda, a Desconhecida, a fim de que ela me pense se eu por desventura for ferido nas justas, prestar-me-eis com isso enorme mercê.

Depois de ouvi-lo com grande atenção, respondeu o clérigo:

— Vossa mercê, senhor Quijada, poderá seguir viagem quando for servido, mas saiba que não sou Lirgando, esse mentiroso sábio que mencionou, mas tão-somente um sacerdote honrado que, movido pela compaixão de ver a loucura em que vossa mercê está mergulhado, com suas quimeras e fantasias, o recebi em minha casa, com o fito de lhe dar bons conselhos, advertindo-o, a sós e de portas fechadas, de que se acha em pecado mortal, abandonando família e fazendo com seu sobrinho, perambulando como louco por esses caminhos e chamando atenção sobre si, pelos tantos desatinos que comete. Cuide-se de não cometer algum possível de punição da Justiça, e pelo qual o juiz, desconhecendo o seu humor, lhe aplique castigo público, desonrando publicamente sua linhagem. Pode até acontecer que, não aparecendo alguém que o abone e conheça, quiçá por ter matado alguém por esses campos, num de seus acessos de loucura, seja apanhado pela Irmandade, que não consente em burlas, e acabe enforcado, perdendo a vida do corpo e, o que é pior, a da alma, já que anda escandalizando não só os de sua terra, como todos que o contemplam percorrendo os caminhos armado dessa maneira. Recorde-se, se duvida de minhas palavras, do dia em que entrou neste povoado, seguido pelos meninos como se fosse um louco, aos gritos de "Olha o homem armado, gente! Olha o homem armado!". Bem sei que vossa mercê age dessa feita para, como diz, imitar os antigos cavaleiros, como Amadis, Esplandião e outros inventados pelos autores dos tão prejudiciais livros de cavalaria, e aos quais vossa mercê tem por autênticos e genuínos, apesar de saber no íntimo que nunca houve no mundo tais cavaleiros, e que não existe história espanhola, francesa ou italiana autêntica que lhes faça qualquer menção, já que não passam de pura ficção idealizada por engenhos caprichosos, destinada a entreter pessoas ociosas e amigas de semelhantes mentiras, já que de sua lições se engendram secretamente maus costumes, porquanto os bons provêm dos livros também bons. Advém daí que, havendo tanta gente ignorante no mundo, é grande o impacto que causam esses tomos grandes e grossos, levando à ideia de que contenham narrativas verídicas, conforme a vossa mercê lhe pereceram, mas que, repito, não passam de invenções e balelas. Portanto, senhor Quijada, pela paixão que Deus suportou, rogo-lhe que volte atrás e abandone essas ideias insensatas, regressando a sua terra, pois contou-me Sancho que vossa mercê é dono de razoável fazenda. Gaste-a, pois, a serviço de Deus, fazendo o bem ao próximo, confessando-se e comungando mais amiúde, assistindo diariamente a sua missa, visitando os enfermos, lendo livros de devoção e conversando com gente honrada, especialmente com os clérigos de lá, que todos não lhe dirão coisas diferentes destas que lhe digo. Com isso, há de ver como será querido e honrado, e não tomado por desprovido de juízo, conforme o tomam todos os de sua terra e todos aqueles que o vêm andando dessa maneira. Além do mais, juro-lhe, pelas ordens que recebi, que acompanharei vossa mercê, caso o deseje, até sua casa, conquanto diste daqui quarenta léguas, e ainda lhe cobrirei todas as despesas pelo caminho, para que veja vossa mercê como me preocupo mais por sua honra e pelo bem de sua alma, que vossa mercê próprio. E deixe de lado essas tolices de aventuras, que melhor seria dizer desventuras, pois já passou da idade. Que não venha o povo dizer que vossa mercê voltou aos tempos de criança, deitando a perder a si e a este bom lavrador que o acompanha, e que também ainda não acabou de fechar a moleira.

Sancho, que estivera muito atento a tudo o que disse Monsenhor Valentín, o tempo todo sem se levantar da albarda do seu querido jumento, concordou com o clérigo, dizendo:

— Por certo, senhor Licenciado, que sua reverência tem muitíssima razão, e tudo isso que disse a meu amo, também lhe digo eu e tem dito sempre o cura de nossa terra; mas não há argumentos que o convençam, e só o que fazemos é buscar tortos por este mundo afora. No ano passado e no corrente, só o que encontramos foi quem nos sacuda o pó das costas, vendo-nos cada dia em perigo de perder a pele, em razão dos grandes desaforos que meu senhor semeia por esses caminhos, chamando as vendas de castelo, e os homens ora de Gaiteiros, ora de Guirlandos, estes de Bermudos, aqueles de Rolamontes, e aqueles outros de diabos que os carreguem. E o pior é que essas pessoas são plantadores de melões, ou arrieiros, ou gente de baixa extração, tanto que, outro dia, a uma moça galega de uma venda, que me oferecia por quatro quartos aquilo que lhe veio do ventre de sua mãe, ele chamou, enchendo a boca, de infanta galiciana, e por causa dela espancou o vendeiro e quase nos deixou num inferno de maldição. Creia-me vossa mercê, e tomo como testemunha Santa Bárbara, advogada dos trovões e relâmpagos, que se estiver mentindo me falte esta albarda na hora de minha morte, que já quebrei a cabeça aconselhando-o sobre esses assuntos, mas com ele não há remédio, pois só quer que eu o siga, ainda que contra a minha vontade, e para isso comprou-me este bom jumento, e me paga mensalmente, por meu trabalho, nove reais, fora o de comer, e minha mulher que os busque, pois é assim que ajo, pois só de onde se tem é que se pode tirar.

Dom Quixote ficara cabisbaixo durante o tempo todo em que Monsenhor Valentín e Sancho Pança estiveram falando. Por fim, como quem desperta, começou a falar desta maneira:

— Fora, preguiça! Muito me espanta, senhor arcebispo Turpin, que, sendo vossenhoria da ilustre casa do imperador Carlos, cognominado Magno por sua excelência, parente dos Doze Pares da nobre França, seja tanta a sua pusilanimidade e cobardia que fuja das empresas árduas e dificultosas, evitando os perigos, sem os quais é impossível poder-se alcançar a verdadeira honra. Jamais foram alcançadas grandes coisas sem riscos e dificuldades, e se me exponho aos presentes e vindouros, faço-o por magnânimo que sou, visando a obter honra para mim e para quantos me sucederem. Isto é lícito, pois quem não zela por sua honra, mal zelará pela de Deus. Assim, Sancho, dá-me agora mesmo armas e cavalo, e partamos para Saragoça, que se eu conhecesse a covardia e a pulsilanimidade que imperam nesta casa, em tempo algum a teria ocupado. Mas saiamos dela imediatamente, a fim de que esse caruncho não se nos pegue.

Sancho foi logo ensilhar Rocinante e colocar a albarda no ruço. O bondoso clérigo, vendo Dom Quixote tão resoluto e obstinado, não quis replicar mais; preferiu ficar escutando o que resmungava Sancho a cada peça de arnês que punha, e que eram coisas engraçadíssimas, misturadas a ditados e trechos de antigos romances, num desarrazoado sem ordem ou concerto.

Quando montou em seu cavalo, disse o fidalgo gravemente:

— Já cavalga Claínos; Claínos, o infante.

Depois, voltando-se para o clérigo, empunhando a lança e o escudo, disse-lhe com arrogância:

— Cavaleiro ilustre, estou assaz grato pela mercê que neste vosso imperial alcáçar foi prestada a mim e a meu escudeiro. Vede, portanto, se vos sou de algum proveito para vingar-nos de algum agravo cometido por um fero gigante, pois tende a vossa frente Múcio Cévola, aquele que, sem pavor ou medo, ansioso por matar Porsena que mantinha Roma sitiada, intrepidamente pôs seu desnudo braço sobre o braseiro de fogo, com o que demonstrou tão grande denodo e valentia, quanto vergonha pela afronta que sofrera. Ficai certo de que vos farei vingado de vossos inimigos, e de tal maneira, que havereis de bendizer a hora em que me acolhestes nesta casa.

Depois disto, dizendo-lhe que ficasse com Deus, sem aguardar resposta, esporeou Rocinante. Chegando à praça, foi avistado pelos meninos, que logo começaram a gritar:

— Olha o homem armado! O homem armado!

Seguido deles, continuou a meio galope, até deixar a povoação, deixando espantados todos os que o viam.

O bom Sancho arreou seu jumento, subiu nele e disse:

— Monsenhor Valentín, não lhe ofereço meus préstimos de combatente, como meu amo, porque sou mais de fugir que de afugentar; mas agradeço muito pelo tratamento que nos dispensou: por muitos anos possa vossa mercê dispensá-lo a outros. Minha aldeia é Argamesilla; quando eu lá estiver, estarei preparado para recebê-lo com toda a atenção, juntamente com Mari-Gutiérrez, minha mulher, que por certo também lhe beija as mãos agora.

— Irmão Sancho — disse o clérigo, — Deus te guarde. Peço-te que, quando teu amo regressar à terra natal, venhas visitar-me, e traze-o contigo, pois sereis aqui muito bem recebidos.

Sancho respondeu:

— Prometo que sim, e fique vossa mercê com Deus. Permita Santa Águeda, advogada das tetas, que vossa mercê viva tantos anos quantos viveu nosso pai Abraão.

Em seguida, pôs-se a caminho. Passando pela praça, foi cercado pelos meirinhos e pelos demais que ali se encontravam, e que queriam rir-se um pouco com ele. Vendo todos ali reunidos, disse-lhes Sancho:

— Senhores, meu amo vai a Saragoça participar das justas e torneios reais. Se matarmos uma grosa dos gigantões e ferrabrases que dizem ali existir prometo-lhes, em paga do favor de nos devolverem nosso animais, trazer-lhes uma daquelas ricas joias que havemos de ganhar, além de meia dúzia de gigantes em escabeche. E se meu amo chegar a ser rei, e há de sê-lo, por sua valentia, ou então pelo menos imperador, e eu, por seu empenho, tornar-me papa ou monarca desta terra a cônegos de Toledo, pelo menos.

Ouvindo isso, todos deram uma enorme risada. Vendo os meninos que os meirinhos e os clérigos se riam daquele camponês montado, começaram a apupá-lo e a atirar-lhe pepinos e berinjelas, obrigando Sancho a descer do asno e puxá-lo depressa dali, até que saiu do lugar e se encontrou com Dom Quixote, que o esperava fora do povoado. Disse-lhe então o amo:
— Que houve, Sancho? Estavas entretido fazendo alguma, coisa?
Sancho respondeu:
— Quero que se danem os calcanhares da mulher de Jó! Então vossa mercê sai depressa e me deixa nas mãos dos caldeireiros de Sodoma? Hei de mostrar a eles um dia, quando me tornar arcebispo daquela cidade que vossa mercê me prometeu no ano passado. Pois não é que, pilhando-me sozinho, agarraram-me seis ou sete daqueles escribas e fariseus, e me arrastaram para a casa do boticário, onde me despejaram um laxante feito de chumbo derretido, por causa do qual comecei a despedir perdigotos quentes pela porta falsa, sem que pudesse parar para descansar?
— Não te preocupes — disse Dom Quixote, — que tempo virá em que nos vingaremos bem vingados de todos os agravos que aqui recebemos, por não nos conhecerem. Mas agora prossigamos para Saragoça, que é o que importa. Ali ouvirás e verás maravilhas.

CAPÍTULO VIII

DE COMO O BOM FIDALGO DOM QUIXOTE
CHEGOU À CIDADE DE SARAGOÇA, E DA
ESTRANHA AVENTURA QUE LOGO NA
ENTRADA LHES SUCEDEU, COM UM HOMEM
QUE ESTAVA SENDO AÇOITADO.

Em tão boa marcha caminharam Dom Quixote e Sancho, que às onzes horas do dia seguinte já se achavam a uma milha de Saragoça. Pelo caminho, encontraram muita gente a pé e a cavalo, vinda das justas que já se haviam encerrado. O caso é que o fidalgo, tendo-se detido em Ateca durante oito dias para curar seus ferimentos, deixou de honrá-las com sua presença, conforme desejava, perdendo assim aquela tão boa oportunidade.

Informado disso pelos caminhantes, ficou como desesperado, maldizendo sua sorte e pondo a culpa no sábio feiticeiro seu rival, dizendo que ele havia dado um jeito de que as justas se realizassem com grande presteza, para tirar-lhe a honra e a glória que nelas forçosamente alcançaria, favorecendo maliciosamente a outros, que ficaram com a vitória a ele devida.

Ficou, por isto, tão amofinado e melancólico, que não quis conversar com mais ninguém pelo caminho, até que chegou perto do bairro mouro, onde, ao se ver rodeado por pessoas desejosas de saber quem era ele e por que entrava armado de todas as peças na cidade, dirigiu-se e elas em voz alta, dizendo:

— Dizei-me, cavaleiros: há quantos dias se encerraram as justas que aqui se realizam, e das quais não mereci participar? Meu rosto bem demonstra o desespero em que me encontro por causa disto, mas o motivo foi achar-me então ocupado em certa aventura e encontro com o furioso Roldão (nunca o tivesse topado!). Mas não hei de ser como Bernardo del Cárpio: já que não tive a ventura de me achar nelas, lanço um desafio público a todos os cavaleiros enamorados que nesta cidade se acharem, de maneira que possa, assim, recobrar a honra que não pude alcançar por não me encontrar em tão célebres festas. Será amanhã o dia, e infeliz daquele que for apanhado pela minha lança ou pelo fios de minha espada! Assim agindo, espero aplacar a cólera e o aborrecimento com que chego a esta cidade. E se houver entre vós, ou em vosso forte castelo, alguém que esteja enamorado, desafio-o aqui e agora, chamando-o de covarde fementido. Que venha: hei de deitá-lo por terra e fazer com que se confesse vencido, em alto e bom som. Que venha também sobre mim a Justiça que aqui dizem haver, com seus jurados e cavaleiros, todos arrogantes, mas sem valor, pois um só cavaleiro os desafia, e eles se recusam a batalhar comigo. E como sei que assim são, sei também que não ousarão aguardar-me no campo; destarte, entrarei nesta cidade agora e fixarei meus cartazes por todas as suas praças e esquinas, pois com medo de minha pessoa e inveja dos prêmios e da honra que eu certamente alcançaria nas justas, abreviaram-nas ao máximo. Saí, saí, malandrins saragoçanos, que vos farei confessar vossa sandice e descortesia!

Dizia isto volteando o cavalo para lá e para cá, de tal sorte que as mais de cinquenta pessoas que se haviam ajuntado para vê-lo ficaram espantadas, sem saber a que atribuir tudo aquilo.

Uns diziam:

— Garanto que este homem é louco, um lunático!

E outros:

— Qual o quê! Não passa de algum grandíssimo velhaco. Se o colhe a Justiça, há de ter o que lembrar por todos os dias de sua vida.

Enquanto ele fazia Rocinante empinar, ignorando que o animal preferia enfrentar meio celamin de cevada, disse Sancho a todos os que estavam zombando do amo:

— Senhores, parem de falar mal de meu amo, porque ele é um dos melhores cavaleiros de minha terra! Já vi com estes olhos que este cavaleiro fazer tantas cavaladas na Mancha e na Sierra Morena, que se as houvesse de contar seria mister possuir a pena do gigante Golias. É bem verdade que nem sempre nos saíam as aventuras do jeito que queríamos, porque quatro ou cinco vezes nos benzeram as costas com lanhos em cruz, mas fiquem eles lá com seu pão, que meu senhor jurou por sua fé que, se porventura os encontramos outra vez, desde que os encontremos solitários, adormecidos e atados de pés e mãos, haveremos de lhes arrancar a pele para dela fazermos um belo escudo.

Com isto, todos começaram a rir, a um deles lhe perguntou de onde era. Sancho respondeu:

— Eu, senhores, falando com o devido acatamento das minhas honradas barbas, sou natural de minha terra que, com o perdão da palavra, se chama Argamesilla de la Mancha.

— Por Deus — disse um outro, — pensei que tua terra era outra, pelo tanto que a gabaste antes. Que lugar é esse, Argamesilla, do qual nunca ouvi falar?

— Corpo de quem me partejou ao nascer — exclamou Sancho. — É um lugar bem melhor que esta tal de Saragoça. É bem verdade que lá não há tantas torres como aqui; temos só uma. Também não há por lá esse muro alto que cerca a cidade. Mas temos as casas, não muitas, é certo, mas todas com belíssimos currais, onde cabem duas mil cabeças de gado em cada um. Temos um excelente ferreiro, e ele aguça as relhas tão bem, que é para dar mil graças a Deus. Quando saímos de lá, tratavam os alcaides de Toboso de pedi-lo emprestado, pois lá não há outro igual. Temos também uma igreja que, embora pequena, possui um lindo altar-mor, e outro na lateral, dedicado a Nossa Senhora do Rosário, com uma santa de duas varas de altura, enrolada num rosário grande, com os padres-nossos de ouro, grandes como este punho. Também é verdade que não temos relógio, mas por minha fé que nosso Cura jurou que, no primeiro ano santo que chegar, havemos de conseguir um ótimo órgão.

Dito isto, tentou Sancho acercar-se do amo, rodeado de muitas pessoas. Mas um dos que estavam com ele, tomando-lhe do braço, disse-lhe:

— Amigo, dizei-nos como se chama aquele cavaleiro, para que conheçamos seu nome.

— Para dizer-lhes a verdade, meus senhores — respondeu Sancho, — ele se chama Dom Quixote de la Mancha. Há um ano atrás, chamava-se Cavaleiro da Triste Figura, quando fez penitência na Sierra Morena, como já devem ter conhecimento. Chama-se agora Cavaleiro Desamorado. Quanto a mim, sou Sancho Pança, seu fiel escudeiro; homem de bem, segundo dizem meus conterrâneos. Minha mulher chama-se Mari-Gutiérrez, e é tão boa e honrada, que pode com sua pessoa dar satisfação a toda uma comunidade.

Em seguida, desceu do asno, deixando todos os presentes rindo, e caminhou para onde se achava o amo, cercado agora por mais de cem pessoas, entre as quais vários cavaleiros que haviam saído para tomar a fresca, e se acercado para ver que ajuntamento era aquele. Avistando-os, Dom Quixote descansou a ponta da lança na terra e começou a dizer:

— Valorosos príncipes e cavaleiros gregos, cujo nome e renome se espalha de um polo ao outro, do Ártico ao Antártico, do oriente ao poente, do setentrião ao meridião, do branco alemão ao adusto cita, florescendo em vosso grande império da Grécia não somente aquele grande imperador Trebácio e Dom Belianis de Grécia, como os dois valorosos e nunca vencidos irmãos cavaleiros do Febo e Rosicler: podeis ver o porfiado cerco que sobre esta famosa cidade de Troia por tantos anos estamos mantendo, e que em quantas escaramuças já nos defrontamos com esses troianos e com meu adversário Heitor, a quem, sendo eu Aquiles, vosso capitão general, nunca pude encontrar só, para poder enfrentá-lo corpo a corpo e fazer-lhe entregar, apesar de toda a sua forte cidade, Helena, que ele um dia raptou. Convém, pois, ó valorosos heróis, que sigais agora meu conselho, se é que desejais que saiamos daqui com a vitória cumprida, acabando a ferro, fogo e sangue com esses troianos, sem que dentre eles escape senão o piedoso Eneias, que, por disposição dos céus, tirando do incêndio seu pai Anquises e levando-o sobre os ombros, há de chegar com certas pessoas e naves a Cartago, e dali à Itália, a fim de povoar aquela fértil província com toda aquela nobre gente que o acompanha. E o que lhes aconselho é que construamos um paládio ou um grande cavalo de bronze, para que nele entrem todos os homens armados que ali couberem, e vamos deixá-lo neste campo, tendo ao lado Sinão, que todos conheceis, atado de pés e mãos, enquanto nós outros fingiremos retirar-nos do cerco, para que eles, deixando a cidade, enganados pela visão de Sinão e suas fingidas lágrimas, sejam por ele persuadidos a levar para dentro de suas muralhas nosso enorme cavalo, a fim de dedicá-lo a seus deuses; e eles sem dúvidas o escutarão, tendo de romper um lanço da muralha para que ele lá possa entrar; e depois de que tudo se acalme, por volta da meia-noite, com segurança sairão de seu ventre prenhe os cavaleiros armados que ali se encontrarem, os quais incendiarão toda a cidade, para onde em seguida acudiremos de improviso, a fim de aumentar o terrível incêndio, escutando os gritos desfeitos ao compasso das chamas, que se cevarão nas torres e ameias, nos capitéis e balcões, e os quais estarão dizendo: "Fogo vem, fogo vai; Helena vai-se embora e Troia cai".

Dito isto, esporeou Rocinante, deixando todos pasmados com sua estranha loucura. Sancho também subiu no asno e foi-se atrás do amo, o qual, entrando pela porta do Portillo, sofreou o rocim e seguiu pela rua devagar, observando as portas e janelas desconfiadamente. Seguia-o Sancho puxando o asno pelo cabresto, esperando para ver em que hospedaria se deteria o amo, já que Rocinante, a cada tabuleta de albergue que via, parava e não queria prosseguir. Dom Quixote, porém, esporeava o animal, até que este, contra a sua vontade, prosseguia a marcha, com mortal pesar de Sancho, que já não se aguentava de fome e cansaço.

Sucedeu, pois, que indo Dom Quixote pela rua, dando motivo de sobra aos comentários de todos os que o viam seguir daquela maneira, vinha em sentido contrário, trazido pela Justiça, um sujeito montado num asno, nu da cintura para cima, com uma corda no pescoço: era um ladrão, condenado à pena de duzentos açoites, acompanhado por três ou quatro alguazis e escrivães, e seguido por mais de duzentos meninos.

Tendo o nosso cavaleiro comtemplado esse espetáculo, deteve Rocinante e, colocando-se no meio da rua com aspecto galhardo, de lança baixa, começou a dizer em voz alta o seguinte:

— Oh, vós outros, infames e atrevidos cavaleiros, indignos desse nome! Libertai agora, são e salvo, esse cavaleiro que traiçoeira e injustamente prendestes, empregando, como vilões, inauditos estratagemas e enredos, com o fito de colhê-lo desprevenido! Eis que ele estava dormindo perto de uma límpida fonte, à sombra de frondosos amieiros, sofrendo a dor que lhe devia causar a ausência ou o rigor de sua dama, quando chegastes à sorrelfa, silentemente roubando-lhe cavalo, espada, lança e demais armas, desnudando-o de suas preciosas vestimentas e levando-o atado de pés e mãos a vosso inexpugnável castelo, para deixá-lo junto com outros cavaleiros e princesas que ali sem razão guardais em vossas tão obscuras quanto úmidas masmorras! Portanto, dai-lhe aqui logo suas armas e deixai-o montar seu possante cavalo, que ele vale por si só, que num átimo dará conta de vossa vil canalha gigântica. Soltai-o, e presto, velhacos, ou vinde a mim todos juntos, como é vosso costume, a enfentrar-me sozinho! Dar-vos-ei a entender como sois infames e canalhas, vós e quem com ele vos envia!

Os que levam o açoitado, escutando aquele homem armado de espada e lança dizendo semelhantes palavras, não souberam o que respondeu; mas um dos escrivães que iam a cavalo, vendo que estavam detidos no meio da rua e que aquele homem impedia o presseguimento da justiça, esporeando o rocim, chegou-se a Dom Quixote e, tomando Rocinante pela rédea, disse ao fidalgo:

— Que diabos estais dizendo, homem de Satanás? Dai passagem! Estais louco?

Santo Deus! Quem seria capaz de descrever a flamejante cólera que naquele instante se apoderou do coração de nosso cavaleiro! Recuando um pouco, ele em seguida arremeteu com a lança contra o pobre escrivão, de maneira que este, se não se tivesse deixado escorregar pelas ancas do rocim, por certo teria o estômago furado pelo metal enferrujado da lança. Com sua reação, porém, o golpe deu no vazio. Os alguazis e demais ministros da Justiça que ali se encontravam, vendo tudo aquilo e suspeitando que aquele homem fosse parente do que iam açoitando, e que era seu propósito soltá-lo à força, começaram a gritar:

— Acudam a Justiça! Acudam a Justiça!

Os que ali se achavam, e que não eram poucos, e alguns cavaleiros que chegaram atraídos pela algazarra, procuravam com todo o empenho acudir a Justiça e prender Dom Quixote, que, ao ver toda aquela gente sobre ele com as espadas desembainhadas, começou a vociferar:

— Guerra! Guerra! A eles! Santiago e São Dionísio, atacar! Atacar! Que morram!

Dizendo isto, arrojou contra um alguazil a lança com tal força, que se não acontecesse de ela passar-lhe por baixo do braço esquerdo, ele é quem teria passado muito mal. Em seguida, largando o escudo não chão, empunhou a espada, brandindo-a com tamanha fúria, que se o ajudasse o cavalo — que a duras penas se movimentava, de tão cansado e morto de fome que estava, — poderia ser outro o resultado do entrevero. Mas como havia muita gente, e os gritos de "Acudam a Justiça!" cada vez mais aumentassem, as espadas que caíam sobre Dom Quixote era incontáveis. Com isto, ajudados pela morosidade de Rocinante e o cansaço do nossos cavaleiro, conseguiram por fim tomar-lhe a espada, descê-lo do cavalo e, contra sua vontade, atar-lhe ambas as mãos nas costas. Em seguida, cinco ou seis meirinhos levaram-no aos trancos para o cárcere. O fidalgo, vendo-se tratado daquela maneira, dizia aos berros:

— Ó sábio Alquife! Ó minha astuta Urganda! Está na hora de mostrardes a esse falso feiticeiro se sois meus verdadeiros amigos!

Enquanto isto, resistia como podia, forcejando para soltar-se, mas era em vão.

A procissão do açoitado seguiu em frente, enquanto o nosso cavaleiro, pelas mesmas ruas por que já passara, foi levado ao cárcere, onde lhe enfiaram os pés num cepo e as mãos em algemas, tendo primeiro tirado todas as suas armas.

Foi então que chegando perto dele o filho do carcereiro, com um recado do pai para um dos meirinhos, ordenando-lhe que acorrentasse o fidalgo, este, escutando aquilo, ergui as mãos algemadas e deu no pobre rapaz tão terrível golpe na cabeça, que lhe causou pesado ferimento, apesar de estar usando chapéu, e este ser novo. Um segundo golpe já estava sendo preparado, quando o pai do rapaz, que a tudo assistira, ergueu o punho e lhe aplicou meia dúzia de bofetões na cara, arrancando-lhe sangue do nariz e da boca, deixando o pobre cavaleiro, que não se podia limpar, como a figuração de um quadro da Paixão.

O que ele disse e o que ele fez enquanto preso no cepo, não há historiador, por diligente que seja, capaz de narrar. O bom Sancho, que estivera presente a tudo o que ocorrera, puxando seu asno pelo cabresto, quando viu o amo levado daquela maneira, começou a chorar amargamente, seguindo-o o tempo todo, mas sem revelar que era seu criado. Maldizendo sua sorte e a hora em que havia conhecido Dom Quixote, dizia:— Arrenego quem mal me quer e quem não se condói de mim neste amargo transe! Quem, demônio, me mandou voltar a sair com esse sujeito, tendo já sofrido tantos infortúnios daquela outra vez, sendo aqui espancado, ali manteado, e acolá correndo o risco de ser apanhado pela Santa Irmandade, para ser posto em camisa de onze varas, perdendo a ocasião de ser rei ou roque? Que vou fazer, pobre de mim? Não me resta senão ir-me desesperado por esses mundos e essa Índias afora, alimentando-me das avezinhas do céu e dos animaizinhos da terra, fazendo enorme penitência e tornando-me outro Frei João Quaresma, andando agachado como urso selvagem, até que um menino de sessenta anos me diga: "Levanta-se, Sancho, que Dom Quixote já foi libertado"...

Enquanto assim se lamentava, seguiu, arrancando as barbas, até que chegou à porta do cárcere onde introduziram seu amo, e ali se deixou ficar, encostado numa parede e segurando o asno pelo cabresto, esperando para ver em que parava aquele negócio. De tempos em tempos, chorava, particularmente quando ouvia os que saíam da cadeia dizendo aos que por ali se achavam que o homem armado seria levado para fora, a fim de ser açoitado. Ouvindo isto, comentavam alguns que ele merecia a forca, por seu atrevimento, enquanto que outros, movidos pela piedade, condenavam-no a apenas duzentos açoites e breve tempo nas galés, pelo crime de haver detido o curso da justiça com suas arengas. Outros, por fim, diziam:

— Eu não queria estar em sua pele, ainda que se alegue, em defesa de sua insolência, que ele estava bêbado ou fora de si.

Sancho ouvia tudo com dor no coração, mas mantinha-se calado, como se nada tivesse a ver com aquilo.

Sucedeu pois que os dois alguazis, o carcereiro e seu filho compareceram ante a Justiça, ante a qual relataram a caso de tal maneira, que o juiz ordenou expusessem o culpado, como tal o considerando, sem ulterior informação, à exeração pública pelas ruas, devolvendo-o depois ao cárcere, até conhecer juridicamente a verdade do delito. Quando os alguazis voltaram e se preparavam para executar aquela repentina sentença, acabava de chegar à porta do cárcere o açoitado, montado no asno e seguido pela meninada que geralmente acompanha esse tipo de gente. Tão logo o avistou, disse um dos alguazis ao verdugo, à vista de Sancho.

— Eia, descei esse homem e não guardeis o asno, porque nele haveis logo de subir, levando pelas mesmas ruas aquele meio louco que pretendeu estorvar a justiça. É o que ordena a instância superior, antes que ele seja condenado às galés e aos açoites.

Infinita foi a tristeza que invadiu o coração do pobre Sancho ao ouvir o alguazil proferir tais palavras, e mais aumentou quando ele viu que tudo se preparava para levar a cabo a vexaminosa punição, e que toda aquela gente estava à porta da cadeia, dizendo:

— Bem merece esse infeliz cavaleiro armado os açoites que o esperam, pois foi tão néscio que enfrentou, sem quê nem por quê, a Justiça. Ademais, ainda por cima feriu na cabeça o filho do carcereiro!

Estas e outras semelhantes palavras deixaram Sancho como louco, sem saber que dizer ou fazer. Não lhe restava senão escutar aqui e perguntar ali, mas em todo lugar escutava más novas do que se passava com o amo, ao qual já começavam a retirar do cepo para expô-lo à vergonha pública.

CAPÍTULO IX

DE COMO DOM QUIXOTE, POR UMA ESTRANHA CIRCUNSTÂNCIA, FICOU LIVRE DO CÁRCERE E DO CASTIGO AO QUAL ESTAVA CONDENADO.

Estando o pobre Sancho chorando lágrimas amargas e esperando, com o coração ferido, ver o amo desnudo da cintura para cima, montado num asno, recebendo os duzentos açoites que, segundo escutara, lhe seriam dados de presente, passaram sete ou oito cavaleiros importantes da cidade por ali. Vendo tanta gente à porta da cadeia em hora tão incomum, pois já passava das quatro, perguntaram o motivo do ajuntamento. Um mancebo contou-lhes o que certo cavaleiro armado havia feito e dito, fora e dentro da cadeia, e que por isso ele seria açoitado pelas ruas. Espantaram-se com aquilo, principalmente quando souberam que ninguém dali o conhecia. Outra pessoa lhes contou tudo o que o tal cavaleiro havia dito antes de entrar na cidade, causando gargalhadas gerais. O que mais os espantou, porém, foi que ninguém soubesse por que razão ele andava armado de escudo e lança

Nisto, quis a sorte que Sancho se aproximasse, querendo escutar o que estavam dizendo. Reparando bem nos cavaleiros, reconheceu entre eles Dom Álvaro Tarfe, que, apesar de se terem encerrado as justas há seis dias, ainda não se fora de Saragoça, aguardando a realização de um torneio acertado entre ele e os principais da cidade, e marcado para o próximo domingo.

Vendo-o, largou Sancho o cabresto do asno e, pondo-se de joelhos no meio da rua, diante dos cavaleiros, com seu barrete na mão, começou a dizer, entre lágrimas:

— Ah, senhor Dom Álvaro Tarfe! Pelos evangelhos do senhor São Lucas, tenha vossa mercê compaixão de mim e de meu senhor Dom Quixote, que está nesta cadeia, e que querem levar às ruas para açoitar, a não ser que o senhor Santo Antônio e vossa mercê não o remediem, porque dizem que ele fez à Justiça daqui não sei que sem-justiça e desaguisado, e por isso querem condená-lo às galés por trinta ou quarenta anos.

Dom Álvaro Tarfe logo reconheceu Sancho Pança e suspeitou de tudo o que podia ter ocorrido. Espantado de vê-lo, disse-lhe:

— Sancho! Que é isto? É para o vosso amo que estão fazendo todos esses preparativos? Se bem que de sua loucura e vã fantasia, bem como de vossa necedade tudo se possa presumir, custo a crer nisso, embora mo tenhais afirmado com tais extremos.

— Pois é tudo verdade, senhor, pecador que sou! — disse Sancho. — Ennre lá vossa mercê e faça-lhe de minha parte uma visita, dizendo que lhe beijo as mãos e aconselho a não subir naquele jumentinho que acabam de trazer, porque que tenho aparelhado o ruço, em cima do qual ele poderá ir como um patriarca. Este animal, como ele bem sabe, pisa tão macio, que quem nele vai cavaleiro pode ir carregando uma taça na mão sem derramar uma gota, especialmente se ela estiver vazia.

Dom Álvaro Tarfe, rindo do que dissera Sancho com tanta simplicidade, ordenou-lhe que não se afastasse dali até que ele voltasse para fora; em seguida, acompanhado de dois dos cavaleiros que estavam com ele, entrou no cárcere, encontrando Dom Quixote no momento em que os carcereiros o soltavam, para que ele cumprisse seu castigo. Vendo-o em tão mau estado, rosto e mãos sujos de sangue, além de algemado, disse-lhe Dom Álvaro:

— Que é isto, senhor Quijada? Que aventura ou desventura foi esta? Vê agora como é bom ter amigos na corte? Pode contar comigo: espere para ver. Entretanto, diga-me: que desgraça foi esta?

Dom Quixote reconheceu-o e, com um sorriso discreto, disse-lhe:

— Oh, meu senhor Dom Álvaro Tarfe! Vossa mercê seja bem-vindo. Sobremaneira me espanta a estranha aventura que vossa mercê acaba de realizar: diga-me logo, por Deus, de que modo penetrou neste inexpugnável castelo, onde, por artes de feitiçaria, fui preso, juntamente com todos estes príncipes, cavaleiros, donzelas e escudeiros que aqui comigo há tempos se acham. Que faz para matar os dois feros gigantes que à porta estão, de braços erguidos, com duas clavas de fino aço, para impedir a entrada dos que, contra sua vontade, aqui queiram entrar? E como matou aquele ferocíssimo grifo que se encontra no primeiro pátio, capaz de colher, com suas rapinantes garras, um homem armado de todas as peças, levando-o para as alturas e ali despedaçando-o? Inveja tenho, sem dúvida, de tão soberana façanha, pois pelas mãos de vossa mercê todos seremos livres. Esse sábio feiticeiro meu rival será crudelissimamente morto, e a maga sua mulher, que tantos e tantos males tem causado no mundo, há de ser açoitada sem misericórdia, e exposta à execração pública.

83

— É o que iria acontecer a vossa mercê — disse Dom Álvaro, — se sua boa fortuna, ou, melhor dizendo, se Deus, que dispõe todas as coisas como benevolência, não houvesse ordenado minha vinda. Seja como for, digamos que matei todos os gigantes que referiu, e que libertei os cavaleiros que o acompanham; entretanto, convém por ora, já que fui seu libertador, que vossa mercê, obedecendo-me como o pede o agradecimento que me deve, fique aqui nesta sala algemado, até que eu ordene o contrário, pois isto é necessário ao bom remate de minha feliz aventura.

— Meu senhor Dom Álvaro — disse Dom Quixote, — será vossa mercê inteiramente obedecido por mim; porém, para prestar-lhe um novo favor, permitindo-lhe-ei que doravante me acompanhe, coisa que jamais pensei fazer com cavaleiro algum. Contudo, quem deu cabo e remate a tão perigosa façanha, merece justamente minha amizade e companhia, a fim de que possa ver em mim, como num espelho, o que, por todos o grande império da Trapisonda, casando-me ali com uma formosa rainha da Inglaterra, com a qual terei dois filhos, havidos após muitas lágrimas, promessas e orações. O primeiro, porque nascerá com a marca de uma espada de fogo no peito, chamar-se-á o da Ardente Espada; o segundo, porque do lado esquerdo terá outra marca parda, da cor do aço, viticinadora dos terríveis golpes de clava que há de semear por este mundo, chamar-se-á Clavimbruno de Trapisonda.

Deram todos uma grande gargalhada; mas Dom Álvaro Tarfe, dissimulado, mandou-os sair e pediu a um dos cavaleiros que haviam entrado com ele que ali permanecesse, para impedir que fizessem algum mal a Dom Quixote, enquanto ele e um outro, que era parente próximo do juiz de Direito, iriam negociar sua liberdade, coisa fácil de se alcançar, já que sua loucura era de conhecimento geral.

Saindo da cadeia, montaram a cavalo, tendo Dom Álvaro ordenado a um seu pajem que levasse Sancho Pança à casa onde ele estava alojado, alimentando o bem, mas não permitindo de modo algum que ele de lá saísse, até ordem em contrário.

Replicou Sancho em alta voz:

— Meu senhor Dom Álvaro, saiba que meu ruço está tristíssimo por não ver Rocinante, seu bom amigo e fiel companheiro, do mesmo modo que eu, por não estar vendo meu senhor Dom Quixote. Assim, peça vossa mercê , aos fariseus que prenderam meu amo, que prestem contas do nobre Rocinante, pois eles o levaram, sem que o pobrezinho tivesse dito, em toda a pendência, sequer uma má palavra a quem quer que fosse. Peça notícias também, que eles terão de dá-las, da insigne lança e do precioso escudo do meu amo, pois afianço que nos custou treze reais mandar pintá-la a óleo, por um pintor velho que tinha um barrigão nas costas e vivia sei lá em que rua de Ariza, porque meu amo me descontaria dinheiro se não lhe prestasse contas dessas armas.

— Podes ir, Sancho — acalmou-o Dom Álvaro; — vai comer e repousar, e não te preocupes com o resto, que tudo há de sair muito bem.

Foi-se Sancho com o pajem, puxando o asno pelo cabresto. Chegados à casa, levaram o animal para o estábulo, com bastante comida, e Sancho para dentro, dando-lhe uma refeição tão farta quanto farto foi ele em retribuir a todos da casa com graça e simplicidade, contando-lhes o que sucedera ao amo e a ele, seja com o vendeiro, seja com o meloeiro e com os moradores de Ateca. Tudo foi depois narrado a Dom Álvaro, que nesse momento estava em casa do Juiz, juntamente com seu amigo, informado sobre quem era Dom Quixote e sobretudo o que lhe havia acontecido com o açoitado, com o carcereiro e com eles próprios na cadeia.

Ciente de tudo, o Juiz ordenou a um portador que fosse à cadeia ao carcereiro e aos alguazis para libertarem o prisioneiro, sem fiança ou custas, entregando seu cavalo e todos os demais, pertences ao senhor Dom Álvaro Tarfe. Tudo foi cumprido conforme ele ordenou.

Dom Álvaro chegou à cadeia no momento em que voltavam a armar Dom Quixote, já livre das prisões, e lhe entregavam o escudo. Riram muito quando leram seus dísticos e viram as figuras das damas e de Cupido. A fim de que não chamasse atenção, esperaram que anoitecesse, quando o levaram para casa, montado em Rocinante.

À ceia estiveram presentes os cavaleiros amigos de Dom Álvaro, divertindo-se grandemente com o que lhes disse Sancho Pança sobre os últimos acontecimentos. Quando ele revelou que burlara o amo, dando à galega apenas quatro quartos, ao invés dos prometidos duzentos ducados, encheu-se Dom Quixote de cólera, dizendo:

— Ó infame vil e de vil casta! Bem se vê que não és um nobre cavaleiro, pois a uma princesa como aquela, a quem tão injustamente tratas por moça de venda, deste quatro quartos! Juro, pela ordem de cavalaria que recebi, que a primeira província, ilha ou península que eu conquistar, hei de entregar a ela, apesar de ti e de quantos vilões como tu existam no mundo.

Espantaram-se todos aqueles cavaleiros da cólera de Dom Quixote, enquanto Sancho, vendo o aborrecimento do amo, respondeu:

— Quero que se danem os velhos da casta Susana! Não reparou vossa mercê, pela aparência e pelos andrajos daquela moça, que ela não era infanta nem almiranta? Pois juro a vossa mercê que, se não fosse por mim, tê-la-ia levado um comprador de trapos velhos, para fazer dela papel de embrulho, e a muito suja nem me agradeceu! Se não fosse porque lhe tive medo, ter-lhe-ia aplicado uns bofetões tais, que ela jamais se esqueceria de Sancho Pança, flor de quantos escudeiros andantes já houve neste mundo. Deixá-la para lá, porque se ela uma vez me deu um murro e dois coices nestas costas, em compensação eu comi um bom pedaço do queijo que ela guardava escondido na prateleira...

Levantou-se Dom Álvaro rindo do que Sancho Pança havia dito, e com ele os demais, e ordenou que levassem Dom Quixote a um bom aposento, onde lhe prepararam confortável cama, na qual ficou repousando e se refazendo por dois ou três dias. Sancho foi levado por dois pajens a seu quarto, no qual travou com eles engraçadíssima conversa.

CAPÍTULO X

COMO DOM ÁLVARO TARFE CONVIDOU CERTOS AMIGOS SEUS A JANTAR, A FIM DE COMBINAR COM ELES AS LIBRÉS QUE IRIAM USAR NO TORNEIO.

Chegada a manhã, entrou Dom Álvaro Tarfe no quarto de Dom Quixote e, sentando-se numa cadeira junto à cama, disse-lhe:

— Como vai vossa mercê, senhor Dom Quixote, flor da cavalaria manchega, nesta terra? Algo de novo em que os amigos possamos ajudar vossa mercê? Porque neste reino Aragão se oferecem muitas aventuras perigosas aos cavaleiros andantes, a cada dia que passa. Há poucos dias, nas justas que aqui se realizaram, vieram de diversas províncias vários gigantes membrudos e guerreiros descomunais que deram grande trabalho aos nossos cavaleiros. Só faltou que se achasse aqui vossa mercê, a fim de aplicar a semelhante gente o castigo que merecem por suas más obras. Pode ocorrer, contudo, que vossa mercê os tope pelo mundo, e lhes faça pagar pelo de ontem e pelo de hoje.

— Meu senhor Dom Álvaro — respondeu Dom Quixote, — estou e estive em grandíssimo tormento por não me encontrar aqui por ocasião das justas, pois se aqui estivesse, creio que nem esses gigantescos se teriam ido rindo, nem alguns dos cavaleiros teriam ganhado as preciosas joias que só a minha ausência lhes permitiu ganhar. Mas suspeito que *nondum sunt completa peccata Amorreorum*, quer dizer, ainda não está completo o número de seus pecados. Quando estiver, Deus há de permitir que eu os castigue.

— Pois, senhor Dom Quixote — disse Dom Álvaro, — vossa mercê fique sabendo que, para depois de amanhã, que é domingo, combinamos disputar um torneio, eu e os cavaleiros dos mais importantes. Os juízes serão os mesmos das justas: três cavaleiros dos mais distintos deste reino, um titular e dois de comenda. Assistirão a ele várias e formosíssimas infantas, princesas e camareiras de peregrinas beleza, transformando num verdadeiro céu as janelas e balcões da famosa Cale del Coso, a rua principal, onde poderá vossa mercê achar a mancheias duas mil aventuras. Por ela desfilaremos todos, envergando librés e exibindo lemas, escritos nos estandartes ou nos escudos, contendo ditos engraçados ou de passatempo. Se vossa mercê estiver em condição e tiver disposição de nele entrar, ofereço-me para acompanhá-lo e oferecer-lhe a libré, para que esta cidade e este reino vejam que não tenho por amigo tão bom cavaleiro, que por si só seja bastante capaz de ganhar todos os prêmios do torneio.

— Fico em extremo contente — disse Dom Quixote, sentando-se na cama, — pois assim vossa mercê poderá ver com seus próprios olhos as coisas que ouviu de minha habilidade, pois embora seja verdade, como diz o refrão latino, que elogio em boca própria é vitupério, mesmo assim posso e quero dizer de mim o que estou dizendo, pois se trata de fato público e notório.

— Concordo — disse Dom Álvaro, — mas fique vossa mercê quieto na cama, em repouso, para que o faça com maior comodidade. Aqui mesmo poremos a mesa e comeremos, eu e alguns cavaleiros do meu grupo, para depois da refeição tratarmos de tudo que há de fazer, guiando-nos em tudo pelas sensatas sugestões de quem, como vossa mercê, tanta experiência tem de semelhantes jogos.

Foi-se Dom Álvaro, deixando o bom fidalgo com a fantasia cheia de quimeras. Sem conseguir repousar, ele levantou-se e começou a se vestir, imaginando-se já presente ao torneio. Soltando as rédeas da imaginação, ficou mirando o chão sem pestanejar, com as bragas meio vestidas. Depois de algum tempo assim parado, arremeteu de braço esticado contra a parede, dando uma carreira e dizendo:

— Já da primeira tentativa trago-lhes a argola enfiada na lança. Assim, vossas excelências, retíssimos juízes, mandem-me entregar o melhor prêmio, pois a ele fiz jus, sem embargo da inveja dos aventureiros que nos circundam.

Ouvindo seus gritos, subiram um pajem e Sancho Pança, os quais, entrando no quarto, depararam com a visão do fidalgo, com as bragas caídas, falando com os juízes e olhando para cima. Como sua camisa era um pouco curta na frente, não deixava de descobrir alguma fealdade. Vendo aquilo, disse Sancho Pança:

— Senhor Desamorado (ah, meus pecados!), cubra seu etcétera, que aqui não há juízes que o queiram condenar à prisão, a duzentos açoites, ou à execração pública, embora vossa mercê esteja execradamente mostrando ao púbico o que não deve, sem quê nem por quê.

Dom Quixote voltou a cabeça e, ficando de costas para vestir as bragas, abaixou-se, descobrindo mais do lado de trás do que descobrira de frente, além de algo mais asqueroso que deixou ver. Sancho logo o alertou, dizendo:

— Pelo amor de meu saio! Que está fazendo, senhor? Agora está pior do que estava antes! Que é isso de querer saudar-nos com todas as imundícies que Deus lhe deu?

Riu-se muito o pajem, e Dom Quixote, compondo-se o melhor que pôde, voltou-se para ele, dizendo:

— Digo que estou muito contente, senhor cavaleiro, que vossa batalha se trave da maneira que melhor vos parecer, seja a pé, seja a cavalo; seja com armas, seja sem elas; a tudo me achareis disposto, pois, embora seguro da vitória, contudo muito me apraz batalhar contra tão renomado cavaleiro e diante de tanta gente, que poderá ver com seus próprios olhos o valor de uma pessoa tão desamorada quanto eu sou.

— Senhor cavaleiro — respondeu o pajem, — não há aqui quem queira batalhar com vossa mercê. Se alguma batalha haveremos de travar, há de ser, daqui a duas horas, com um gentil peru que nos aguarda para ser nosso convidado à mesa.

— Esse cavaleiro — indagou Dom Quixote — que chamais de "Peru" é natural deste reino, ou estrangeiro? Eu não gostaria, por todas as coisas do mundo, que se tratasse de parente ou de protegido do senhor Dom Álvaro.

Ouvindo isto, intrometeu-se Sancho, dizendo:

— Pela vida do cordoeiro que fez o laço com que se enforcou Judas, que vossa mercê, apesar de todos os livros que leu e de todos os latins e ladainhas que estudou, não compreendeu o que este aqui disse. Desça cá embaixo e verá a cozinha cheia de espetos, com dois ou três panelões parecidos com as talhas que usamos em Toboso, cheios de pernis de carneio, de bolos de carne e de empadas, que toda ela parece um paraíso terrestre. E afianço-lhe que se me pedisse um pouco de saliva limpa, não poderia dá-la a vossa mercê, pois tenho aqui dentro três taças de *malvasia*, que é como chama o vinho desta terra, e o fazem com muita razão, já que a taça fica *mal, vazia*, quando ela está por perto, e ela chega a ser melhor que o vinho de Yepes, que vossa mercê tão bem conhece. Para que a bebida não me ficasse mal, este senhor aqui me deu um pãozinho branco de quase duas libras e meia, e o cozinheiro coxo me presenteou com dois pescoços que não sei se eram de avestruz; provavelmente sim, pois quase comi minhas próprias mãos, confundindo-as com eles. Assim, de uma só vez fiz a cama para a bebida e refocilei o estômago. A mim me parecem, senhor, que são estas as verdadeiras aventuras, pois as tropas na cozinha, na despensa e na copa, ou seja lá como a chamam, muito a meu gosto, e até perdoaria a vossa mercê o salário que me paga mensalmente, se aqui permanecêssemos, sem sair por aí atrás de meloeiros que nos benzam o espinhaço. Creia-me que é isto o mais acertado, pois ali está o cozinheiro coxo que me adora, e todas as vezes que vou visita-lo, e que não são poucas, me enche um prato fundo de carne "freática" que, só de vê-la, me dá vontade de sorvê-la como se faz com um ovo. E ele não faz então rir de ver a graça e liberdade com que como, que é para dar mil graças a Deus. É bem verdade que, ontem à noite, um desses senhores que se chamam "pajens", ou "vagens", não sei bem, me disse para sorver o caldo de uma escudela que tinha nas mãos, porque aquilo me daria nova vida, depois da que Deus me deu. Eu, não caindo em mim que se tratava de velhacaria, segurei a escudela com ambas as mãos e, querendo atendê-lo com toda a gentileza, dei três ou quatro sorvidas boas, o que não deveria ter feito, porque aquele grandíssimo... — tenha-o por dito — do pajem havia deixado a vasilha sobre as brasas, de maneira que o caldo me desceu assoviando pelo estômago abaixo, e me fez saltar dos olhos outro tanto de caldo como o que engoli. Ele, o cozinheiro, e este senhorito aqui riram tanto que até se desqueixaram; mas afianço que não burlarão comigo de novo dessa maneira, porque, tendo ficado escaldado, agi com prudência: quando o cozinheiro, logo em seguida, ofereceu-me uma grossa fatia de melão, apalpei-a bem devagarinho, para ver se ela não estaria também em brasa.

— Oh, que grande besta! — exclamou Dom Quixote. — Uma fatia poderia estar em brasa? Nisso deixas evidente quão guloso és, e que teu principal interno não é o de buscar a verdadeira honra dos cavaleiros andantes, mas sim o de encher a pança, como Epicuro.

— Se Pança sou, é o que tenho de fazer — disse Sancho.

Nisto, escutaram as vozes de Dom Álvaro, que chegava para almoçar com cinco ou seis cavaleiros que participariam do torneio, e aos quais convidara para discutir sobre as librés que usariam, e para que se divertissem com Dom Quixote, como peça rara que ele era. Assim, subiram diretamente para seu aposento e, achando-o meio vestido e com aspecto que se descreveu, não puderam conter o riso. Dom Álvaro, porém, repreendeu-o, por se ter levantado contra sua ordem, e ordenou-lhe que voltasse para a cama, pois do contrário eles se recusariam a almoçar.

À custa de rogos, o fidalgo acatou a determinação, e ali mesmo foi posta a mesa de almoço, tendo todos o cuidado de tratar Dom Quixote sempre de *soberano príncipe.*

No decurso da refeição, o fidalgo fez engraçadíssimos relatos de suas aventuras, em resposta às perguntas dos amigos de Dom Álvaro. Respondendo sempre com calma e gravidade, ele muitas vezes até se esquecia de comer, preocupado em contar o que pensava fazer em Constantinopla e Trapisonda, com essa e aquela infanta, com esse e aquele gigante, todos de nomes tão extravagantes, que só de ouvi-los prorrompiam em gargalhadas todos os comensais. Se não fosse por Dom Álvaro, que sempre defendia Dom Quixote, abonando suas coisas com discreto artifício e dissimulação, ele algumas vezes se teria aborrecido deveras com aquelas risadas constantes. Num dado momento, recriminou-os, dizendo não ser próprio de valentes cavaleiros rirem-se despropositadamente das coisas que diuturnamente sucedem aos cavaleiros andantes como ele. Dom Álvaro defendeu-o, dizendo:

— Até parece, senhores, que vossas mercês são novatos e não conhecem o valor do senhor Dom Quixote de la Mancha, como eu tão bem conheço. Se não sabem quem ele é, perguntem-no aos cavaleiros que outro dia seguiam pelas ruas levando aquele soldado que estava sendo açoitado; eles lhes dirão o que fez e disse em sua presença e em defesa do açoitado este fidalgo, a fim de desfazer o torto que lhe faziam, como verdadeiro cavaleiro andante.

Por fim, terminou a refeição, tirou-se a mesa, e eles começaram a tratar das librés que usariam e dos lemas e motes que cada qual levaria. Um deles perguntou:

— E o senhor Dom Quixote, que libré há de usar? Não podemos deixar sem cartas o melhor jogador. Segundo meu parecer, ele deveria usar libré verde, cor de esperança, pois ele a tem de alcançar e ganhar todos os prêmios do torneio. Outro discordou, dizendo que ao Cavaleiro Desamorado não caberia cor melhor que o roxo, complementado por um mote que espicaçasse as damas.

— Antes por ser desamorado — disse um terceiro cavaleiro, — ele deveria ir de libré branca, em sinal de sua voluntária castidade. Não é pouco estar sem amor um cavaleiro de tantas prendas, que deixou de lado o amor por não haver no mundo quem dele o mereça.

O último cavaleiro replicou, dizendo:

— Pois minha sugestão, senhores, é que, já tendo o senhor Dom Quixote matado tantos gigantes e feros guerreiros, deixando suas mulheres viúvas, que saia com libré negra, indicando a todos que queiram enfrentá-lo que negra há de ser sua ventura.

— Com licença de vossas mercês — disse Dom Álvaro, — quero dar meu parecer, e há de ser singular, como o é o senhor Dom Quixote. Quero crer que sua mercê não deva usar libré alguma; antes, como verdadeiro cavaleiro andante, deverá mostrar-me armado de todas as peças. Assim, por sua propriedade e bom caimento, faço-lhe doação das que traz consigo: as famosas armas de Milão, que sob sua guarda deixei em Argamesilla, já que elas só estão honradas quando em seu poder — tanto quanto ociosas no meu. E como perderam o lustre por causa da poeira dos caminhos e do sangue que ele derramou de diversos gigantes em diferentes batalhas, darei ordem para que sejam limpas e polidas, até que fiquem bem brilhantes. Por lema, basta o que traz no campo de seu escudo, e que ninguém de Saragoça ainda viu, já que ele o trouxe, desde Ariza, onde foi pintado, até aqui, coberto por um véu, a fim de não perder o brilho; assim, a pintura está como nova e digna de ser por todos admirada. Servir-lhe-á de arma o seu lanção, com o qual, somado ao seu galhardo porte e à ligeireza do célebre Rocinante, fará com que todos vejam ser ele o ilustre cavaleiro andante que, há pouco, tanto se empenhou pela honra do honorável açoitado, e esteve às voltas com as aventuras do meloeiro e várias outras que o povo ignora.

Todos acharam muito acertada a ideia de Dom Álvaro, inclusive Dom Quixote, que muito a apreciou, e que isto disse:

— As palavras de Dom Álvaro refletem veramente o que importa, pois sói suceder em semelhantes festas a vinda de algum famoso gigante ou descomunal guerreiro, rei de alguma ilha estrangeira, lançando descomedidos desafios contra a honra do rei ou dos príncipes da cidade. Para abater semelhante soberba, faz-se mister que eu esteja armado de todas as peças. Beijo mil vezes as mãos do senhor Dom Álvaro, pela liberdade com que me faz mercê das armas que estava pronto a restituir-lhe nesta ocasião e nesta terra, e afirmo que com elas hei de fazer com que certo gigantaço traidor e aleivoso, que vem cometendo pelo mundo grandes desaguisados, não possa gabar-se de que, neste famoso reino de Aragão, não haja quem se atreva a enfrentá-lo em batalha singular.

E, num pulo, saltou da cama com repentina e imprevista fúria, deixando o aposento, vestido apenas com a camisa curta empunhando sua espada. Sem que os circunstantes tivessem tempo de detê-lo, saiu gritando pela casa:

— Eis-me, aqui, soberbo gigante! Contra mim não valem arrogantes palavras ou medonhos feitos!

E dando seis ou sete cutiladas nos tapetes que estavam pendurados nas paredes, continuou:

— Pobre de ti, que rei não és mais! Chegado é o tempo em que se cansou Deus de tuas más obras.

Vendo aquilo, os cavaleiros e Dom Álvaro refugiaram-se num canto da sala, temendo que Dom Quixote os atacasse e os tomasse por gigantes vindos de além da Ilha Maleandrítica. Por fim, Dom Álvaro conseguiu segurá-lo pelo braço, forcejando para não rir, tanto ele como os demais, da inusitada figura do manchego.

— Eia, flor da cavalaria da Mancha — acalmou-o Dom Álvaro, — meta a espada na bainha e volte para a cama, que o gigante fugiu pela escada abaixo, sem ousar ficar à espera dos fios de sua cortante espada!

— Acredito — disse Dom Quixote, — pois esses tais mais receiam vozes e palavras, que obras propriamente ditas. Por respeito a vossa mercê, não quis segui-lo; deixei que viva, pois isso há de resultar-lhe em maior mal. Guarde-se ele de defrontar-me outra vez.

Devido a tudo isso, de tão depauperado que estava, ficou muito ofegante, quase não conseguindo respirar direito. Deixando-o na cama, com ordem de não sair dela até o dia do torneio, mandou Dom Álvaro chamar Sancho para fazer-lhe companhia. Seus amigos despediram-se, dizendo que iam procurar outros companheiros, a fim de tratar de certos assuntos ligados ao torneio. Foi o que realmente fizeram, aproveitando para contar a todos os seus conhecidos os feitos e ditos de Dom Quixote, planejando como fazer para que todos se divertissem e rissem a valer com sua participação no torneio.

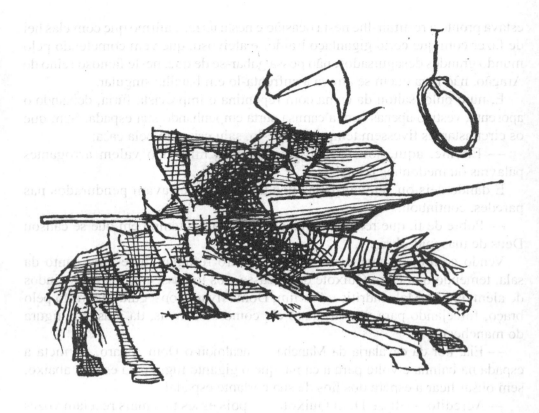

CAPÍTULO XI

DE COMO DOM ÁLVARO TARFE E OUTROS CAVALHEIROS SARAGOÇANOS E GRANADINOS PARTICIPARAM DO TORNEIO, E DO QUE NELE SUCEDEU A DOM QUIXOTE.

Durante três longos dias, à custa de rogos e contínua vigilância, esteve Dom Quixote contra a vontade na cama, à beira da qual se revezaram os guardas, pois como tais tomava Sancho Pança os pajens e dois amigos de Dom Álvaro, com quem ele entreteve curiosíssimas conversações. Em certos momentos, ele já se julgava participando do torneio, e então começava a discutir com os juízes, a invectivar os gigantes forasteiros e a cometer outros cem mil dislates. Às suas rematadas loucuras juntava-se a tolice de Sancho, e todos se riam a valer. Dom Quixote só tinha de bom o trato e passadio, especialmente quando em presença de Dom Álvaro, que costumava almoçar e jantar com ele, acompanhado sempre de diferentes cavaleiros.

Finalmente, chegou o esperado domingo, quando os participantes do torneio se prepararam e se adereçaram o melhor que puderam com suas ricas librés, entretanto na rua que dava para a arena com seus escudos e faixas com pinturas e escritos destinados a representar suas ideias e alegrar a festa.

Não quero passar em silêncio o que havia em dois arcos triunfais caprichosamente montados nas duas bocas da rua. O da entrada era todo de damasco azul celeste, tendo pintado em cima dele o invictíssimo imperador Carlos V, gloriosíssimo avô de nosso heroico e católico monarca, o terceiro Filipe Hermenegildo, vestido à romana, com uma guirlanda de folhas de louro sobre a cabeça e um bastão de general à mão direita. Na parte de cima do arco, dois versos latinos diziam o seguinte:

Fraena quod imperii longo moderaris ab arvo,
Austria, non hominin, numinis extat opus.[5]

O pé direito estava colocado sobre um mundo feito de ouro, ao redor do qual se lia:

Três partes do vasto mundo
nosso César conquistou,
e a Alexandre suplantou.

O pé esquerdo pisava três ou quatro turcos rendidos, tendo em baixo este verso latino:

Qui oves amat, in lupos saevit.[6]

Ao pé do arco da mão direita, arrimando à mesma coluna do arco, via-se sobre um pequeno estrado o famoso duque de Alba, Dom Fernando Alvarez de Toledo, armado, tendo à mão direita seu bastão de general, e em plano inferior a Fama, tal qual a pintam, com uma trompa, na qual se lia:

A solis ortu usque ad occasum.[7]

Já ao pé da coluna esquerda do arco, também sobre outro pequeno estrado, via-se Dom Antonio Levia, armado e com bastão de general, como o Duque, e tendo estes versos sobre a cabeça:

Se bem ao meu rei servi,
bem pago foi meu amor
pois, mais que Dom, fui Senhor.

O segundo arco era todo de damasco branco bordado, tendo ao alto o prudentíssimo rei Dom Filipe II, riquissimamente vestido, e a seus pés este famoso epigrama do excelente poeta Lope de Cega Carpio, familiar do Santo Ofício:

Philippo Regi, Caesari invictíssimo,
Omnium máximo Regum triumphatori,
Orbis utriusque et maris felicíssimo,
Catholici Caroli successori,
Totius Hispanieae principi digníssimo,
Ecclesiae Christi et fidei defensori,
Fama, praecingens tempora alma, lauro,
Hoc simulacrum dadicat ex auro.[8]

À mão direita estava seu cristianíssimo e único fênix, Dom Filipe III, nosso rei e senhor, vestido com um traje de riquíssimo tecido de ouro, coroado por estes dois versos latinos:

Nulla est virtutis species quae, máxime Princeps,
Non colat ingenium nobilitate tuum.[9]

À mão esquerda estava o invictíssimo príncipe Dom João d'Áustria, armado de todas as peças, com o bastão de general à mão, o pé direito colocado sobre a roda da Fortuna, a qual, com um cravo e um martelo, prendia a roda, tornando-a imóvel. Sobre a figura, lia-se:

O cravo que mantém fixa
a roda que ontem te ergueu
foi o insigne valor teu.

Outras muitas curiosidades de enigmas e lemas havia nos arcos; porém, para evitar prolixidade, e como não cabem em nosso propósito, aqui se omitem.

Acrescente apenas que, naquele domingo, e Calle del Coso estava riquissimamente enfeitada, vendo-se todos os seus balcões e janelas cobertos com brocados e tapetes muito bem bordados, todos ocupados por belíssimos serafins, cada qual com esperanças de receber das mãos de seus amados, ou de algum cavaleiro aventureiro, a joia que ele ganhasse. Toda a nobreza do reino e da cidade compareceu à festa: o Vice-Rei, o Juiz, deputados, jurados e demais autoridades e cavaleiros, pondo-se cada qual no lugar que lhe cabia. Vieram também os juízes do torneio, bem vestidos e ataviados, os quais, como dissemos, eram um cavaleiro titular e dois de comenda, e puseram-se num tablado não muito alto, curiosamente composto. À sua chegada, começaram a soar os clarins e trombetas, a cujo som começaram a entrar pela rua, de dois em dois, os cavaleiros que haveriam de participar das disputas. Os primeiros foram dois galhardos mancebos vestidos de libré idêntica, como também idênticos eram seus cavalos. Seu traje era de cetim branco e verde, e seus chapéus eram enfeitados com plumas. Um deles segurava um rico saleiro, e seguia derramando sal sobre as plumas, que eram encimadas por estes versos:

> *Em minha alma, o sol divino,*
> *os raios com que me inflama,*
> *qual sol de graças, derrama.*

O outro, que era recém-casado com uma dama muito formosa, trazia um escudo pintado com o retrato da esposa e o seu próprio, em posição de escudeiro, encimado por estes versos:

> *Só me obscurece o prazer*
> *de contemplar esta estrela,*
> *o receio de perdê-la*

Depois deles, vieram outros dois, vestidos de damasco azul ricamente bordado. Traziam tal libré porque eram ambos jovens, apaixonados e ciumentos. Um deles trazia pintada no escudo uma ferocíssima leoa coberta por uma pele de ovelha, tendo a seus pés ele próprio, de joelhos, dizendo estas palavras:

> *Só com pele de cordeiro,*
> *de palavras me coroa,*
> *que, nas obras, é leoa.*

O outro levava, em campo negro, o retrato de sua amada, a quem ele, tirando o chapéu, pedia a mão, sendo recusado com desdém. Fora por isto que estava participando do torneio. Embora raspasse a barba, naquela ocasião colocou uma falsa barba branca, disfarce que não deixou de causar certa compreensão entre aqueles que o conheciam, mas que logo se tranquilizavam, ao ler estes versos escritos em seu escudo:

> *Amando e não sendo amado,*
> *dou cabal demonstração*
> *de estar perdendo a razão.*

Em seguida, entraram dois cavaleiros de librés inteiramente diversas. Um vestia um traje prateado, ricamente bordado, e montava um cavalo branco, não menos ligeiro que o vento. No escudo, em campo também branco, estava o retrato de sua dama, mostrando-a em posição encurvada, estendendo a mão para um morto, coberto com a mortalha, tendo por cruz, no peito, estes versos:

Sua visão me matou,
mas por suas mãos de fada,
nova vida me foi dada.

O segundo era um mancebo recém-casado, rico de patrimônio, mas perdulário, tanto que sempre andava sufocado por dívidas, sem haver comerciante ou oficial a quem não devesse. Aqui pedia, acolá perdia; ora trapaceava, ora empenhava a mais rica corrente de ouro que tinha, ou então seu mais rico adorno; assim, depois que lhe faltou o pai, vivia tão empenhado, que a necessidade o obrigava a não vestir senão baeta, com a desculpa de que o fazia por luto e sentimento. Para satisfazer a murmuração do vulgo, trazia pintada no campo negro do escudo uma beata, vestida de preto, numa tonalidade mais escura que a do campo pintado, com estes versos:

Como a beata pobreza,
é baeta que me cobre,
e a vergonha de ser pobre.

E assim, de dois em dois, entraram mais vinte ou trinta cavaleiros, com ricas e custosas librés, exibindo versos, lemas e motes engraçados e de agudo engenho, os quais deixo de referir para não transformar em livro de versos este que só pretende ser a crônica dos quiméricos feitos de Dom Quixote. Somente faremos menção de sua entrada, que foi à retaguarda de todos os aventureiros, ao lado do senhor Dom Álvaro Tarfe, pois assim havia sido combinado entre eles e os juízes.

Vinha Dom Álvaro num fogoso cavalo cordovês, ruço, rodado, ricamente ajaezado. Seu traje era de tecido dourado, bordado de açucenas e rosas enlaçadas, e no campo branco de seu escudo trazia o desenho de Dom Quixote na aventura do açoitado, muito bem representada, tendo por cima estes versos:

Aqui trago o que há de ser,
qual mostram seus disparates,
o príncipe dos orates.

Lendo aquilo, riram-se todos os que estavam a par das histórias de Dom Quixote, que se apresentou armado de todas as peças, inclusive do morrião, que trazia na cabeça.

Ele entrou serenamente, montado em Rocinante, trazendo na ponta da lança, atado num cordão, um grande pergaminho esticado, tendo escrita a Ave Maria, em letras góticas. Sobre os dísticos e desenhos do escudo, havia acrescentado uns versos explicando a razão daquele pergaminho, os quais assim diziam:

Sou bem mais que Garcilaso,
pois de um vil turco mesquinho,
tomei este pergaminho.

O povo estava espantado ao ver aquele homem armado para disputar o torneio, sem saber a que propósito trazia aquele pergaminho atado na lança; não obstante, só de ver sua figura, a magreza de Rocinante e o escudo cheio de desenhos pintados por mão assaz velhaca, todo o mundo se ria e o apupava.

Aos principais da cidade, tal visão não causava espanto, pois todos tinham conhecimento, pelas informações de Dom Álvaro e dos cavaleiros seus amigos, de quem era Dom Quixote, de sua estranha loucura e da finalidade de sua presença ali, que era a de diverti-los com alguma disparatada aventura. Não é novidade nesses torneios que os cavaleiros levem à praça pessoas desprovidas de razão, com ideias de ali poderem combater, competir, pelejar e alcançar prêmios, não só em Saragoça como em diversas outras cidades importantes.

Deste modo, todos eles esperando fazer boa figura, passaram os cavaleiros diante de suas damas, fazendo-lhes e devida cortesia: este fazia o cavalo ajoelhar-se diante da dona de sua liberdade; aquele o fazia corcovear e saltar, demonstrando grande habilidade; um outro o fazia empinar-se; finalmente, todos faziam o que podiam e sabiam para causar boa impressão. Só o cavalo de Dom Quixote seguia tranquilo e manso ao lado do de Dom Álvaro, até que ambos chegaram defronte ao balcão onde se achavam os juízes. Tendo ambos os cavaleiros cumprimentando os três que iriam julgá-los, um deles, que era o de melhor humor, debruçou-se sobre o parapeito do tablado e se dirigiu a Dom Quixote em voz alta, provocando riso geral entre os circunstantes:

— Famoso príncipe, espelho e flor da cavalaria andantesca: eu e toda esta cidade estamos em extremo gratos a vossa mercê por ter-nos querido honrar com sua valorosa pessoa. É bem verdade que alguns destes senhores cavaleiros estão tristes com sua presença, tendo como coisa certa que vossa mercê lhes há de arrebatar neste torneio as joias mais preciosas; em vista disto, determinamos, mesmo sabendo que vossa mercê merece ganhar todos os prêmios, não lhe entregar senão o mais rico e precioso de todos, para assim melhor perdemos satisfazer a todos estes príncipes e cavaleiros.

Grave e sossegadamente, respondeu Dom Quixote, dizendo:

— Por certo, ilustríssimo juiz, mais reto que Rodamonte, espelho dos árbitros; acho-me tão pesaroso de não haver comparecido às justas há pouco terminadas, que estou para arrebentar de tristeza. A causa foi estar ocupado em não sei quais aventuras de não pequena importância. E já que nelas, dada a minha ausência, não me foi possível mostrar o valor de minha pessoa, desejo que, neste torneio, mesmo em se tratando de mera sucessão de jogos que em nada honram meus excepcionais brios, vejam vossas mercês com os próprios olhos se tudo o que de mim ouviu dizer, bem como de meus feitos, não consiste em fatos tão sólidos e verazes como os de Amadis e dos demais cavaleiros antigos que tanta honra alcançaram pelo mundo. Com efeito, meu valor logo será visto e reconhecido, pois já pela manhã, tão logo assomou pelos balcões de nosso horizonte o ardente enamorado da esquiva Dafne, pude coroar-me com a própria saudação com que Deus, através de seu emissário São Gabriel, dirigiu à Virgem, arrebatando-a eu, como diz o que está escrito da causa de soberbo frisão, o qual desfilou diante de meu balcão, irritando minha cristã paciência. Só que ele encontrou em mim outro manchego Garcilaso, dotado de mais brios e anos que o outro, e que vingou tal insolência.

Ouvindo isto, o juiz que falava com Dom Quixote pegou o pergaminho e o escudo de Dom Quixote, exibindo-os aos outros juízes e aos demais cavaleiros que os acompanhavam, os quais, após exclamações de espanto entremeadas de risos, devolveram-nos ao fidalgo.

Seguiu em frente Dom Quixote, exibindo suas prendas, pavoneando-se e olhando com arrogância para todos os lados. Chegando à extremidade da rua onde os demais participantes do torneio já se encontravam, começaram a soar as charamelas e trombetas, assinalando que os primeiros cavaleiros já queriam o início das disputas. Os juízes haviam ordenado que, ao término da primeira carreira, seriam ofertadas quatro joias a cada um dos quatro cavaleiros que nela melhor se houvessem. E assim se fez, embora só um houvesse conseguindo retirar o anel com a lança, e foi justamente Dom Álvaro Tarfe, que quis participar da primeira disputa. De comum acordo com os juízes, ele dissera a Dom Quixote que não corresse senão na última carreira, a qual as recebeu com mostras de grande satisfação e agradecimento.

Correram pela segunda vez, e outros quatro receberam os prêmios. Nessa oportunidade, já foram dois os cavaleiros que conseguiram arrancar o anel. Deste modo, quase nenhum cavaleiro que conseguindo presentear com alguma joia a dama que melhor lhe parecia. Como estivesse ficando tarde, Dom Quixote pediu a Dom Álvaro permissão para correr, ameaçando fazê-lo mesmo que esta não lhe fosse concedida, e apesar de quantos juízes houvesse na Europa. Compreendendo seu estado de espírito, os juízes fizeram sinais a Dom Álvaro para que lhe desse permissão de participar de duas carreiras. Assim, tomando-o pela mão, ele levou o fidalgo até o meio da rua, defronte do anel, à espera do sinal a ser dado pelas trombetas.

Ao som destas, partiu nosso cavaleiro, sozinho e com o escudo no braço esquerdo, esporeando Rocinante, que mesmo assim corria a pouco mais que meio galope. Tão infeliz foi sua arremetida, que a lança passou mais de dois palmos acima do anel e da corda, dando no vazio. Sofreando o cavalo, ele logo baixou a lança, observando com grande atenção se teria ou não apanhado o anel, o que causou enorme riso em todos os assistentes, especialmente ao notarem que ele, nada vendo na lança, encolerizou-se sobremaneira, fazendo Rocinante voltar ao ponto de partida, onde se achava Dom Álvaro, que lhe falou, dissimulando o riso:

— Vossa mercê, senhor Dom Quixote, deve fazer outra tentativa agora mesmo, antes que o cavalo esfrie. Embora não tenha colhido o anel, sua arremetida foi excelente: a lança passou a menos de meia vara do ponto.

Sem responder palavra, Dom Quixote deu de rédeas e inicou nova corrida, ao som do riso dos circunstantes, que viam Dom Álvaro seguir logo atrás dele, a meio galope. Chegando pela segunda vez ao anel, com a cólera e a perturbação que dele tomavam conta, desta vez errou o anel por baixo, cerca de meia cara. Entrementes, o discreto Dom Álvaro, vendo quão desastradamente arremetera o fidalgo, pondo-se de pé sobre os estribos conseguiu apanhar o anel com a mão e, chegando perto de Dom Quixote, com sutileza conseguiu colocá-lo no corpo da lança, sem deixar que ele notasse, já que pusera a arma nos ombros após a arremetida, confiante na precisão de seu golpe. Feito isto, disse Dom Álvaro:

— Vitória, senhor Dom Quixote, lustre da cavalaria manchega! vejo que vossa mercê conseguiu colher o anel com a lança!

Ainda desconfiado do sucesso do golpe dado, no que agia sensatamente, Dom Quixote olhou para cima e disse:

— Seria de espantar, senhor Dom Álvaro, que eu errasse duas vezes seguidas. Mas a culpa da primeira carreira foi Rocinante — má páscoa lhe dê Deus! — que não passou pelo anel com a velocidade que eu queria.

— Agora correu tudo bem — disse Dom Álvaro. — Pode vossa mercê dirigir-se aos juízes e pedir-lhes o prêmio a que fez jus.

Seguiu o bom fidalgo tão ancho e vanglorioso, que nem cabia em si, se é que cabia na rua. Postando-se diante dos juízes, mostrou-lhes o anel na ponta da lança e lhe disse:

— Vejam vossas senhorias o que diz esta lança e o que pede o anel que dela pende, qual seja a outorga do prêmio que por justiça se me deve.

O mesmo juiz que já falara com ele havia pedido a um pajem que lhe trouxesse duas dúzias de tiras de couro, que não valiam mais que meio real. Tomando-as na mão, atou-as na lança do fidalgo e disse em voz alta, de modo a ser ouvido pelos demais cavaleiros:

— Eu, segundo rei Fernando, dou-vos, com minhas próprias mãos, a vós, invicto cavaleiro andante, flor da andantesca cavalaria, esta insigne joia trazida da Índia: fitas de pele de ave fênix, para que as entregueis, já que sois desamorado, à dama que, dentre as tantas que ocupam esses balcões, pareça-vos ter menos amor. Afora isso, ordeno-vos, sob pena e minha desgraça, que vinde a minha casa, juntamente com Dom Álvaro Tarfe, cear esta noite, e não deixes de trazer convosco um escudeiro vosso, que sei ser fidelíssimo e digno de servir quem, como vós, possui tais prendas.

Soaram a seguir as charamelas, e Dom Quixote saiu a mirar os balcões e janelas, até que numa delas avistou uma honrada velha, que mais devia entender das propriedades da arruda e da verbena, do que de receber joias. Junto dela estavam duas donzelas ataviadas à maneira saragoçana. Foi a ela que se dirigiu nosso cavaleiro, depositando as tiras no peitoril da janela e dizendo em voz alta, de modo que todos puderam escutar:

— Sapientíssima Urganda, a Desconhecida: este vosso cavaleiro, a quem tanto sempre haveis favorecido em todas as ocasiões, suplica-vos perdoar-lhe o atrevimento e receber estas peregrinas fitas, feitas da pele da próprias ave fênix. Tende-as no devido valor, pois podem comprar uma cidade!

As duas jovens, ouvindo aquele homem armado dizendo palavras tão estranhas e vendo todos rindo do fato de ter mais de sessenta anos a matrona que ele escolhera para presentear com as tiras de couro, também riram, embora um pouco desapontadamente, e fecharam a janela na cara do fidalgo, sem lhe responderem palavra.

Dom Quixote ficou algo vexado com o ocorrido, mas Sancho Pança, que desde o início das justas ficara com dois ajudantes de cozinheiro assistindo ao torneio e aguardando os prêmios que o amo deveria ganhar, vendo que sua oferta fora recusada pela velha e que a janela lhe fora fechada com desrespeito, levantou a voz, dizendo:

— Pelo corpo de que pariu a puta dessa velha do tempo da Carochinha, mulher de um dos dois putíssimos velhos da casta Susana! Então se pode fechar a janela a um dos melhores cavaleiros de minha terra, sem querer receber as correias gentilmente ofertadas? Que mal proveito lhe tragam! E como pode alguém chamada Urganda recusar um tal presente? Correias como essas, grandes e fortes, sem dúvida devem ser de cachorro. Por minha fé que, se agarro um meio tijolo, faço-as abrir essa janela, queiram ou não queiram.

E voltando-se para Dom Quixote, disse-lhe:

— Deixe comigo essas tiras, pois aquelas lá não as querem, nem as merecem. Guardo-as comigo, e faremos boa poupança. Além do mais, estou bem precisado de uma boa tira de couro para prender meus calções, pois a que estou uma boa tira de couro para prender meus calções, pois a que estou usando está cheia de nós. Assim, passe-as para cá, corpo não de Deus! pois comigo terão melhor serventia que com elas.

Dom Quixote baixou a lança e respondeu:

— Toma, Sancho, guarda estas preciosas fitas na maleta, até que chegue a hora de usá-las.

Sancho as tomou, dizendo:

— Olhem, corpo de Barrabás, o que recusou a bruxa velha! Pois afianço que não as tirarão de minhas mãos por menos de vinte maravedis, embora não valham tanto. Pelo que vejo, são material fino: couro de lebre, pele de truta, algo assim.

Querendo examinar as tiras, chegaram-se dez ou doze sujeitos, entre os quais um jovem de roupas mui leves, pés mui ágeis e mãos mui sutis, o qual, com extrema rapidez, agarrou-as, e pernas para que te quero! em quatro pulos escapuliu para fora da rua principal. Ainda bem que Dom Quixote nada viu, senão faria o moço em pedaços tão miúdos, que o maior seria a orelha. Colhido de surpresa, Sancho Pança nada pôde fazer, e começou a gritar, pedindo:

— Peguem-no, senhores, pecador que sou! Ele roubou a melhor joia do torneio!

Mas vendo perdidas as esperanças de que o agarrassem, começou a chorar amargamente, arrancando as espessar barbas, levantando os braços e vociferando:

— Oh, desventurada da mãe que me pariu! Oh, dia aziago, no qual perdi essas tiras preciosas, as melhores de toda a Lombardia! Ai de mim! Que farei? Que contas darei a meu amo da joia que me confiou? Que desculpas terei para fugir de sua andantesca cólera, evitando que ele me tire o pó dos costados com algum nodoso bordão? Se lhe digo que as perdi, ter-me-á por escudeiro desmazelado; se lhe digo que as perdi, ter-me-á por escudeiro desmazelado; se lhe digo que eu fui furtado por um pícaro, ficará tão irado que logo desafiará para batalha campal não só o que me furtou, mas a todos os pícaros que se possam achar em toda a Picardia. Antes morrer que passar por tão grande dor! De boa vontade eu me mataria, se não fosse passar mal por causa disso. Mas chega! Mãos à obra! Vou agora mesmo pedir ao cozinheiro coxo de Dom Álvaro que me empreste dois quartos de real, com os quais comprarei a corda com que me enforcarei. Prometo pagar-lhe em dobro mais tarde. E se acaso achar alguma árvore onde me possa pendurar sem tirar os pés do chão, passarei a corda no primeiro galho e ficarei aguardando que passe um caridoso, a quem rogarei com muitas lágrimas que por obséquio me ajude a me enforcar, pelo amor de Deus, pois sou um homem pobre, órfão de pai e de mãe. Portanto, alto! Ficai com Cristo, Dom Quixote de la Mancha, o mais valente cavaleiro de quantos andantes forja os ventos gelados do aquilão. Fica em paz também tu, Rocinante de minha alma, e lembra-te de mim, pois eu me lembrava de ti todas as vezes que ia dar-te de comer. Lembra também daquele dia em que, passando descuidado perto de teu postigo traseiro, dizendo: "Amigo Rocinante, como estás? ", tu, que não sabias falar língua de gente, me respondeste com um ruído parecido com o de castanholas, disparando pela saída estercal um arcabuzaço com tanta graça, que a não ser meu nariz, todo o resto de mim ficou em extremo feliz. Fica, pois, rocim dos meus olhos, com a bênção de todos os rocins de Roncesvalles. Se soubesses a tribulação em que me encontro, sei que me darias algum consolo para alívio de minha grande dor. Agora, sus! Vou contar minha desgraça para meu amigo cozinheiro, de quem espero algum remédio, já que mais vale deixar para depois o que se pode fazer agora, pois ao que Deus madruga, muito se ajuda. Enfim, antes vivo, sem saio, que morto pelo raio, pois mais vale um abutre voando que um pássaro na mão.

E neste compasso foi desafiando mais de quarenta refrões sem nenhum propósito.

CAPÍTULO XII

COMO DOM QUIXOTE E DOM ÁLVARO TARFE
FORAM CONVIDADOS A CEAR COM O JUIZ, E DA
ESTRANHA E JAMAIS IMAGINADA AVENTURA
QUE NA SALA SE OFERECEU AQUELA
NOITE A NOSSO VALOROSO FIDALGO.

Terminadas as provas dos sorteios, assistidas por toda a cidade, foram-se os cavaleiros para suas casas, já que a noite se aproximava. Em vista do convite que havia recebido, Dom Álvaro segurou Dom Quixote pelo braço e lhe disse:

— Vamos, senhor Dom Quixote, dar um par de voltas por essas ruas, enquanto não chega a hora de jantar com o liberalíssimo juiz que nos convidou a sua casa esta noite.

— Farei como vossa mercê quiser — respondeu Dom Quixote.

E sem que houvesse maneira de fazê-lo entregar a um pajem sua lança e seu escudo, lá se foi ele com Dom Álvaro, todo ataviado com sua parafernália.

Na hora aprazada, chegaram à nobre casa do juiz que os convidara a jantar. No saguão, finalmente, consentiu Dom Quixote que um pajem guardasse o escudo e a lança que trazia. Depois de apearem, subiram ambos para o aposento de Dom Carlos, que era este o nome do juiz, o qual se levantou, com outros cavaleiros que também haviam sido convidados, para ir abraçar Dom Quixote, dizendo-lhe:

— Seja bem-vindo, senhor cavaleiro andante. Com a saúde que todos desejamos, faça como fizemos todos nós: para repouso dos trabalhos há pouco feitos, tire vossa mercê as armas, pois está em local seguro, entre amigos que desejam servir a vossa mercê e aprender, de seu valor, toda a boa ordem da milícia, coisa que muito necessitamos, haja vista o mau sucesso dos cavaleiros no torneio. Com efeito, se vossa mercê lá não estivesse para corrigir seus erros, a festa não teria tido o brilho e o calor que teve.

Respondeu-lhe Dom Quixote:

— Senhor Dom Carlos, não tenho por costume, onde quer que vá, em casa de amigos ou de inimigos, tirar as armas, e isso por duas razões: a primeira, porque, trazendo-as sempre consigo, o homem se afeiçoa a elas, pois, como dizem os filósofos, *ab assuetis non fit passio.*[10] de fato, o costume, como vossa mercê sabe, converte as coisas em natureza, e assim nenhum trabalho há que cause desgosto. A segunda razão é porque não sabe o homem em quem pode confiar nem o que poderá suceder, por serem diversas as ocorrências da guerra. Recordo-me de haver lido no autêntico livro das façanhas de Dom Belianis de Grécia, que indo ele e outro cavaleiro, ambos armados de todas as peças, através de um bosque no qual se haviam extraviado, chegaram a certo prado onde dez ou doze selvagens estavam assando um veado. Os cavaleiros, que estavam com não pouca precisão e fome, vendo a humanidade demonstrada por aqueles bárbaros, desceram dos cavalos, tirando-lhes os freios para que pastassem. Eles próprios, porém, não quiseram tirar as caladas, limitando-se a levantar as viseiras para comer o pernil que os selvagens lhes entregaram, tendo-se sentado na relva para tal. Apenas haviam comido meia dúzia de bocados, quando, combinados entre si, usando uma linguagem que os forasteiros não compreendiam, chegaram-se sub-repticiamente pelas suas costas dois dos selvagens, cada qual empunhando uma clava, e ambos ao mesmo tempo lhes aplicaram tal pancada sobre suas cabeças, que se não houvessem ambos ficado com suas celadas, por certo serviriam de sustento para aqueles bárbaros. Mesmo assim, caíram por terra, aturdidos, enquanto seus agressores começaram a desarmá-los; contudo, como não tinham prática disso, não faziam senão revirá-los para cá e para lá naquele prado. Destarte, dando-lhes o vento no rosto, caíram em si do triste fim que os aguardava, e com presteza se levantaram, empunhando as espadas e brandindo-as com tal fúria, que de muitos fizeram dois, já que eles estavam despidos.

Dizia isto Dom Quixote com tanta cólera, que acabou também empunhando sua espada, prosseguindo assim seu relato:

— E eles aqui rasgavam, ali vazaram, ora partiam um até os peitos, ora deixavam outro num só pé, como um grou, até que mataram a maior parte deles.

Dom Carlos fê-lo embainhar a espada, rindo-se todos da cólera que o assaltara, como se os selvagens ali estivessem presentes. Tomando-o pela mão, o dono da casa levou-o para a outra sala, onde estavam postas as mesas. A um pajem que ali se achava, disse Dom Carlos:

— Vai, voando, à casa onde está hospedado Dom Álvaro que sabes onde fica, e chama o escudeiro do senhor Dom Quixote, Sancho Pança, dizendo-lhe que seu amo lhe ordena vir logo para cá contigo, pois ele também está convidado. De maneira alguma deverás regressar sem ele.

O pajem tomou a capa e saiu imediatamente. Lá chegando, encontrou Sancho Pança na cozinha, contando ao cozinheiro com grande melancolia a desgraça do furto das preciosas tiras. O pajem interrompeu-o, dizendo:

— Venha neste instante vossa mercê comigo, senhor Sancho, porque o senhor Dom Quixote o chama, vendo que o senhor Dom Carlos não quer sentar-se à mesa com os convidados enquanto não estiver vossa mercê na sala.

— Senhor pajem — respondeu Sancho com fleugma, — pode vossa mercê dizer a esses senhores que lhes beijo as mãos, mas que não estou em casa, e por isso não vou. Estou pelas ruas e praças, atrás de certo objeto importante que perdi. Se Deus me iluminar e eu conseguir achá-lo, então dou-lhes a palavra de que logo irei para-lá.

— Nada disso — contestou o pajem; — vossa mercê há de vir comigo. São essas as minhas ordens; além disso, vossa mercê também foi convidado para o jantar.

— Sendo assim, adio meus negócios para amanhã — respondeu Sancho. — Claro está que irei agora mesmo, e de muito boa gana. Afianço que me encontrou num momento de boa disposição, porque há mais de três horas que não entra coisa alguma em meu estômago, a não ser um pratinho de fiambre e um pãozinho que me deu aqui o senhor cozinheiro, que Deus o guarde, com os quais voltou-me a alma ao corpo. Assim, vamo-nos, que não quero marcar ausência, nem que me tenham por descuidado.

Despedindo-se do cozinheiro, partiu logo com o pajem. Em pouco, chegou à sala onde já estavam jantando os convidados, que eram mais de vinte, tendo Dom Carlos se sentado à cabeceira, com Dom Quixote à sua direita.

Sancho postou-se junto ao amo e, tirando o barrete com as duas mãos, fez uma profunda reverência, dizendo:

— Boas noites dê Deus a vossas mercês, e os tenha em sua santa glória.

— Ó Sancho! — exclamou Dom Calos — sê bem-vindo. Mas que história é essa de que Deus nos tenha em sua santa glória, se ainda não estamos mortos? A não ser que estejam mortos de fome estes cavaleiros, já que a refeição é pouca.

— Meu senhor — disse Sancho, — como para mim não há outra glória senão quando a mesa está posta, tenho-a grande, vendo nesta daqui tantos pratos cheios de avestruzes, carnes e pernis, tanto que não posso tragar a saliva, de tanto que esta me enche a boca.

Dom Álvaro Tarfe tomou um melão. Se estiver bom, dar-vos-ei seu peso em carne, da que está nesta travessa.

Junto com a fruta, deu-lhe uma faca, para que ele a cortasse. Sancho disse que não gostara de cortar melões em fatias, quando estivera no meloal de Ateca;

104

assim, com sua licença, iria partir aquele como se usava em sua terra. Dizendo isto, deixou-o cair no chão, espatifando-o em quatro pedaços. Tomando-os na mão, mostrou-os a Dom Álvaro, dizendo:

— Olhe-o vossa mercê, como está bem partido, sem ser necessário faca para cortar fatias pequenas.

— Vejo, Sancho — disse Dom Carlos, — que és sagaz. Agrada-me tua descrição, pois fazer de uma só vez o que os outros não conseguiram fazer de oito. Toma este capão, que eu mesmo quero ofertar-te — disse isto dando-lhe um excelente frango que estava numa travessa. — Disseram-me que recebeste de Deus uma habilidade particular para devorar um deste.

— A Santa Trindade lhe pague — agradeceu Sancho — quando vossa mercê se for deste mundo.

Tomou do capão que já estava partido pelas articulações e limitou-o tão bem, que só restaram os ossos. Vendo a destreza de seus dentes, os pajens resolveram passar-lhe às mãos quantos pratos podiam pegar, e ele os foi devorando um a um, até ficar redondo como uma trompa francesa.

Por fim, Dom Carlos, tomando um prato cheio de almôndegas, disse:

— Tens coragem, Sancho, de comer duas dúzias destas almôndegas, se elas estiverem bem guisadas?

— Nunca ouvi falar dessas tais de almôndegas — estranhou Sancho. — De alfândegas, já, se bem que não sei o que são. Porém, sei que não são de comer.

— Pois almôndegas, Sancho — disse Dom Carlos, entregando-lhe o prato, — são estas bolotas de carne.

Sancho foi pegando uma por uma, como se fossem uvas de um cacho, e tratou de enfiá-las entre o peito e as espáduas, com enorme espanto dos que testemunhavam sua boa disposição. Ao acabar de comê-la, disse:

— Ah, filhas da puta, traidoras; que bem me souberam! Garanto que deve ser com essas pelotinhas que brincam as crianças que estão no limbo. Por minha fé que, voltando à minha terra, hei de semear, num pomar que tenho junto de minha casa, um celamim delas, pois sei que ninguém as planta em toda a Argamesilla. Quem sabe até, consigo, se o ano for bom, que os regedores as taxem em oito maravedis a libra... Ah, não; se for assim, não deixarei ninguém ficar sabendo que as plantei.

Dizia isto Sancho com toda a ingenuidade, como se na realidade as almôndegas fossem coisa que se pudesse cultivar. Vendo que todos se riam, disse:

— Só um inconveniente vejo em semear essas almôndegas: como sou por natureza muito afeiçoado a elas, iria comê-las antes que amadurecessem, a não ser que minha mulher pusesse um espantalho que me impedisse de chegar a elas, com a ajuda de Deus.

—Eu não sabia disso, Sancho — disse Dom Carlos. — Então és casado?

— Sou, com minha mulher, para servir a vossa mercê — respondeu Sancho. — E ela beija muitas vezes suas mãos, pela mercê que me faz.

Riram todos da resposta. Dom Carlos prosseguiu, perguntando se ela era formosa. Ele respondeu:

— E como, corpo de São Ceroulo, se é formosa! É bem verdade que, se não me engano, fará cinquenta e três anos na próxima primavera. Também está com a cara meio tostada de tanto andar ao sol, e lhe faltam três dentes da frente, em cima, e dois de trás, embaixo. Apesar de tudo, não há Aristóteles que lhe chegue aos sapatos. O único defeito que tem é que, chegando-lhe às mãos duas ou três moedas, vai logo depositá-las na casa de Juan Pérez, taberneiro lá da terra, trocando-os por suco de videira, que deixa guardado numa jarra grande que temos, quase sem boca, de tanto que a dela não lhe dá sossego.

— Sendo ela boa de copo — disse Dom Carlos — e tu muito bom de prato, deveis formar um belo casal.

E entendendo-lhe um prato que tinha seis pelotas de manjar-branco, disse-lhe:

— Deixaste, Sancho, algum rincão desocupado onde ainda caibam estas seis bolotas? Pelo que comeste, acho que não tens mais apetite.

— Beijo as mãos de vossa mercê — disse Sancho, estendendo as suas e segurando o prato — pela que me faz. Confie em mim que hei de comê-las, de Deus e Sua bendita Mão, permitem.

E, indo para um canto, comeu quatro com muita gana e gosto, conforme o mostraram suas barbas, que ficaram aqui e ali caiadas de manjar-branco. As outras duas pelotas, guardou-as junto ao peito, com intenção de comê-las pela manhã.

Finda a refeição e tiradas as mesas, sentaram-se todos ao redor da sala. Dom Álvaro Tarfe e Dom Quixote ficaram à esquerda de Dom Carlos, que mandou Sancho sentar-se a seus pés. Enquanto Dom Álvaro palestrava com Dom Quixote, fazendo-lhe dizer mil dislates, já que durante o jantar estivera mudo, parte porque os convidados ficaram dando atenção a Sancho, parte pelas quimeras que revolvia na mente sobre a vingança que deveria tirar da sábia Urganda, que tão publicamente o desfeiteara, fechando-lhe a janela no rosto, sem aceitar as preciosas fitas que lhe presenteava; Dom Carlos conversava com Sancho Pança, e os demais cavaleiros entre si, entraram na sala dois excelentes músicos com seus instrumentos, juntamente com um rapaz que era um galhardo sapateador. Os músicos entoaram maviosas canções, e depois o rapaz sapateou e dançou com grande habilidade. Enquanto ele se exibia, Dom Carlos abaixou-se e perguntou a Sancho, de maneira que todos puderam ouvir, se ele se atreveria a tentar alguns daqueles passos. Em resposta, Sancho bocejou e fez o sinal da cruz sobre a boca, com o dedo polegar, porque estava empanturrado e sonolento, dizendo:

— Por Deus, senhor, que eu dançaria lindissimamente, desde que recostado sobre duas ou três mantas. Este diabo de homem não deve ter tripas nem entranhas, do modo que se dobra e se estica. Como está oco por dentro, não há mais que meter-lhe uma vela acesa pelo órgão traseiro a dentro, para que ele se transforme numa linda lanterna!

Nisto, chamou Dom Carlos a um pajem e lhe segredou no ouvido o seguinte:

— Vai e diz ao secretário que está na hora.

Há de se advertir que entre Dom Álvaro Tarfe, Dom Carlos e o secretário houvera a combinação de se trazer aquela noite à sala uma daquelas fantasias de gigante que em Saragoça costumam sair na procissão de Corpus Christi, de mais de três caras de altura, as quais são carregadas com certo artifício por um único homem, sobre seus ombros.

Portanto, estando todos, como se disse, na sala, tendo o secretário recebido o recado de Dom Carlos, entrou um dos tais gigantes por uma porta lateral, num canto que propositalmente estava sem luz, e onde havia uma claraboia no alto, que vinha a dar justamente na cabeça do gigante, e pela qual, numa escada existente no lado oposto, poderia falar o secretário, sem ser visto.

Logo que avistaram o gigante, todos, de caso tramado, como que se alvoroçaram, levando as mãos sobre as guarnições das espadas. Dom Quixote levantou-se, dizendo:

— Sosseguem-se vossas mercês: não é nada; só eu sei o que pode ser, pois aventuras como esta a cada dia sucediam na casa dos imperadores antigos. Digo a todos que se sentem, e veremos o que quer este gigante, para sabermos que resposta lhe será dada.

Todos se assentaram, e o secretário, que era pessoa atilada e havia preparado bem o que iria dizer, vendo todos quietos, falou em voz alta:

— Dentre os que aqui então, quem é o Cavaleiro Desamorado?

Calaram-se todos, enquanto Dom Quixote, com voz tranquila, respondeu:

— Sou eu, soberbo e descomunal gigante, a pessoa por quem perguntas.

— Graças dou — continuou o secretário, falando de dentro da cabeça oca do gigante, o corpo enfiado na claraboia — aos deuses imortais, especialmente ao grande Marte, que é o das batalhas, pois ao cabo de tão longo caminho e de tantos trabalhos, vim encontrar nesta cidade aquele que com tanta solicitude faz mil dias que ando buscando: o Cavaleiro Desamorado. Sabei, príncipes e cavaleiros que neste real palácio estais, que eu sou, se nunca me ouviste nomear, Bramidão de Cortabigorna, rei de Chipre, cuja reino ganhei à custa de meu valor, tomando-o de seu legítimo senhor e outorgando-mo, por ser quem mais o merecia. Chegando a meu reino e aos meus ouvidos as novas das inauditas façanhas e estranhas aventuras do príncipe Dom Quixote de la Mancha, outrossim denominado o da Triste Figura ou Desamorado, e sabedor, embora sem crê-lo, de que haja em toda a redondeza da terra quem a meu valor e fortaleza iguale, deixei meu reino, passando por outros diversos e estranhos, sem me importar com quem os governava, buscando, inquirindo e perguntando, com assombro e medo de quantos me viam, onde, em que reino, em qual província se encontraria o dito cavaleiro tão célebre no mundo, porquanto, como é verdade e não posso negar, por onde quer que tenha passado, não se trata nem se fala de outra coisa nas praças, nos templos, nas ruas, nos calabouços, nas tabernas e nas cavalariças, hoje em dia, senão de Dom Quixote de la Mancha. Como disse, portanto, eu, estimulado pela inveja de tuas tantas façanhas, ó grão Quixote! vim buscar-te somente para duas coisas: primeiro, para batalhar contigo, cortar-te a cabeça e levá-la para Chipre, onde ficará exposta na porta de meu real palácio, tornando-me eu, por isto, autor de todas as vitórias que alcançastes contra tantos gigantes e rufiões, para que se conscientize o mundo de que só eu sou sem segundo, o único que merece ser louvado, estimado, honrado e nomeado em todos os reinos do universo como o mais bravo, mais valente e de maior fama que tu e quantos antes de ti foram e depois de ti serão. Portanto, se te queres escusar do trabalho de entrar comigo em batalha, dá ordem agora, sem desculpa alguma, de que me entreguem tua cabeça, para que a leve espetada em minha lança, e sê feliz. A segunda finalidade que me trouxe é que também ouvi dizer que Dom Carlos, dono deste forte alcácer, tem uma irmã de quinze anos, de peregrina formosura e graça: quero-a para mim, e é minha vontade que, juntamente com tua cabeça, seja-me entregue essa jovem, para que eu a leve a Chipre e a tenho por minha amiga por todo o tempo que eu quiser, pois disto lhe resultará sobrada honra. Se ele não quiser entregar-ma, lanço-lhe meu desafio e repto, a ele todo o reino de Aragão, e a quantos aragoneses, catalães e valencianos existem sob seu domínio. Que saiam contra mim a pé ou a cavalo, que tenho, à porta deste grande palácio, minhas fortíssimas e encantadas armas, trazidas num carro puxado por seis pares de robustíssimos bois da Palestina, porque minha lança é um mastro de navio, minha celada iguala em tamanho o captel do campanário do grande templo de Santa Sofia, em Constantinopla, e meu escudo é como uma roda de moinho. A tudo isto, pois, respondeu agora, Cavaleiro Desamorado, pois tenho pressa e muito o que fazer; ademais, minha falta é sentida em meu reino.

Depois disto, calou-se o gigante, e todos os que estavam a par do embuste dissimularam o quanto puderam, esperando para ver o que responderia Dom Quixote. Este, levantando-se de seu assento, postou-se de joelhos diante de Dom Carlos, dizendo-lhe:

— Soberano imperador Trebácio de Grécia, vossa majestade seja servida, pois me aceitou neste império por filho, permitindo-me dar licença de falar e responder por todos a esta endiabrada besta, particularmente em seu nome e no de todo este nobilíssimo reino, para que assim possa, melhor e depois, dar-lhe o castigo que suas blasfêmias e sacrílegas palavras merecem.

Dom Carlos, mordendo-se os lábios para não rir e dissimulando o quanto pôde, pôs-lhe as mãos nos ombros e o ergueu, dizendo:

— Soberano príncipe da Mancha, esta causa não só é minha, como também vossa; entretanto, adquiri tão grande medo do gigante Bramidão de Cortabigorna, que o coração se me quer escapulir do corpo. Destarte, digo que, se vos parecer bom que se lhe conceda o que nos pede, a fim de nos livrarmos da universal perdição que nos ameaça, nada poderemos fazer. Assim, dar-lhe-eis vossa cabeça, que de minha parte estou disposto, mais forçada do que voluntariamente, a entregar-lhe minha irmã Lucrécia, e que ele se vá com todos os diabos, antes

108

que nos cause maiores males. Deixo a vosso alvitre, porém, a decisão final. Portanto, dai-lhe, amado príncipe, a resposta que melhor vos parecer, que há de ser a mais acertada.

Sancho, que estava verdadeiramente apavorado com a presença do gigante, ao ouvir o que dissera Dom Carlos a seu amo, choramingou:

— Eia, meu senhor Dom Quixote, pelos Quinze Auxiliadores, de quem é muito devoto Miguel Aguileldo, sacristão de Argamesilla, suplico-lhe que faça o que Dom Carlos sugeriu. Lutar contra este gigante, para quê? Dizem que ele racha pelo meio uma bigorna maior que a do ferreiro lá da terra, donde seu nome de Cortabigorna. Além do mais, segundo ele mesmo diz (e eu acredito, porque um homem desse tamanho não pode dizer uma coisa por outra), seu escudo é uma roda de moinho! Sendo assim, mande-o para os satanases, e vamos despachá-lo de uma vez com o que ele pede, sem perder tempo e sem dar ao diabo motivo de rir.

Dom Quixote aplicou-lhe terrível pontapé nas nádegas, dizendo:

— Ó vilão sandeu e soez, estupidarrão desde que nasceu! Quem te mandou abrir a boca onde não foste chamado?

E, pondo-se no meio da sala, defronte ao gigante, falou com voz grave:

— Soberbo gigante Bramidão de Cortabigorna, com atenção escutei tuas arrogantes palavras, das quais depreendo teus loucos e desvairados desejos. Já terias recebido o que mereces por elas, antes de deixar esta real sala, não fosse porque guardo o devido respeito ao imperador e príncipe que presentes estão, e porque quero dar-te o devido castigo em praça pública, perante todo o mundo, para que sirvas de escarmento a outros semelhantes a ti, a fim de que não se atrevam doravante a cometer disparates e loucuras que tais. Respondendo agora a teu desafio, digo que aceito a batalha que propões, escolhendo pro ora o local amanhã cedo, após a primeira refeição, e a larga praça chamada do Pilar, na qual se acha o templo sacro e ditoso santuário que é o felicíssimo depósito do divino pilar sobre o qual a Virgem benditíssima consolou em vida seu sobrinho e grande patrono de nossa Espanha, o apóstolo São Tiago. Nessa praça, pois, poderás estar com as armas que te aprouverem; mas fica sabendo que, se possuis por escudo uma mó, o meu é uma adarga de Fez que supera a própria roda da fortuna. E em troca da cabeça que me pedes, juro e prometo não comer pão em mesa forrada, nem me divertir com a rainha — em suma, juro todos os demais juramentos, que em tais transes sóem jurar os verdadeiros cavaleiros andantes, cuja lista acharás na história que refere o amargo pranto que se derramou sobre a porta deste grande palácio do Imperador meu senhor e pai.

— Ó deuses imortais — disse o secretário com voz grossa e terrível, — como consentis que semelhantes afrontas me sejam ditas por um homem só, sem que minha cólera o converta imediatamente em almôndegas? Juro, pela ordem de secretário que recebi, não comer pão sentado no chão, nem me divertir com a rainha de espadas, copas, paus e ouros, nem dormir sobre a ponta de minha espada, até que tire tão sanguinolenta vingança do príncipe Dom Quixote de la Mancha, deixando-o com os braços presos aos ombros, as pernas e coxas presas aos quadris, a cabeça podendo virar-se para todos os lados, e a boca, apesar de quantos não nasceram nem hão de nascer, colocada bem abaixo do nariz.

Aturdido Sancho com o tropel de tão graves ameaças e execrações, levantou-se do chão, onde estava sentado, e pôs-se entre Dom Quixote e o gigante, tirando o barrete da cabeça com ambas as mãos e dizendo com grande cortesia:

— Ah, senhor Bramidão de Rachabigorna! Pela paixão que Deus passou, não faça tanto mal a meu amo, que é homem de bem e não quer lutar contra vossa mercê, porque não está habituado a fazê-lo com semelhantes Papabigornas. Traga-lhe vossa mercê meia dúzia de meloeiros, que há de vê-lo entender-se com eles lindissimamente, desde que receba ajuda e favor do senhor São Roque, advogado da pestilência.

Sem fazer caso do que dizia Sancho, o gigante tomou de uma luva feita com dois couros de cabrito, já preparada para aquele efeito, e arrojou-a em cima de Dom Quixote, dizendo:

— Levanta, cavaleiro covarde, essa apertada e pequena luva em sinal de compromisso de que amanhã te espero na praça que escolheste, depois da primeira refeição.

E com isto recuou, saindo pela mesma porta por onde entrara. Dom Quixote pegou a luva, que media sem dúvida uns três palmos, e deu-a a Sancho, dizendo!

— Toma, Sancho, guarda esta luva até amanhã, quando hás de ver verdadeiras maravilhas!

Tomou-a Sancho, benzendo-se, e disse:

— Ao diabo com esse tal de Brumadão de Tragabigorna, ou como seja sua graça: que terríveis mãos ele tem! Oh, filho da puta e traidor do velhaco que lhe recebesse um bofetão! Por minha fé, senhor, que vamos nos dar mal com esse demônio, tanto tem ele de grande e pavoroso. Lembre-se vossa mercê de que ele jurou torná-lo numa almôndega igual às que comemos esta noite. Antes disso, porém, espero que vossa mercê o transforme em pelotas de manjar-branco, que também tivemos no jantar, e que eu muito aprecio. Aliás, tenho aqui no peito, guardadas, duas dessas pelotas.

Nisto, levantou-se Dom Carlos da cadeira, mandando acender tochas para que os cavaleiros pudessem ir para casa, já que se fazia tarde. Feitas as despedidas, Dom Álvaro tomou Dom Quixote pelo braço e levou-o, juntamente com Sancho Pança, para sua casa, onde o bom fidalgo passou uma das piores noites de sua vida, pensando na perigosa batalha que no dia seguinte haveria de travar com aquele desproporcionado gigante, que ele imaginava ser de fato o rei de Chipre, conforme o outro asseverara.

AQUI TERMINA A QUINTA PARTE DO ENGENHOSO
FIDALGO DOM QUIXOTE DE LA MANCHA.

SEXTA PARTE

CAPÍTULO XIII

COMO DOM QUIXOTE SAIU DE SARAGOÇA PARA IR À CORTE DO REI CATÓLICO DE ESPANHA, TRAVAR BATALHA COM O REI DE CHIPRE.

Os planos fantasiosos e alucinados do desamorado manchego atormentaram tanto seu triste juízo e desvelado sossego, que quando começaram seus olhos a encontrar algum repouso, pela madrugada, os fantasmas dos dislates imaginados no sentido comum tocaram alarma, de tal sorte que sobressaltaram todos os seus membros, fazendo-os participar de um sonho como se fosse realidade. Ele sonhou que o soberbo Bramidão entrara escondido naquele castelo, a fim de matá-lo à traição, colhendo-o desprevenido. Tomado de fúria, saiu do leito, em busca do gigante, cuja presença naquela casa não tinha a menor dúvida, dizendo, com voz que revelava a cólera e a apreensão que lhe iam espírito:
— Espera, traidor, que de nada te valerão embustes, estratagemas, planos e encantamentos, para livrar-te de minhas mãos.
Enquanto olhava para todos os lados, pôs a celada, o peitoral e as ombreiras, armando-se da lança e do escudo. Assim vestido, entrou na sala, onde avistou claridade que saía da porta de um quartinho, por cuja claraboia entreaberta en-

trava a primeira luz da clara aurora. Cego de raiva, entrou no quartinho, e quis a desgraça que fosse justo naquele aposento que Sancho dormia. E como havia deitado tarde e cansado, ressonava a sono solto, a cabeça meio coberta, tendo junto de si a enorme luva que o amo lhe incumbira de guardar, e que representava o aceite do desafio que lançara a Cortabigorna, rei de Chipre, na noite anterior.

Vendo aquela luva, imaginou Dom Quixote que seria o par da que ficara com Sancho, e que quem estava na cama seria o próprio gigante, repousando pela janela, recuperando as forças para poder executar seu plano de matar Dom Quixote sem maiores riscos. Com essa ideia na cabeça, desferiu com a lança uma forte pancada em suas costas, enquanto dizia:

— Assim pagam os traidores e pérfidos as felonias que urdem! Morre, vil Cortabigorna, pois o mereces, dormindo descuidado e tendo um inimigo de meu valor, por perto.

Com os gritos e o golpe, despertou Sancho meio aturdido e, mal se sentara na cama para levantar-se e ver quem lhe dirigia aquela saudação matinal, quando Dom Quixote, atirando a lança para o lado, aplicou-lhe um murro no nariz, dizendo:

— Não precisas levantar, traidor: morrerás aqui mesmo.

Sancho pô-se a barrar e, saltando da cama como pôde, fugiu para a sala, gritando:

— Que está fazendo, senhor? Nada tenho a ver com escalada de castelo; sou apenas Sancho, seu escudeiro!

— És apenas Bramidão, traidor — disse Dom Quixote. — Não deixa dúvida quanto a isto a luva que encontrei junto de ti, companheira daquela que me arrojaste ontem, ao aceitares as condições do desafio.

Estavam ambos de camisola, porque Dom Quixote, com a imaginação transtornada, nem se lembrara de complementar a celada, o peitoral e as ombreiras, deixando sem vestir as partes que, por mil razões, pedem maior cuidado de guardar-se. Como a sala estava algo escura, e a camisola de Sancho não fosse tão inteira como sua mãe, no dia do seu nascimento, Dom Quixote não o reconheceu. E como sua cólera de modo algum diminuísse, empenhava-se cada vez mais em matar Sancho, tão obstinado nesta ideia, quanto estava o escudeiro em invocar os santos, gritar e pedir ajuda.

Alvoroçou-se a casa com aqueles gritos, mais parecendo uma casa de loucos, o que, de certa forma, não deixava de ser verdade. Dos quartos, começaram a sair alguns criados, para apaziguar a questão a ver quem a provocava. Aquilo foi o mesmo que deitar lenha à fogueira, pois Dom Quixote, vendo todas aquelas pessoas de uniforme (pois todos estavam de camisola), logo imaginou que fossem asseclas de Bramidão, ali chegados por artes de encantamento, com o intuito de ajudá-lo. Com tal ideia na cabeça, o fidalgo começou a dar estocadas com a lança, a torto e a direito, aqui derrubando um, ali machucando outro, e tudo isso sem nada recear, já que estavam todos desarmados. Com os gritos e maldições dos feridos, instalou-se na casa um verdadeiro pandemônio. Para piorar ainda mais a situação, Dom Quixote fechou atrás de si o aposento de Sancho e se colocou, com a lança na mão, junto à porta dos criados, dizendo:

— Vejamos se todos vós juntos, infames malandrins, podeis tomar de mim a famosa ponte levadiça deste inexpugnável baluarte.

Enquanto isto, esgoelava-se Sancho, chamado por Dom Álvaro. Este, suspeitando do que poderia estar acontecendo, saiu de seu quarto, vestindo uma roupa larga de damasco, de chinelo nos pés e espada na mão. Chegando à sala, ficou pasmado com as figuras que viu, com o medo e pranto de três ou quatro dos seus pajens e com as bravatas de Dom Quixote, que brandia a luva do gigante. A fim de apaziguar aquela tragédia, pôs-se ao lado de Sancho, dizendo:

— Eia, senhor Dom Quixote, morram os velhacos, que aqui estamos Sancho e eu, prontos dar a vida em serviço de vossa mercê, em defesa de sua honra e vingança de seus agravos. Relate-nos estes, nomeando os responsáveis, para que assim, por vida de quando posso jurar, possamos tirar vingança exemplar, aqui e agora.

— Quem poderiam ser os meus causadores de agravos — disse Dom Quixote, — senão os descomunais e insolentes gigantes, que têm por ofício sair pelo mundo fazendo tortos, forjando desaguisados, agravando princesas, ofendendo damas de honor e, finalmente, maquiando traições iguais à que contra minha pessoa e meu valor maquinou o insolente Bramidão de Cortabigorna, que, por artes de encantamento, acompanhado desses malandrins que vossa mercê aí vê, havia escalado este forte castelo para matar-me à traição, receoso do que lhe aconteceria na Praça do Pilar, se comigo travasse o aprazado combate. Malograram seus intentos, todavia, porque, em virtude de aviso secreto do sábio Lirgando, em cujo castelo estive em Ateca, e por cujas mãos recebi a saúde e as forças que me haviam sido tiradas por mãos do furioso Orlando, com as mil desaforadas feridas que me causou, soube que ele havia escalado esta fortaleza, para colher-me desprevenido; entretanto, por ter ele deixado sua própria prevenção, minha boa diligência o colheu com o furto nas mãos, e com esta luva, adorno das suas e par da que está com Sancho. Assim, tive a devida presa e diligência de dar cabo dele, e o já teria feito, não fosse ter vossa mercê saído com Sancho, arrefecendo assim a minha fúria. Que fazer? A um, devo muito, pelas mercês recebidas; a outro, por fidelíssimos serviços.

— E de que modo foram pagos! — disse Sancho. — Que Deus lhe dê tratamento igual a seus ossos. Que lhe devem os meus, senhor, para que os queria moer a pancadas ao amanhecer? Não sou Bramidão, nem Cortabigornas. Bramidos, sim, estão dando os meus membros, cansados de serem moídos, seja em castelos, seja em caminhos, seja em plantações de melões.

— É por isto que me queixo, filho Sancho — disse Dom Quixote. — Como é possível, que te haja espancado agora esse desaforado Bramidão? Ah, cachorro, vil, soez e de má ralé; então puseste as mãos em meu fidelíssimo escudeiro? Hás de pagar-me por isto, juro-o pelos doze signos do zodíaco.

Já se preparava para uma segunda remessa de golpes nos pajens, tomado de fúria infernal, quando foi detido por Dom Álvaro. Os pajens precipitaram-se pela escada abaixo, mas Sancho ali ficou, irritadíssimo, mandando tudo ao diabo, por ver que o amo punha em Bramidão a culpa das pancadas que ele próprio lhe dera, e muito bem dadas, aliás. Sem saber o que fazer, disse Dom Quixote a Dom Álvaro, com muita humildade:

— Em transe tão preciso, negócio tão árduo, perigo tão grave e sucesso tão estranho, dê-me vossa mercê o conselho que devo seguir, pois dele não sairei nem meia polegada.

— Com vagar e bom senso — disse Dom Álvaro — se haverá de averiguar melhor este inaudito caso. Assim, até o devido tempo e até que se saiba melhor sobre esse pérfido gigante, inclusive sobre a resolução que terá tomado sobre sair ou não à praça, penso que deverá, vossa mercê recolher-se a seu aposento, sem mostrar-se em público, por uma questão de segurança. Entrementes, diligenciarei para encontrá-lo e espiá-lo, o mesmo fazendo Sancho. Por ora, contente-se vossa mercê em tê-lo afugentado e obrigado a deixar em seu poder esta luva, perpétuo testemunho da covardia daquele, bem como do valor desse braço.

Dom Quixote aceitou de boa mente o conselho e, sem mais replicar, entrou no quarto, desarmou-se e deitou-se, muito satisfeito com vitória alcançada. Por precaução, Dom Álvaro trancou a porta por fora. Assim, certo de que ele não sairia de lá, chamou os pajens, que estavam não pouco desatinados com a pesada burla, e, consolando-os melhor que pôde, disse-lhes para não fazerem caso nem queixar-se dos atos de um louco. Depois, ordenou que os menos descadeirados se vestissem para acompanhá-lo numa saída que iria fazer. Ele próprio entrou num quarto para se aprontar, chamando Sancho para fazer o mesmo, servindo-lhe ao mesmo tempo de companhia e entretenimento. Este, porém, receoso do que lhe poderia acontecer, disse:

— Perdoe-me vossa mercê, mas juro pelas gengivas, pelas barbas e pelos ossos de meu ruço que não mais entrarei nesse quartinho do qual saí, deixando nele, para o resto de minha vida, todas as minhas roupas, mesmo que tenha de andar nu em pelo, como fazia nosso pai Adão, que mesmo assim valia mais do que todos nós. Corpo de meu saio! Depois do que me aconteceu aí dentro, quer vossa mercê que lá entre de novo, para que venha meu amo como um Roldão, moendo agora à direita o que antes moeu à esquerda, para igualar o sangue, pensando que me transformei outra vez nesse tal de Cortabigornas? Bonita burla! Aposto quatro contra um que vossa mercê não queria pôr-se na cama em meu lugar, sofrendo o tratamento que meu amo me dispensou. Muito já estou fazendo de não deixá-lo agora, mas acontece que não quero perder aquilo já ganhei por meus bons trabalhos, ou pelos maus de meu amo — que piores lhe dê Deus — qual seja o governo da primeira península que ele conquistar, a mim prometido há já muitos dias atrás.

Riu-se Dom Álvaro de seu simplório temor e, entrando ele mesmo no quarto, jogou para fora a roupa de Sancho. Este, pondo-a debaixo do braço, seguiu-o até

115

o quarto de vestir, onde ambos trocaram de roupa sem nenhuma pressa. Embora gastassem nisto mais de hora e meia, tais e tantos disparates disse Sancho, que a Dom Álvaro todo esse tempo pareceu não durar mais que uns poucos minutos. Terminando Dom Álvaro de vestir-se e preparando-se para ir à casa de Dom Carlos, a fim de relatar-lhe aquela aventura, darem boas gargalhadas e planejarem novos entretenimentos, prosseguindo a burla do gigante Bramidão, eis que chega a sua cassa juntamente o autor da brincadeira, isto é, o secretário de Dom Carlos, que vinha da parte de seu amo, desta vez sem intenções de burla, mas para tratar de uma ida à Corte se lhe oferecia de repente, a fim de concluir o casamento de sua irmã com um titular da Câmara, parente seu. O convite para o acontecimento acabara de chegar, trazido por um próprio.

Sancho com a notícia, pelo que ela representava de alegria para o amigo e oportunidade de seguir até a Corte em boa companhia, disse Dom Álvaro, depois de alguns comentários acerca da viagem:

— O maior inconveniente para a minha partida é o de não saber como desembaraçar-me de Dom Quixote. Se ele seguisse conosco, não poderíamos ir depressa, com a necessária diligência, pois a cada passo se lhe ofereceriam aventuras e histórias que exigiriam muitos dias para apaziguá-las e delas nos rirmos, aventuras como a que há pouco aqui tivemos, engraçadíssima, pelo menos para mim, pois para outros foi causa de pranto e de dor.

Em seguida, relatou toda a história para o secretário. Este, persignando-se por ouvir tantos disparates, comentou:

— Se a vossa mercê parecer boa ideia, que acha de providenciarmos a ida de Dom Quixote à Corte? Uma peça assim tão singular seria ali motivo de grande regozijo, seja para os de lá, seja para nós.

— Muito me agradaria isso — respondeu Dom Álvaro, — mas desde que ele seguisse por outro caminho, acompanhado de Sancho, de sorte que lá chegasse viajando à sua maneira. Assim, em breves dias, tê-lo-íamos conosco e o apresentaríamos aos nossos amigos de lá.

— Já imaginei um modo de arranjar isto a nosso gosto — disse o secretário, —ainda mais agora, que ele está possuído vossa mercê que me disfarce e vista um traje todo negro. Vestido desse modo, fingirei ser emissário de Bramidão e, diante de todos desta casa, transmitir-lhe-ei o recado de meu amo, desafiando-o para que, dentro de quarenta dias, sob pena de passar por covarde, ele se apresente na Corte, para ali travar a batalha dantes combinada para esta nossa cidade. Como desculpa, direi que Bramidão não se sente seguro aqui, onde Dom Quixote tem tantos amigos, padrinhos e admiradores.

Louvando a sagacidade do secretário, pediu-lhe Dom Álvaro que entrasse logo em seu quarto e se disfarçasse do modo que melhor lhe parecesse. Ele logo se aprontou, porque achou à mão tudo o que precisava. Assim, disfarçado, foi para a sala, enquanto Dom Álvaro chamou todos os seus criados, um dos quais teve alguma dificuldade para Sancho da cozinha, onde ele se encontrava

116

dando bons dias a suas tripas com o que lhe fora oferecido com a história das pancadas que lhe desferia o amo, que por ilusão do demônio nele enxergara Bramidão. Chegados todos à sala, desconhecendo a trama, ficaram pasmados ao ver aquele homem todo vestido de negro, com um chapéu enfeitado de camafeus e plumas, o pescoço carregado de correntes e joias, a espada enfiada numa bainha dourada, colarinho alto, rosto e mãos inteiramente pretos, os dedos cheios de anéis; enfim: parecendo um rei negro desses que se vêm pintados nos retábulos da Adoração. Disse então Dom Álvaro:

— Agora que temos testemunhas, todas abonadas, podeis, nobre mensageiro, dizer quem sois e o que quereis.

— Ao invicto príncipe manchego Dom Quixote — disse o secretário — estou buscando, pois trago para ele uma importante embaixada, e soube que pousa neste grande palácio.

— Sim, é verdade — concordou Dom Álvaro; — ele se encontra no quarto em frente, onde lhe podereis falar.

E abrindo a porta do aposento de Dom Quixote, entrou dele, juntamente com todos os demais, dizendo:

— Aqui tem vossa mercê, senhor Dom Quixote, um embaixador de não sei que príncipe.

Ouvindo isto, levantou Dom Quixote a cabeça e, deparando com o negro, perguntou-lhe, com voz altiva, quem o enviara e que recado lhe trazia. O secretário respondeu:

— És porvenrtura o Cavaleiro Desamorado?

— Sim, eu o sou — replicou Dom Quixote. — Que queres?

— Cavaleiro Desamorado — falou o secretário, em voz bem alta, — Bramidão de Cortabigorna, rei poderosíssimo de Chipre e meu senhor, a ti me envia, ó príncipe, para dar-te conhecimento de que, como se lhe ofereceu certa aventura de ontem para hoje na corte do rei de Espanha, à qual não pôde deixar de logo acudir, em parte se compraz por isto, por assim poder deslocar seu desafio para a praça maior da Europa, onde tens menos padrinhos do que terias se ele aqui te enfrentasse. Para lá, portanto, muda o local do combate, e te desafia e repta, dando-lhe um prazo de quarenta dias para que ali compareças armado da cabeça aos pés. Ele ali deseja provar se todas as coisas que o mundo publica e diz de ti são verdadeiras, pois teu conceito será confirmado pelo ânimo que demonstrares em não faltar a tão precisa obrigação e justo repto. Se lá não fores, irá ele por todos os reinos e províncias do orbe espalhando tua covardia e mal conceito que mereces por isso. Eis que se te oferece excelente ocasião de aumentar ter renome, o que não creio vás aproveitar, pelejando contra um príncipe do valor que possui meu rei, e em local onde, se vitorioso fores, testemunhará a nobreza de Espanha que passarás a ser o legítimo rei e senhor, pela força de tua invencível espada, do ilustre e ameno reino de Chipre, no qual poderás fazer governador de Famagusta ou Belgrado, que são suas duas principais cidades, a um fiel escudeiro, segundo dizem, que tens, chamado Sancho Pança, o qual, por sua boa índole e escudeiril vigilância, possui as necessárias condições para governá-las, pois ali se cultivam as férteis árvores de onde se colhem as saborosas almôndegas e as dulcíssimas bolotas de manjar-branco.

Sancho, que estivera escutando atentamente o mensageiro, ficou com a boca cheia de água, ao ouvi-lo mencionar aquelas iguarias; assim, disse-lhe:

— Diga-me, senhor negro (negras páscoas lhe dê Deus; negras como tua cara!), essas benditas cidades de Bom-Grado e Fome-Aguda ficam muito para lá de Sevilha e Barcelona, ou ficam perto de Roma e Constantinopla? Eu daria um olho, dos dois que tenho, para que partíssemos agora mesmo.

— Porventura sois vós — indagou o secretário — o escudeiro do Cavaleiro Desamorado?

Sancho, pondo-se ereto e juntando os calcanhares, cofiou os bigodes e disse com voz arrogante, já se imaginando governador de Chipre:

— Soberbo e descomunal escudeiro, sou eu aquele por que perguntas, como logo se vê em minha *filosofonomia*.

Neste pondo, chegou ao máximo o esforço de dissimulação de Dom Álvaro, que virou o rosto para o lado, murmurando:

— Ah, Dom Carlos, se soubesse o que estás perdendo!

Também o secretário teve de conter seu riso, e prosseguiu sua arenga:

— Responda-me com brevidade, Cavaleiro Desamorado, porque tenho de alcançar o gigante meu amo, que segue para Madri com muita pressa.

— Minhas mãos foram a causa dessa pressa — disse Dom Quixote. — Dizei a ele para seguir tranquilo, que lá estarei dentro do tempo previsto, e que ali terei as mesmas mãos e brio que tive aqui esta madrugada. Bem faz ele de adiar a batalha por quarenta dias, pois assim poderá viver por esse prazo, ele que há pouco quase a perdeu. Quanto a vós, agradecei por serdes mensageiro: só por isto, tendes salvo-conduto, conforme o prescrevem as boas leis, em todas as nações, por mais contrárias que sejam. Não fosse isto, e haveríeis de pagar a traição de vosso amo e os maltratos que ele infligiu a meu fiel escudeiro, logrando encontrá-lo em pleno sono.

O secretário despediu-se, disfarçando o riso. Quando chegou à porta do quarto, foi chamado por Sancho, que lhe disse:

— Ah, senhor negro! Pelas pauladas que diz meu amo que o seu me deu, coisa em que não creio, diga-me se o governador dessas cidades, que tenho de ser eu, é senhor *dissoluto* de todas essas almôndegas que vossa mercê disse.

— Sim, irmão — respondeu o secretário.

— Então vá com Deus — disse Sancho, — que logo seguiremos para lá meu amo e eu, com Mari-Gutiérrez, minha mulher, conforme o sabem Deus e todo o mundo.

— Agis bem — disso o secretário. — Enquanto regeis a terra, vossa mulher regerá as mulheres de Chipre.

— Isso não — replicou Sancho, — que minha mulher não saberá dirigir outra coisa que não meu ruço. Mesmo eu, se começar a perder tempo entre as almôndegas, nem me lembrarei mais da governadoria, para a qual, aliás, não creio que tenha nascido.

Foi-se o secretário e, entretanto no aposento de Dom Álvaro, tirou os disfarces, lavou-se e vestiu suas roupas, sem que nenhum criado o visse, já que Dom Álvaro, de caso pensado, os havia entretido com Sancho e Dom Quixote, que falavam da embaixada e faziam mil discursos e planos disparatados sobre ela. Isto deu tempo ao secretário de sair e retornar à casa de Dom Carlos, onde, tão logo ali chegou, relatou tudo o que havia feito e dito.

A partir dessa dia, passou Sancho a insistir com o amo para que seguissem rumo a Chipre, tocando no assunto todas as manhãs, até que lhe disse Dom Quixote não ser possível ir para lá antes de matar, em pública batalha, a ser travada na praça de Madri, o grande Cortabigorna, rei daquele reino.

No mesmo dia, esteve Dom Álvaro com Dom Carlos, tratando da partida e relatando os dislates de Dom Quixote e em que pé se encontrava a história de Bramidão. Acertando ambos de partir daí a dois dias, acompanhados dos amigos granadinos que com Dom Álvaro ainda se encontravam, regressou ele para casa, a fim de incentivar a partida de Dom Quixote, desembaraçando-se de sua presença.

Chegando em casa, conversou com Dom Quixote, mas não teve necessidade de apressá-lo a que partisse, porque o fildago foi dizendo, tão logo o viu:

— Não permite minha reputação, senhor Dom Álvaro, que me detenha nem mais um dia nesta cidade. É-me forçoso sair daqui e partir em busca de meu soberbo rival. Tenha-me vossa mercê por escusado se, com tão poucos cumprimentos, agradeço as mercês recebidas, mas viva seguro de que, por causa delas, terá em mim o alcatrão de seus inimigos, o raio de seus êmulos, e mil Hércules, Heitores e Aquiles neste braço invencível, para castigar as injúrias que, mesmo só por pensamentos, lhe fizerem os que o procurarem com mau ânimo, ainda que fossem os próprios gigantes que construíram a torre da Babilônia, se de novo ressuscitassem só para esse fim.

E voltando-se para Sancho, disse-lhe:

— Eia, Sancho, encilha presto a Rocinante, pois tanto a mim interessa a brevidade deste negócio, como a ti, pela governança que te espera.

— Eu também a espero — disse Sancho; — antes disto, porém, espera-nos lá embaixo uma excelente comida, que não teremos razão de perder, para não fazer desfeita ao cozinheiro coxo, meu grande amigo, que por meu respeito a preparou, conforme me disse, com a mesma elegância e asseio que se encontram nos quadros sobre o Novo Mundo que estão pendurados em todas as tendas e boticas. Por esta razão, prometi levá-lo comigo a Chipre, lá o promovendo a rei dos cozinheiros e comendador das caçarolas, pois eles é mais sábio em assuntos de pratos do que o foi Platão ou Pratão, ou como diabos o chamam os boticários.

Dom Álvaro elogiou muito a decisão de Sancho, mandando arrumar as mesmas em sua homenagem, pois se aguardassem o parecer de Dom Quixote, jamais se iria tratar de comer.

Fizeram a refeição todos juntos, tendo o cozinheiro servido ótimas iguarias, que mais tarde iriam servir a outros convidados de alta consideração, entre mais tarde iriam servir a outros convidados de alta consideração, entre os quais Dom Carlos, que ali iriam tratar dos preparativos para a sua viagem.

Tendo acabado de comer, encilhou Sancho a Rocinante e armou o amo, o qual, depois de montar e empunhar a lança e o escudo, saiu da casa com muita pressa, despedindo-se de Dom Álvaro com esperanças de vê-lo na corte, onde ele se oferecera para servir-lhe de padrinho, quando se desse seu combate com Bramidão.

Em seguida, Sancho pôs a albarda no jumento, enchendo os alforjes, por ordem de Dom Álvaro, com as sobras de pão e carne, despediu-se de todos, com mil aleluias, disparates e promessas referentes a seu governo em Chipre, e carregou o ruço com os alforjes, a maleta e seus repolhudos quadris, apressando-o para seguir, como ele disse, em busca de seu amo Dom Quixote e ao encalço do soberbo Bramidão.

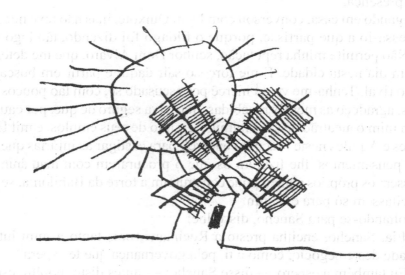

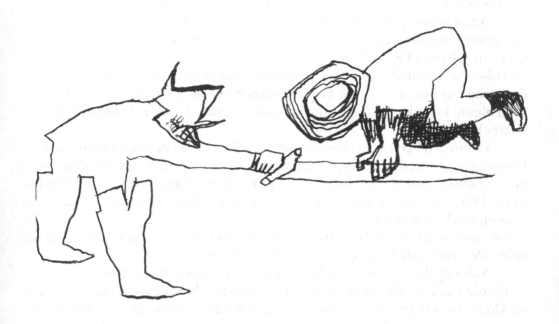

CAPÍTULO XIV

DA REPENTINA PENDÊNCIA QUE TEVE SANCHO PANÇA COM UM SOLDADO QUE, REGRESSANDO DE FLANDRES, SEGUIA ESTROPIADO PARA A CASTELA, EM COMPANHIA DE UM POBRE ERMITÃO.

Não pôde Sancho alcançar o amo, por maior esforço que tenha feito, antes da saída da cidade, onde o encontrou parado defronte do bairro mouro. Envergonhado pela gritaria dos meninos que o acompanhavam, não se atrevera a aguardá-lo antes de chegar ali, onde eles não mais iriam aborrecê-lo. Tendo encontrado um pobre soldado e um venerável ermitão que seguiam para a Castela, ficou conversando com eles, e foi assim que Sancho o achou.

Estavam ambos a pé, começaram a caminhar, tão logo prosseguiu Dom Quixote, ao ver que Sancho se aproximava. Este espantou-se ao vê-lo conversar com o soldado, perguntando-lhe de onde ele vinha. Pela resposta, deduziu Sancho que ele acabara de servir a Sua Majestade nos estados de Flandres, onde lhe sucedera certa desgraça, forçando-o a abandonar o serviço sem licença. Nos confins dos estados e do reino de França, certos bandoleiros lhe haviam roubado as bagagens, tirando-lhe também os documentos e dinheiros que trazia consigo.

— Quantos eram os patifes? — indagou Dom Quixote.

— Eram quatro — ele respondeu, — e todos com bocas de fogo.

Ouvindo isto, intrometeu-se Sancho na conversa, dizendo:

— Ah, traidores, filhos da puta! Então tinham bocas de fogo? Posso apostar que eram fantasmas do outro mundo, ou então almas do purgatório, já que estavam soltando fogo pela boca.

Voltou-se o soldado para ver quem dissera aquilo e, avistando aquele sujeito de barba espessa e cara de bobo, escanchado no jumento, pensando que seria algum lavrador ignorante dos arredores, e não o criado de Dom Quixote, interpelou-o:

— Quem deu licença ao vilão de meter a colher torta onde não foi chamado? Posso bem descer-lhe o braço e lhe aplicar mais espadeiradas que cerdas de porco-espinho tem ele nas barbas. E estou mesmo disposto a fazê-lo, pois há mais vilões como ele, a quem já apliquei tais corretivos, do que tragos de água já bebi, desde que nasci.

Ouvindo o que o soldado dissera, Sancho estapeou o asno e arremeteu-se sobre ele, tencionando atropelá-lo, enquanto dizia:

— Vais engolir esse porco-espinho, tu que és porco-espinho e meio!

O soldado, que não estava para burlas, ergueu o braço e, sem que o ermitão ou Dom Quixote pudessem impedi-lo, deu-lhe meia dúzia de espadeiradas e, segurando-o pelo pé, derrubou-o do asno, já se preparando para aplicar-lhe uns bons pontapés, quando Dom Quixote, impedindo-lhe a passagem, deu-lhe com o conto da lança no peito, dizendo:

— Contende-vos, antes que seja tarde! Respeitai minha presença e a condição de criado meu que este moço tem.

O soldado, recuperando a calma, disse:

— Perdoe-me vossa mercê, senhor cavaleiro, pois eu não sabia que esse lavrador era gente sua.

Nisto, Sancho já se havia levantado e, tendo nas mãos um calhau que pegara no chão, começou e esbravejar:

— Saia da frente, meu senhor Dom Quixote, e fique de lado, deixando-me sozinho com ele. Com a primeira pedrada que lhe der, hei de fazê-lo lembrar-se da grandíssima puta que o pariu.

O ermitão tentou segurá-lo, mas não conseguiu, dada a fúria de que estava possuído. Quando esta se arrefeceu um pouco, ele falou:

— Corpo do meu saio! Senhor Dom Quixote, eu não o deixo entrar em suas aventuras, sem lhe causar qualquer estorvo? Então, por que não me deixa também com as que Deus me arranja? Como quer que eu aprenda a derrotar os gigantes? E embora este vagabundo não seja um deles, bem sabe vossa mercê que é na barba do vilão que se adestra o barbeiro.

O ermitão então pediu:

— Deixai disto, irmão; soltai a pedra.

Sancho respondeu que não o faria, a não ser que aquele rufião se desse por vencido.

Virou-se o ermitão para o soldado e lhe disse:

— Senhor soldado, esse lavrador é meio tonto, como podemos concluir por suas palavras. Vamos parar com isso tudo, pelo amor de Deus.

— Digo, senhor — falou o soldado, — que quero ser seu amigo, porque assim o ordenam sua reverência e este senhor cavaleiro.

Chegaram-se todos perto de Sancho, e o ermitão disse:

— O soldado já se deu por vencido, como deseja vossa mercê; assim, só falta que sejam amigos, e que lhe estenda a mão.

— Antes disto, quero e é minha vontade — respondeu Sancho, — ó soberbo e descomunal gigante, ou soldado, ou que diabo fores, já que te deste por vencido, que vás a minha terra e te apresentes diante de minha nobre mulher e formosa senhora Mari-Gutiérrez, governadora que há de ser de Chipre e de todas as suas almôndegas, a quem já sem dúvida deves conhecer por sua fama, e que diante dela te ponhas de joelhos, dizendo-lhe de minha parte como te derrotei em batalha campal. E se tens à mão, dentro da algibeira, alguma grossa cadeia de ferro, podes pô-la no pescoço, para que te pareças com Ginesillo de Pasamonte e os demais galeotes enviados por meu senhor Desamorado, quando quis Deus que fosse o Cavaleiro da Triste Figura, a Dulcineia del Toboso, cujo nome verdadeiro é Aldonza Lorenzo, filha de Aldonza Nogales e de Lorenzo Corchuelo.

Dito isto, voltou-se para Dom Quixote, dizendo:

— Que lhe parece, senhor Dom Quixote? É deste modo que encaminham as aventuras? Parece-lhe que lhes vou dando bom arremate?

— Parece-me, Sancho — respondeu Dom Quixote, — que quem se chega aos bons, um deles há de ser, e quem anda entre leões, aprende e ensina a rugir.

— A rugir, pode ser —disse Sancho, — mas não a zurrar, quem anda entre jumentos; se assim fosse, eu já poderia ser mestre de capela dos zurradores, pelo tempo que com eles convivo. Mas eis aqui minha mão, senhor soldado. Tome-a com alegria e vanglória, e sejamos amigos *usque ad mortuorum*. [11]. Quanto à ida a Toboso para se apresentar ante minha mulher, permito que por ora não se preocupe com isto.

E, abraçando, tirou dos alforjes um pedaço de fiambre de carneiro, das sobras que trazia, e lhe entregou. Com isto e com um pedaço de pão que tinha guardado na algibeira, o soldado refocilou seu debilitado estômago.

Montou Sancho no ruço e voltaram todos a prosseguir sua vagarosa caminhada. Num dado momento, disse Dom Quixote a Sancho:

— Estive refletindo, filho Sancho, sobre o que acabo de ver que fizeste, tendo concluído que, com mais umas poucas destas aventuras, poder-te-ás graduar com sumo louvor como cavaleiro andante.

— Corpo de Aristóteles! — exclamou Sancho. — Juro-lhe, pela ordem de escudeiro andante que recebi no dia em que mantearam meus ossos na presença de todo o céu e da honestíssima Maritones, que se vossa mercê me desse diariamente duas ou três dúzias de lições, estando eu em jejum, e portanto com o espírito mais disposto a aprender, sobre o que tenho de fazer, e dentro de uns vinte anos eu me teria tornado tão bom cavaleiro andante como os que se podem encontrar em Toledo, entre a praça de Zocodover e a de Alcana.

O soldado e o ermitão iam aos poucos conhecendo o humor de seus companheiros de viagem. Ao entardecer, Dom Quixote convidou-os a jantar com ele, repetindo o convite nas outras duas noites em que estiveram juntos. Quando chegaram perto de Ateca, estando a noite prestes a cair, ele lhes disse:

— Senhores, eu e Sancho, meu fiel escudeiro, teremos forçosamente de nos alojar esta noite na casa de um clérigo meu amigo. Vossas mercês venham conosco, que ele é pessoa de tão boas entranhas e tamanha polidez, que a todos nos fará a mercê de receber e dar pousada.

Como iam os dois com os pouco dinheiro na bolsa, aceitaram facilmente o convite, e assim seguiram juntos para a aldeia. Antes de chegarem perguntou Dom Quixote ao ermitão como se chamava. Ele respondeu que seu nome era Frei Esteban, natural da cidade de Cuenca. Por certo negócio que se lhe havia oferecido, fora obrigado a ir a Roma, estando então de regresso a sua terra, onde seria bem recebido pelos seus. Ali, quem sabe, teria ocasião de retribuir os favores que estava recebendo. Tendo sido feita a mesma pergunta ao soldado, este disse chamar-se Antonio de Bracamonte, natural da cidade de Ávila e membro de uma de suas importantes famílias. Nesta conversação, chegaram por fim a Ateca, dirigindo-se logo para a casa de Monsenhor Valentín. Chegando à porta, Sancho apeou do asno e, entrando no saguão, gritou:

— Ó senhor Monsenhor Não-Sei-Seu-Nome! Aqui estão os seus antigos hóspedes, dispostos a prestar-lhe toda a mercê e honra que o senhor rogou que lhe prestássemos, quando fomos às justas reais de Saragoça.

Ouvindo aquilo, saiu a ama com um candeeiro na mão e reconheceu Sancho, entrando correndo em casa e informando ao amo:

— Saia, senhor, que aqui está nosso amigo Sancho Pança.

Saiu o clérigo com uma vela da mão e, vendo Dom Quixote e Sancho parados à sua espera, entregou-a à ama e abraçou o fidalgo, dizendo:

— Seja bem-vindo o espelho da cavalaria andantesca, com seu bom e fiel escudeiro Sancho Pança.

Dom Quixote retribuiu o abraço, dizendo:

— A mim me pareceu, senhor licenciado, que seria grave delito passar por aqui sem pousar e receber mercê em sua casa, juntamente com estes senhores que estão seguindo comigo, fazendo-me boníssima companhia.

Monsenhor Valentín respondeu:

— Embora os não conheça senão para servi-los, basta que venham com vossa mercê para que lhes preste o favor que puder.

Em seguida, voltou-se para Sancho, dizendo-lhe:

— Então, Sancho, como vais?

— Às suas ordens, bem — respondeu Sancho. — E a mula castanha de sua mercê, está boa? Pessoas de muito crédito em Saragoça disseram-me que ela havia passado muito mal de ciática e cólicas, em razão de um arranca-rabo que teve com o macho do médico, e que, por causa disso, não podia engolir sequer um pedaço de pão.

Riu-se muito Monsenhor Valentin e respondeu:

— Já lhe passou essa indisposição, e ela agora está ótima e a teu serviço, beijando-te as mãos pelo interesse.

Em seguida, disse a todos os hóspedes:

— Entrem vossas mercês e repousem, enquanto providencio a ceia.

Entraram todos, satisfeitos com a recepção. Pronta a refeição, sentaram-se à mesa, onde se regalaram, especialmente Sancho, que não deu descanso ao bucho, tendo sempre alguma coisa sendo mastigada e engolida. Monsenhor Valentín perguntou-lhe:

— Que é daquela joia, irmão Sancho, que me prometeste trazer das justas de Saragoça? Homens de bem não deixam de cumprir a palavra empenhada!

— Pois prometo a vossa mercê — disse Sancho — que, se tivéssemps matado aquele gigantaço do Bramidão, rei de Chipre, eu a teria trazido, tal e tão boa como são as joias dos gigantes que vivem neste mundo. Entretanto, creio que, antes de muitos dias, chegaremos a Chipre, que não deve estar muito longe. Ali, depois de matá-lo, deixe o resto comigo.

— Que gigante é esse — estranhou Monsenhor Valentín, — e que história é essa Chipre? Será outra aventura como a do meloeiro mourisco, que teu amo dizia chamar-se Belido de Olfos?

O próprio Dom Quixote quis responder, e contou ponto por ponto o que lhes sucedera em Saragoça com o gigante, em casa de Dom Carlos, juiz do torneio, no qual ele ganhou em praça pública umas tiras feitas com a pele da ave fênix, e o que de madrugada lhes sucedeu em casa de Dom Álvaro Tarfe, por artes do mesmo Bramidão, que ali entrava furtivamente para matá-los à traição, evitando enfrentá-lo mais tarde na praça do Pilar, de onde receava sair derrotado, o que por fim aconteceu, se não da praça, pelo menos da casa onde pousava Dom Álvaro, depois de haver recebido severo espancamento.

— Quem o recebeu foram minhas costelas, corpo de meus calções! — contestou Sancho. — E que pancadas!

— Quem as deu foi o gigante, Sancho — replicou Dom Quixote. — Quem não pode bater no asno, bate na albarda.

— De fato, ele não podia bater no asno, que estava na cavalariça — retrucou Sancho; —mas bem que eu poderia estar embaixo da albarda quando recebi as pancadas, dadas pelo gigante por vossa mercê, ou pela puta que pariu a ambos, assim como eu estava quando viemos da plantação de melões e fomos acolhidos nesta mesma casa santa e sacerdotal, moídos de pancadas e órfãos, eu do meu ruço, e vossa mercê do Rocinante.

Divertiram-se todos com a ingenuidade de Sancho, e Monsenhor Valentín, conhecendo o humor de Dom Quixote, compreendeu o que poderia ser, dizendo ao ermitão e ao soldado:

— Que me matem se alguns cavaleiros de bom gosto não tiverem preparado alguma burla para se rirem de Dom Quixote.

Ouviu-o Sancho, que estava atrás de sua cadeira, e replicou:

— Não, senhor, não creia nisso, pois eu mesmo o vi, com estes olhos com que saí do ventre da minha mãe, entrar pela sala de Dom Carlos. Suas armas são carregadas em carros puxados por cinco ou seis dezenas de bois, e o escudo é uma enorme mó, conforme ele mesmo falou. É impossível que estivesse mentindo tão grande personagem, que come por dia seis ou sete fanegas de cevada, como se pode ler nos mapas-mundi.

Com isto, o soldado e o ermitão acabaram de se convencer que Dom Quixote era desprovido de juízo, e Sancho simplório de seu natural. Receando Monsenhor Valentín que Dom Quixote desse asas a suas quimeras e loucuras, se continuassem a provocá-lo, pediu ao soldado que lhe fizesse a mercê de declinar-lhe seu nome e sua pátria. Este, que tinha tanto de discreto e nobre quanto de prática militar, captou logo a intenção de seu cortês hospedeiro, e respondeu:

— Sou, meu senhor, da cidade de Ávila, conhecida e famosa na Espanha pelas personalidades que a honraram e honram em letras, virtude, nobreza e armas, pois em tudo ela teve filhos ilustres. Venho agora Flandres, aonde me levaram os honrados desejos que de meus pais herdei, a fim não de degenerá-los, mas de aumentar por mim o que de valor e inclinação para a guerra me comunicaram com o primeiro leite. Embora me veja vossa mercê desta maneira roto, sou dos Bracamontes, linhagem tão conhecida em Ávila, que ninguém ali ignora ser aparentado com os melhores que a ilustram.

— Acaso — indagou Mosenhor Valentín — achava-se vossa mercê em Flandres quando do sítio de Ostende?

— Desde o dia em que começou — disse o soldado, — até o em que se entregou o forte, ali estive, senhor. Tenho duas marcas de balas recebidas na coxa, que poderia mostrar, e uma queimadura neste ombro, resultante de uma bomba de fogo que o inimigo arrojou sobre quatro ou seis animosos espanhóis que tentavam empreender o primeiro assalto às muralhas. Não foi pequena aventura de nos termos safado vivos naquela ocasião.

Terminada a ceia, ordenou o clérigo que se tirasse a mesa. Em seguida, ele e Dom Quixote, que começou a degustar o mel daquelas histórias de batalhas e assaltos, coisas todas muito conformes ao seu humor, rogaram ao soldado lhes contasse algo daquele tão porfiado sítio, e ele o fez com muita graça, porque a tinha no falar, fosse latim, fosse romance. Antes de começar, mandou estender sobre a mesa um ferragoulo negro, e que lhe trouxessem um pedacinho de giz.

126

Com isto, desenhou sobre a capa o sítio do forte de Ostende, distinguindo com muita propriedade os locais de seus torreões, plataformas, estradas encobertas, diques e tudo o mais que o fortificava, de sorte que sua presença trouxe grande satisfação para Monsenhor Valentín, que era curioso. Disse-lhes ainda de memória os nomes dos generais, mestres de campo e capitães que ali se encontravam, bem como o número e qualidade das pessoas que, tanto de nossa parte como da do inimigo, ali perderam a vida, e os quais não repetiremos, por não atender a nosso propósito.

Só referiremos o que de Sancho Pança, conta a história neste ponto, e é que tendo escutado com muita atenção o que o soldado dizia de Ostende, do seu forte quase inexpugnável, do ataque que nos havia dado cabo de tantos mestres de campo e um número incontável de soldados, e de sua tomada, que custou tanto derramamento de sangue, comentou inteiramente fora de propósito, como costumava fazer:

— Corpo de quem me fez! Será possível que não havia em toda a Flandres algum cavaleiro andante que desse nesse velhacão do Ostende uma lançada pelas ilhargas, e o atravessasse de um lado ao outro, para que não se atrevesse outra vez a fazer tão grande carnificina entre os nossos?

Deram todos numa grande gargalhada, e Dom Quixote lhe disse:

— Pois não vês, animalaço, que Ostende é uma grande cidade de Flandres, localizada no litoral?

— Fique o dito pelo não dito — respondeu Sancho. — Por Deus, pensei que era outro gigantaço como o rei de Chipre que vamos buscar na Corte, onde havemos de encontrá-lo, a não ser que, por medo, nos fuja por artes de feitiçaria, pois nossas coisas há dias andam tão enfeitiçadas, que vivo com medo de ficar encantado o pão em nossas mãos, a bebida nos lábios, e todas as imundícies, cada qual no baú em que a depositou a natureza.

Interrompendo a conversa, Monsenhor Valentín levantou-se da mesa, por lhe parecer que se fazia tarde e que, se se dava lugar às perguntas e respostas de amo e escudeiro, haveria para mil noites. Assim, disse-lhes:

— Senhores, vossas mercês chegaram cansados, e parece-me ser hora de repousar. O senhor Dom Quixote já conhece o aposento que lhe foi reservado; este senhor e o reverendo, como são companheiros de caminho, não se importarão de hoje partilharem da mesma cama, pois a falta delas me obriga a suplicar tal favor; Sancho, leva esta vela e desarma teu amo; depois, sobe ao teu aposento no sótão; por fim, vamo-nos todos a dormir.

Foi-se Sancho, iluminando o caminho do amo, enquanto o soldado e o ermitão ficaram com Monsenhor Valentín, que ficou na sala ainda um pouco com eles, contando-lhes tudo o que acontecera da outra vez com Dom Quixote. Só não ficaram mais espantados com aquilo, porque eles mesmo, de Saragoça até ali, haviam tido a oportunidade de presenciar fatos semelhantes, nas pousadas e nas paradas, ações próprias de um insensato, as quais, assim como suas desaforadas palavras, deixavam-nos a cada passo em mil contingências. Contudo, combinaram de tentar pela manhã, com todas as suas forças, dissuadi-lo daquelas tolices e loucuras, persuadindo-o com razões eficazes e cristãs a deixar de andanças e aventuras, e a voltar a sua terra e sua casa, sem correr o risco de morrer como um animal em algum barranco, vale ou campo, descadeirado ou moído de pancada.

Todos passaram a noite com grande comodidade. Chegada a manhã, trataram de tentar dissuadir Dom Quixote de suas ideias, mas foi tudo debalde; antes lhe deram motivo para levantar-se mais cedo, pois o haviam procurado na cama, para falar-lhe mais tranquilamente. Queria o fidalgo sair antes da refeição matinal, tendo ordenado a Sancho que encilhasse Rocinante sem demora. Vendo Monsenhor Valetín que era perda de tempo dar-lhe conselhos, achou melhor calar-se e servir o almoço a todos, dando a Dom Quixote ocasião de fazer o que desejava, que era sair daquela casa, o que eles fizeram, despedindo-se antes do honrado clérigo e de sua ama, com grande comedimento.

Puseram-se a caminho de Madri, mas apenas haviam andado três léguas, quando o sol começou a dar de rijo com toda a sua força. Mais velho e cansado, disse-lhes o ermitão:

— Senhores, como o calor, conforme vossas mercês veem, está excessivo, e não nos faltam para completar esta jornada senão duas pequenas léguas, parece-me que o que poderíamos, ou antes deveríamos fazer, é tirar uma sesta até as três ou quatro da tarde, à sombra daqueles frescos salgueiros, ao pé dos quais existe uma clara fonte, se bem me recordo; assim, depois que o sol estiver menos ardente, prosseguimos nosso caminho.

A todos agradou o conselho, e assim guiaram para lá seus passos. Quando chegaram perto dos salgueiros, porém, viram, sentados à sua sombra, dois cônegos do sepulcro de Calatayud e um jurado da mesma cidade, os quais, esperando como eles que passasse o calor do sol, acabavam de se sentar ali.

Chegaram todos, e o ermitão, saudando-os muito cortesmente, lhe disse:

— Com licença de vossas mercês, meus senhores, eu e estes cavaleiros nos assentaremos nesta sombra, para uma ligeira sesta, até que se modere a inclemência do sol.

Os que ali já se encontravam responderam com mostras de satisfação, dizendo que teriam enorme prazer de desfrutar daquela tão boa companhia durante as quatro ou cinco horas que ali pensavam passar. Um deles, espantado com a figura daquele homem armado de todas as peças, perguntou ao ouvido do ermitão que era aquilo, tendo este respondido que se encontrara, e a seu criado, homem simplicíssimo, perto de Saragoça, e que, segundo imaginava, ele ficara louco de tanto ler livros de cavalaria, estando há cerca de um ano perambulando daquele jeito pelo mundo, tendo-se por um dos antigos cavaleiros andantes dos que se leem em tais livros. Se quisesse divertir-se um pouco, bastava dar-lhe motivo e assunto, e ouviria maravilhas.

Nisto, aproximaram-se Dom Quixote e Sancho, que até então estavam tirando o freio de Rocinante e albarda do ruço. Depois das saudações gerais, um dos cônegos disse-lhe para tirar as armas, por causa do calor que fazia, e porque ali era um lugar seguro, onde só havia amigos. Dom Quixote respondeu-lhe que perdoasse, mas que não poderia jamais tirar as armas, a não ser para deitar, que a isso o obrigavam as leis de sua profissão. Em seguida, assentou-se com gravidade, e eles, vendo sua resolução, não mais quiseram importuná-lo. Passando algum tempo, disse Dom Quixote:

— Parece-me, senhores, já que havemos de ficar aqui quatro ou seis horas, que poderíamos preencher o tempo da sesta com o entretenimento de alguma boa história sobre o assunto que for mais do agrado de vossas mercês.

Sancho, que chegava, sentou-se e disse:

— Já que é assim, vou contar-lhes belíssimas histórias, pois por minha fé que conheço algumas ótimas. Escutam, que vou começar... Era que era, e era que não era; o mal que se vá, o bem que se venha, apesar de Menha. Era uma vez um fungo e uma funga que iam buscar reis mar abaixo...

— Fica quieto, animal — interrompeu Dom Quixote, — que aqui o senhor Bracamonte nos fará mercê de dar princípio aos contos com algum digno de seu engenho, passado em Flandres ou onde melhor lhe parecer.

O soldado respondeu que não queria replicar nem escusar-se, porque desejava servir-lhes e fornecer assunto para que algum daqueles senhores contasse algo curioso, suprindo a falta de interesse que teria o trágico sucesso que ele a seguir narrou.

CAPÍTULO XV

EM QUE O SOLDADO ANTÔNIO DE BRACAMONTE INICIA SEU CONTO DO RICO DESESPERADO.

No ducado de Brabante, em Flandres, numa cidade chamada Lovaina, principal universidade daquelas províncias, havia um mancebo cavaleiro chamado *Monsieur* de Japelin, de vinte e cinco anos de idade, bom estudante de Direito, tanto civil como canônico, e dotado tão copiosamente dos dotes da fortuna, que poucos naquela cidade se lhe poderiam igualar em riqueza. Tendo perdido o pai e a mãe, tornou-se senhor absoluto de toda aquela fortuna; assim, dispondo de liberdade e fartura — asas que permitem voar e precipitar-se a juventude pródiga, com perigosos prognósticos de infelizes desfechos, — começou a relaxar nos estudos e a viver rodeado de mil gêneros de vícios, juntamente com outros de sua idade e espécie, sem perder qualquer oportunidade de comparecer a festins e bebedeiras, que naquela terra são muito comuns.

Vivendo desse modo, sucedeu que, num domingo de quaresma, seus passos o dirigiam a escutar um sermão num templo de padres da ordem de São Domingos, atraído pela fama do pregador, religioso eminente em doutrina e espírito. Ali, tocando Deus no coração do livre e descuidado ouvinte com a força e a virtude das palavras do dominicano, saiu da igreja com outra disposição, resolvido a deixar o mundo, com toda a sua pompa e vaidade, e a entrar na insigne e grave Ordem dos Pregadores.

Com esta ideia na cabeça, deixou sua casa e fazenda entregues a um parente seu, recomendando-lhe administrar seus bens durante alguns dias em que teria de estar ausente, prestando-lhe a devida conta de tudo, tão logo regressasse. Em seguida, foi ao convento da ordem, onde procurou o padre pregador e lhe abriu seu coração.

Resumindo: como era homem de prendas singularidades, e por elas conhecido de todos, foi-lhe fácil receber o hábito dos noviços e a permissão de ficar ali naquele convento. Durante dez meses, ele ali viveu com grande satisfação e mostras de exmplar religiosidade. Entrementes, nosso inimigo maior — que vive dando voltas como leão raivoso que procura a quem devorar, conforme se afirma em não sei que parte da Escritura, — para prejuízo de sua consciência, trouxe àquele local dois amigos seus, que haviam estado ausentes de Lovaina nos últimos meses. Eram ambos não pouco viciados e suspeitosos da fé, praga que muito se tem propagado, por mal de nosso pecado, naqueles estados e nos que lhe ficam circunvizinhos.

Tendo eles sabido que seu amigo Japelin se tornara religioso, doeu-se-lhes a alma, e por isto resolveram procurá-lo no convento e persuadi-lo, com todos os argumentos possíveis, a deixar o caminho em que se encontrava, retornando a seus estudos. Sem deixar para mais tarde, foram vê-lo naquele mesmo dia. Obtida a licença do Prior — pois ali não se observa o rigor que há em nossa Espanha, onde se concede o devido recolhimento aos noviços, no ano de seu noviciado, — abraçaram-no com muito amor e, depois de conversarem sobre mil diferentes assuntos, um dos amigos lhe citou os seguintes argumentos:

— Maravilhado estou, *Monsieur* de Japelin, ao ver que, sendo vós tão prudente e discreto, e um cavaleiro sobre que toda esta cidade tem postos os olhos, tenhais deixado vossos estudos, contra a esperança que todos guardávamos de ver-vos, antes de muitos anos, professor catedrático, celebrado por vossa rara habilidade, não só em Lovaina, como em todas as universidades de Flandres, senão mesmo nas de todo o mundo. Vosso divino entendimento e vossa feliz memória claros presságios revelaram de que havíeis de alcançar não só isto, mas tudo o mais que almejásseis. O que aumenta nosso espanto é ver que houvésseis decidido, contra o desejo de toda esta cidade e contra vossa reputação e a de vossos parentes, vestir o hábito de religioso, como se fôsseis pessoa desprovida dos bens da fortuna, simples, desamparada, e por isto obrigada a prestar tais votos de pobreza. Então não sabeis, senhor, que a coisa mais preciosa que o homem possui é a liberdade? Ela vale mais, como diz o poeta, que todo o ouro que a Arábia produz. Por que a quereis perder tão facilmente, tornando-se submisso e escravizado a quem, sendo menos douto e nobre que vós, há de tratar-vos amanhã, conforme dizem, a sapatadas, e por cujas mãos haverão de chegar às vossas até as cartas e recados que, para vosso consolo, escrever-vos-emos? Pensai bem, senhor, e lembrai-vos de que vosso pai, que em bom lugar esteja, não podia ver os religiosos nem pintados; assim, amigo de minha alma, suplico-vos, pela amizade que vos devo e decido: dessa cegueira, e que volteis à vossa fazenda, que anda toda sabe Deus como, dada a vossa ausência. Voltai a vossos estudos e, se assim o desejardes, sendo tão rico e distinto, podereis casar-vos com uma das damas formosas e donas de cabedal desta terra, o que muito irá alegrar vossos parentes, que muito tristes se encontram pelo que fizestes, tendo-vos já por morto em vida. Nada mais quero dizer-vos, senhor, senão que deveis bater no peito, pois assim podereis ver que agi como amigo que deseja em tudo a verdade, e que todas estas palavras são verdadeiras. Aproveitai, que ainda há tempo, pois não faz mais de dez meses que entrastes aqui, para corrigir o erro iniciado e causar satisfação a nós que vos amamos: basta para tanto vossa renúncia a essa vida. Prometo-vos, pela fé de quem sou, que não vos arrependereis de seguir este conselho — dai tempo ao tempo para tirardes a prova.

Calou-se o noviço durante todo o tempo em que o ministro do demônio esteve falando, de olhos baixos e tomado por profunda perturbação e melancolia. Ao fim dessas palavras, como era fraco e pouco seguro das coisas voltadas para a perfeição e mortificação dos apetites, convenceram-no as razões frívolas e os avisos pestilenciais daquele falso amigo, verdadeiro inimigo do seu bem, e assim respondeu a ele:

— Estou vendo, senhor, que tudo o que dissestes é verdadeiro, e já faz uns oito dias que havia tomado a resolução de deixar esta vida, só o não fazendo com receio dos comentários, dada a reputação que tenho. Agora, porém, decidi-me a seguir o conselho e parecer de quem tão movido pela amizade e desprendimento me diz o que devo fazer. Hoje mesmo pedirei minhas roupas e pertences e voltarei para minha casa e minhas propriedades. Agora já sei o que de fato importa; portanto, ide e aguardai-me esta noite, para que ceemos juntos em vossos albergue. Confiai em que não haverei de faltar; entretanto, suplico-vos que não deis a público esta minha resolução.

Abraçando-o com enorme alegria, despediram-se dele os dois amigos. Logo em seguida, ele dirigiu-se à cela do Prior, pedindo-lhe que lhe entregasse seus pertences e roupas, porque pretendia voltar para casa e não mais seguir os preceitos da ordem de vestir lã, de não comer carne, de levantar-se ainda de madrugada, e todos os demais. Além disso — acrescentou, mentindo, — havia dado a palavra de se casar com certa dama, sentindo-se a tal obrigado pelos ditames da consciência e as prendas de sua honra.

Espantou-se o Prior das palavras daquele noviço, e lhe respondeu assim:

— Causou-me espécie, *Monsieur* de Japelin, vossa indiscrição, além do fato de que tão pouco proveitoso vos tenham sido os exercícios espirituais praticados nestes dez meses, sem falar nos conselhos paternais que sempre vos dei. Não vos lembrais, filho, de muitas vezes me haverdes ouvido dizer que tomásseis cuidado durante este primeiro ano de noviciado, porque o demônio vos havia de mover crudelíssima guerra, buscando persuadir-vos, com toda a sua astúcia e força, conforme agora o fez, a que deixásseis a religião, voltando às olhas do Egito; isto é, reentrando na confusão do mundo, na qual ele, com mais facilidade, poderá enganar-vos e precipitar em graves pecados, em consequência dos quais havereis de perder não só a vida do corpo, como também, o que é pior, a da alma?

132

Lembrai-vos também, filho, de que me ouvistes dizer como até hoje ninguém que tenha deixado o hábito de religioso tenha tido um bom fim: é o justo desígnio de Deus que, sendo alguém chamado por sua divina vocação a seu serviço, se depois o abandona em vida por sua própria vontade, por Ele será abandonado na morte. Assim se dirigiu Ele a esses tais, através do Profeta, dizendo: *Vocavi, et renuistis, ago quoque in interitu vestro ridebo.*[12] Eu próprio já testemunhei tal fato mais de mil vezes. Queira Deus não punir-vos com Sua divina justiça, em razão de vossa ingratidão e precipitada determinação, que ainda rogo seja melhor examinada, vendo que estais tão iludido pelos embustes do demônio, pois as razões que me apresentastes revelam claramente terem sido forjadas na infernal frágua que ele habita. Vede que, se neste início achais difícil seguir a religião, não há que se espantar disto, pois, como diz o filósofo, todo começo é difícil, ainda mais os que se referem a coisas árduas. Os filhos de Israel, depois de terem passado a pé enxuto o Mar Vermelho, mandaram espias para reconhecer a Terra da Promissão, para a qual se encaminhavam, e eles voltaram de lá trazendo consigo enorme cacho de uvas, tão grande que mal conseguiram transportá-lo pendurado num pau, sobre os ombros, dois valorosos soldados, que assim disseram: "Amigos, esta fruta é produzida na terra que vamos conquistar, mas sabei que os homens que a defendem são grandes como pinheiros". Isso mostrou que seria dificultoso conquistar-se aquela fertilíssima terra, por serem gigantescos seus moradores. Foi isso, meu filho, o que aconteceu convosco no princípio de vossa conversão: Deus permitiu que tomeis conhecimento das dificuldades, a fim de provar vossa perseverança, obrigando-vos a recorrer a Ele, tão somente, para que saias vitorioso dessa luta. Vejo, contudo, que já vos dais por vencido no primeiro assédio de vossos inimigos, deixando que vos atém as mãos, antes de recorrer a que as possui liberalíssimas e prontas para acudir-vos, donde me procurardes com essa cega resolução que ora vos domina. Pela paixão que Cristo padeceu por vós, rogo-vos, amado Japelin, que, como um favor pessoal, adieis vossa saída por três ou quatro dias, durante os quais orareis a Deus. De minha parte, prometo fazer o mesmo, orando em conjunto com os demais religiosos desta casa. Vereis como a majestade divina usa convosco de misericórdia, fazendo com que saias vitorioso desta infernal tentação.

Todos esses argumentos do santo Prior não foram bastantes para apartar o inquieto noviço de seu firme propósito; pelo contrário, ao cabo dessas palavras, dele respondeu:

— Nada mais há, padre, que se discutir sobre este assunto. Tomei minha decisão, depois de longa reflexão e deliberação.

Assim, naquela mesma noite ele saiu do convento, dirigindo-se, conforme o combinado, à pousada onde se encontravam os dois amigos, esperando-o para a ceia. Serviram-lhe um lauto banquete e ergueram-lhe brindes com muita alegria e nenhum comedimento.

Depois disto, Japelin retomou a posse e controle de sua fazenda, voltando a adotar os hábitos de seus companheiros, com os quais andava de dia e de noite, sem que houvesse festa na cidade à qual não comparecessem os três dissolutos mancebos.

Certo dia, após longa consideração, Japelin foi à casa de um parente distante, tio de uma jovem extremamente formosa, discreta e rica, e a pediu em casamento. De fato, antes de tentar tornar-se religioso, ele já a havia procurado, com este propósito, num mosteiro de religiosas, onde seus pais a haviam colocado.

Vendo o cavaleiro como conviria bem aquele casamento para sua sobrinha, pela igualdade que hava entre ela e Japelin, acedeu ao pedido, com prazer para a jovem, que ele há menos de um mês tirara do convento, contrariando o desejo demonstrado em vida por seus pais, que para ali a haviam enviado ainda criança, recomendando-a a uma prima que lá vivia como monja.

E foi assim que se casaram os dois egressos de convento, com grandes festas e universais regozijos. Depois de três anos, a dama concebeu. Vendo-a grávida, o marido quase perdeu o juízo de tanto contentamento. Não havia regalo que não lhe desse, nem carinho que lhe negasse, manifestando-lhe incrível desvelo e mil amorosas ternuras. Aconteceu, porém, que no sexto mês de gravidez da esposa, um tio de Japelin, que era governador de um lugar nos confins de Flandres chamado Cambrai, faleceu. Sabendo disto, o sobrinho partiu para Bruxelas, onde fica a corte, e sem maiores dificuldades negociou que lhe destinassem aquele governo, o que conseguiu em virtude das prendas e bons serviços do tio. Assim, ele para lá seguiu, a fim de tomar posse do cargo, tencionado regressar depois para sua casa.

Antes da partida, despediu-se da esposa, que como ele também estava sentidíssima, dizendo:

— Senhora minha, vou resolver os assuntos pendentes de meu finado tio, o governador, tirar proveito da fazenda que dele herdei. Sabeis que não posso escusar-me de fazê-lo. Dali, penso ir até Bruxelas, a fim de tomar posse no cargo de governador, esperando que suas altezas dele me façam mercê, pelos bons serviços de meu tio, coisa que creio ser fácil de conseguir. Suplico que cuideis bem de vós durante essa ausência, avisando-me tão logo derdes à luz um filho, para que eu possa achar-me aqui por ocasião do batizado, o que prometo fazer sem falta. E creio que meu regozijo será igual, tanto por rever-vos, quanto por ver o filho ou filha que trouxerdes ao mundo.

Entre mil abraços e amorosas lágrimas, ela o prometeu, e ele partiu para Cambrai e Bruxelas, onde negociou e alcançou tudo o que pretendia, conforme se disse. Nesses negócios, ficou quase três meses fora de casa.

Antes de seu regresso, sua esposa sentiu as dores do parto e logo despachou ao marido um correio, pedindo-lhe que apressasse sua vinda.

As providências para o regresso não tardaram mais que o tempo gasto em ler a carta tão aguardada. Prestes a chegar à cidade de Lovaina, ele encontrou no caminho um soldado espanhol, com quem logo emparelhou, perguntando-lhe para onde seguia. O soldado respondeu que se dirigia a Amberes, ao encontro de uns amigos que o haviam chamado, e que estava de guarnição no castelo de Cambrai. Japelin, então, fez-lhe diversas perguntas sobre como era a vida dos soldados no castelo, ao que o espanhol foi respondendo com muita discrição, por ser pessoa sagaz e vivida, apesar de jovem. Quando chegaram às portas da cidade, Japelin convidou:

— Senhor soldado, se vossa mercê não tenciona prosseguir sua viagem por esta noite, poderá, se quiser, vir comigo a minha casa, onde se lhe dará alojamento, o que, embora não conforme seu valor mereça, será dado de boa vontade por este seu servidor, dono de razoável casa e do caudal que, para sustentá-la com o adereço e fausto que nela verá vossa mercê, é necessário. Faço-o porque sou grande admirador da nação espanhola, à qual pertence vossa mercê, que ali poderá repousar e, ao chegar a manhã, empreender a jornada com mais comodidade, depois de uma noite precedente de descanso e conforto.

Respondeu-lhe o soldado que agradecia a mercê que se lhe era oferecida, e que por ela e pela boa vontade de quem a oferecia, beijava-lhe mil vezes a mão. Seria passar dos limites da cortesia professorada por sua nação recusar tal oferta; por isto, com prazer passaria aquela noite na casa do cavaleiro.

Assim conversando, chegaram à porta da casa, de onde naquele momento saía uma criada. Vendo o amo, ela voltou correndo pela escada acima, batendo palmas de contentamento e gritando para os que dentro se encontravam:

— *Monsieur* de Japelin! *Monsieur* de Japelin!

Em seguida, voltou para receber o amo, saudando-o com as mesmas demonstrações de contentamento:

— Alvíssaras, senhor, alvíssaras, que a senhora deu à luz esta noite a um menino lindo como mil flores!

Com a notícia, ele apeou rápido como o vento, subindo a escada em dois pulos, nem se lembrando, com o júbilo, de introduzir gentilmente o soldado em sua casa. Chegando à sala, viu a mulher na cama e, abraçando-a carinhosamente muitas vezes, disse-lhe:

— Dai, meu bem, um milhão de graças aos céus pela mercê que nos concedeu, dando-nos um filho que, sendo herdeiro de nossa fazenda, possa tornar-se o báculo de nossa senectude, o consolo de nossos trabalhos e a alegria de todas as nossas aflições.

Em seguida, sentou-se numa cadeira à cabeceira da cama, sempre segurando-lhe a mão, ficando os dois a conversar sobre a viagem, o sucesso das negociações, o parto feliz e coisas de sua casa.

Chegando a noite, ordenou que pusessem a mesa ali junto à cama, porque gostava de jantar acompanhado da esposa. Chamou também o soldado para que jantasse com eles, apresentando-se este com muita cortesia, mas não com o recato que deveria ter ao olhar para a dama, que lhe pareceu, deste que a avistou, a mais bela criatura que jamais vira em toda a Flandres.

(E ela o era, sum dúvida, segundo me referiram os que me relataram esta história, e que a haviam conhecido pessoalmente.)

O jantar foi extremamente farto; mas o espanhol, preferindo fartar-se com a visão da formosura da hospedeira e da graça com que ela se assentava na cama, com os seios algo descobertos (pois, neste particular, as flamengas são bem menos discretas que as nossas espanholas), comeu pouquíssimo e conversou menos ainda.

Terminado o jantar e tirada a mesa, ordenou Japelin a um pajem que lhe trouxesse um clavicórdio, que ele tocava com maestria, pois naquela terra é usual que cavaleiros e damas toquem esse instrumento, como se vê na Espanha com a harpa e a guitarra. Depois de afinar o instrumento, ele começou a tocar e a cantar com grande sentimento uma canção cuja letra e música haviam sido compostas por ele próprio, porquanto, como foi dito, ele era pessoa de galhardo engenho e universal em todo gênero de ciências. Era assim a letra da canção:

Celebrai, ó instrumento
por não poder o tempo conturbar
o meu contentamento,
e num tristonho ser me transformar
Dos meus olhos, o brilho
revela o regozijo pelo filho
que um lindo anjo me deu.
A roda da Fortuna, embora instável,
mantém-se no apogeu:
a Ventura a segura, em gesto amável,
e, enquanto a prende e firma.
E assim, gentil senhora,
não temais que este bem se perca um dia,
porque o céu quer agora
preservar e aumentar nossa alegria;
se juntos nos quis pôr,
foi para nos reunir num grande amor.
Por certo fui ditoso
quando dois bons amigos não deixaram
que eu fosse um religioso,
já que meus passos quase me levaram
a trocar minha sorte
por um tipo de vida que é antes morte.

136

Por ser rico, é normal
que eu viva alegre, e coma, e me regale;
o avaro me quer mal,
mas, no entanto, não há como me iguale,
pois, na paz ou na guerra,
posso honrar aos mais nobres desta terra.
Todos os meus desejos
posso satisfazer, liberto de cuidados;
os meus próprios sobejos
causam inveja mesmo aos mais honrados,
pois a minha fazenda
me dá dez mil por ano, só de renda.
A isto tudo, porém,
que a tantos causa inveja, por ser tanto,
agora sobrevém
uma alegria a mais, um novo encanto:
o filho que nasceu
da bela deusa que amo — um filho meu!

Terminaram música e letra, aumentando ainda mais a perturbação do espanhol, depois de escutar os suavíssimos sons saídos da garganta do rico flamengo, ditoso dono daquele anjo por quem ele já se abrasava.

Estando tarde, Japelin entregou o clavicórdio ao pajem, sugerindo ao soldado que fosse descansar. Para tanto, mandou que outro pajem pegasse um dos candeeiros da mesa e fosse aluminado o caminho até o aposento do pajem-camareiro, vizinho daquele em que a dama dormia. Em seguida, deu ordens ao mordomo para que servisse pela manhã um reforçado desjejum ao soldado, a fim de que ele pudesse fazer uma longa e proveitosa jornada, e que lhe enchesse os alforjes de alimento.

O soldado despediu-se agradecidíssimo por aquelas providências, bem como pelas atenções e mercês recebidas do cavaleiro e de sua esposa. Depois de mil corteses oferecimento, já no quarto, deitou-se, sem conseguir conciliar o sono, já que sua mente estava perturbadíssima pela lembrança daquele anjo que o deixava fora de si. Bem que tentou repreender sua temeridade, refreando os desejos de vê-la que cada vez mais se apossavam dele, e tentando afastar da mente aquela ideia que não dava trégua ao seu desassossego.

O cavaleiro, passado pouco tempo, também se recolheu, depois de despedir-se da esposa com as mostras de amor que se podem imaginar após tão longa ausência. Se assim agia, era pelo decoro que devia guardar, tendo decorrido tão pouco tempo do parto de sua amada. Assim, para não se pôr em ocasião de curvar-se às tentações, preferiu deitar-se num quarto que ficava atrás daquele em que se encontrava a esposa.

O pajem-camareiro, por consideração ao cansaço do soldado, acho melhor deixá-lo em seu quarto, indo dormir num outro aposento com os demais pajens da casa. Que ele repousasse tranquilamente, sem se perturbar com a presença de outra pessoa ali perto, pois do mesmo modo agira o amo com a senhora, indo deitar num quarto separado do dela. Esta última informação aumentou ainda mais a perturbação do atormentado espanhol, sabendo que a dama estava dormindo ali sozinha e tão perto dele, e vendo-se a sós no quarto, apesar das ordens contrárias dadas por Japelin. Daí nasceu a diabólica resolução que redundaria em ofensa a Deus, infidelidade a sua nação e agravo ao honroso tratamento que lhe dispensava seu hospedeiro, e à qual se viu impelido pelo fogo da concupiscência irracional que o abrasava: decidiu levantar-se da cama e ir pé ante pé ao quarto da dama, imaginando que ela nada diria, a fim de preservar sua honra, de não causar dissabor ao marido e de não alvoroçar a casa. Quem sabe ela até apreciaria aquela ousadia, permitindo que ele entrasse livremente no quarto e se regalasse com ela? É verdade que correria perigo de perder a vida, caso ela gritasse, acordando o marido, ao que se seguiria uma luta de vida e morte, sem falar no notável escândalo e nos graves inconvenientes que se seguiriam. Todas essas dificuldades, porém, foram deixadas de lado pela cegueira que o tomara.

Assim, por volta da meia-noite, ele se levantou em camisas e entrou no quarto da dama, andando descalço para não ser escutado. No meio do caminho, deteve-se, sem saber se devia prosseguir; decidiu-se por voltar a seu quarto; ali, porém, desembainhando sua espada, levou-a consigo para qualquer emergência, voltando ao quarto da flamenga, sem fazer qualquer ruído. Chegando à beira da cama, depositou a espada no chão e, estendendo a mão, enfiou-a bem devagar sob as cobertas, até segurar-lhe o seio. Ela então despertou, sobressaltada; mas logo imaginou tratar-se da mão do marido, sem lhe passar pela cabeça que outra pessoa qualquer pudesse ter um tal atrevimento. Assim sendo, disse-lhe:

— Será possível, senhor meu, que um homem tão prudente quanto vós haja saído a estas horas de seu quarto e de sua cama para vir até a minha, sabendo que dei à luz ontem à noite, estando portanto impossibilitada de atender ao que desejais? Por minha vida, senhor, tende apenas um pouco de paciência: sendo eu toda vossa, e vós meu marido e senhor, brevemente terei ocasião e lugar para acudir a tudo aquilo que for de vosso gosto, conforme é meu dever de esposa.

Nem bem terminara de dizer estas honestas palavras, e o soldado, sem nada responder, beijou-a no rosto. Continuando a pensar que se tratasse de meu marido, ela prosseguiu:

— Bem vejo, senhor, que tendes grande vergonha do que ora pretendeis fazer, e que por isto não ousais responder palavra. Mas também vejo que isto decorre do enorme amor que me tendes, bem como da contenção devida a tão longa ausência, pois, a não ser por isto, não deixaríeis vossa cama para vir à minha, sabendo que me encontraríeis da sorte em que me encontro.

Compreendendo o engano da dama, o soldado continuou mudo e levantando os lençóis, subiu na cama, onde pôs em execução seu desordenado apetite. Vendo a dama sua obstinação, não quis ofendê-lo recusando-se a aceitá-lo, já que continuava a pensar que se tratava de seu marido. É bem verdade que seu mutismo a intrigou, principalmente quando ele se levantou sem nada dizer, depois de satisfazer seu desejo, apanhando a espada do chão e voltando ao seu quarto em completo silêncio. Ali, sua consciência doeu pelo que acabara de fazer. Como à culpa se segue o arrependimento, e ao pecado a vergonha e o pesar, ele passou a maldizer sua falta de prudência e contenção, e sua maldita determinação, avaliando o delito que cometera e o perigo que havia corrido se o marido ofendido por azar o houvesse colhido em flagrante.

Também a dama se viu às voltas com seus pensamentos, imaginando por que quem estivera com ela não lhe havia dirigido a palavra — seria seu marido, ou não? A dúvida logo se dissipou, e ela se convenceu de que fora ele mesmo que ali estivera, tendo ficado calado pela vergonha que sentira de haver cometido ato tão indecente em ocasião tão inadequada a semelhantes burlas. No fundo do coração, porém, propôs-se — antes não o houvesse feito! — a repreendê-lo amorosamente pela manhã, recriminando sua falta de continência.

Às primeiras luzes da madrugada, levantou-se o soldado, que não havia pregado o olho, maldizendo-se pelo que fizera, e, antes que a dama despertasse, pediu aos primeiros criados que encontrou que lhe abrissem a porta e o escusassem com o amo por não aceitar a refeição e as provisões que ordenara, pois a extensão da jornada que pretendia fazer não lhe permitiam deter-se, nem suas obrigações iriam aumentar as muitas que ficava devendo a todos os daquela casa. E embora os criados tenham insistido com ele para que levasse nos alforjes o que lhe tinham preparado para seu almoço, não houve modo de demovê-lo daquela recusa, alegando que não tinha o hábito de andar carregando peso, e que por isto o desculpassem. A pouco mais de uma légua daquele lugar havia uma famosa hospedaria, junto à estrada: ali pensava deter-se para almoçar. Tendo dito isto, despediu-se de todos e foi-se embora.

140

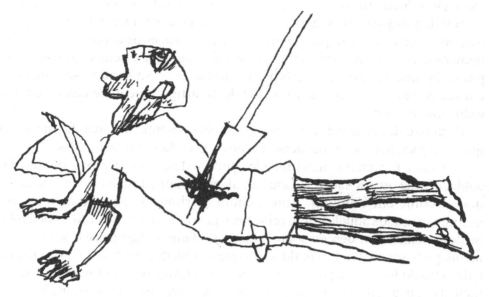

CAPÍTULO XVI

EM QUE BRACAMONTE DÁ REMATE À HISTÓRIA DO RICO DESESPERADO.

Os cônegos e os jurados estiveram o tempo todo atentos à história, assim como Dom Quixote, que de quando em quando tivera assomos de contrapor seus argumentos aos maus conselhos que os estudantes deram a Japelin quando este era noviço, ou de abonar sua decisão de casar-se com uma dama formosa, ou de louvar particularmente seu valor, aceitando prosseguir o governo do tio; não conseguiu fazê-lo, porém porque era sempre contido em sua intenção pelo venerável ermitão, que se sentara a seu lado. Mas como Sancho não estava ladeado por outro ermitão semelhante, não houve como impedir seus comentários atravessados, pois, mais do que a velhacaria do soldado, indinou-se particularmente com sua inapetência de estômago, já que não quis levar a matalotagem que lhe davam os criados para acudir suas necessidades vindouras. Assim, exclamou, com incontida cólera:

— Juro por Deus e por esta cruz que o grandíssimo velhaco merecia mais pauladas que o número de pelos do meu ruço! Se ele estivesse aqui, juro que o picava em pedacinhos! Onde é que esse grande filho da puta tirou a ideia de recusar o que lhe ofereceram? Pois não é verdade que isto não é proibido, não digo que a soldados e reis, mas aos próprios senhores cavaleiros andantes, que são o que de melhor há no mundo? Creio, no fundo de minha alma, que a dele há de arder no inferno, mais por esse pecado que por quantas cutiladas tiver aplicado a luteranos e mouriscos. Porém, não me espanta que esse doido fosse tão falto de juízo e cautela, já que, como disse vossa mercê, ele vinha de Cambrai, pois juro pela vida do gigante Golias que essa terra deve ser a pior do mundo, a ser verdade o que dizem pelas ruas e praças os jovens e os velhos, os homens e as mulheres: que nela não se colhe nem pão, nem vinho, nem coisa parecida, mas tão somente estopinha, donde estarem sempre se lamentando e dizendo "ai, ai!", sinal de ruindade desse artigo, que deve causar cólicas a todos que comem!

Riram-se destas asneiras os cônegos e Bracamonte, mas não Dom Quixote, que com melancolia e sentimento dignos de seu honrado zelo, disse:

— Cessa já, Sancho, meu filho, de chorar o descuido e a pouca prudência do soldado, e de querer saber se esse "ai, ai, ai!" é por causa da estopinha maldita que se colhe em Cambrai. Antes, chora lágrimas de sangue pelo agravo e desonra causados àquela nobre princesa, e pela ofensa e mancha que, por indústria ou desconsideração, desceu sobre a honra do famoso Japelin, e que mais certamente pode ser atribuída à maldade daquele soldado, infâmia de nossa Espanha e desonra de toda a corporação militar, cuja elevação procuram tantos nobres, inclusive eu, às custas do fidalgo sangue que corre em minhas veias. Mas deixa estar que de suas veias farei eu morrer o aleivoso sangue, tão logo o encontre, o que espero fazer antes de muitos dias.

— Deste cuidado está vossa mercê dispensado — disse Bracamonte, — conforme verá se me escutar com paciência o restante da história.

Rogaram todos a Dom Quixote que reprimisse sua justa cólera, e a Sancho que se calasse e não viesse com interrupções. Tendo ambos prometido e jurado que sim, prosseguiu Bracamonte a narrativa, dizendo:

— Tendo o soldado deixado a casa com a pressa que contei, carregado de medo e vergonha, saiu de seu aposento o nobre e descuidado Japelin, quando o bulício dos empregados mostrou já ser hora de levantar-se. Chegando-se à cama da esposa para lhe desejar um bom dia e perguntar como ela havia passado a noite, disse-lhe que a sua fora algo desassossegada, pela alegria que sentia de estar em casa e de já ter um herdeiro.

Riu-se sua mulher da dissimulação de suas palavras e, fingindo estar aborrecida por ele ter-lhe segurado a branca mão, retirou-a de entre as dele e lhe disse:

— Por certo, senhor meu, que sabeis dissimular lindamente, e que estais agora bem loquaz, e não mudo, como estivestes à noite. Pois ide com Deus, e não faleis comigo durante todo o dia de hoje, até que se me passe o aborrecimento que aquele mutismo me causou. E, mesmo assim, exijo que me peçais perdão, e vou pensar bem se devo ou não concedê-lo a vós.

Riu-se Japelin da brincadeira e, embora ela fingisse não querer deixar, beijou-a no rosto, dizendo:

— Por minha vida, senhora, que história é essa de aborrecimentos que vos causei? Quero muito sabê-lo, embora suspeite mais ou menos do que se trate: deveis imaginar que houvesse alguma companhia dormindo lá dentro comigo, em ofensa de vossa honra. Pois morra eu sem o perdão de Deus se alguma vez dei motivo a tais suspeitas, mesmo que só por pensamento. Assim, suplico-vos abandoneis esse temerário juízo, que me ofende não pouco.

— Não resta dúvida — prosseguiu ela — de que sabeis encobrir bem e negar melhor agora o que teria sido justo que negásseis ao vosso apetite antes de que o executásseis tão sem consideração a mim, porque, se a tivésseis, sendo pessoa tão prudente e discreta, não teríeis levado a cabo aquele ato que, contra toda a razão, vosso desordenado desejo vos pedia. Envergonhada estou de ver que igual vergonha não sentistes de chegar atrevidamente à minha cama esta noite que passou, sabendo como me encontro, e fico triste de ver quão pouco valeram meus justos rogos para obrigar-vos a voltar a vossa cama: ao contrário disso, subistes à minha e me tratastes com os mesmos excessos de aflição da primeira noite de nossas bodas. Além disto, juntando agravo em cima de agravo, daqui saístes sem me dizer palavra, se bem que eu desculpe vosso silêncio, atribuindo-o ao justo embaraço que vos causou o atrevimento. Não ignoro que haveis de dizer, senhor, que tal ousadia nasceu do excessivo amor que me tendes, desculpa aparentemente bastante; não para mim, porém, pois deveríeis ter levado em consideração a época e a indisposição em que me encontrava, obstáculo que fazia por merecer, de vossa parte, algum respeito e pena. O mundo não acabaria se mantivésseis a continência por mais sete ou oito dias, no máximo. Mas vamos esquecer tudo isto, que meu grande amor vos perdoa, com esperanças de que vos emendeis no futuro.

Não se pode descrever a surpresa que se apossou do ânimo de Japelin ao ouvir a esposa dizendo aquelas palavras, tão sincera e circunstanciadamente. Como era sagaz, logo suspeitou de tudo o que poderia ser, imaginando — como de fato ocorrera — que o soldado espanhol dormira sozinho no quarto que lhe fora reservado, por decisão inconsequente do pajem-camareiro, encarregado de lhe fazer companhia à noite. Assim, sendo-lhe fornecida a ocasião, que é a mãe das maiores maldades, cometera ele aquele delito com artificioso silêncio.

Dissimulando o quanto pôde, disse ele à esposa:

— Cessai tais queixas, luz dos meus olhos, pois provém do excessivo amor que vos tenho toda esta desordem. Prometo-vos, pela honra de quem sou, corrigir-me e, de resto, vingar-vos cabalmente de tudo.

E, virando o rosto para o lado, dizia entre dentes, fervendo de cólera:

— Ah, vil e aleivoso soldado! Juro pelo santo Céu não retornar a esta casa sem antes buscar-te por todo o mundo, fazendo-te em pedaços onde quer que te encontre.

Em seguida, disfarçando seus sentimentos, despediu-se da mulher, inventando que precisava resolver urgentemente certo assunto. Saindo dali, chamou um criado e ordenou-lhe:

— Encilha-me agora mesmo o alazão espanhol, pois tenho urgência de sair.

Enquanto o cavalo era encilhado, ele acabou de vestir-se e, entrando num aposento onde se guardavam as armas, tirou dali uma de suas melhores lanças. Vendo aquilo, encheu-se a dama de receio, perguntando-lhe o que pretendia fazer com aquela arma.

— Vou emprestá-la a um vizinho — disse ele — que ontem me pediu este favor.

— Qual de nossos vizinhos — estranhou ela — não possui armas em sua casa e precisa de recorrer às vossas? Sem que vos aborreceis, peço-vos que me digais a verdade.

Ele respondeu que, por ora, não lhe importava saber o motivo daquilo. Em breve, porém, tudo seria esclarecido.

Em seguida, deixou a sala, de rosto transtornado e suspirando repetidamente. Chegando ao pátio, pôs-se a andar diante da cavalariça, esperando o término do encilhamento. Enquanto o cavalo não lhe era entregue, dizia de si para si, com raivoso despeito:

— Oh, perverso e vil espanhol, como me retribuíste mal a boa ação que fiz de dar-te alojamento! Por que o fiz? Mas podes esperar, traidor adúltero que te aproveitaste da inocência de minha iludida esposa: juro-te, pelas vidas dela, de meu filho e da minha própria, que tua aleivosia há de custar a tua. Vai depressa, infame, não percas tempo, que as patas de meu cavalo hão de igualar-se à rapidez do pensamento. Vou em tua busca determinado a não regressar ao solo pátrio antes de achar-te, mesmo que te escondas nas próprias entranhas do Etna siciliano.

Nem bem murmurara estas palavras, e o criado, que as não deixara de ouvir, saiu da cavalariça trazendo o cavalo, no qual ele montou imediatamente, dizendo ao moço que também deveria acompanhá-lo na breve jornada que pretendia fazer. Em seguida, tomando da lança, esporeou o cavalo freneticamente, seguindo pelo caminho que imaginava ser o do soldado, sem que nenhum dos criados soubesse a razão daquela repentina jornada e da fúria do amo. Pelo que lhes revelou o criado que havia encilhado o cavalo, porém, imaginaram que o soldado deveria ter cometido algum furto, ou dirigido palavras ofensivas à senhora, o que jamais teria sido admitido pelo nobre e zeloso Japelin, capaz de tirar vingança de alguém que só com o pensamento a ofendesse.

Galopando com sorte e rapidez, em uma hora o cavaleiro alcançou o espanhol, seguindo-o de perto, com o chapéu enterrado no rosto, para não se dar a conhecer. Quando se encontraram no meio de um vale deserto, onde não havia testemunhas que pudessem presenciar o que ali sucederia, o robusto e irado Japelin, rápida e silenciosamente, cravou nas costas do soldado a penetrante ponta da lança de aço milanês, varando-o completamente, em castigo pelos olhares lascivos que ele pusera sobre sua honestíssima esposa, sem que o infeliz houvesse podido reagir nem defender-se de tão repentino ataque. O miserável traidor caiu no chão...

— Boa páscoa lhe dê Deus, e bom São João! — exclamou Dom Quixote.

144

— Isso é que é ser um bom cavaleiro! Ele bem pode agradecer a sua boa diligência haver-me precedido na vingança desse torpe delito, pois se assim não fosse, juro pela vitória que espero alcançar sobre o rei de Chipre, eu é que a teria feito, e tão inaudita que teria horrorizado os próprios sodomitas míseros e nefandos, a quem Deus abrasou.

— E se vossa mercê não o fizesse, senhor — disse Sancho, — afianço que teria assumido tal obrigação. E se não pudesse atirá-lo no Sodoma e Gomorra que vossa mercê disse, haveria de afogá-lo em cusparadas, formando um dilúvio igual ao do tempo de Noé.

— Mas não termina aí, senhores — interrompeu Brancamonte, — a tragédia, ou mesmo a vingança de Japelin, pois ele, depois disto, apeou-se e, arrancando a lança do cadáver, voltou a feri-lo cinco ou seis vezes, despedaçando-lhe a cabeça, tudo com uma fúria inexplicável, como se querendo matá-lo duas vezes — é o que se poderia presumir, — vingando hediondamente e pequena satisfação de seu desordenado apetite. E ali ficou ele espojado em seu próprio sangue, servindo de exemplo para idênticos intentos temerários, e de pasto para as aves e as feras.

Um tanto consolado com a vingança que tirara de seu ofensor, o cavaleiro voltou vagarosamente para sua casa.

Durante o tempo em que esteve ausente, quis a desgraça que sua mulher, vendo que passavam das dez e que ele não regressava do lugar para onde fora, perguntou a um dos pajens pelo senhor, tendo este respondido indiscretamente:

— Ele saiu a cavalo, senhora, com uma lança na mão, há mais de duas horas, sozinho. Nem sequer imaginamos onde possa ter ido; só sei que estava muito pálido, suspirando sem parar e mirando o céu de vez em quando.

Quando ainda estava dizendo isto, chegaram o cavalariço, uma criada e a ama que cuidava da criança, e lhe disseram:

—Vossa mercê, minha senhora, há de saber que algum enorme mal deve estar acontecendo, porque o senhor esteve andando para lá e para cá à porta da cavalariça enquanto eu encilhava o animal — disse o criado, — suspirando e queixando-se daquele soldado espanhol que dormiu esta noite na cama do pajem-camareiro, chamando-o (sem saber que alguém o escutava) de perverso e vil traidor, que se aproveitara da inocência de sua iludida esposa. Ouvi-o ainda jurar pela sua vida, pela de vossa mercê e pela de seu filho, de fazê-lo em pedaços quando o encontrasse. Não o escutei queixando-se de vossa mercê em momento algum; pelo contrário, creio que a inocentava de qualquer culpa. Ao entregar-lhe o cavalo, ele montou e saiu de casa como um raio, certamente em busca do espanhol.

Quando a nobre flamenga ouviu as últimas palavras do criado, caiu desmaiada sobre as almofadas da cama. Voltando a si pouco depois, começou a chorar amargamente, suspeitando — e estava certa — de que fora o espanhol que se chegara à sua cama, na noite anterior, fazendo-a cometer adultério, que ela própria revelara a seu marido, julgando ter sido ele que estivera com ela naquela ocasião. Caindo em si, começou a maldizer sua sorte, lamentando-se:

— Traidora, perversa e adúltera que sou! Com que olhos ousarei encarar meu nobre e querido esposo, depois de tirar-lhe num instante a honra que ele herdara após tantos anos de valor próprio e natural nobreza? Ó cega e desatinada mulher! Como é possível não teres visto que quem se punha tão silenciosamente em teu leito não era teu marido, mas sim algum pérfido que se passava por ele? Infeliz de mim! Com que cara ousarei aparecer diante de meu querido Japelin, que sem dúvida não me acreditará, por mais juramentos que faça assegurando-lhe minha inocência, depois de ter permitido que outro corpo violasse a honra de seu tálamo? Com razão, doce esposo meu, poderás queixar-te de mim doravante, negando-me os amorosos favores com que me cumulavas, em troca da fidelidade que sempre prometi guardar-te. Agora, como reneguei minha promessa, embora tão sem culpa como só o céu sabe, com razão passo a ser detestável a teus olhos, cansativa a teus ouvidos, insípida a teu gosto, incômoda a teu coração e inútil a todas as coisas de seu interesse. Volta depressa, senhor meu, se acaso foste matar o adúltero espanhol. Com a mesma lança que usaste para castigá-lo, traspassa este desventurado e desleal peito, pois, já que fui sua cúmplice no adultério, justo é com ele igualar-me na morte. Vem, repito, e toma inteira vingança de meu desacerto, com a segurança que podes ter de quem, por mulher e culpada, não poderá opor-te resistência. Mas não devo ficar aguardando que venhas tirar vingança de minha perfídia, castigando-me com o ferro de tua lança: devo vingar-te eu própria, de sorte que fiques livre de minha aleivosia e da ofensa que te fiz.

Dizendo isto, a desesperada — que tal a haviam tornado a paixão, a cólera e a vergonha — saltou da cama, desfazendo as louras tranças tão cuidadosamente compostas, e, inundando suas honestas faces com um dilúvio de miúdo e espesso orvalho que de seus olhos saía, vestiu um saiote e começou a andar pela sala descontroladamente, entre suspiros, soluços e queixas tais, que não conseguiam consolá-la todos os que o tentaram, eles também necessitados de consolo pelo tanto que sua dor os confrangia.

Num dado momento, eis que ela desceu ao pátio e, depois de repetir todas as queixas, mergulhou de cabeça num profundo poço que ali havia, antes que a pudessem deter os presentes, despedaçando-se seu corpo durante a queda. Assim, quando este chegou ao fundo, sua alma, já libera, deveria então estar em lugar bem diferente do que eu gostaria que estivesse a minha na hora de minha morte.

Multiplicaram-se os prantos e gritos do pessoal com o novo e funesto espetáculo. Perturbados, correram uns até o poço, outros até a rua, aos gritos, chamando atenção, de maneira que, em pouco tempo, estava a casa cheia de pessoas aflitas, ocupadas em consolar os criados e deitar cordas ao fundo do poço — vã providência, pois a que lá se encontrava não estava mais em estado de ser socorrida.

Em meio a toda esta confusão, sucedeu de chegar à casa o desventurado Japelin, que nada sabia da desgraça que acabara de ocorrer. Espatando de ver tantas pessoas reunidas em seu pátio, umas de pé sobre o parapeito do poço, outras a seu redor, todas em prantos, entrou com seu cavalo, empunhando a lança ensanguentada. Indagando sobre a razão daquilo tudo, ouviu a resposta dos criados, que torciam as mãos e cravaram as unhas nos rostos, e que assim disseram:

— Ai, senhor! Acaba de suceder a maior desgraça que já se viu! Sem que saibamos por que, a senhora, queixando-se daquele maldito espanhol que dormiu aqui esta noite, dizendo-se enganada e adúltera, com palavras que fariam chorar um rochedo, arrancando punhados de cabelo de uma vez, mergulhou, sem que puséssemos evitar, nesta cisterna, desfazendo-se em pedaços antes de chegar ao fundo.

Ouvindo aquilo, o cavaleiro ficou atônito, emudecendo por longo tempo. Depois, voltando a si, apeou e começou a lamentar-se amargamente, suspirando e arrancando as barbas com incrível dor, e dizendo na presença de todos:

— Ai, senhor de minha alma! Por que isto? Como pudeste deixar-me? Por que te foste, meu anjo, sozinha e sem mim? Ai, minha esposa e meu bem! Que culpa tinhas, se aquele inimigo espanhol te enganou, fingindo ser teu amado marido? A culpa era só dele, e ele já teve seu castigo. Ah, prenda de meus olhos! Como hei de poder viver um dia sem te ver? Aonde foste, senhora de meus olhos? Podias pelo menos aguardar meu retorno, para então dares cabo da vida, pois também eu te acompanharia na morte! Ai de mim! Que farei? Triste de mim! Aonde irei? Que conselhos seguirei? Mas já sei o que devo fazer.

E, dizendo isto, levantou-se desvairado, empunhando a espada e dizendo:

— Juro pelo Deus verdadeiro que quem quiser impedir o que pretendo executar há de provar os fios de minha cortante espada, seja quem for.

Chegou-se então ao brocal do poço, onde se lamentou:

— Se tu, ó minha mulher, te desesperaste sem razão alguma, e tua alma está onde não posso acompanhá-la senão morrendo também, será justo e razoável, pelo tanto que te amei e quis em vida, que não procure estar eternamente senão onde estiveres. Assim, espera, dulcíssima prenda de minha alma, que em breve haverei de acompanhar-te.

Quando os presentes, que eram muitos, e entre os quais havia muitos cavaleiros e nobres da cidade, ouviram essas palavras, querendo evitar que sucedesse alguma desgraça, aproximaram-se dele para dizer-lhe palavras de consolo, que ele ficou a escutar debruçado sobre o parapeito do poço. Subitamente, erguendo a cabeça, viu ali perto a ama que criava seu filho, carregando-o no colo e chorando amargamente. Num movimento brusco, arrancou-lhe dos braços a criança, com fúria diabólica, e, segurando-a pelas faixas, bateu com ela quatro ou seis vezes sobre a pedra do poço, despedaçando-lhe os braços e a cabeça. Embora aquele ato tresloucado causasse horror a todos, ninguém ousou detê-lo, receando a fúria demoníaca que o possuía. Depois disto, ele começou a esbofetear-se, dizendo:

— Viver não pode o filho de tão desventurado pai e tão desditosa mãe, e tampouco memória pode haver no mundo de um homem como eu!

Em seguida, começou a clamar pela esposa, dizendo:

— Senhora e bem meu, se não estás no céu, também não quero céu ou paraíso, pois onde estiveres, lá encontrarei meu consolo. Não me doerão as penas do inferno se eu lá estiver contigo, porque onde estás, toda a minha glória também estará. Espera-me, senhora, que já estou indo!

Assim, sem que ninguém pudesse impedi-lo, arrojou-se também no mesmo poço, despedaçando-se na queda e caindo sobre o corpo de sua desventurada mulher.

De novo recomeçaram os gritos e prantos de quantos ali se achavam; de novo os lamentos subiram aos céus, e a casa e a rua se encheram de gente, todos espantados com tamanha desgraça.

Espalhando-se o ocorrido, lá chegou o governador da cidade, o qual, informado do terrível acontecimento, mandou tirar os corpos do poço e, com a permissão do bispo, providenciou para que os levassem a um bosque próximo, onde ambos foram cremados, e suas cinzas lançadas num regato que havia ali perto.

— O senhor Bracamonte — disse Sancho — bem que merece molhar a palavra, depois que tanto a enxugou relatando a vida, paixão, morte e exéquias de toda a família flamenga daquele malogrado cavaleiro. Arrenego esta vingança, e minha alma com a de São Pedro.

— Não disseste mal, Sancho — comentou um dos cônegos, — porque é muito de temer o triste fim de todos os participantes desta tragédia; mas não poderiam ter melhor fim, moralmente falando, seus principais personagens, por terem abandonado o estado de religiosos no qual se haviam iniciado. Como bem disse o sábio Prior ao rapaz, quando ele quis deixar o hábito, é muito raro acabar bem quem um dia assim agiu.

— Em verdade — disse Dom Quixote, — se o senhor Japelin terminasse sua vida tão bem quanto honrosamente deu cabo da do adúltero soldado, metade do reino de Chipre eu daria para ser ele. Se tivesse morrido, não desesperado como morreu, mas numa batalha, gloriosíssimo seria o seu nome, porquanto *un bel morir tutta la vita onora*.

Quis Sancho começar outra história, mas foi impedido pelos cônegos e pelo amo, que o convenceram a fazê-lo mais tarde, pois o respeito aos hábitos religiosos do venerável senhor ermitão ordenavam que se lhe desse a vez.

Assim, suplicaram-lhe todos que tomasse a palavra, relatando-lhes uma história menos triste que a anterior, sem terminar lançando ao fogo do inferno as almas de seus personagens, pois isto os deixara extremamente melancólicos. Não obstante, todos louvaram o soldado pelo curioso enredo do seu conto, bem como pela propriedade e honestidade com que havia tratado de assuntos em si algo infames.

Desculpou-se quanto pôde o ermitão, mas vendo que era em vão, rogou que ninguém interrompesse o fio de sua história, e começou esta outra, bem diferente da anterior, especialmente quanto ao desfecho.

CAPÍTULO XVII

EM QUE O ERMITAO DÁ INÍCIO A SUA HISTÓRIA DOS FELIZES AMANTES.

Perto dos muros de uma cidade das grandes da Espanha existe um mosteiro de certa ordem de religiosidade, dentre as quais havia uma não menos conhecida por suas virtudes e honestidades, que por sua rara beleza. Dona Luísa, que assim se chamava, crescendo em virtudes a cada dia, tal fama alcançou naquela ordem, por sua oração, penitência e recolhimento, que mereceu ser eleita, apesar de só ter vinte e cinco anos, superiora do convento, por decisão unânime das religiosas. Nesse cargo procedeu com tanto exemplo e sabedoria, que quantos a conheciam e com ela tratavam tinham-na por um verdadeiro anjo do céu.

Sucedeu pois que certa tarde, estando num locutório do convento um cavaleiro chamado Dom Gregório, moço rico, galante e discreto, conversando com uma parenta sua, chegou a Priora, a quem ele conhecia bem, por terem sido criados juntos quando meninos, e a quem ele quisera com sincero amor, dada a vizinhança das casas de seus pais; assim, ao vê-lo, ele se levantou com o chapéu na mão, perguntando por sua saúde e colocando a sua à disposição dela, para qualquer favor que necessitasse. Em resposta, disse-lhe a Priora:

— Temos grande prazer em recebê-lo, senhor Dom Gregório. Saibamos de sua boca o que há de novo, já que sabemos de seu valor, pela oferta gentil que nos faz.

— Não pode fazer oferta — respondeu ele —quem nasceu para servir até os cães desta ditosa casa. Não sei que novidades relatar a vossa mercê, a não ser explicar que decorrem das obrigações que tenho para com minha prima estas minhas frequentes visitas. A que hoje lhe faço é a mando de um parente comum, que lhe remete um corte de oito varas de um belo picotilho estampado, pedindo-lhe em troca certa quantidade de alcorces dos que aqui se preparam.

— Folgo em sabê-lo — disse a Priora, — e peço a vossa mercê, se for possível, que, terminando sua entrevista com Dona Catalina, sirva-se de levar, de minha parte, este bilhete a minha irmã; vossa mercê sabe de quem se trata, pois só tenho uma, que também se dedicou à vida religiosa. Estou esperando que ela me envie uns cestos de flores para uma festa em homenagem à Virgem, que estou organizando. Conto com que vossa mercê há de ordenar que nos tragam ainda esta tarde, já que se trata de coisa tão justificada; todavia, o que faz atrever a usar de tamanha familiaridade é o fato de ser vossa mercê meu amigo quase desde que nasci.

— Pode vossa mercê — respondeu o cavaleiro — pedir-me coisas de maior consideração; tanto não me falta o conhecimento de minhas obrigações, como me sobra, enquanto vivo eu for, o prazer de acudir a elas, ainda mais tendo na memória as brincadeiras infantis e as demonstrações que eu então já dava de ser seu prestativo servidor. Assim, pode vossa mercê dispor à vontade de minha pessoa.

Riu-se a Priora, meio envergonhada pela galanteadora resposta, e logo se despediu, dizendo que o fazia para não atrapalhar a conversa dos primos, e para dar tempo a que se lhe fosse prestado aquele favor, cuja resposta ficava aguardando.

Logo em seguida, despediu-se também Dom Gregório da prima, ansioso por mostrar sua boa vontade, desincumbindo-se com rapidez do encargo que lhe fora confiado.

Foi ao mosteiro onde estava a irmã da Priora, cuja lembrança não mais lhe saía da cabeça. Recordava-se de sua singular perfeição, formosura, cortesia de palavras, discrição, e da gravidade e decoro de sua pessoa, juntamente com a prudência com que lhe havia dado ensejo de, prestando-lhe aquele pequeno favor, poder reencontrá-la. Com a constância desse pensamento, foi criando por ela tal afeição, que se propôs revelar-lhe sem dissimulação o infinito desejo que tinha de servi-la, tão logo levasse a resposta.

Com esta resolução, chegou à roda do convento da irmã, a quem chamou e entregou o bilhete, rogando-lhe urgência no atendimento e colocando-se à sua inteira disposição. Dona Inés — este era o nome da irmã da Priora — agradeceu-lhe por tudo, entregando a um pajem que o acompanhava as curiosas flores de seda solicitadas, compostas num açafate grande, feito de vistoso vime.

Regressou Dom Gregório imediatamente, à presença da discreta Priora. Chegando junto à roda do convento, chamou-a e foi introduzido no mesmo locutório em que lhe falara, bastante perturbando pela oportunidade que se lhe oferecia de lhe explicar seu desejo pessoalmente, planejando esticar a conversa para tal fim, já que se encontrava completamente enamorado dela.

Apenas entrou no parlatório o apaixonado mancebo, quando a Priora também ali chegou, dizendo-lhe:

— Afianço-lhe, senhor Dom Gregório, que vossa mercê cumpriu fielmente o ofício de emissário, pois em uma hora já me vejo com as desejadas flores, com a resposta de minha irmã, e em presença de vossa mercê, a quem muito agradeço tão extraordinária diligência.

— Senhora minha — respondeu ele, — por isso diz o refrão: "Ao mau criado, põe-lhe mesa farta e manda dar recado".

— Está bem dito — replicou ela; — mas esse provérbio não vem, ao que me parece, muito a propósito, porque nem tenho por mau vossa mercê, nem há mesa posta neste parlatório; aliás, nem é hora de comer, a não ser que vossa mercê assim deseje, o que me obrigaria a servir-lhe alguma coisa, nem que fossem uns rebuçados, ou algum doce. Se é para tal fim que se dirige o refrão, acudirei depressa à minha obrigação, e com muito prazer.

— Vossa mercê não acertou no alvo — respondeu Dom Gregório. — Sem falar de rebuçados ou doces, sustentarei facilmente que neste locutório se acha e se verifica tudo quanto diz o refrão.

— Como — indagou Dona Luísa — me provará vossa mercê que é um mau criado?

— Isso é o mais fácil de provar — disse ele, — pois mau é todo aquele que vale pouco para o fim desejado; e sendo o que valho para o serviço de vossa mercê, a quem tão bem desejaria servir, claramente se deduz meu pouco valor; não o possuindo, que bondade poderia ter, senão a que vossa mercê me comunicar, já que de bondade e perfeições é tão rica?

— Vossa mercê saiu-se como grande retórico — disse a Priora, — não havendo por aqui quem lhe possa contrapor argumentos, pois não passamos de mulheres que, conforme se diz em Castela, a Velha, não seguimos pela estrada real. Mesmo assim, não deixarei de obrigá-lo a provar-me o que disse sobre ter deixado a mesa posta, quando atendeu ao meu pedido, levando o bilhete a minha irmã, já que aparentemente me provou ser um mau criado.

— Isso, senhora minha — respondeu ele, — também será fácil de provar, porque onde se vê a alegria dos convidados e contentamento e regozijo, dos criados preguiçosos, juntamente com o afluxo de pobres à porta, se diz que a mesa já está servida e que há convite. O mesmo pude deduzir do prazer que senti quando mereci achar-me na generosa presença de vossa mercê, pois vi nesse belo aspecto, digno de todo o respeito, uma esplêndida mesa repleta de deliciosos manjares, os quais estão representados na virtude que resplandece em vossa mercê, pão reconfortante de meus desmaiados alentos, acompanhada do sal de suas graças e do vinho de sua risonha afabilidade. Não posso deixar de mencionar, porém, ter-me acovardado a faca do rigor com que sua honestidade poderá tratar meu atrevimento, que pode ser desculpado, assim o espero, por essa singular formosura, que efetivamente o despertou.

Ditas estas palavras, quedou-se a mirá-la sem pestanejar, saltando-lhe algumas lágrimas dos amorosos olhos, vistas e notadas por Dom Luísa, e cujo coração causaram não pequena perturbação. Mesmo assim, dissimulado e encobrindo quanto pôde aquele constrangimento, ela respondeu, com o rosto alegre:

— Jamais teria imaginado a prudência e discrição de vossa mercê, senhor Dom Gregório! Como é possível que, conhecendo-me há tantos anos, pudesse julgar-me por tão idiota que não veja o duplo sentido de suas palavras, o fingimento de suas razões e a falsidade dos argumentos com que quis provar a suficiência de meu curto saber? Mas deixe-se de chistes por agora, que por tais tomo tudo isso que vossa mercê me disse. E como vive nesta casa uma sua prima dotada de tantas prendas, que é Dona Catalina, a qual deseja acima de tudo servi-lo, nada mais deve pretender vossa mercê, pois se assim fizer não extrairá de seus desvelos senão o alcatrão dos desejos difíceis de apagar, depois que adquirem força, pois a sua própria impossibilidade lhes serve de incentivo e fomento, já que continuamente o abjeto presente, impelindo o desejo com mais eficácia que o ausente, mostra sua potência quando luta contra os impossíveis próprios de nossa condição de religiosas. Com isto — certa de que vossa mercê há de me entender, por sagaz que é, — penso que suas palavras e demonstrações de boa vontade estarão cabalmente satisfeitas, e assim me despeço, sem contudo declinar de servi-lo, desde que com favores mais razoáveis e menos impossíveis; porquanto, assim agindo, poderá vossa mercê acudir uma e mil vezes no intuito de provar a sinceridade de meu agradecimento. E se acaso as ocupações de meu ofício me mantiverem ocupada, não faltarão religiosas competentes que se disponham a servi-lo em meu lugar, acudindo as necessidades de vossa mercê.

Esteve Dom Gregório ouvindo esta despedida ambígua com estranha perturbação, mirando fixamente aquela que lhe falava. Quando ela terminou, respondeu que agradecia muito a mercê que se lhe era prestada, pois qualquer uma, por menor que fosse, já seria superior ao seu merecimento; não obstante, permanecia com a chaga que lhe causara a visão de seu alvo capelo e belíssimo rosto — ricas toalhas de mesa que suas graças haviam preparado para seu desejo, — tendo por bem curta a vida se suas mãos, nas quais depositava sua felicidade, não lhe concediam algum lenitivo para sustentá-la.

Despediu-se então a Priora, dizendo-lhe que deixasse de lado tais ideias, que se dissipariam com o tempo e a repetição das visitas, para as quais ela de novo lhe concedia licença.

Voltou Dom Gregório para casa, tão apaixonado por Dona Luísa, que de nenhum modo conseguiu encontrar sossego. Deitou-se sem jantar, lamentando-se durante quase toda a noite por sua má sorte e pela triste hora em que contemplara aquele belo anjo. Também ela, logo que dele se afastou, subiu para sua cela com idêntico pensamento, e ali começou a revolver em seu coração as sensatas palavras de Dom Gregório, as lágrimas que ele derramara em sua presença e por sua causa, o grande amor que lhe demonstrava possuir, e o perigo da vida com que, segundo achava, passaria a levar, caso não lhe prestasse algum favor. O fato de se tratar de pessoa importante e cortês, além do conhecimento que lhe tinha desde sua meninice, ajudou a que o demônio — que repete dez vezes às mulheres aquilo que lhes foi dito uma vez só — ali encontrasse lenha suficiente para acender, como acendeu, o lascivo fogo que começou a abrasar o casto coração da desprevenida Priora. E foi tão intenso aquele incêndio, que lhe agitou a noite, com a mesma inquietude que assaltou Dom Gregório, imaginando sempre um plano para poder declarar-lhe o seu amoroso intento.

152

Chegada a manhã, ela logo desceu à roda do convento, com tal ideia na cabeça, e, chamando uma recadeira de confiança, disse-lhe:

— Vai à casa do senhor Dom Gregório, primo de Dona Catalina, e dize-lhe de minha parte que lhe beijo as mãos, suplicando-lhe a mercê de vir aqui pela tarde, pois tenho de tratar com ele um negócio de importância.

Foi-se imediatamente a moça e deu o recado, recebendo-o Dom Gregório com o prazer que se pode imaginar. Sentado na cama, da qual não pensava levantar-se tão cedo, ele respondeu:

— Dizei à senhora Priora que lhe beijo as mãos, e que me achastes na cama, de onde não pretendia levantar-me antes, de muitos dias, a não ser que sua mercê me ordenasse o contrário, já que o mal-estar com que saí ontem de sua presença afligiu-me demais esta noite. Porém, depois deste recado, acabo de recobrar minhas forças, pelo menos para acudir ao que sua mercê ordena, o que o farei às duas em ponto.

Foi-se a moça, e ficou o cavaleiro enamorado intrigado com aquela novidade, não sabendo a que atribuí-la: de um lado, considerava o rigor com que fora despedido na véspera; de outro, a pressa com que fora chamado para, segundo lhe dissera a recadeira, resolver um negócio de importância. Aquilo tudo lhe assegurava ou prometia algum piedoso lenitivo, conforme ele pedira.

Com enorme desejo de descobrir o que ela pretendia, foi pontualissimamente ao convento, na hora aprazada. Apresentando-se na roda, recebeu ordem de subir ao parlatório, onde ficou à espera da Priora. Cada instante de sua demora parecia-lhe um século. Por fim, eis que ela surgiu, risonha a afável, dizendo-lhe, mas não sem turbação interior:

— Não quer tão mal a vossa mercê como pensa, senhor Dom Gregório, quem mandou chamá-lo logo ao amanhecer, com tanto empenho; mas o fato é que me causaram preocupações tão grandes as demonstrações de indisposição com que vossa mercê se foi ontem à noite, que eu, receando ser tudo consequência de sua ida e vinda rápidas ao convento de minha irmã, e do cansaço disto decorrente, não poderia deixar de saber sobre sua saúde, e de tentar ajudá-lo a esquecer sua melancolia, causada por minha inadvertência, pois só esta poderia explicar o fato de ter-me vindo vossa mercê com aquelas tão amorosas e estudadas palavras, com as quais pretendeu dar-me a entender, com o reforço de fingidas lágrimas, que minhas lembranças lhe tiravam o sono, e minhas curtas prendas o fascinavam. Mas não digo que se tenha saído mal, caso seu intento tenho sido obrigar-me a chamá-lo, pois com efeito foi o que decidi, tão logo nos despedimos. E se foi esse o artifício motriz daquele fingimento, revele-me agora vossa mercê, com a sinceridade que minha presença o obriga, sua verdadeira pretensão, que para tal lhe concede inteira licença minha natural vergonha, uma vez que — como se costuma dizer — o ouvir não pode ofender. E faço isto porque, como me disse vossa mercê, não me pareceu dever permitir ao mundo tomar-me por assassina

153

de quem tantas qualidades possui, sendo por elas digno de viver por todos os anos que meu bom desejo suplica a Deus que lhe dê de vida, confiada em que nada perderemos, nós desta casa, que a tenha extensíssima quem tantas mercês nos faz.

Recobrando um novo e cortês atrevimento, respondeu-lhe Dom Gregório, dizendo:

— Grande mercê, senhora minha, foi a que se me fez e a que se me faz agora. acho-me tão incapaz de merecê-la, que mesmo fossem tantos os anos da minha vida quantos os prometem os nobres e religiosos votos de vossa mercê, seriam poucos para que pudesse pagá-la, por mais que os empregasse no serviço desta casa. Mas já que não posso retribuir na mesma moeda, fá-lo-ei pelo menos com aquela cursiva entre os sensatos, qual seja a dos meu mais profundos agradecimentos e confissão de perpétuo reconhecimento. Entretanto, quero que saiba vossa mercê — e só o céu sabe quanta verdade estas palavras encerram —que, se não viesse aqui com a presteza que vim, na esperança de revê-la, neste momento talvez já nem tivesse vida, a julgar pelo quanto me afligia a paixão causada pelas graças de vossa mercê. Doravante, porém, pretendo zelar por minha vida, para poder pelo menos empregá-la a serviço de quem tão bem sabe restituí-la a mim, nos momentos em que penso irei perdê-la. E para que veja vossa mercê que de fato é assim, quero atrevidamente pedir-lhe que me dê nova vida, confiado no que acabava de dizer a respeito de suplicar que Deus me dê uma extensíssima existência.

— Vejamos — disse a Priora — do que se trata. Conforme a solicitação, julgar-se-á facilmente se será justo atendê-la, ou não. Exponha-a vossa mercê.

—Nada solicito, senhora — respondeu ele, — por não querer de novo causar-lhe a perturbação que ontem causei.

— Então já sei que se trata — disse ela — de um favor, e, segundo concluo por sua hesitação, para atendê-lo estou de pés e mãos atados.

— Pois deixai-me desatar, — respondeu Dom Gregório, — se não as peias, ao menos os laços que prende as alvíssimas mãos de prata de vossa mercê, a fim de que as passe por entre estas grades, para assim poder beijá-las.

—Apesar do atrevimento, senhor Dom Gregório — replicou a Priora, — não deixarei de atender ao pedido, já que o havia prometido.

E, tirando de gentil luva uma das mãos, colocou-a entre as grades. Louco de contentamento, Dom Gregório beijou-a repetidas vezes, dizendo-lhe mil frases amorosas. Por fim, disse ela:

— E agora, estará vossa mercê contente?

— Sim, e tanto — respondeu o apaixonado mancebo — que quase perco o juízo, pois com isto recobrei nova vida, novo talento, novo prazer e, sobretudo, novas esperanças de que as minhas hão de realizar a cada dia mais, e assim poderei dizer que todo o meu ser está nas mãos de vossa mercê, que ora fito, e nas quais deposito e depositarei, enquanto viver, meus desejos e pensamentos.

— Já não é hora de dissimulação, senhor Dom Gregório — disse Dona Luísa, — nem de que vossa mercê ignore que, se me ama deveras conforme finge amar, nada faz que não seja correspondido inteiramente por mim. Se até agora dissimulei, foi violentando minha vontade, mas a isto me forçava o fato de ser mulher, de ser religiosa e de ser a superiora de quantas vivem nesta casa de recolhimento. Ademais, desejava tirar as últimas dúvidas e inteirar-me se a perseverança confirmaria os assomos do amor que com palavras e lágrimas vossa mercê parecia demonstrar. E já que minha cegueira me obriga a crer nisso que é tão difícil de averiguar, digo-lhe que sua visita diária me causaria enorme contentamento; assim, suplico-lhe venha ver-me todo dia, variando os horários, para maior dissimulação. E veja vossa mercê que para mim é muito arriscado confessar-me cega e apaixonada, pois apenas esta confissão pode dar lugar a que eu seja condenada ao perpétuo desprezo: rogo a Deus que tal não me suceda. Liberdade terá vossa mercê de falar-me sem impedimento, que o ser priora me permite aquela e me libera deste. Creia vossa mercê que, agindo assim, penso poder prestar-lhe maiores serviços. E basta por agora: peço-lhe que se vá, pois estou muito confusa pela decisão que tomei, e aturdida pela pouca força que sinto em mim para resistir a maiores assédios. Fique o restante para outro dia.

Com isto, despediram-se, ficando ambos perdidamente apaixonados, como se verá no prosseguimento desta verídica história.

Logo começou o vai e vem dos recados e se amiudaram as visitas, com trocas de lembranças e presentes de uma e outra parte, com tal frequência, que já começavam a se fazer notar, embora não tanto quanto o seriam se não se tratasse da Priora, cuja autoridade a todos impressionava.

Durou esse estado de coisas por mais de seis meses, até que, estando certo dia conversando os dois no locutório, começou Dom Gregório a maldizer as grades, que representavam estorvo para que ele melhor desfrutasse do bem que desejava e poderia desfrutar. O mesmo dizia ela, cuja amor era tão grande, e tão desesperada a sua perdição pelo rapaz, que nem parecia ser a mesma pessoa de antes. Seus bilhetes e ternuras constantes deixavam o próprio Dom Gregório espantado. Por isto, não é de se admirar que tenha sido ela quem deu início a sua própria perdição dizendo-lhe naquela mesma tarde:

— Será possível, senhor, que tendo por mim um tal amor, sejais tão pusilânime e desprovido de iniciativa, que não acheis um modo de entrar à noite por alguma passagem secreta, a fim de que possamos gozar sem inquietude o doce fruto dos nossos amores? Esquecestes de que sou Priora e tenho liberdade para arranjar isso com o devido segredo? Se vos dispondes a tal, já tenho um plano, traçado com meu desejo e facilitado com vossa covardia. Fosse esta um pouco menor, e poderíeis tirar-me daqui e levar-me para onde vos prouvesse, pois estou disposta em tudo a acompanhar-vos aonde quiserdes ir.

Surpreso com essa determinação, respondeu Dom Gregório:

— Já vos disse muitas vezes, prenda minha, que estou preparado para tudo que for de vosso gosto e interesse. Assim, ensinai-me o que devo fazer, pois há de ser como quereis. Pegarei dois cavalos da casa de meu pai, tirando de lá todo o dinheiro que puder, e chegarei aqui por volta da meia-noite, aguardando-vos no local que melhor e mais secreto vos parecer. Depois de sairdes, é só montarmos e cavalgarmos rapidamente, fugindo para algum reino vizinho onde não sejamos conhecidos, podendo assim viver ali pelo tempo que quisermos. E como estão em vossas mãos as chaves onde se guardam os bens e o tesouro deste convento, podereis também recolher o máximo de valores que puderes, para que não precisemos ficar preocupados de algum dia passarmos necessidade.

— Penso que é isso o que temos de fazer — concordou ela.

Acertaram então que sua fuga seria à uma da madrugada do domingo seguinte, depois de rezadas as últimas preces, hora em que o mancebo estaria aguardando junto à porta da igreja, com os cavalos. E como era ela quem guardava consigo as chaves da casa, facilmente poderia abrir a sacristia, e dali chegar à porta principal da igreja. Em seguida, caminhariam durante toda a madrugada, vencendo dez ou doze léguas, para que ninguém conseguisse encontrá-los quando dessem por sua fuga.

Combinaram ainda que Dom Gregório faria chegar-lhe às mãos, como se fossem cortinas, algumas roupas femininas, para que ela não chamasse a atenção. Daí em diante, começou a Priora a se preparar para a fuga, cosendo nas roupas internas o dinheiro que pôde recolher, e que não foi pouco, e guardando numa bolsa grande quantidade de moedas de prata, para tê-las mais à mão. E assim foi que, entre moedas e joias, retirou do convento mais de mil ducados.

A mesma prevenção teve Dom Gregório, que dos cofres de seu pai, usando chaves falsas, retirou outros mil ducados, além do dinheiro que pediu emprestado a diversos amigos, os quais, confiando em sua condição de filho único e morgado de um cavaleiro com mais de trinta mil de renda, não hesitaram em fornecer-lhe o que ele lhes pediu.

Chegando o domingo combinado, às doze e meia da noite, hora de silêncio geral que coincide com a segurança dos primeiros sonhos, que são os mais profundos, desceu Dom Gregório com sua maleta ao estábulo, e ali, encilhando dois dos melhores cavalos de seu pai, sem que ninguém o notasse, saiu de casa e dirigiu-se ao mosteiro, onde ficou aguardando junto à porta da igreja que sua querida Dona Luísa por ali saísse. Esta, terminadas as últimas preces da noite, voltou para sua cela, onde tirou o hábito que vestia, trocando-o pelos trajes seculares que Dom Gregório lhe trouxera, e que ela deixara guardada numa arca, conforme foi dito. Em seguida, estendeu o hábito sobre uma mesa, pondo sobre ele uma extensa carta que escrevera, relatando a causa de sua fuga. Ali também deixou uma vela acesa, junto ao breviário e ao rosário, do qual sempre fora muito devota, assim como também o fora da Virgem Nossa Senhora, a quem por toda a sua vida dedicara suas preces. Em seguida, tomando de um grande molho de chaves, com as quais poderia abrir qualquer porta do convento ou da igreja, saiu da cela pé ante pé, seguiu pelo claustro e desceu à sacristia. Abrindo-a sem ser notada, passou dali à nave da igreja, vendo-se quase imediatamente diante de um altar lateral dedicado à Virgem Santíssima, de cuja imagem era extremamente devota, celebrando-a em todas as festas com toda a solenidade. Ao passar em frente àquela imagem, ajoelhou-se, despedindo-se dela com grande sentimento e ternura, triste pelo fato de não mais perder ver aquela que ela mais queria nesta vida, e dizendo-lhe:

— Mãe de Deus e Virgem puríssima, sabe o céu e sabeis quanto sinto por ausentar-me de vossos olhos, mas estão tão cegos os meus por aquele que me leva, que forças não encontro para resistir à paixão que me domina. Por causa dela, vou-me, sem reparar nos inconvenientes e riscos que me ameaçam. Contudo, não quero empreender esta jornada sem vos encomendar, Senhora, de todo o meu coração, as religiosas que até então estiveram sob minhas ordens. Tende piedade delas, Mãe boníssima, pois são vossas filhas, a quem eu, como cruel madrasta, deixo e desamparo. Amparai-as, pois, Virgem santíssima, por vossa angélica pureza, como verdadeiro manancial e todas as misericórdias, sendo como sois a mãe da fonte delas: de Cristo, nosso Deus e Senhor. Em meu lugar, suplico-vos outra vez, vigiai essas vossas servas que aqui ficam, cuidado melhor de sua limpeza e salvação do que eu, que me vou despenhando na perda de uma e de outra, caso não tenhais piedade de mim. Mas confio em que me perdoareis, levada por vossa inexplicável e natural piedade, e pela devoção com que sempre rezei vosso santíssimo rosário.

Dita esta breve oração, fez uma profunda reverência à imagem. Em seguida, abriu o postigo da igreja, deixando as chaves junto ao altar da Virgem, e só então saiu, fechando a porta atrás de si.

Tão logo saiu da igreja, saiu-lhe ao encontro Dom Gregório, que a estivera aguardando ansioso, tomando-a nos braços e mantendo-a junto a si por algum tempo, sem nada dizerem, com receio de serem notados por alguém. Em seguida, ajudou-a a subir no cavalo que lhe pareceu mais manso, e logo ambos partiram, de maneira que, quando raiou o dia, já se encontravam a seis ou sete léguas de distância. No primeiro lugar por onde passaram, aprovisionaram-se do necessário para poderem comer no caminho, deste modo evitando entrar em algum povoado, salvo de noite, para que ninguém pudesse informar seu paradeiro aos que sem dúvida iriam em seu encalço.

E com efeito, senhores, aquela que havia professado e prometido a Deus guardar a castidade, coisa que o fizera até então com mostras de notável virtude, perdeu-a por um deleite sensual e momentâneo, indo a rédeas soltas pelo fragoso caminho das torpezas, olvidada de Deus, se seus votos e de todo o respeito que, sendo quem era, devia ter, tal o permitindo a divina majestade de Deus, em razão de Seus secretos desígnios, e para demonstrar Sua onipotência — que se manifestam conforme canta a Igreja, perdoando aos grandes pecadores seus gravíssimos pecados, — bem como para mostrar o quanto vale a intercessão da Virgem gloriosíssima, Mãe de Deus, e como Ela sempre se interpõe em favor dos devotos de seu santíssimo rosário.

Mas não há que se espantar de que ela agisse assim, largando a mão de Deus, pois, como diz Santo Agostinho, maior espanto deve haver pelos pecados que deixa de cometer aquele que Sua divina misericórdia desampara, do que pelos que ele comete. Eis o que afirma Davi que vociferam os demônios, inimigos de nossa salvação, ao homem que chega a tal miséria, e que eles se animam a perseguir, prometendo-se impedi-lo a todo gênero de vícios: *Deus dereliquit eum: persequimini et comprehendite eum, quia non est qui eripiat.* [13]

Prosseguiram seu caminho os cegos amantes, com os inevitáveis temores e sobressaltos que se podem imaginar para quem anda na desgraça de Deus, durante vários dias, sem jamais pararem, até que chegaram à grande cidade de Lisboa, capital do ilustre reino de Portugal.

Ali, depois de falsificar uma certidão de casamento, Dom Gregório alugou uma boa casa e comprou cadeiras, tapetes, mesas, camas e poltronas para sua dama, além de todo o enxoval necessário a uma honrada casa, inclusive um negro e uma negra para o seu serviço. Adquiriu também belas roupas e joias, tanto para si, como para enfeitar sua linda Dona Luísa.

E assim viveram muitos dias, apetecendo de todos os modos seus cegos sentidos, divertindo-se com fausto e dissolução. A galharda estrangeira — assim a chamavam os portugueses — não perdia festas e apresentações teatrais, que as há muitas em Lisboa. Já Dom Gregório, passeava de dia pelas ruas da cidade, mudando de traje e de cavalo a cada saída, desfrutando, sem nenhum escrúpulo de consciência, daquela pobre religiosa renegada, totalmente esquecido de Deus e sem rastro de temor de Sua divina justiça, como diz o Espírito Santo pela boca de Salomão, o que o mau menos teme quando atinge o máximo de sua maldade, é a Deus.

Dois anos viveram em Lisboa os cegos amantes, levando a vida mais livre e deleitosa que se possa imaginar, pois tudo eram galas, convites, festas e, sobretudo, jogos de azar, aos quais Dom Gregório se entregou sem moderação alguma.

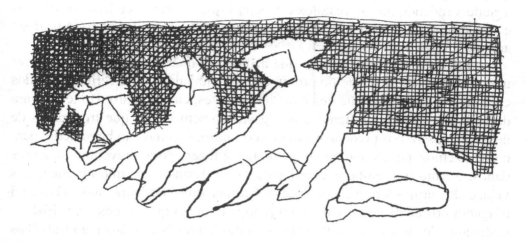

CAPÍTULO XVIII

EM QUE O ERMITÃO RELATA O DECLÍNIO DOS FELIZES AMANTES EM LISBOA, EM CONSEQUÊNCIA DA POUCA MODERAÇÃO DE SEU MODO DE VIVER

É infalível que se chegue ao fundo, de onde só se tira, sem nunca se pôr — como diz o refrão. Digo, isto, senhores, porque as liberalidades e os jogos de Dom Gregório, bem como as galas e saraus de Dona Luísa, fizeram-nos rapidamente desembolsar os haveres que trouxeram de sua terra, sem que de nenhum modo ou maneira lhes adviesse algum ganho. Assim, ao cabo de dois anos, viram que se haviam tornado pobres, sendo forçados a empenhar e vender os tapetes e cortinas, depois todas as joias que possuíam, e mais tarde três ou quatro cavalos. A venda dos animais pouco lhes rendeu, porque Dom Gregório, com o dinheiro que conseguiu, esperando ganhar o que havia perdido, foi a uma casa de jogo, onde, além de dissipá-lo todo, perdeu até o belo ferragoulo que vestia, tendo de esperar que viesse a noite para voltar para casa sem que o vissem os conhecidos em mangas de camisa pelas ruas, como de fato ocorreu. Chegando em casa, pesaroso, vexado, sem dinheiro e sem capa, encontrou Dona Luísa, que o aguardava apreensiva, mas que preferiu não recriminar sua falta de juízo, receosa de que ele a deixasse ou lhe fizesse alguma baixeza; antes, consolando-o, ordenou que se vendessem os negros, o que se fez prontamente. Também esse dinheiro apurado logo se foi, parte pelas despesas ordinárias, parte pelos excessos de Dom Gregório no jogo — e talvez pela permissão divina, para reduzi-los à sensatez, através da necessidade. Ao cabo de tudo, chegaram a tal ponto, que nada mais possuíam para vender ou empenhar. O dono da casa, temendo não mais receber seu aluguel, ordenou que os executassem, a não ser que conseguissem algum fiador abonado. Não conseguiram, e Dom Gregório acabou vendendo até os vestidos de Dona Luísa, à qual, vendo-a em prantos e sem roupas para vestir, cheia de vergonha e desespero, dirigiu-se o pródigo amante, dizendo-lhe:

— Estais vendo, meu bem, o que acontece e quão impossível nos é viver nesta cidade, sem falatório do próximo e vergonha nossa, por sermos de todos conhecidos, especialmente dos mais importantes, cujo amparo não tenho cara de pedir. Agimos imprudentemente, gastando sem tino o que trouxemos de nossa terra, sem nos preocuparmos com o futuro. E como não há remédio para o que fizemos, parece-me que o que temos a fazer agora, prevenindo maiores danos, é irmo-nos embora daqui uma noite destas, sem que ninguém nos veja, e chegarmos à primeira cidade de Castela, que é Badajoz, onde, já que ali ninguém nos conhece ou viu com a pompa e fausto que vivemos em Lisboa, poderemos levar uma vida modesta. E como tendes boas mãos para trabalhos de lavor, fácil será ganhar com elas o suficiente para nossas necessidades, seja ensinando costura para as jovens, seja costurando para fora.

Respondeu-lhe com lágrimas e sentimentos a triste dama que fizesse dela quanto fosse de seu agrado, pois estava disposta a segui-lo sem contradições alguma.

Como podem imaginar vossas mercês, os dois deixaram a grande Lisboa, viajando a pé e sem outras roupas e provisões que não aquelas que podiam carregar. Por causa da capa que perdera no jogo, Dom Gregório seguia sem espada e em mangas de camisa, mas o que mais sentia era não ter um cavalo para Dona Luísa, que, pela aspereza do caminho e delicadeza de seus pés, tinha-os rachados e machucados, pela pouca proteção que lhe dava seu calçado pobre, tendo de pedir esmola pelas portas das casas dos povoados por que passava, do mesmo modo que ele, cujas plantas dos pés estavam cheias de bolhas.

Ao cabo de alguns dias, entraram em Badajoz, esgotados. Ali chegando, em razão da pobreza em que se encontravam, tiveram de ir alojar-se no hospital. Sua miséria era tanta, que se alguns dos indigentes que ali estavam não lhes dessem uns restos dos pães que haviam esmolado de dia, ficariam sem cear aquela noite.

Qual ocorreu com o filho pródigo, pôs-se Dona Luísa a chorar, lembrando-se da abundância que desfrutava no mosteiro de onde fora Priora, arrependendo-se amargamente de ter fugido dali inconsideradamente para seguir Dom Gregório, causando grave ofensa a Deus e desonra para as famílias de ambos. Entre soluços, lamentou a irrecuperável perda da joia de sua virgindade. Passou a noite lamuriando-se por sua desventura, e tanto, que o aflito Dom Gregório nem ousava dirigir-lhe a palavra; antes, vexado e melancólico, quedou-se a escutá-la, encostado num canto do aposento. Se algo murmurava, eram também lamentos e queixas pela amargura que sentia e esperava continuar sentindo, sem esperanças de poder um dia regressar à sua terra, na qual fora um morgado rico e benquisto. Com esse pensamento, e com

a lembrança que tinha do sentimento de seus pais, parentes e amigos, arrancava de tempos em tempos um doloroso suspiro, saído do âmago de sua aflita alma, capaz de enternecer as pedras, maldizendo seu desatino, a cega determinação, os loucos amores e infernais desejos, e, finalmente, a primeira visão de quem fora causa total de tão fatais princípios e do fim perigoso que, por causa deles, ameaçava as vidas do seu corpo e de sua alma.

Passada a noite nessas recordações e recriminações, e chegada a manhã, entrou no hospital um jovem cavaleiro, encarregando de verificar, durante aquela semana, os que ali haviam chegado e pernoitado, porque, a fim de não permitir que se enchesse de vagabundos aquele estabelecimento, a administração da cidade tomara a sensata providência de nomear fiscais que, durante uma semana, visitassem os peregrinos e se informassem de suas necessidades. Aproximando-se aquele de Dona Luísa, tão logo deu pela presença daquela jovem e formosa mulher, embora mal vestida, perguntou-lhe de onde era. Tendo ela respondido, com mostras de vergonha, que era de Toledo, indagou se conhecia tais e tais pessoas muito conhecidas naquela cidade. Respondeu-lhe a dama que não, porque dali saíra havia muito tempo. Enquanto conversavam, chegou-se Dom Gregório, dizendo:

— Esta mulher, meu senhor, é natural de Valladolid e é minha esposa.

— Então por que mentiu? — perguntou o cavaleiro. — Mostrem-me a certidão de casamento. Se não forem de fato marido e mulher, serão muito bem castigados.

Dom Gregório logo tirou sua certidão falsa e exibiu-a. O cavaleiro ficou satisfeito e perguntou para onde seguiam, pois ali não poderiam permanecer senão por um único dia. Respondeu Dom Gregório que tinham a intenção de morar ali.

— E que ofício tendes? — perguntou o administrador.

Respondeu-lhe que não tinha ofício, mas que sua mulher era costureira e queria, se houvesse possibilidade, ensinar algumas jovens a bordar.

— Quer dizer — disse o cavaleiro — que é ela quem vos há de sustentar! Pois muito trabalho havereis de ter apesar de tudo, por amor de Deus, levar-vos-ei hoje para minha casa e vos darei de comer, até conseguir-vos algum lugar no qual podereis residir nesta terra com vossa mulher, que parece honrada.

Dizendo isto, ordenou a um pajem que os levasse para sua casa. Os dois agradeceram-lhe muito por aquilo. Pelo caminho, perguntando pelas prendas de quem tamanha mercê lhes fazia, disse-lhe o pajem que se tratava de um mancebo rico e tão caridoso, que raro era o dia em que não dava muitas esmolas. Assim, confiassem nele, que sem dúvida lhe arranjaria onde pudessem viver, pagando até o aluguel, enquanto fosse mister. Esta notícia aumentou a satisfação de ambos.

Saindo do hospital, o cavaleiro conseguiu-lhes uma razoável pousada, na qual viviam certas costureiras, ordenando que lhes cedessem uma boa cama e algumas alfaias de casa. Saindo dali, providenciou o pagamento de todo o aluguel, para que os hóspedes pudessem sem mais demora usufruir de tudo.

Tomada esta providência, voltou para casa ao meio-dia, servindo-lhes farto almoço. Depois, ele próprio acompanhou-os à pousada que arranjara, onde os dois lhe beijaram as mãos pelo favor prestado e pela ajuda que lhes deu de um real, o que lhes permitiu passar aquela noite razoavelmente.

Pela manhã, começou Dona Luísa a perguntar às outras hóspedes quem poderia querer encomendar trabalhos de bordado, pois ela não conhecia ninguém daquela cidade. As hóspedes responderam:

— Pois fica sabendo que, apesar de sermos naturais daqui e sabermos, como se diz, fazer passarinhos com nossas mãos, estamos a morrer de fome. Que dizer de quem chegou aqui ontem, como é teu caso! Por minha fé, irmã, que vieste a um péssimo lugar para se ganhar com que comer, como a experiência há de te mostrar.

— Contudo, para dois ou três dias — disse uma outra hóspede, — arranjar-te-ei alguma coisa suficiente ao menos para o pão.

Ela agradeceu muito e começou a bordar um trabalho que a outra lhe entregou, enquanto Dom Gregório permanecia deitado, pois seria mais fácil passar fome na cama que passeando.

Na mesma manhã chegou o cavaleiro, depois de sua visita ao hospital, querendo saber dos dois forasteiros. Encontrando Dom Gregório deitado, disse lhe:

— Que é isso, bom homem? Como estais? Onde está vossa mulher?

— Até agora estou bem — respondeu ele. — Minha mulher está aí com uma vizinha. Suplico-lhe que não se espante por não me encontrar de pé, mas acontece que não tenho sequer um sapato furado para poder sair.

— A causa não deve ser essa — replicou o administrador, — mas sim madraçaria.

E, dando-lhe as costas, foi ver Dona Luísa. Sentando-se num tamborete perto dela, pôs-se a mirar-lhe as mãos e o rosto, e, reparando em suas feições e em sua natural modéstia, ela lhe pareceu a mulher mais formosa e mais digna de ser amada que jamais vira em toda a sua vida. Logo caiu-se de amores por ela, pois é impossível que a vontade deixe de amar aquilo que se lhe representa revestido de bondade, formosura ou simpatia. Rendido a suas prendas, perguntou-lhe, sem esconder sua afeição, qual era o seu nome e por que razão havia deixado sua pátria.

Sem levantar o rosto, e revelando alguma perturbação, respondeu-lhe ela que se chamava Dona Luísa, e que, tendo acontecido a seu marido certa desgraça em Valladolid, tinham fugido ambos a toda a pressa — coisa que lhe pesava confessar, donde ter dito a princípio que era natural de Toledo — e, tendo chegado a Lisboa, ali haviam vivido dois anos, durante os quais gastaram a razoável soma de dinheiro que haviam trazido consigo.

163

— Por certo, senhora Dona Luísa, que sinto na alma — disse o cavaleiro — ver-vos presa a quem tão pouco vos merece, qual esse mandrião vosso marido, pois de um lado vejo-vos formosa e discreta, e por outro considero que ele vos há de consumir e gastar o pouco que aqui ganhardes. Todavia, se quiserdes fazer por mim o que vos quero suplicar, juro-vos, por minha fé de cavaleiro, remediar-vos e favorecer a ambos naquilo que me for possível, pois não posso negar ter-vos enxergado com bons olhos, e de tal sorte estão os meus enamorados dos vossos, que já vivo com desejo intenso de servi-vos e agradar-vos quanto puder. Assim sendo, suplico-vos ordenar o que for de vosso gosto, que a tudo acudirei, sem que outra coisa desejem meus fiéis anseios senão que eu seja admitido em vosso pensamento, pois nisto consistirá a maior glória que posso almejar. Não percais, belíssima forasteira, a ocasião que a vossas desditas oferece em meus ditosos cuidados a fortuna, e vede não ser coisa que vos possa deixar mal o fazer-me mercê.

— Agradeço quanto posso, senhor — respondeu ela, — a dádiva dessa generosa oferta, sem que eu o tenha servido e feito jus a ela. Porém, sendo mulher casada e estando meu marido presente, em gravíssimo erro e perigo cairia se o ofendesse. Por isto, e principalmente pelo que devo a Deus e a mim mesma, suplico-lhe desistir de tal pretensão. No que ela não tocar, ordene-me, que em tudo haverá de ver meu devido agradecimento.

— Deixai estar, senhora — disse o mancebo, — que me encarrego de arranjar tudo, de modo que vosso marido nada perceba ou saiba. Por ora, tomai este dobrão, para que possais jantar hoje. Iguais a este vos darei nas próximas noites, desde que aceiteis empregá-las em dar-me prazer, o qual não sentirei até amanhã, quando me deste a resposta que desejo, qual seja a que minha confiança merece e vossa beldade assegura.

Constrangida pela necessidade, poderoso tiro para derrubar as fracas ameias da vergonha feminina, Dona Luísa tomou o dobrão, em troca de sua gratidão e não poucas esperanças, pois o que assim age, a muito se obriga.

Levantou-se depois disto o administrador e, chamando à parte a hóspede mais velha da casa, disse-lhe:

— Se conseguirdes com Dona Luísa que ela corresponda a meus rogos e aceite meus oferecimentos, prometo-vos, por quem sou, dar-vos uma saia de excelente pano, além de outros presentes. Usai de rogos e persuasão com o maior empenho que puderes, e se tiverdes êxito na empresa, ide voando a minha casa com a notícia, que dela sareis com prometidos regalos.

Assegurou-lhe a astuta alcoviteira que de seu empenho falariam os resultados. Satisfeitos com a resposta, chegou-se o cavaleiro à descuidada dama e, tomando-lhe da mão, beijou-a, sem que ela o pudesse impedir; em seguida, foi-se embora.

Logo depois, começou a solícita velha a persuadir eficazmente a aturdida senhora, entendida que era mais de ensalmos e ardis que dos salmos de Davi. E foi de tal sorte o assédio que lhe fez, que Dona Luísa por fim não mais resistiu, dizendo-lhe que procuraria servir dentro de suas possibilidades o cavaleiro, desde que o negócio fosse secreto, e que ele, por sua vez, cumprisse o que havia prometido a ela.

Agradecendo pela resposta, encarregou-se a velha de arranjar o negócio com proveito e satisfação de ambas as partes, como o mostraria o desenrolar dos acontecimentos.

Entrando em seu quarto, por ser hora do almoço, Dona Luísa contou pormenorizadamente a Dom Gregório tudo o que se passara entre ela e o cavaleiro. Respondeu-lhe ele que, dadas a extrema necessidade em que se achavam e a impossibilidade de remediá-la por outra via, que ela condescendesse com seu desejo, que para tudo dava seu consentimento e forneceria a ocasião propícia, sob condição de que lhe arrancasse o quanto pudesse, seja em dinheiro, seja em joias, fingindo sempre temor e receio, e recomendando-lhe manter em segredo todo o arranjo.

Neste ínterim, já fora a velha correndo receber a recompensa prometida pelo cavaleiro enamorado. De posse dela, foi-lhe recomendado acertar com Dona Luísa um encontro para a noite seguinte, onde e como ela assim determinasse. E foi desse modo que tudo aconteceu, porque, simulado Dom Gregório uma viagem, deu ela entrada em sua própria casa ao cavaleiro, que com ela dormiu aquela e outras noites, dando-lhe dinheiro e fornecendo-lhe todo o necessário para seu sustento e remédio, com o que puderam ambos vestir-se razoavelmente.

Espalhou-se o arranjo, causando escândalo público a dissimulação da dama, a bizarria de Dom Gregório e a familiaridade com que ele tratava o cavaleiro, ambos frequentando as casas um do outro, tudo facilitado pela necessidade daquele e o desejo deste. Viram todos que a forasteira mantinha na hospedaria uma tenda de diversões, recrudescendo a murmuração com seus novos hábitos de vestir-se bem, enfeitar-se, pôr-se à janela e gostar de ser vista e visitada, tudo com o consentimento do marido, que então pouco se importava de prosperar às custas da prometida honestidade — profanada escandalosamente — da insensata religiosa, a quem passaram a cortejar outros três ricos mancebos da cidade, enviando-lhe presentes, bilhetes e recados, que ela recebia prazerosamente, sem se preocupar em consegui-los à custa de sua honra.

Certa noite, chegou ao fim o malfadado negócio. Encontrando-se os três pretendentes à porta da casa da dama, tomados de ciúmes, engalfinharam-se tão violentamente, que da briga resultou sair morto o filho de um dos principais figurões da cidade. A justiça mandou prender todos os implicados na contenda, confiando Dom Luísa à guarda de um advogado. Ao cabo de um mês, não sendo possível apontar o homicida, foram todos soltos sob fiança, tendo por grades de sua prisão os limites da cidade. Dom Gregório foi quem teve menor sorte em todo o caso, pois foi o último a ser libertado, com sentença de desterro perpétuo de Badajoz. Só não foi condenado à execração pública pela diligência do administrador, que teve de gastar bom dinheiro para conseguir a comutação da pena. Vendo o outro livre, deu-lhe tudo o que foi necessário para que ele saísse

165

daquela cidade e fosse para Mérida, aconselhando-lhe ficar por lá divertindo-se durante um par de meses, enquanto ele negociaria a suspensão do desterro. Durante este tempo, ele se encarregaria de cuidar de Dona Luísa como se ela fosse sua própria irmã.

Dom Gregório aceitou satisfeito a oferta, vendo nela a porta aberta para fazer o que pretendia, que era deixar Dona Luísa, de quem já se cansara, arrependido da loucura que fizera de assumir tão incômoda carga, e temendo, se perseverasse naquela vida, tornar-se objeto de escárnio e execração pública, tendo de desfilar seminu, montado num burro, pelas ruas de algum povoado, senão mesmo ser condenado à forca, se se descobrisse seu delito. Contudo, dissimilou seus sentimentos, despedindo-se de Dona Luísa com mostras de tristeza, recomendando-lhe manter o recato e a honestidade, e pedindo-lhe tentar suspender seu desterro, ou então ir encontrar-se com ele em Mérida, caso não fosse possível a comutação da pena.

Toda essa conversa foi travada sob as vistas do administrador, a quem sua ausência causava prazer não menor que o da dama, que com isto teria liberdade maior para suas devassidões. Em suma, todos desejavam a mesma coisa, ainda que para diferentes fins.

Das mãos de seu amigo, tomou Dom Gregório mais de quinhentos reais. Com ele, e muito bem vestido, saiu de Badajoz e foi para Mérida, cidade que fica pouco distante de lá.

— Por Deus — interrompeu Sancho, — que esta de ir de Badajoz para essa outra aí, cujo nome nem gosto de dizer, por causa do mau cheiro que tem, mostra bem que grande porco era o tal de Dom Gregório, que nem se importou de deixar a monja entre tantos corvos e demônios! Valia a pena desfazer o torto dessa pobre senhora, meu amo Dom Quixote, pois com isto ganharíamos as quatorze obras de misericórdia. Digo até que, se quiser ir logo para lá, hei de acompanhá-lo com grande satisfação, mesmo que com isto perca ou adie a possessão do governo da grande ilha ou reino de Chipre, que me toca por linha direta, em virtude da palavra de vossa mercê e da morte que há de dar ao soberbo Cortabigorna, cuja luva trago bem guardada nesta maleta.

Não calhou mal a Dom Quixote o conselho de Sancho. Sua cabeça já começava a ficar quente, e se não fossem os argumentos dos circunstantes desejosos de saber o final da história, destinados a sossegá-lo, teria saído dali às carreiras, deixando-os sem mais aquela. Todavia, tendo-lhe dito o soldado Bracamonte que, terminando de contar onde e como se achava aquela senhora, comprometia-se a acompanhá-lo em tão santa empresa — já que, não tendo informação mais segura de seus atos e sucessos, não lhe parecia acertado fazer a jornada, pois poderia ser que, ao chegarem a Badajoz, estivesse ela noutro lugar, — aquietou-se Dom Quixote, prestando muita atenção a tudo e obrigando seu escudeiro a fazer o mesmo.

Com isto, e o agradecimento de todos, que rogaram ao discreto ermitão prosseguisse tão empolgante história, ele, seguro de que esta, embora comprida, não lhes causava enfado, prosseguiu, dizendo o que se segue.

CAPÍTULO XIX

DO QUE SUCEDEU AOS FELIZES AMANTES, ATÉ QUE CHEGARAM A SUA AMADA PÁTRIA.

— Dom Gregório não se dirigiu a Mérida, conforme prometera ao cavaleiro e a Dona Luísa, mas sim a Madri, onde a babilônia da Corte facilmente encobre e dissimula qualquer desditoso. E como ele era um destes, acabou indo servir, com toda a sua nobreza, um certo cavaleiro. Usando nome falso, varreu da memória a sua dama, parecendo até que jamais a havia visto. Ela, por sua vez, pagou-o com a mesma moeda, logo nos primeiros dias de sua ausência, empregando-os todos em novos caprichos, e tratando de arrancar dinheiro de quantos podia, tendo por alvo apenas seu próprio interesse. Mas sabendo todos de suas intenções, começaram a evitá-la, tornando-se voz geral a falta de princípios e a libertinagem da forasteira. Esta, vendo-se sem patrocinadores, e notando sobretudo os maus tratos que passara a sofrer por parte do administrador, enfadado de sua ingratidão e dissolução, por fim caiu na conta do perigo que corriam sua alma e seu corpo.

Compreendeu também que, havendo tantos dias que Dom Gregório se achava ausente, durante os quais nunca lhe escrevera, o que não lhe seria difícil, por se encontrar em Mérida, tão próxima dali, deveria ir procurá-lo, dadas as obrigações que lhe devia, a não ser que ele houvesse mudado de ideia, abandonando-a, como não duvidava mais que tivesse ocorrido.

Não tardou a começar a refletir sobre seu mau procedimento, enquanto Deus obrava secretamente em sua consciência, parecendo decidido a deixá-la como exemplo dos penitentes, mostrando quanto pode a intercessão de sua sacratíssima Mãe, e do que a Ela obrigam os devotos de seu santíssimo rosário com a repetição de tão eficaz e fácil devoção. Assim, foi tal o incêndio de amor e temor a Deus que grassou em seu espírito, que começou a desfazer-se em lágrimas, pesarosa das ofensas cometidas contra a majestade divina, confusa por não saber como nem em quem achar lenitivo ou conselho, tão carregada estava de desatinos.

Seus cortejadores, vendo seu pranto e desejando enxugá-lo, perguntavam-lhe a causa, com grande cuidado e desejo de conhecê-la, mas era em vão, porquanto a arrependida senhora já aspirava a consolo superior. Assim, despedindo-os o melhor que pôde — o que não lhe foi fácil, por serem as arremetidas dos apaixonados mais fogosas quando se trata de obter aquilo que foi amado e se tentou deixar, mormente se encontram obstáculo à consecução de seus prazeres. — decidiu-se, certamente inspirada por Deus, a regressar a sua cidade e apresentar-se nela secretamente, a um cavaleiro parente seu, a fim de revelar-lhe tudo o que lhe ocorrera, para que ele a ajudasse a ir a Roma, sem ser conhecida, e ali, prostrada aos pés de Sua Santidade, conseguisse em modo de retornar ao seu mosteiro, ou a outro qualquer da mesma ordem, onde poderia penitenciar-se pela infernal vida que até então havia levado.

Com este pensamento, e encomendando-se de coração a Maria sacratíssima, mãe de piedade e fonte de misericórdia, recolhendo todo o dinheiro que pôde, apurado com a venda de todos os seus vestidos e alfaias, vestiu-se de peregrina, com chapéu, esclavina, bordão, um grosso rosário ao pescoço e sandálias grosseiras nos pés, e assim trajada, de rosto embuçado, saiu de Badajoz durante uma noite escuríssima, seguindo em direção a sua terra, acompanhada apenas de seus suspiros, lágrimas e desejos de salvar-se, desviando-se quanto possível dos caminhos reais, e procurando prosseguir quase sempre à noite, entrando nas pousadas mais discretas, onde pedia apenas o necessário para seu sustento, ficando ali o menor tempo possível.

Não lhe faltaram alguns problemas e desassossegos, causados por atrevidos que encontrou pelo caminho. Entretanto, a todos venceu sua modéstia e serenidade, e sobretudo a santa resolução que a eficaz graça lhe fizera tomar de nunca mais ofender a Deus, mesmo correndo o risco de mil vezes perder a vida em consequência de um milhão de tormentos, padeceu também fome, sede e frio, em razão de rigoroso inverno que então fazia, dificultando sobremaneira a transposição dos rios e arrojos; não obstante, nestes sempre ajudou a passar os mais fracos que ela; rematando esta boa ação com esmolas aqueles mais necessitados.

A inclemência do tempo e o cansaço obrigaram-na a fazer jornadas curtas, causa da demora de sua viagem, que durou quatro meses durante os quais visitou alguns pios santuários que encontrou pelo caminho.

Por fim, quis o céu apiedar-se dela e pôr termo a sua extensa jornada. Assim, quando por fim avistou sua cidade e reconheceu o campanário do seu mosteiro, prostrou-se em terra com tal sentimento, que não há língua, ó discretos senhores, que consiga descrever tal cena. Desfeita em lágrimas, decidiu permanecer fora da cidade até o anoitecer, entrando apenas à meia-noite, para maior segurança.

E assim o fez. Chegada a hora, endereçou seus perturbados passos para a casa do parente de quem pensava valer-se. Entretanto, quando passava diante de seu convento — não sei se levada pela necessidade, ou pelo carinho e desejo de contemplar suas paredes, ou talvez nem por aquela e nem por estes, mas sim por inspiração divina, a fim de que sua jornada o ditoso desfecho que se segue — no exato momento em que soavam as onze badaladas, diante do mesmo postigo da porta da igreja, viu que esta estava aberta. Estranhando aquilo, começou a dizer para si mesma:

— Valha-me Deus! Que descuido terá sido este das freiras ou do sacristão encarregado de fechar a igreja? Será possível que tenham deixado aberto o postigo da sua porta? E se alguns ladrões tiverem roubado os ornatos e nas toalhas dos altares, ou a coroa da Virgem, que se não me engano é de prata? Por minha vida, tenho de verificar isto — ainda que corra risco de vida, embora ditosa seja a minha morte, se a tiver neste santo lugar, — para saber se há alguma pessoa aí dentro, e dar o alarma. Mas que descuido da pessoa encarregada de fechar a igreja!

Com esta intenção, enfiou a cabeça pelo postigo, com grande atenção, e ficou por algum tempo escutando; porém, não ouvindo qualquer ruído, nem vendo mais que duas lâmpadas acesas,uma diante do Santíssimo Sacramento e outra diante do altar da Virgem benditíssima, ficou longo tempo hesitante, receando entrar e encontrar alguma freira rezando no coro, a qual, vendo-a ali, poderia chamar as outras, que a iriam reconhecer e castigar rigorosamente. Apesar do receio, resolveu seguir a primeira deliberação, mesmo correndo risco de vida.

Ousadamente, entrou na igreja e, passando diante do altar da Virgem, tropeçou num grande molho de chaves que estava no chão. Intrigada com isto, abaixou-se para pegá-las, examinando-as com notável assombro. Neste instante, escutou a devotíssima imagem da Virgem chamando-a pelo nome, com ligeiro tom de repreensão em sua voz, o que lhe causou tal susto, que a fez cair por terra, meio desmaiada.

Prosseguindo, disse-lhe então a Virgem sacratíssima:

— Ó perversa e uma das piores mulheres que nasceram neste mundo! Como tiveste o atrevimento de aparece diante de minha pureza, tu que perdeste a tua desenfreadamente, às voltas com tantos e tão sacrílegios pecados como são os que cometeste? Dize, ingrata, de que maneira soldarás a preciosa joia que tão irreparavelmente quebraste? Com que penitência, insolentíssima freira, satisfará a meu amado Filho, a quem tanto tens ofendido? Como pensas emendar-te, ó atrevida apóstata, a fim de recuperar parte do muito que mereceste, mas que tão sem consideração perdeste, volvendo as costas às infinitas misericórdias que havias recebido de meu diviníssimo Filho?

A aflitíssima religiosa já havia recobrado todos os sentidos, não ousando nem podendo levantar o rosto, nem fazer outra coisa que não fosse chorar acerbissimamente; mas a piedosa Virgem, consolando-a depois daquela repreensão, não ignorando a amargura e a dor que a invadiam, disse-lhe em seguida, incitando-a à verdadeira penitência:

— Contudo, para que possas ver como é maior que tua maldade a infinita misericórdia de meu Filho, capaz de perdoar todas as ofensas que lhe faça o mundo, e que Ele não deseja a morte dos pecadores, mas sim que se convertam e vivam, roguei que te desse o Seu perdão, obrigada pelas festas, solenidades e rosários que em minha honra celebraste, festejaste e rezaste, quando eras o que nunca deverias ter deixado de ser. Por ti, tal não merecerias; mas Ele, piedosíssimo que é, depositou tua causa em minhas mãos; e eu, para imitá-lo na distribuição de misericórdias, desejando provar em ti o título que de mãe delas me dá a Igreja, como a Ele confere o de pai de tão grande atributo, fiz por ti o que não me poderás pagar, ainda que vivas dois mil anos e os empregues prestando-me os serviços que me prestavas durante os primeiros anos de teus votos. Lembra-te de que, quando saíste desta casa, faz agora quatro anos, ao passares diante deste meu altar, disseste-me estar cega de amor por aquele Dom Gregório com quem fugiste, para que olhasse por elas como verdadeira mãe, quando tu lhes eras madrasta, e que as dirigisse e governasse, pois que eram minhas. Depois disso, jogaste diante de mim essas mesmas chaves do convento que tens nas mãos. Fica então sabendo que eu, como piedosa mãe, quis confundir-te, agindo qual me pediste: daquele momento até agora, fui eu a Priora deste mosteiro, em teu lugar, assumindo tua própria figura, envelhecendo no mesmo compasso em que envelhecias, falando como tu, usando tuas roupas, atendendo por teu nome. Durante todo esse tempo, estive entre as freiras, de dia e de noite, no claustro, no coro, na igreja e no refeitório, nenhuma delas sabendo que não se tratava de ti mesma. Portanto, o que agora há de ser feito é que tomes essas chaves, feches a porta da igreja, sigas pela sacristia e pelos demais lugares por onde então vieste até aqui, até que chegues a tua cela, que encontrarás do mesmo modo que deixaste, achando até teus hábitos dobrados sobre a mesa. Veste-os e guarda esses de peregrina na arca. Acharás ainda sobre a mesa o breviário e a carta que escreveste, e que ninguém abriu ou leu, bem como a vela acesa junto dela. Com efeito, encontrarás todas as cosias, por minha piedosa diligência, no mesmo estado em que as deixaste, sem qualquer mudança, nem mesmo quanto ao dinheiro que desperdiçaste. Assim, recolhe-te, antes que te despertem para as matinas, e emenda tua vida como dever, lavando tuas culpas com as lágrimas que elas pedem, que o mesmo fizeram quantas por tão graves pecados merecem o ilustre nome de penitentes que lhes dá a Igreja.

A celestial Princesa de todas as hierarquias, que até então se passara por Dona Luísa, ditas essas palavras, calou-se, ficando todo o lugar cheio de um suavíssimo olor, enquanto que a outra, contrita e tão consolidada em seu espírito quanto envergonhada por ter obrigado a Mãe de próprio Deus a sê-lo de suas súditas, em obediência a sua celeste ordem, e receosa de chegar a hora das matinas, levantou-se do chão, coberta de suor e lágrimas, e, fazendo uma profunda inclinação à preciosíssima imagem e outra ao Santíssimo Sacramento, tomou as chaves e fechou a porta da igreja, dirigindo-se a sua cela pelos mesmos lugares que percorrera na vinda. Ali encontrou tudo do mesmo modo que havia deixado e que a Virgem lhe dissera.

Entrando, vestiu seus hábitos, guardando na arca os de peregrina, e apenas o havia acabado de fazer, quando chamaram para as matinas. Enxugando o rosto, tomou o breviário e ficou aguardando até que veio a monja que costumava chamá-la, e que, tomando o candeeiro da mesa, conforme fazia todas as noites, seguiu à frente, iluminando o caminho até o coro, onde ela ficou aguardando ajoelhada — com não pequena perturbação, por parecer-lhe que tudo aquilo não passava de um sonho — que se juntassem as religiosas. Quando todas se acomodaram, fez o sinal de costume, dando início às preces. Dita a última oração, todas saíram e se dirigiram a suas celas, ao derradeiro sinal da Priora, que também fez o mesmo, sempre precedida pela religiosa que lhe iluminara o caminho na vinda.

Quando se viu só, começou de novo a derramar lágrimas, parte pela dor de suas culpas, parte pela gratidão a Maria misericordiosíssima, pela nunca ouvida mercê que lhe fizera. Dirigindo-lhe uma breve oração cheia de fervorosos desejos e celestiais empenhos, tirou da cabeceira de sua cama uns grossos flagelos que ali ficavam, e aplicou-se, por espaço de meia hora, crudelíssima disciplina, sem dó nem piedade, como início da rigorosa penitência que pretendia fazer por todos os dias de sua vida, punindo aquele sacrílego e desonesto corpo, de cujo sangue rubro ficou tinto o chão, em testemunho da genuína dor por seus pecados.

Terminando o ato penitente, abriu uma arca, de onde retirou um áspero cilício que costumava usar na quaresma, enquanto fora a religiosa que devia ter sido sempre, o qual era feito de cerdas e esparto picado, indo do pescoço aos joelhos, e de mangas compridas e justas até a munheca. Debaixo dele, trançou no corpo uma corrente que estava na mesma arca e que lhe dava três voltas, apertando-a fortemente, enquanto dizia:

— Agora, traidor, hás de pagar-me os agravos que fizeste ao espírito. Não esperes, durante o pouco de vida que me durar, outro tratamento menos rude, e agradece à Mãe dos aflitos e fonte dos consolos, Maria, e a seu clementíssimo Filho, que te não hajam enviado aos infernos para cumprir esta penitência, onde seria tão sem fruto, forçosa e eterna, que duraria tanto quanto o próprio Deus, sem a esperança de perdão e consolo que agora possuis, tendo-o merecido tão pouco.

Saindo em seguida de sua cela, dirigiu-se novamente ao coro, onde ficou a rezar o santíssimo rosário diante da mesma imagem que lhe havia falado, até a primeira das horas canônicas, terminada a qual mandou chamar imediatamente o confessor do convento, a quem fez uma confissão geral de seus pecados, com inauditas mostras de dor e arrependimento, contando-lhe tudo o que lhe havia sucedido e as abominações cometidas contra a divina e imensa Majestade, durante os quatro anos em que estivera fora do convento.

Relatou-lhe também o milagre e mercê que, pela devoção do rosário, a Rainha dos céus, sua padroeira, lhe fizera, substituindo-a em sua ausência e acudindo a todas as suas obrigações, movida por sua virginal piedade, e assim salvando-lhe a honra.

Encareceu com o confessor não revelar o segredo do milagre por todo o tempo de vida que lhe durasse. Este ficou sumamente maravilhado com tudo aquilo, com o espírito repleto de ternura e devoção, o que lhe assegurava a veracidade do caso. O que mais o deixou pasmo foi lembrar-se de haver confessado e ministrado a comunhão, não uma, mas muitíssimas vezes, àquela cuja pureza supera a dos mais puros anjos do céu, logo ele, tão indigno de tal merecimento. Contudo, quis ver o rosto da penitente e certificar-se de que se tratava dela mesma, e não do demônio, como temia, pois este poderia ter assumido a figura da religiosa com o fito de enganá-lo. Mas vendo suas lágrimas e inteirando-se da verdade, consolou-a o quanto pôde, dando-lhe ânimo para a continuação da penitência iniciada e da retomada devoção ao santíssimo rosário.

Ela perseverou em tudo, superando-se em penitências a cada dia, de sorte que as que a viam com tão repentina mudança, no retiro das grades, na contínua assistência à oração, nas mortificações e no ordinário curso das lágrimas, estavam perplexas, sem saber a que atribuir tudo aquilo, como só a sabiam ela e seu confessor, com quem conversava quase todos os dias, recebendo amiúde o Santíssimo Sacramento de suas mãos.

E nesses exercícios perseverou durante toda a sua vida. Ao cabo de alguns meses de seu retorno, quis Deus apiedar-se de seu perdido galã, como se apiedara dela, fazendo-o por meio de um sermão que ele por acaso escutou, pronunciando por um dominicano de soberano espírito, numa das paróquias da Corte. Tendo o céu movido sua língua, o religioso pôs-se subitamente a entoar louvores à Virgem, encarecendo os atos misericordiosos que Ela fizera e fazia diariamente aos desgraçados pecadores, em virtude da suave devoção de seu benditíssimo rosário, citando como exemplo o conhecido milagre do homem desesperado que, tendo entregado sua alma ao demônio, com contrato redigido e firmado de própria mão e com seu próprio sangue, de tudo ficou livre, razão desta devoção, terminando sua vida santissimamente, depois de uma bem premeditada e chorosa confissão geral de todos os desatinos que cometera. Ouvindo o douto sermão, caiu Dom Gregório na conta dos seus erros, lembrando-se então do quanto lhe dissera acerca do celestial poder do rosário sua Dona Luísa, diversas vezes, numa antevisão das palavras do pregador. Cotejando estas que escutava com as que Deus lhe trazia à memória, ditas outrora por sua dama, pareceu-lhe que, apoiado na assiduidade a tão soberana devoção, nela encontraria um braço capaz de arrancá-lo do lodo de suas torpezas, e uma outra escada, qual a de Jacó, que lhe permitisse subir ao céu, por mais atolado que estivesse na fragosa e mal cultivada terra de seus bestiais apetites.

Em seu coração, propôs-se então a ir ao convento religioso da Virgem de Atocha e confessar-se ali com o santo pregador, cujo nome perguntara a seu companheiro, tão logo o vira descer do púlpito. E assim o fez, de fato, pois não é preguiçosa a divina graça, nem admite tardanças: foi ao convento, entrou na igreja, prostrou-se diante da imagem milagrosa da Virgem, derretendo-se em lágrimas. Pedia perdão a Deus, piedade a Sua divina Mãe, e ajuda a ambos, para emendar os erros que cometera, fazendo deles uma confissão geral.

Logo se levantou, entrou no claustro, pediu para falar com o pregador e, tendo sido levado até sua presença, começaram seus olhos a dizer-lhe o que sua língua não conseguia. Contudo, quando as lágrimas diminuíram, disse-lhe:

— Ajuda, padre! Socorro, varão de Deus, para esta alma, que é a pior de quantas a misericórdia e caridade imensa de Jesus já salvou!

Entraram ambos na cela do confessor, e Dom Gregório, no mesmo instante, prostrado aos seus pés, chorando acerbamente, fez-lhe a confissão geral de seus excessos, deixando o confessor compungido, confuso e consolado de ver tal reação num moço da idade e das qualidades daquele que ali via. Consolou-o o quanto pôde, animando-o a continuar seus propósitos e a rezar o santo rosário, razão de tão feliz mudança. E assegurando-lhe o perdão de suas culpas e a imensidão das perpétuas misericórdias que Deus, com celestial regozijo de todos os céus e seus anjos, usou e usa todo dia com os pecadores recém-convertidos de verdadeiro coração, absolveu-o, deixando-o consolado e repleto de mil santos propósitos e fervores, dos quais o menor não foi o de propor-se a ir a Roma, em visita aos santos lugares, onde tentaria beijar os pés de Sua Santidade e obter, para maior felicidade sua, a absolvição pleníssima.

Saindo do convento, voltou a orar à Virgem, fazendo-o com as demonstrações do agradecimento merecido pela tão grande mercê que acabava de receber. Voltou à vila e trocou suas roupas pelas de peregrino, feitas de burel grosseiro; depois, sem despedir-se do amo ou de qualquer outra pessoa, empreendeu sua caminhada em direção a Roma, onde chegou cansado, mas sem que houvesse arrefecido o fervor com que iniciara tão santa peregrinação.

Cumpriu naquela grandiosa cidade todas as promessas devido às quais para lá se dirigira. Conseguindo obter tudo o que ali buscava, tomou o rumo de sua terra natal, a fim de saber notícias de seus pais, mas sem se dar a conhecer, o que não lhe seria difícil, de tanto que se tornara magro, macilento, triste e desfigurado, em razão dos esforços do caminho, como das penitências que vinha fazendo, das quais a menor não foi ter de suportar os vexames inflingidos a ele por certos salteadores numa perigosa passagem.

Ao cabo de alguns dias, coberto de confusão, lágrimas e sobressalto, entrou em sua amantíssima pátria, e a primeira coisa que fez foi dirigir-se à roda do convento de onde tirara a Priora, a fim de pedir esmolas no próprio local onde tivera início sua trágica perdição e cego desatino. Deram-lhe honrada esmola as caricaturas rodeiras, entre as quais se achava a mesma recadeira que lhe levara o primeiro recado de Dona Luísa, na manhã em que tiveram início seus loucos amores. Vendo-a, perguntou-lhe quem era a Priora daquela casa. Ela respondeu-lhe que era Dona Luísa, há muitos anos, porque as religiosas continuavam e reelegê-la sempre, não sem satisfação de seus superiores, por sua grande virtude...

— Dizeis então — interrompeu Dom Gregório, atônito — que Dona Luísa é a Priora daqui! Mas como é possível?

— É ela, sim — confirmou a mulher, — sem dúvida!

—Acho que estais a burlar de mim — contestou ele, — querendo persuadir-me que a Priora daqui é Dona Luísa, de quem ouvi dizer que bem longe estava de poder sê-lo.

— Pois Dona Luísa é — respondeu ela, — foi e será Priora por muitos anos, apesar de quantos invejam sua virtude e competência, pois não faltam muitos que o fazem.

Baixou a cabeça Dom Gregório, confuso e perplexo, como bem se pode imaginar, sem mais replicar, pois via que a mulher começava a encolerizar-se com sua teimosia. Além do mais, temia, por um lado, que ela o reconhecesse por causa da voz; por outro, que descuidadamente revelasse algo do muito que sucedera à Priora. Assim, saindo dali, andou por diferentes partes da cidade, fora de si, pedindo esmola e sempre perguntando qual era o nome da Priora do convento. Davam-lhe todos a mesma resposta da recadeira. Para sair da confusão em que se encontrava, determinou dirigir-se, sem mais rodeios, à casa de seus pais, para ali, como dizem, tirar dos ombros aquela carga, revelando-lhes sua verdadeira identidade e confiando-lhes, como era justo, os pormenores de tão graves sucesso.

Entrando pelas portas do pátio, perguntou ao primeiro criado que ali viu se os donos da casa lhe dariam esmola. Ele respondeu que seus amos dariam, sim, pois eram muito caridosos, tanto o senhor como a senhora. Dom Gregório então indagou sobre seus nomes e se tinham filhos. Ficou então sabendo que eram de fato seus pais os que ali viviam, aflitíssimo pela ausência do único filho que tinha, o qual dali partira sem dizer para onde, com que ou por quê. O que mais os entristecia era não saber sequer se ele ainda vivia, nem em que lugar, para que pudessem fazer qualquer coisa por ele.

Saltaram lágrimas dos olhos de Dom Gregório com aquela resposta. Virando o rosto para o lado, enxugando-as e dissimulando-as o quanto pôde, disse de novo ao criado:

— Porventura chamava-se Dom Gregório o filho desses senhores? Se era esse seu nome, trata-se, sem dúvida, de um soldado que conheci em Nápoles, no quartel dos espanhóis. E devia ser ele, realmente, pelas mostras que me dava de suas qualidades, e a revelação de que era morgado único nesta cidade, e quanto à localização da casa de seus pais — tudo isto me dizia, por ser grande camarada meu, — cuja descrição coincide com a desta aqui. Para que eu saiba se seria ele mesmo, basta que me diga alguém se ele saiu daqui levando consigo alguma mulher importante.

— Eu ainda não trabalhava nesta casa quando ele saiu daqui; assim, não cheguei a conhecê-lo; todavia, sei que seu nome era Dom Gregório, como disseste. Quanto às baixezas que comete, porém, a única coisa que disseram foi que levou consigo algum dinheiro que pedira emprestado aos amigos; mas essa dívida já foi paga por seus pais. Quanto aos cavalos e ao dinheiro que tirou da casa, disso não fizeram caso, porque tudo acabaria sendo dele, mesmo.

— Pois, amigo, pelas entranhas de Deus, rogo-vos digais a esses senhores que lhes peço esmola, e que penso poder prestar alguma informação acerca de seu filho.

— E eles hão de dá-la a ti com grande prazer — disse o criado. Estou certo de que já o fariam sem nada quererem em troca; ainda mais agora, quando lhes trarás tal alegria, com as notícias de alguém a quem tanto querem. Por isto, espera aqui, peço-te, enquanto subo correndo para dar-lhes o aviso e o recado.

Dito isto, subiu o criado, sem ter o cuidado de atentar para o rosto do peregrino, tamanha a sua satisfação. Se o fizesse, seria impossível não ler em suas lágrimas e sua fisionomia perturbada ser aquele o seu senhor e morgado da casa.

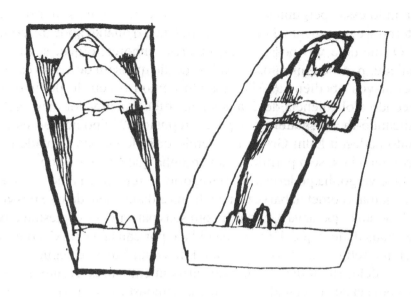

CAPÍTULO XX

EM QUE SE DÁ O REMATE À HISTÓRIA DOS FELIZES AMANTES.

Nem bem subira o criado para dar o recado a seus amos, quando Dom Gregório arrependeu-se do que dissera, pois, como viera com intenção apenas de saber da vida deles, sem se dar a conhecer, indo depois ordenar-se religioso na mesma ordem da Priora, para ali fazer uma penitência condigna, que em parte satisfizesse suas graves culpas, pareceu-lhe que iria tudo por água abaixo, depois do que acabara de fazer. Com a tristeza que isso lhe causou, e desejoso de evitar os inconvenientes que poderiam advir do encontro com seus pais, virou-se para sair dali; porém, mal começara a fazê-lo, quando o criado voltou para buscá-lo, enquanto seus pais o chamavam da janela. O perturbado peregrino não teve como escusar-se de entrar na casa. Assim, tendo subido e sido introduzido numa sala, rogaram-lhe os velhos que se sentasse numa cadeia e, pondo-se cada qual de um dos seus lados, fizeram-lhe mil perguntas sobre o Dom Gregório que ele, segundo contara o criado, havia conhecido em Nápoles, ao mesmo tempo em que lhe faziam um milhão de oferecimentos.

Disseram-lhe, com não poucas lágrimas:

— Ah, irmão, que daríamos para podermos, como tu pudeste, ver esse único e amantíssimo filho nosso, absoluto senhor de nossa fazenda e causa total do pranto com que passamos a vida! Ele está bem? Tem o que comer está servindo como soldado? Casou-se, ou que vida leva que tão sem piedade se tornou verdugo das nossas?

Ouvindo essas perguntas, Dom Gregório sentia-se mais morto que vivo de tanta ternura e sentimento. Porém, dissimulando o quanto pôde, respondeu-lhes:

— O que dele vos posso dizer, ilustres senhores, é que, segundo ele me comunicou, padeceu infinitos trabalhos desde que saiu de vossa casa e deixou de prestar-vos obediência. Mas quando deixou o céu de punir o filho que, esquecendo a obediência devida aos pais, ofende seu valor, desonra suas cãs, prejudicando-lhes a saúde, as forças e a reputação? Digo por ter testemunhado o quanto padeceu Dom Gregório, e creio que ele de boa vontade regressaria ante vossos olhos, se o permitisse a vergonha que ora o impede.

— Que vergonha poderia sentir Gregório — replicou a mãe, — se em toda a sua vida jamais cometeu baixeza, nem há na cidade quem dele se possa queixar?

— Não era o que dava a entender com suas palavras — contestou o peregrino, — das quais deduzi que deixara sua cidade por causa da paixão que sentia por não sei que religiosa, creio que uma tal de Dona Luísa. Cheguei a recear que, por causa dela, ele houvesse entrado furtivamente no convento, senão mesmo fugido com ela de lá, segundo o receio que demonstrava de poder ser reconhecido por alguém.

— A melhor prova que podais dar — disse o pai — de que te referes de fato a nosso filho é citar o nome de Dona Luísa, que é uma piedosíssima religiosa desta cidade, Priora há anos de nosso convento, que ele amiúde visitava. Mas cometeste mau juízo dela e de seu valor, imaginando coisas que desfaçam dela e da singular virtude que professa.

Quando Dom Gregório ouviu a defesa que os pais faziam da Priora, confirmado tudo o que dissera toda a cidade a seu respeito, e de outro lado observou a ternura e o sentimento com que falavam dele, sentiu como que um paroxismo mortal, inclinou-se na cadeira como morto, acudiram imediatamente os pais, providenciando algum reconfortante, imaginando tratar-se de um desmaio provocado pela fome. Tirando-lhe o chapéu, que ele mantivera puxado para baixo, e desabotoando-lhe a roupa com piedade cristã, sua mãe preparava-se para enxugar-lhe o suor, quando reparou em seu rosto, reconhecendo o filho. Num grito dirigido ao céu, disse ela:

— Ai, filho dos meus olhos, que disfarce é este com que quiseste entrar em tua própria casa!

O pai, ouvindo os gritos da mãe e percebendo que ela chamava o peregrino de filho, acorreu para perto, pálido como ele. Olhando-o e reconhecendo-o, juntou-se aos lamentos da esposa, dizendo:

— Que peregrina invenção foi essa, meu Gregório, de querer iludir-nos, dando-te a conhecer depois de tanto tempo? Pensavas fazer com teus pais, sem dúvida, o que com os seus fez Santo Aleixo? Não, não creio, pois está muito longe de parecer-se com aquele santo que por motivos tão diversos dos dele lançou mão de tão peregrino rigor.

Alvoroçou-se logo a casa, espalhando-se a notícia do regresso de Dom Gregório por todo o bairro. Antes que ele voltasse a si do desmaio, viu-se rodeado de criados e vizinhos. Tendo recobrado os sentidos, envergonhado por ver a publicidade de sua volta, abraçou os pais, prostrando-se a seus pés e pedindo-lhes que o deixassem repousar a sós. Em seguida, despediu os circunstantes, pois bastava que tivessem sido testemunhas de sua vergonha e do perdão que lhes pedia pelos aborrecimentos causados. Foram-se todos, contentes de ver a satisfação dos pais, que logo providenciaram para que ele fosse deitar e repousar. Já na cama, perguntou à sua mãe há quanto tempo não se avistava com a Priora, tendo-lhe ela respondido que já fazia três dias que a vira, e que, falando-lhe dele e relatando-lhe o sentimento de todos da casa por sua ausência e por não saberem se estava vivo ou morto, tinha ela vertido não poucas lágrimas, e despedido do peito alguns lastimosos suspiros, indício claro do sincero amor que lhe dedicava e da tristeza por sua ausência.

Crescia o assombro de Dom Gregório enquanto escutava essas notícias, porque, como não sabia do milagre, mas sabia bem de sua maldade e de tudo o que lhe acontecera com a Priora, parecia tratar-se tudo aquilo de um sonho, e que seria ilusão do demônio pensar que se achava em sua casa, são e salvo na terra natal. Assim, às voltas com a veemência dessa ideia, ficou tão perturbando que nem sabia o que responder.

Depois de alguns dias de repouso, pediu à mãe que lhe fizesse a mercê de ir ao convento e avisar a Priora de sua volta, relatando-lhe sua ida a Roma em hábito de penitente peregrino, onde fora pedir a Sua Santidade o perdão das loucuras que cometera durante os anos em que se ausentara de sua casa. Seu arrependimento, segundo imaginava, fora consequência de suas orações, e por haver escutado um sermão em louvor ao santíssimo rosário e às intercessões em favor dos grandes pecadores, feitas pela benditíssima Virgem, por causa dessa devoção. Pediu ainda à mãe que lhe pedisse licença para que ele fosse vê-la, a fim de beijar-lhe as mãos e relatar-lhe seus sucessos. Seria aquele seu único encontro, e dele dependia seu consolo e sua tranquilidade.

A mãe logo tratou de fazer a visita empenhadíssima em conseguir a licença que o filho desejava, já que seu alívio era o que procuravam ela e todos os demais parentes, que em sua melancolia sentiam quanto ele disto necessitava. Chegando ao convento, falou à Priora, e quando acabou de dar-lhe as notícias e o recado, viu nas lágrimas que ela derramou de contentamento — sem imaginar que pudessem ser, como de fato de que, por sua instância, a Priora permitira que ele lhe falasse, inteirada primeiro do bem que lhe fizera a fonte de indulgências e perdões que Deus oferece, pelas mãos de seu supremo vigário, aos pecadores, conforme depreendia ao saber que Dom Gregório viera de Roma. Compreendendo que ele havia alcançando tão grande graça pelo mesmo santíssimo rosário que fora a sua valia, isto foi o bastante para obrigá-la a conceder-lhe, sem pensar duas vezes, a licença que lhe pedia para falar-lhe, já no dia seguinte,

pois seu coração sempre lhe dissera que essa segunda visita teria um final tão feliz quanto o fora nocivo o da primeira. Contentíssima com esta resposta, voltou a mãe para casa. Seu contentamento tinha razão de ser, embora ela tal não soubesse, pois aquela resposta representava o remédio que mais convinha ao consolo e à salvação de seu filho.

Tomando conhecimento da resposta que desejava com o ardor que sói tomar conta daquele a quem Deus abre os olhos da alma, Dom Gregório passou a noite em orações, suplicando à divina Majestade, em nome da pureza de sua Mãe santíssima, cujo rosário nunca lhe caíra das mãos, que se servisse de inspirá-lo durante a esperada visita, para que ela resultasse em edificação de sua alma, conveniente para quem vivera naquela situação tão desatinada. A mesma oração fez em seu coro a santa Priora. Preparando-se ambos, chegada a manhã, para receber os divinos sacramentos da confissão e da Eucaristia, dirigiram-se ao locutório, onde deveriam encontrar-se com idênticos desejos de conhecer o que sucedera a cada qual.

Minha rústica língua, senhores, não tem palavras que expliquem bastantemente os dois felizes amantes, porque, vendo-se um ao outro — se é que as lágrimas lhes não toldaram a vista, — ficaram como que sufocados, de modo que por longo tempo não sabiam quem eram, nem onde se achavam. Dom Gregório mal conseguia distinguir as vestes de Priora, que trajava uma roupa de pano liso, sem adorno algum, o capelo puxado sobre os olhos, sem outro adereço que enormes pranchas de folha-de-flandres, crivadas como um ralo, no peito e nas costas, e uma cruz entre o casaco e gibão, com o rosário e o livro de horas de algibeira — tal era a vestimenta que a Priora pusera desde a noite em que chegou ao convento, e que com ela dera início a sua rigorosa penitência.

Assim defronte um ao outro, quando a admiração e o pranto lhes permitiu, começou ele a dizer:

— Pela cruz com que Deus remediou os pecadores tais como eu, e pelas lágrimas, afrontas e angústias com que nela expirou, e pelas que ao pé de tão fecunda árvore sentiu sua Mãe puríssima, que por assim o ser demonstrou ser criatura de Sua onipotência, peço-vos que me digais, ó piedosa senhora, se sois de fato a Priora Dona Luísa que há quatro anos atrás me cegastes apenas com vossa visão, perdendo-me e deixando-me loucamente enamorado, de sorte que, louco e desatinado, e sem temor de Deus, resolvi tirar-vos daqui e levar-vos a Lisboa e a Bandajoz, cometendo as ofensas e sacrilégios contra o céu que só fizeram por destinar-me o inferno. Se acaso sois a que penso, dizei-me também como é que, tendo ido comigo, aqui ficastes, e aqui ficando, foste-vos comigo. Certo estou — e oxalá não o estivesse tanto! — que vos vi, vos solicitei, vos amei e vos tirei do convento, sem recear cometer contra vosso estado e vossos votos a ofensa causada em decorrência de tão infernais princípios. Tenho ouvido assegurar-me, todo aquele a quem indago a vosso respeito, o que quase me deixa louco, que jamais saístes desta casa; ao contrário, sempre me dizem que a dirigistes com notáveis exemplos e mil virtuosas providências. Eu sou aquele sacrílego, irresponsável e traidor Dom Gregório, o mau, o pior dos homens, igual a Lúcifer nos pensamentos, já que os pus naquela que era esposa do próprio Deus, Seu céu, menina de Seus olhos. À bendita Virgem do rosário devo o conhecimento de minhas culpas, pois deixando-vos — se sois quem imagino, e não um fantasma — em Bandajoz, e dando com os costados na corte, descuidado de meu bem-estar, casualmente escutei certo dia o sermão de um dos apóstolos que tem Maria espalhados pelo mundo para a pregação de seu santo rosário. Esse homem, descrevendo as misericórdias que por tal devoção faz sua clemência, como que descreveu minha própria vida perversa, mostrando minha cegueira e indicando o remédio para todos os meus males, que para tanto era eficaz e milagrosa esta dita devoção. Atrás de suas palavras senti a da divina graça, pois logo em seguida resolvi confessar-me e abandonar a corte do rei de Espanha, buscando a do vigário. Daquele em nome de quem os soberanos reinam, e a cujo serviço consiste o verdadeiro reinar. Junto à santa cátedra, alcancei minha absolvição, voltando peregrino a minha terra, no intuito de saber como estavam meus pais, sem dar-me a conhecer, além de avaliar as consequências do escândalo que nesta cidade causamos. Pois não é que, na boca de todos, continuais sendo a santa, a recolhida, a exemplar, cuja falta e ausência ninguém notou. Entrentanto, sabemo-lo bem, eu, vós e os céus (a não ser que não sejais a que imagino), por que me dói a consciência, meu mais rigoroso fiscal, que me traz sob o manto protetor de temor da justiça divina, de quem só penso escapar recolhido no templo da divina misericórdia, mediante a intercessão daquela que é a Sua Mãe.

Com isto, a língua de Dom Gregório encerrou seus argumentos, e seus olhos começaram de novo a confessar seus erros e a mostrar o quanto estes lhe doíam.

Consoladíssima ficou a Priora quando escutou do autor de suas desventuras o conhecimento que tinha delas, e mais quando soube que lhe havia advindo tão grande bem pelas mãos clementíssimas de quem tomara seu lugar e suprira sua falta durante todos os anos em que, esquecida de Deus, seguira desenfreadamente seus apetites e as sendas de sua condenação. Então, consolando-o e dando-lhe conta de seus sucessos e do que devia a Maria Santíssima, e de como pensava ressarcir em parte aquela tão grande dívida com uma genuína e perpétua penitência de suas culpas, privando-se daí por diante de vê-lo, rogou-lhe que perseverasse em suas intenções, vigiasse por sua alma e fugisse do mundo o quanto lhe fosse possível, especialmente das vãs conversações. Dava-lhe ela a palavra de fazer o mesmo, bem como de ocultar tudo o que lhes sucedera, até o dia de sua morte, quando seu confessor teria a permissão de divulgar tudo no mesmo dia, lendo a narrativa escrita que ela deixaria em suas mãos, e tudo visando a glória de Deus e a recomendação da celestial autora de tal misericórdia.

Prometeu-lhe Dom Gregório tomar as mesmas providências e não ficar no mundo, mas antes recolher-se a um convento, onde poderia resgatar o que devia por sua sensualidade, acertando o pagamento de seus excessos, através de jejuns e disciplinas. Assim, após celebrar com mil louvores a Virgem e um milhão de assombros e admirações a mercê milagrosa e o favor inaudito que sua infinita clemência usara pela devoção do santo rosário, com a Priora e com ele próprio, despediu-se daquele convento para sempre, e dela para jamais voltar a vê-la, o que ela também fez, pedindo-se ambos perdão recíproco, entre lágrimas e orações mútuas.

A Priora, como se disse, continuou com suas mortificações, consoladíssima da conversão de Dom Gregório, dando por ela e pela sua própria iguais graças à Virgem, a quem lhe encomendou toda a sua vida.

Dali, voltou ele para sua casa, onde esteve alguns dias acertando suas coisas. Por fim, revelando a seus pais sua devoção e fazendolhes ver as obrigações que tinham de se tornar-se religioso, pois o devia a Deus e a Sua Mãe, rogando-lhes com todo o empenho que se lha dessem e se alegrassem por sua tão santa resolução. Depois, rogou-lhes ainda que, após sua morte, legassem os seus bens aos pobres, seus melhores depositários e guardar, pois em seu poder jamais se menoscabam as fazendas.

Suas lágrimas e nobres intentos tudo alcançaram, e ele ingressou contentíssimo num convento daquela cidade, professando na ordem que escolheu, com notáveis demonstrações de virtude, pelas quais chegou a ser o superior de seu convento. Quis Deus que o fim de seus dias se desse na mesma hora que o da Priora, tendo cada qual feito, antes de expirar, devotíssima prática a sua comunidade. Morreram ambos com notáveis mostras de sua salvação, depois de terem recebido todos os divinos sacramentos.

Em poder dos confessores de ambos, tão logo morreram, foram achados os relatos de seus amores, feitos, conversões e milagres, bem como dos favores que lhe prestara a Virgem. Tornado público tudo aquilo, acudiu toda a cidade a contemplar seus santos corpos, que estavam formosíssimo nos féretros. Tiveram enterro suntuosíssimo, invejando todos a boa sorte dos pais de Frei Gregório, que tiveram honradíssima e consolada velhice, rematada com feliz morte.

Antes de expirarem, repartiram sua fazenda entre os conventos da Priora e de seu filho, dando assim público exemplo de sua honradez. Morreram de anos e de boas obras.

Acerca dos pais da Priora, nada digo, porque tanto eles como sua irmã que também era religiosa já haviam morrido bem antes dela.

CAPÍTULO XXI

DE COMO OS CÔNEGOS E OS JURADOS SE DESPEDIRAM DE DOM QUIXOTE E SUA COMPANHIA, E DO QUE A ELE E A SANCHO PANÇA SUCEDEU.

Logo que o ermitão concluiu seu conto, um dos cônegos começou a louvá-lo e encarecê-lo, dizendo:

— Maravilhoso e suspenso em igual intensidade me deixe padre, o desfecho da história contada e o agradável estilo de sua narração, tornando-a tão aprazível quanto é ela em si prodigiosa. É verdade que outra igual a ela em substância já tive oportunidade de ler: trata-se do milagre número 25, dentre os 99 atribuídos à Virgem sacratíssima, que em seu livro de sermões recolheu aquele erudito autor e mestre que, por humildade, preferiu chamar-se Discípulo. É verdade livro bem conhecido e aprovado, por cujo testemunho a ninguém parecerá apócrifo o referido milagre. Em razão dele e dos outros infinitos que andam por aí registrados por diversos graves e piedosos autores, confirmando o santo uso de devoção do rosário, protesto ser por toda a minha vida, doravante, grande devoto de sua santa confraria. Chegando a Calatayud, tenho sem dúvida de procurar ser admitido entre os cento e cinquenta confrades que se empenham em servi-la e administrá-la, trazendo visivelmente o rosário, no interesse das diversas indulgências que, segundo escutei pregar, são por isto alcançadas.

Não permitiu Sancho, com seus dislates ordinários, que o cônego prosseguisse seus devotos encômios acerca da confraria do Rosário e da Virgem Santíssima, sua singular padroeira. Intrometendo-se na conversa, disse:

184

— Foi linda, senhor ermitão, a maneira pela qual nos entreteve, contando a vida e morte dessa bendita monja e desse frade penitente. Juro, não por Deus, que daria quanto tenho nos bolsos, mesmo que não passe de cinco ou seis moedas de quarto, só para saber contá-la da maneira que ela foi contada, às moças que trabalham na cerâmica de minha terra. Por isto, dou aqui minha palavra que, se Deus me der algum filho homem com Mari-Gutiérrez, hei de enviá-lo a estudar em Salamanca, onde ele possa, como este bom sacerdote, aprender teologia, e pouco a pouco consiga, por seus méritos, decorar toda a gramática e medicina do mundo. Não, não quero que ele se torne um asno tão grande como eu. Mas não vá o grandíssimo velhaco pensar em gastar nos estudos toda a fazenda de seu pai, indo divertir-se com outros de sua laia! Juro pelas barbas que tenho na cara, se ele assim proceder, que hei de dar-lhe com este cinto mais açoites do que o número de figos que cabem num alforje dos grandes!

Dizendo isto, tirou o cinto e, tomado de cólera desatinada, passou a dar com ele no chão, dizendo:

— Trata de ser bom, de ser muito bom! Estudar, estudar muito! Hão de passar maus bocados ele e todos quantos o ajudarem e quiserem tirá-lo de minhas mãos!

Riram-se muito os circunstantes de suas bobagens e, não dando atenção à sua néscia maldição, tomaram-no pelo braço, dizendo :

— Basta, irmão Sancho, não lhe bata mais, pelo amor de Deus, pois nem ainda foi engendrado o rapaz que irá levar os açoites!

Ele então sossegou, dizendo:

— Ele pode agradecer a vossas mercês por isto. Da próxima vez pagará em dobro. Desta vez passa, porque é a primeira.

Dom Quixote respondeu:

— Que absurdo é esse, Sancho? Não tens o filho, nem esperança de tê-lo, e já lhe aplicas uma surra porque não vai à escola?

— Não vê vossa mercê — replicou ele — que esses meninos, se desde pequenos não são castigados e colocados na linha antes de se tornarem gente, acabam por tornar-se mandriões e respondões? Para evitar semelhantes inconvenientes, é mister que saibam, já no ventre materno, que a letra com sangue entra. Foi assim que meu pai me criou, se alguma coisa sei, foi ele que a enfiou no meu bestunto à custa de açoites, tanto que o velho cura de minha terra (Deus tenha sua glória na santa alma), quando me encontrava na rua, punha a mão em minha cabeça e dizia aos circunstantes: "Se este menino não morrer de tanto açoite que lha dão, pelo menos irá crescer muito."

— Eu também, Sancho — disse o ermitão — teria dito o mesmo.

— Pois saiba vossa mercê — replicou ele — que aquele cura era um grande homem, porque havia estudado em Alcana todo o *latrinório* do pê-a-pá.

— Queres dizer Alcalá — corrigiu Dom Quixote, — pois na Alcana de Toledo não se aprendem letras, mas sim como se hão de fazer compras e vendas de sedas e outras mercadorias.

— Nesse ou naquele — replicou Sancho; — o que sei é que ele era meio adivinho, pois sabia distinguir uma mulher bonita no meio de vinte feias; e era tão douto, que passando uma vez por minha terra um estudante, discutiram bravamente sobre as epístolas e evangelhos do missal, e nosso cura acabou por confundi-lo, perguntando-lhe, tratando de não sei que latim da Igreja, não me recordo neste momento, a respeito de um determinado assunto, e o deixou com cara de tacho, tendo de reconhecer que estava discutindo com uma pessoa de grande erudição.

— Por certo, senhor Sancho — disse um dos cônegos, — que vossa mercê tem grande inteligência, e que não pouco irei apreciar, e creio que o mesmo farão todos estes senhores, ouvindo-o contar alguma história igual às que nos narraram o senhor soldado e o reverendo ermitão, pois sendo tal sua memória e tão grande sua habilidade, não deixará de ser curiosa a que nos quiser contar.

— Prometo a vossas mercês — disse Sancho — que essa tecla que tocaram será respondida por mais de duas dúzias de flautas, pois conheço os mais lindos contos que se possam imaginar. Se assim quiserem, contar-lhes-ei um dez vezes melhor que os outros dois, embora seja bem mais curto e verdadeiro.

— Fica quieto, animal — repreendeu Dom Quixote; — que podes contar-nos que seja de consideração? Vais importunar-nos com alguma estultícia como aquela que me contaste no bosque, quando encontrei aqueles seis valorosos gigantes sob a forma de pilões, e vieste com a néscia história de Lope Ruiz, cabreiro estremenho, e de sua pastora Torralba, que a princípio o desdenhou, acabando por enamorar-se dele e sair em seu encalço, arrependida e chorosa, em razão dos melindrosos desdéns com que tratara — ordinário efeito do amor nas mulheres, que, quando requestadas, esquivam, e quando esquecidas, perseguem, — seguindo-o de Portugal até às margens do Guadiana, nas quais atolaram suas cabras e teu conto, além de minhas narinas, devido ao mau odor que tua atrevida história exalou.

— Ah! Então a história não era boa — replicou Sancho. — e mesmo assim suas circunstâncias são tão bem lembradas por vossa mercê... Por elas, e pelas que agora narrarei, se todos fizerem o devido silêncio, há de vossa mercê ver a diferença que existe entre ambas as histórias.

Rogaram todos a Dom Quixote que lhe deixasse contar sua história. Tendo ele dado licença, Pança entonou sua voz e começou a dizer:

— Era que não era, e em boa hora seja, o bem que houver para todos venha, e o mal para a manceba do abade; frio e quentura para a amiga do cura, dor de costado para a ama do vigário, gota-coral para o sacristão que é rufião, fome e pestilência para os adversários da Igreja.

— Eu não lhes disse — interrompeu Dom Quixote — que este animal é um grande maçante, e que não há de dizer senão asneiras? Vejam a arenga dos diabos que suou como prólogo da história, mais comprida que a quaresma!

— Arenque na quaresma até que não é mau — retrucou Sancho. —Se vossa mercê não me interromper mais, verá como hei de contá-la bem. Quando eu já estava entrando no melhor da história, fizeram-me perder o fio da meada... Escutai, por favor, e por Barabás, pois eu vos escutei eu vos interromper. Portanto, voltando à minha história, era uma vez, senhores de minha alma, um rei e uma rainha, e este rei e esta rainha estavam em seu reino, e ali todos chamavam ao homem de Rei, e à mulher de Rainha. Este rei e esta rainha tinham um aposento tão grande como aquele que em minha aldeia tem meu senhor Dom Quixote para o Rocinante. Nesse aposento o rei e a rainha guardavam muitas moedas de ouro e de prata; tantas, que chegavam até o teto.

Indo e vindo os dias, disse o rei à rainha:

— Estais vendo, ó Rainha, o monte de dinheiro que temos. Em que vos parece seria bom empregá-lo, para que em pouco tempo ganhássemos ainda mais e pudéssemos comprar muita coisa?

A rainha então respondeu ao rei:

— Rei e senhor, parece-me que seria bom investirmos em carneiros.

— Não, Rainha; melhor seria comprar bois.

— Não, Rei; o melhor mesmo é comprar tecidos e levá-los à feira de Toboso.

Ficaram assim dando seus palpites, dizendo a rainha não a tudo quanto o rei propunha, e rei sim a tudo que a rainha dizia não. Depois de muito tempo, concordaram os dois que seria bom irem a Castela, a Velha, na terra de Los Campos, onde havia muitos gansos, pois ali poderiam comprá-los a dois reais cada um.

E acrescentou a rainha, que fora a autora da ideia:

— Logo que os comprarmos, podemos ir vendê-los em Toledo, onde são comprados a quatro reais. Com poucas idas e vindas, multiplicaremos infinitamente nosso dinheiro, e em pouco tempo.

Assim, o rei e a rainha decidiram ir a Castela levando todo o seu dinheiro em carros, carruagens, carroças, liteiras, cavalos, azêmolas, machos, mulas, jumentos e outras pessoas desse gênero.

— Ou seja, teus semelhantes — interrompeu Dom Quixote. — Maldiga Deus a ti e a quem tiver paciência de escutar-te!

— Já é segunda vez que me confunde — queixou-se Sancho, — e creio que é de inveja, por ver a seriedade da história e a elegância com que a conto. Sendo assim, considere-a terminada.

Que tal não permitisse, rogaram todos a Dom Quixote, insistindo com Sancho para que a prosseguisse. Este concordou, dizendo que o faria porque estava de bom humor.

— Imaginem, senhores, quantos gansos não compraram o rei e a rainha, com tanto dinheiro que tinham! De minha parte, sei que fora tantos, que tomavam mais de vinte léguas. É que nessa época havia em Espanha tantos gansos havia água nos tempos de Noé.

— E se em vez de água fosse o fogo que assolou Sodoma e Gomorra, senhor Pança — perguntou Bracamonte, — como teriam ficado esses gansos?

— Imagino que muito bem assados e saborosos, senhor Bracamonte, mas a mim pouco importa, porque ali não me encontrava naquela ocasião. O que sei é que o rei e a rainha foram seguindo com eles pelos caminhos, até que chegaram a um rio muito largo.

— Sem dúvida devia ser o Manzanares — disse o Jurado, — pois sua grandiosa ponte segoviana mostra que ele antigamente devia ser caudalosíssimo.

— Só sei — continuou Sancho —que ali onde chegaram não havia ponte alguma. Disse então a rainha ao rei:

— Como vamos passar estes gansos para o outro lado? Se os soltarmos, irão nadando pelo rio abaixo, e depois nem o diabo de Palermo os poderá agarrar. Por outro lado, se os quisermos atravessar de barco, não vamos levar menos de um ano para consegui-lo.

— O que me parece — disse o rei — é que devemos construir logo uma ponte de madeira, e tão estreita que só possa passar um ganso. Assim, tendo todos de seguir um atrás do outro, não se extraviarão, nem teremos o trabalho de passá-los todos juntos.

A rainha aprovou o plano. Construída a pontem começaram os gansos a passar um por um.

Sancho então calou-se.

Dom Quixote exortou:

— Passa logo esses gansos, com todos os diabos, e termina tua história. Por que paraste? Esqueceste o resto?

Sancho não respondeu palavra ao amo. Vendo isto, disse-lhe o ermitão:

— Prossiga com a história, senhor Sancho, que ela é verdadeiramente linda!

Ele então respondeu, dizendo:

— Esperai, senhores! Corpo não de Deus, que apressados sois! Deixai que os gansos passem, que depois prossigo a história.

— Faz de conta que passaram — disse um dos cônegos.

— Não senhor — disse Sancho. — Gansos que ocupam vinte léguas não passam assim tão depressa. Não, não posso prosseguir, em sã consciência, senão depois que os gansos estiverem do lado de lá do rio, o que há de levar, no máximo, dois anos.

Com isto, todos se levantaram do chão, rindo à gargalhadas. Só Dom Quixote não achou graça, e já se preparava para mandar o escudeiro ao diabo, mas foi contido pelos outros, que dele se despediram, dizendo:

— Sirva-se vossa mercê, senhora cavaleiro, de dar-nos licença, já que o sol, agora que vai iluminar os antípodas, começa a negarnos sua luz, deixando de estorvar-nos com seu incômodo calor que abrasa a terra. Assim, temos de caminhar, mormente porque nossa jornada é mais longa que a de vossa mercê, a quem suplicamos nos ordene e empregue em seu serviço, que a tudo acudiremos como manda a obrigação em que nos colocou a mercê recebida e a boa companhia que tivemos.

188

— Tão nobre agradecimento fazem-no por merecer estes senhores, e não eu — respondeu Dom Quixote. — Em nome deles, rendo a vossas mercês as devidas graças, oferecendo a seu serviço quanto valerem nossas forças. Com idêntica pressa seguimos todos; eu, porque demando a Corte, em razão de um desafio; indo para lá, decidi seguir junto com este senhor soldado e este reverendo ermitão, a cujo cansaço me acomodo, obrigado por suas boas qualidades e por minha natural piedade.

Despediram-se uns dos outros com grandes mostras de cortesia. Dom Quixote, tendo posto o freio em Rocinante e montado, começou a caminhar com o soldado e o ermitão, no rumo de um lugarejo onde pretendiam pernoitar. Sancho ficou para trás, ocupado em albardar seu ruço. Enquanto caminhavam, o soldado e o ermitão iam comentando sobre as histórias que contaram, e como eram pessoas dotadas de cultuara e inteligência, travaram interessante discussão sobre certos pontos de teologia, especialmente quanto ao sinistro fim que teve Japelin e o desfecho feliz da história de Dom Gregório e da Priora. Nisto, os dois, e mais Dom Quixote, que só fazia ouvi-los, voltaram a cabeça e viram Sancho Pança, que vinha refestelado em seu asno, e que, chegando perto deles, disse:

— Pela vida de Matusalém, juro que aquele Dom Gregório não merecia a boa morte que teve. Vim pensando pelo caminho no quanto ele agiu mal deixando a pobre Dona Luísa sozinha em Badajoz, nas mãos daqueles fariseus que tão apaixonados estavam por ela, o que lhe deu ocasião de ser pior do que já era.

— Então não vês, Sancho — respondeu o ermitão, — que tudo foi permissão de Deus, que dos grandes males costuma tirar maiores bens, e não permitiria aqueles, se não fosse por servir-se deles para mostrar Sua onipotência e misericórdia através desses outros? Daquilo mesmo que usa o demônio para perder-nos, usa Deus para salvar-nos. O demônio e Deus são como a aranha e a abelha, que da mesma flor tira, a peçonha que mata; a outra, o mel suave e doce que regala e dá vida.

CAPÍTULO XXII

COMO, PROSSEGUINDO DOM QUIXOTE E TODA A SUA COMPANHIA, TOPARAM COM ESTRANHA E PERIGOSA AVENTURA NUM BOSQUE, A QUAL SANCHO QUIS ENFRENTAR, COMO BOM ESCUDEIRO QUE ERA.

Indo nosso bom fidalgo caminhando com toda a sua companhia, em agradável palestra, chegando a cerca de um quarto de légua do povoado onde deveriam pernoitar, escutaram, saindo de um pinheiral que ficava à mão direita, uma voz que parecia ser de mulher aflita. Estacando todos, ficaram a imaginar do que se tratava, e escutaram de novo a mesma voz queixosa, que dizia:

— Ai de mim, a mais infeliz mulher de quantas até hoje nasceram! Não haverá quem me socorra nesta atribulação em que me pôs a sorte, por mal de meus grandes pecados? Ai de mim, que sem dúvida hei de aqui perecer esta noite, entre os dentes, garras e presas de alguma das muitas feras que costumavam viver nestas solidões! Ó, traidor perverso, por que me deixaste com vida? Melhor terias feito cortando-me o pescoço com os fios de tua cruel espada, que deixar-me aqui desta sorte, com tamanha desumanidade! Ai de mim!

Dom Quixote, ouvindo essas palavras sem ver quem as pronunciava, disse aos companheiros:

— Senhores, esta é uma das mais estranhas e perigosas aventuras que jamais encontrei ou enfrentei desde que recebi a ordem de cavalaria. Este pinheiral é um bosque encantado, no qual não se pode entrar sem enorme dificuldade. No meio dele, possui o sábio Frestão, meu antigo rival, uma caverna, onde mantém

190

presos e encantados muitos e nobilíssimos cavaleiros e donzelas, entre os quais, sabendo que com isto me causa singular agravo e dissabor, traz a ferros minha amiga íntima, a sábia Urganda, a Desconhecida, atada por correntes a uma roda de moinho de extrair azeite. A roda é movida por dois ferocíssimos demônios. Cada vez que a pobre sábia chega embaixo e rala seu corpo na pedra, emite aqueles terríveis gritos. Portanto, ó clementíssimos heróis, vede bem que só à minha pessoa compete por direito enfrentar esta insólita aventura, para libertar a aflita sábia, ou então morrer na tentativa.

Quando o ermitão e Bracamonte ouviram semelhantes dislates e viram os esgares, e olhares com que Dom Quixote os dizia, passaram a considerá-lo inteiramente louco. Contudo, sem deixar que ele notasse coisa alguma, disseram-lhe:

— Fique vossa mercê sabendo, senhor Dom Quixote, que nessa terra não se usam encantamentos. Nem este pinheiral está encantado, nem pode haver qualquer coisa dessas coisas que vossa mercê disse. A única coisa que se pode concluir dos gritos que se escutam é que alguns salteadores devem ter roubado alguma mulher que, depois de esfaqueada, teria sido deixada o meio deste pinheiral. Daí os seus gritos e lamentos.

— Apesar e quantos me contradigam — replicou Dom Quixote, — os gritos são de quem eu disse, e pelas causas que indiquei.

Vendo Sancho Pança que discutiam sobre por que e de quem seriam os confusos lamentos que se escutavam, chegou-se perto do amo, muito encarranchado no ruço, e, tirando o barrete, disse-lhe cerimoniosamente:

— Já há dias atrás viu vossa mercê, meu senhor Dom Quixote, saindo de Saragoça, o sarilho em que nos metemos eu e o senhor Bracamonte, aqui presente. Se não fosse por vossa mercê e pelo respeito que tive pela venerável presença deste senhor ermitão, não deixaria de dar arremate, ou realmente, ou seja lá como diabos o chamam os cavaleiros andantes, à aventura ou batalha que com ele travei, e na qual ele se me deu por vencido. Assim, para que mereça vir a ser por minha conta e risco, com o passar do tempo, tido por esses mundos, ilhas e penínsulas como cavaleiro andante, como o é vossa mercê, tornando tortos e coxos a todos quantos topar, peço-lhe desencarecidamente fique aqui com estes dois senhores, enquanto eu sigo devagarinho com meu ruço, ao qual não permitirei que diga uma palavra sequer, boa ou má, e juntos veremos se é mesmo a sábia Urganda, ou como se chama, que está lamentando por aí. E se colho descuidado o velhaquíssimo sábio que vossa mercê disse, verá ele como, depois de lhe dar meia dúzia de bofetões, não o trago aqui pelos cabelos. Mas se acaso morrermos nessa empresa eu e meu fidelíssimo jumento, suplico a vossa mercê, por amor do senhor São Julião, advogado dos caçadores, que nos faça enterrar juntos na mesma sepultura, pois se em vida nos quisemos bem como se fôssemos irmãos de leite, será bom que na morte o sejamos também. Mande enterrar-nos nos montes de Oca, e se porventura o caminho e noites, em honra

191

e glória das Sete Cabritas e dos Sete Sábios da Grécia. Depois disto, sim, seguiremos alegres nosso caminho, já que antes devemos ter feito uma bela refeição.

Riu-se Dom Quixote, dizendo:

— Oh, Sancho, que grande tolo és! Se te hei de levar morto com teu ruço, como queres descansar sete dias e noites em Argamesilla, e ainda por cima almoçar para seguir viagem?

— Louvado seja — replicou Sancho, — tem toda a razão. Perdoe-me vossa mercê, mas é que não reparei que estava morto.

— Pois, Sancho — disse então Dom Quixote, — para que vejas que desejo teu aproveitamento nas aventuras, dou-te licença plenária para que vás e enfrentes esta, nela ganhando a honra que se me era devida, e que renuncio em teu favor, visando a que te tornes cavaleiro novel. Prometo que se deres cabo, qual confio em teu braço, a esta perigosa façanha que vais empreender, chegando eu à espanhola Corte, emprenhar-me-ei com o católico monarca no sentido de que ele te dê, queira ou não, a ordem de cavalaria, para que, deixando o saio e o barrete, subas armado de todas as peças em um andaluz cavalo, para ires a justas e torneios, matares feros gigantes e desagravantes oprimidos cavaleiros e tiranizadas princesas com os fios de tua espada, sem tremer diante dos soberbos gigantes e feros grifos que te opuserem resistência.

— Senhor Dom Quixote — disse Sancho, — deixe comigo, que só por meio de bofetadas farei mais num dia que fazem outros em uma hora. Se puder ficar separado deles por um espaço de terra, caso haja abundância de calhaus, aí é que terei mesmo a vitória e deixarei mortos todos os gigantes, mesmo que tope um cesto cheio deles. E com isto, adeus, que vou ver como acaba esta aventura. Mas dê-me primeiro sua bênção.

Dom Quixote benzeu-o, dizendo:

— Queira Deus dar-te, neste transe e em semelhantes lides, a ventura e acerto que tiveram Josué, Gedeão, Sansão, Davi e o santo Macabeu contra seus adversários, já que estás também do lado de Deus e de seu povo.

Sancho logo começou a caminhar e, dados quatro passos, voltou-se para o amo, dizendo:

— Se acaso vossa mercê escutar meus gritos, senhor, já que os darei se estiver em perigo, trate de socorrer-me logo, sem que demos motivos de riso ao meu ladrão, pois poderia vossa mercê chegar tão tarde que já Sancho houvesse levado, quando chegasse, meia dúzia de cacetadas desferidas pelos gigantes.

— Anda, Sancho — incentivou Dom Quixote, — e não tenhas medo, que acudirei a tempo.

Lá se foi ele, mas apenas deu seis passos e voltou-se de novo, dizendo:

— E como senha de que as coisas estão mal e que fui apanhado pelo tal sábio (encomendado seja ele às fúrias infernais), fique sabendo que quando escutar duas vezes "ai! ai!" venha correndo como o pensamento, pois é sinal infalível de que ele já me derrubou por terra e me tem atado de pés e mãos para esfolar-me vivo, tal qual fizeram a São Bartolomeu.

— Não hás de ter bom sucesso — disse Dom Quixote — se segues com tanto medo.

— Pois que se dane a mãe que me pariu! — lamentou-se o escudeiro. — Vossa mercê fica aí bem confortável em seu cavalo, esses outros senhores ficam aí rindo, como se se tratasse de alguma burla, e eu, por outro lado, vou tristonho meter-me sozinho no meio de milhões de gigantes, maiores que a torre de Babilônia — e vossa mercê não quer que eu tenha medo! Asseguro-lhe que qualquer um que estivesse em meu lugar faria pior. Corpo não de Deus para todos, e também para a puta cadela que me fez pedir tal licença e inventar de me meter nesses barulhos, procurando cão com cincerro!

Em seguida, entrou pelo pinheiral a dentro. Havendo caminhado cheio de pavor por coisa de vinte passos, começou a gritar sem motivo algum, dizendo: "Ai! ai! estão me matando!"

Ouvindo os berros, Dom Quixote esporeou Rocinante, seguido pelo ermitão e soldado. Chegando os três junto a Sancho, que estava à espera, montado no asno, disse-lhe o amo:

— Eis-me aqui, meu fiel escudeiro! Que houve?

— Assim, sim! — disse Sancho. Ainda nada vi. Só gritei para ver quanto tempo levavam para acudir ao primeiro repique de alarma.

Voltaram todos, rindo, e Sancho prosseguiu pelo bosque a dentro. Pouco depois escutou, não muito longe, os lamentos de alguém que dizia:

— Ah, Mãe de Deus! Será possível que não haja no mundo quem me venha socorrer?

Sancho, que seguia mais com medo do que com vergonha, esticando o pescoço para um lado e para o outro, escutou de novo a mesma voz, saída de umas árvores ali perto, e dizendo:

— Ó irmão lavrador: pelo amor de Deus, tira-me daqui!

Voltando a cabeça para o lado de onde saía a voz, viu Sancho uma mulher em camisas, com os pés e as mãos amarrados a um pinheiro. Mal a enxergou, deu um grito, pulou do asno para o chão e saiu correndo, aos tropeções, pelo caminho por onde viera, bradando:

— Socorro, socorro, senhor Dom Quixote! Estão matando Sancho Pança!

Dom Quixote e os outros dois, ouvindo aquilo, entraram pelo pinheiral a dentro, logo encontrando Sancho que vinha esbaforido, tropeçando nas moitas e olhando para trás de quando em quando. O soldado tomou-o pelo braço, mas não conseguiu detê-lo, de tanto que ele forcejava para sair do pinheiral. Disse-lhe então Bracamonte:

— Que é isto, senhor cavaleiro novato? Quantos gigantes abateste a bofetões? Sossega, pois estás vivo e nos escusaste do trabalho de levar-te a enterrar nos montes de Oca.

— Ai, senhor! — choramingou Sancho. — Não vá lá, pelas chagas de Jesus Nazareno, *Rex Judaeorum*! Asseguro-lhe haver visto, com estes olhos pecadores, em testemunho dos quais não sou digno de jurar, uma alma do purgatório, vestida de branco conforme o costume, segundo me contou o cura de minha terra, e por minha fé que não está sozinha, pois essas tais sempre andam em bandos, como pombas. O que sei dizer é que a tal que acabo de ver está amarrada num pinheiro. Se eu não me encomendasse depressa a São Longuinho, o benditíssimo, e não fugisse dali correndo, ela me teria devorado, sem dúvida, assim como devorou meu pobre ruço e meu barrete, que também não encontrei.

Começou Dom Quixote a caminhar pouco a pouco, e os demais atrás dele, menos Sancho, que de assustado nem se podia mover, e que disse:

— Ah, senhor Dom Quixote, pelo amor de Deus, tome cuidado, para que não tenhamos de chorar por toda a nossa vida!

Nisto, como a mulher que estava amarrada escutou rumor de gente, começou a dizer em voz alta:

— Ai, senhores, em reverência ao que morreu por todos nós, tirai-me deste tormento em que me vejo. Se sois cristãos, tende piedade de mim!

Dom Quixote e os outros, vendo aquela mulher atada de pés e mãos ao pinheiro, em prantos e seminua, sentiram compaixão; mas Sancho, que seguia atrás do ermitão, agarrado no seu hábito e mal ousando espreitar o que acontecia, transido de medo, disse-lhe:

— Dona alma do purgatório — purgada vos veja eu com todos os diabos do inferno, a vós e a quem para cá vos trouxe, que coisa boa não posso crer que seja! — devolvei-me o ruço que comestes; senão, pela vida de quantos verdugos há no *Flassantório*, que meu senhor Dom Quixote há de tirá-lo de vosso bucho a golpes da lança.

O soldado retrucou:

— Cala a boca, Sancho, que ali está teu asno pastando, e junto a ele o barrete que te caiu da cabeça.

— Bendito seja Deus! — disse Sancho. — Que alívio!

E correndo para o asno, abraçou-o, dizendo:

— Veja o que vai fazer, senhor! Não a desamarre, porque esta alma é igualzinha a de uma tia minha que morreu há coisa de dois anos em minha terra, de sarna e mal-de-olhos. Todos os de minha linhagem queremos vê-la o mais longe que for possível, porque era a mais maldita velha que existiu em todas as Astúrias de Oviedo que há no mundo.

Dom Quixote, sem se importar com as tolices de seu escudeiro, voltou-se para o ermitão e Bracamonte e lhes disse:

— Haveis de saber, senhores, que esta dama que aqui estais vendo atada com tanto rigor e crueldade é, sem dúvida, a grande Zenóbia, rainha das amazonas, da qual por certo já ouvistes falar. Tendo ela deixado sua casa seguida por uma legião de seus mais destros caçadores, vestida de verde, num formoso cavalo ruço rodado, com o arco à mão e uma rica aljava ao ombro, repleta de setas de ouro impregnadas de veneno, tendo-se apartado de sua gente para perseguir ferocíssimo javali, perdeu-se nestes obscuros bosques, onde foi encontrada por um ou por vários rufiões, desses que vagueiam pelo mundo cometendo um sem-número de aleivosias, e eles roubaram seu precioso animal, além de seus ricos vestidos bordados e todas as suas joias, pérolas, pulseiras, colares e anéis que em suas brancas mãos, colo e braços trazia, deixando-a, como podeis ver, em camisas e atada a este pinheiro. Portanto, senhor soldado, desate-a vossa mercê, e vamos ouvir de sua elegantíssima boca toda a história.

A mulher, que já passava dos cinquenta, tinha cara de velhaca, e na bochecha direita mostrava feia cicatriz de meio palmo, adquirida certamente em sua mocidade, em razão de sua língua virtuosa e vida edificante.

O soldado foi desamarrá-la, dizendo:

— Juro a vossa mercê, senhor cavaleiro, que esta dona aqui não tem cara alguma de rainha Zenóbia, apesar de seu talhe de amazona. Se não me engano, acho que já a vi em Alcalá de Henares, na rua das Bodegas, e que seu nome é Bárbara; por alcunha, Navalhada.

Acabando de desamarrá-la, ela confirmou tudo que ele dissera. O ermitão, então, tirou seu manto e cobriu a pobre mulher, para que ela pudesse chegar com mais decência ao lugar ao qual se dirigiam. Já composta, chegou-se ela onde se achava Dom Quixote e, vendo-o armado de todas as peças, disse-lhe:

— Infinitas graças, senhor cavaleiro, rendo a vossa mercê pela caridade que me acaba de fazer, pois em virtude dela, e por suas mãos, libertei-me das garras da morte, nas quais sem dúvida me veria esta noite, se por piedade dos céus não houvesse vossa mercê passado por aqui com esta nobre companhia.

Dom Quixote, com serena gravidade, respondeu:

— Soberana senhora e famosa rainha Zenóbia, cujas façanhas já se acham tão propaladas pelo mundo, e cujo nome e valor conheceram tão bem os famosos gregos, à custam de seus sangue generoso, visto que vós, com vossas tão formosas quanto intrépidas amazonas, fostes poderosa para fazer pender a vitória para o partido que favoreceis dos dois brilhantes exércitos do imperador de Babilônia e Constantinopla: tenho-me por feliz e ditoso de vos haver prestado hoje este pequeno serviço, primeiro da série dos que a vossa real pessoa doravante penso prestar na grandiosa corte do católico monarca das Espanhas, onde tenho acertada uma perigosa e duvidosa batalha contra o gigante Bramidão de Contrabigorna, rei de Chipre. Juro-vos e comprometo-me desde aqui a coroar-vos rainha e soberana daquela ameníssima ilha e deleitoso reino, depois de defender durante quarenta dias, contra todos os cavaleiros do mundo, vossa rara e peregrina formosura.

O ermitão e Bracamonte, ouvindo semelhantes disparates, quase não podiam conter as risadas; porém, considerado a obrigação que lhe deviam pelo conforto que ele lhes estava propiciando, fizeram-se de sérios, dissimulando o quanto podiam e acompanhando-lhe o humor, sensatos que eram. Todavia, quando se viam a sós, riam a bom rir.

196

A boa mulher, vendo-se tratada de rainha, não soube o que responder, dizendo:

— Eu, senhor, embora seja solteirona, não sou a rainha Zenóbia que diz vossa mercê, talvez por zombaria, vendo a minha feiúra. Fique sabendo que, em meu tempo, não fui assim tão feia. Vivi toda a minha vida em Alcalá de Henares e, quando moça, era bem requestada e apreciada pelos estudantes galhardos que então ilustravam aquela célebre Universidade, cujas paredes eram escritas de cima em baixo com o nome de Bárbara. Até nas portas dos conventos e colégios via-se escrito meu nome em letras vermelhas e verdes, coberto de coroas ladeado de palmas, dizendo: *Barbara Victor*. Entretanto, por culpa de meus pecados, depois que um aprendiz de escolástico me deixou esta marca no rosto — outra igual faça-lhe Deus em sua alma! — não há quem faça caso de mim. Apesar de tudo, embora feia, não causo horror.

A isto respondeu Sancho.

— Pela vida de minha mãe, que há muitos e bons anos está no outro mundo, senhora rainha Zenóbia: embora vossa mercê ache que não causa horror, deixou-me há pouco horrorizado, ao vê-la com tão má catadura. Meu medo foi tanto, que a cera que destilava a colmeia traseira que a natureza me deu seria suficiente para fabricar meia dúzia de velas das grandes!

Dom Quixote, que já na fantasia sentia veneração pela mulher, tomando-a pela rainha Zenóbia, deu um tranco em Sancho, fazendo-o calar, e disse a Bárbara:

— Vamos, sereníssima senhora, ao lugar que fica perto daqui, e no caminho narras-nos-eis como vos sucedeu a desgraça de ser roubada e atada de pés e mãos àquele pinheiro.

E, voltando-se para Sancho, orndenou:

— Ouvindo, escudeiro? Traze teu jumento e faze que monte a rainha Zenóbia, que nele irá montada até a próxima aldeia.

Trouxe Sancho o ruço e, pondo-se de gatinhas para que ela pudesse montar no animal, voltou a cabeça e lhe disse:

— Pise em minhas costas e suba, senhora rainha.

Ela o fez com muita desenvoltura e sem se fazer de rogada. Em seguida, rumaram todos para a aldeia. Poucos passos depois, disse-lhe Bracamonte:

— Diga-nos, senhora Bárbara, pelas vidas dos tantos que julga haver cativado em sua mocidade, quem foi o velhaco que a deixou de tal sorte, e quem a tirou da rua das Bodegas de Alcalá, onde vivia como princesa, visitada pelos estudantes novatos que lhe enchiam as medidas e a bolsa?

— Ai, senhor soldado — respondeu ela. — Conheceste-me ali em minha prosperidade? Entraste alguma vez em minha casa? Quem sabe alguma vez comeste dos miúdos que eu guisava? Algumas vezes eu cozinhava um mundongo tão bom, que os estudantes ficavam a chupar os dedos, depois de comer dele.

— Eu, senhora — respondeu ele, — jamais comi em casa de vossa mercê, porque estava no colégio trilíngue, onde os estudantes recebem refeição. Mas

197

lembro-me bem de que louvaram muito os chouriços de vossa mercê, bem como sua limpeza, a qual, segundo me diziam, era tanta, que com apenas um caldeirão de água conseguia levar dois ou três buchos, de maneira que saíam de suas mãos umas morcelas verdinegras que fazia gosto contemplar. E como aquela rua é estreita e escura, não se podia deixar de ver a superabundância daquele caldo cor de ferrugem, convite irresistível ao mais esfomeado rapazola de Alcalá.

— Ah, seu grande velhaco e socarrão — replicou Bárbara, — poderia até jurar que já comeste de minhas mãos mais de quatro vezes. Teu talhe e tuas roupas não são para fazer-me crer que estiveste no colégio trilíngue, como dizes. Vamos, conta-me a verdade.

Bracamonte a satisfez, dizendo:

— Antes que eu entrasse no colégio, o que está fazendo quatro anos, estava com outros seis estudantes amigos na rua de Santa Úrsula, nas casas que se alugam ali junto da igreja matriz do mercado. E recordo-me que vossa mercê ali chegou trazendo um panelão cheio de mundongo. Um estudante, que se chamava López, tomou-o nos braços sem derramá-lo e levou-o para seu quarto, onde todos nós nos fartamos no panelão que vossa mercê tinha debaixo de suas imundas saias, sem sequer tocar no que estava cheio de mundongo.

— Pela vida de minha mãe — respondeu Bárbara, — lembro-me disso como se fosse hoje! E posso garantir que se tratava de gente honrada, pois embora não tivessem motivo de fazer o que fizeram, sendo eu mulher de altas prendas, todavia tiveram respeito de não tocar no mundongo. Jesus, Jesus! Então estavas ali? Pois namorador. Apesar de tudo, confesso que, todas as vezes que subia a seu aposento, ele de lá não me expulsava.

— Pois senhora rainha minha — disse Sancho, — se tão boa fazendeira de mundongo é, saiba que meu amo vai levá-la, conforme disse, ao reino de Chipre, e ali vossa mercê terá muita ocasião de mostrar sua habilidade, porque haverá infinitas, assados e cozidos, e deitar-lhes toda a caparrosa que quiser, já que é isto que dá melhor sabor aos guisados.

— Ai, pobre de mim! — respondeu Bárbara. — Pois se a caparrosa é para fazer tinta, como queres, irmão, que a deite nos guisados?

— Não sei, com toda a consciência — replicou Sancho, — o que me deitaram em cima das alfândegas que me deram em casa de Dom Carlos, em Saragoça. O que sei é que elas me apeteceram enormemente.

— Queres dizer almôndegas — retrucou Bárbara, — pois é assim que são chamadas em todo o mundo.

— Pouco importa — replicou Sancho — que se chamem assim ou assado. O que haveremos de procurar é semear muitas, chegando a Chipre.

CAPÍTULO XXIII

EM QUE BÁRBARA PRESTA CONTAS DE SUA VIDA
A DOM QUIXOTE E SEUS COMPANHEIROS, ATÉ QUE CHEGARAM
AO POVOADO, E DO QUE LHES SUCEDEU DESDE QUE ENTRARAM
ATÉ QUE SAÍRAM DELE.

Enquanto Sancho acabava de dizer as referidas tolices, saíram do pinheiral. Juntou-se-lhes Dom Quixote na estrada real, onde os esperara fazendo mil discursos acerca do modo que empregaria para levar à Corte a que tinha por rainha Zenóbia.

Logo que a avistou, disse-lhe com grande respeito e mesura:

— Suplico a vossa majestade, poderosíssima rainha, sirva-se de dar-nos conta, durante o curto percurso que vamos trilhar, de quem foram os patifes que lhe roubaram suas ricas joias e a despojaram de seus reais trajes, deixando-a atada com tanta crueldade àquela árvore.

Ela respondeu:

— Vossa mercê, meu senhor, fique sabendo que, vivendo eu em Alcalá de Henares, na rua que chamam das Bodegas, com meu honrado e ordinário trabalho, quis a fortuna, sempre contrária aos bons, que visse ali um mancebo de belo rosto e modos distintos, que duas ou três vezes comeu em minha casa. Desde que o vi pela primeira vez, tão cortês, prudente e de boa conversa, apaixonei-me — insensata que fui — de tal sorte, que não podia sossegar, de dia ou de noite, sem vê-lo, falar-lhe de tê-lo ao meu lado. Dava-lhe de comer todos os dias, como se fosse um príncipe; comprava-lhe meias, sapatos, roupas, sem falar nos livros que me pedia, mirando-me nele como num espelho. Resumindo, ele ficou em minha casa, levando essa vida, por mais de um ano e meio, sem mexer em sua bolsa, mas esvaziando a minha. Nesta época sucedeu que, estando uma noite comigo na cama, disse-me que estava determinado a ir a Saragoça, onde tinha parentes muito ricos, e que me prometia, se eu quisesse ir com ele, que lá chegando iria casar-se comigo, pelo muito que me amava. E eu, que sou uma besta, crendo em suas enganosas palavras e falsas promessas, disse-lhe que ficaria contentíssima de seguir com ele. Logo comecei a vender minhas alfaias, que eram duas camas com bons lençóis, dois pares de vestidos, uma grande arca com todo um enxoval, e por fim todo o resto que havia em minha casa, do qual apurei mais de oitenta ducados, tudo em reais de ouro. Com esse dinheiro e muita satisfação, saímos de Alcalá certa tarde. Chegados, ao segundo dia, à entrada desse bosque de onde acabamos de sair, disse-me ele que poderíamos ali fazer a sesta e termos uns momentos de prazer. Proporcione-lhe Deus, na alma e no corpo, prazeres iguais aos que ele então me deu! Mas não quero rogar praga, porque quem sabe ainda iremos nos encontrar, e ele até me peça perdão pelo que me fez. Como o amo muito, facilmente o perdoarei. Pois bem: crendo em suas palavras, acompanhei-o — antes não o houvesse feito! — e, vendo-me sozinha e em lugar tão escondido, ele sacou de uma adaga, ameaçando arrancar-me a alma do corpo se não lhe entregasse todo o dinheiro que trazia comigo. Vendo uma fúria tão repentina na prenda que eu mais queria no mundo, não soube o que responder, suplicando-lhe, em prantos, que não cometesse tal aleivosia. Ele, porém, sem fazer caso de minhas justas razões e chorosas palavras, vendo que eu tardava a dar-lhe os oitenta ducados mais do que permitia sua cobiça, começou a gritar, enfurecido:

— Dá-me logo esse dinheiro, bruxa velha, puta, feiticeira!

Sancho, que escutava com muita atenção o que dizia Bárbara, ouvindo-a referir tantos e tão honrados epítetos, disse-lhe:

— Diga-me, senhora rainha, por acaso era verdadeiro todo esse calendário que lhe disse o estudante? Porque, pelos seus atos, concluo que era tão homem de bem, que por todo o mundo não diria uma coisa por outra coisa, mas tão-somente a pura verdade.

— Como verdade? — replicou ela. — Pelo menos no que me chamou de bruxa, mentiu como velhaco. Se certa vez me prenderam no alto de uma escada junto à porta maior da igreja de San Yuste, foi pelo falso testemunho levantado por umas vizinhas invejosas, baseadas em não mais que simples suspeitas. Testemunho idêntico tenham elas no juízo final, pois por causa disso tive de enfrentar um processo, no qual gastei o que só Deus sabe! Mas a hora delas há de chegar, e com seu pão hão de comer. Por minha fé que me vinguei, pelo menos de uma delas, e me dei por satisfeita: a um cão que tinha em casa, e com o qual se entretinha, dei-lhe uma bola com recheio de vidro moído, em desforra do dito agravo.

Riram-se todos do que Bárbara dissera, mas Sancho replicou, dizendo:

— Pelo corpo de Pôncio Pilatos, senhora rainha! Que culpa tinha o pobre animal? Acaso queixou-se ele de vossa mercê à Justiça, ou levantou o falso testemunho que contou? Garanto que era um cão muito bom, que não fazia mal a ninguém, e que pelo menos saberia caçar os ingredientes de um bom guisado. Pobre cachorrinho, meu coração sangra de dor por seu homicídio...

Dom Quixote interrompeu-o:

— Escuta, animal: porventura conheceste ou viste aquele cão? Que te interessa esse tal?

— Então não vou interessar-me — replicou Sancho — sabendo que eu e esse honrado e malogrado cachorro poderíamos ser primos em primeiro grau? O diabo é sutil, e de onde menos se espera, sai a lebre; além disto, como se diz, onde quer que vás, dos teus te lembrarás.

E disparou a desferir refrões, de sorte que ninguém conseguia fazê-lo calar-se. Mas Dom Quixote suplicou à rainha Zenóbia que prosseguisse a narrativa sem fazer caso de Sancho, que era um idiota.

— Pois como estava dizendo — continuou ela, — meu bondoso Martín (assim se chamava a luz de meus olhos, nome para mim bem aziago, já que tem a ver com o deus Marte) começou a insistir comigo para dar-lhe depressa o dinheiro, acompanhando cada palavra injuriosa que me dizia com uma espetada nestas pecadoras nádegas, tão dolorosa que me fazia desferir profundos gritos. Vendo-me naquela situação tão aflitiva, e tendo em mente que, se não fizesse o que exigia o risco, corria o risco de receber um golpe pior que o outro que ele me dera na cara por menos que isso, tirei todo o meu dinheiro e o entreguei a ele. Não contente com isto, ele ainda me tirou a saia, o corpete e o fraldelim que eu vestia, todos muito bons, e, amarrando-me a um pinheiro, deixou-me da maneira que vossas mercês me encontraram — pague-lhes Deus pela mercê que me fizeram.

— Digo-lhe em boa fé — comentou Sancho — que, se ele a despisse mais um dedinho só, tê-la-ia deixado como um Adão e Eva. Mas que filho da puta, socarrão e velhaco! Não seria bom, senhor Dom Quixote, que eu fosse por este mundo em meu ruço, atrás desse descomunal estudante, e o desafiasse a uma batalha campal, na qual lhe cortasse a cabeça e a trouxesse espetada na ponta de uma lança, para com ela entrar nas justas e torneios sob os aplausos de quanto me virem? Por certo, hão de perguntar, admirados: "Quem é esse cavaleiro andante?". E com orgulho creio que lhes saberei responder: "Sou Sancho Pança, escudeiro andante do invicto Dom Quixote de la Mancha, flor, nata e espuma da andantesca escuderia. Mas não quero meter-me com estudantes, eles que se entendam com Belzebu. Outro dia, quando fomos às justas de Saragoça, eu e o cozinheiro coxo chegamos perto de um para lhe falar, perto de colégio, e o demônio de um outro me aplicou tão infernal pescoção em meu gasganete, que quase me arrancou lágrimas dos olhos. Quando me abaixei para pegar o barrete que havia caído, chegou-se outro por trás de mim e me aplicou tal coice no assento, que toda a ventosidade que deveria sair por ali acabou saindo por cima, envolta num arroto que, segundo ele mesmo falou, fedia a rabanete sarenado. E nem bem havia levantado a cabeça, quando começou a chover sobre mim tal quantidade de cusparada, que quase me afoguei; a sorte é que sei nadar, como Leandro e Nero... Foi então que um cara-lambida (parece até que o estou vendo à minha frente) me cuspiu tão certeiramente um muco verde que devia estar represado há três dias, de tão coalhado que se achava, que meu olho direito ficou inteiramente tapado, o que me fez sair correndo e gritando: Aqui da Justiça! Que mataram o escudeiro do melhor cavaleiro andante conhecido por todos que vestem couras de pelica!"

Nisto, chegaram ao lugarejo, o que interrompeu as palavras de Sancho. À porta da estalagem, apearam todos, por ordem de Dom Quixote, que ficou ali fora, conversando com o pessoal que se juntou para ver sua figura.

Entre os que para lá acorreram, não foram os últimos a chegar os dois alcaides do lugar, um dos quais, que parecia mais esperto, com a autoridade que lhe davam a vara e o alto conceito que tinha de si próprio, perguntou, mirando-o de cima e baixo:

— Diga-nos vossa mercê, senhor armado, para onde é seu destino e por que segue por este caminho com esse saio de ferro e esse escudo tão grande. Juro-lhe que minha consciência não se recorda de jamais ter visto outro homem vestido tal qual vossa mercê se acha, a não ser o retábulo do Rosário, onde há um painel da Ressurreição que mostra uns judeuzões apavorados, ajaezadas à maneira de vossa mercê, embora não tragam essas rodas de couro, nem lanças tão compridas como essas.

Dom Quixote, fazendo Rocinante voltar-se para aqueles que o haviam rodeado, disse a todos com voz grave e serena, sem parecer ter ouvido o que lhe dissera o alcaide:

— Valorosos leoneses, relíquias daquele ilustre sangue dos godos, que, devido à entrada de Muça pela Espanha, perdida pela aleivosia de conde Julião, em vingança de Rodrigo e de sua incontinência, e em desagravo de sua filha Florinda, cognominada a Cava, vos vistes forçados a deixar a inculta Biscaia, e Astúrias, e Galícia, para que se conservasse nas inacessíveis quebras de seus montes e bosques o nobilíssimo Pelayo e pelo esclarecido Sandoval, seu sogro, amparo e fidelíssima defesa e cujo zelo deve Espanha a sucessão dos católicos reis de que desfruta, pois daí nasceu o valor com que os fios de vossas cortantes espadas tornaram a recuperar completamente tudo o que fora perdido, e a conquistar novos reinos e mundos, causando inveja ao próprio sol, único a conhecê-los até que os assaltastes: já veis, ínclitos Gusmães, Quinhões, Lorenzanas e os demais que me ouvis, como meu tio, o rei Dom Alonso, o Casto, sendo eu filho de sua irmã, e tão conhecido quanto temido por Bernardo, tem aprisionado meu pai, o de Saldanha, sem que queira entregar-mo. Além do mais, ele prometeu ao imperador Carlos Magno entregar-lhe os reinos de Castela e Leão, depois de sua morte, agravo pelo qual não terei de passar de nenhum modo, pois não tendo ele outro herdeiro senão a mim, a quem toca por lei o direito, como sobrinho seu que sou, e mais propínquo à casa real, não haverei de permitir que estrangeiros entrem na posse de coisa tão minha. Portanto, senhores, partamos logo para Roncesvalles, levando em nossa companhia o rei Marsílio de Aragão e Bravonel de Saragoça; pois, ajudando-nos Galalão com suas astúcias e com o favor que nos promete, facilmente daremos cabo de Roldão e todos os Doze Pares; e ficando malfeirido Durandarte naqueles vales, sairá da Batalha; e pelo rastro de sangue que irá deixar, será seguido por Montesinos, através de aspérrima elevação, onde lhe acontecerão mil vários sucessos, até que, defrontando-se com ele, arranque, com as próprias mãos, seu coração, e por sua instância o leve a Belerma, que em vida foi alvo principal de seus cuidados. Adverti, pois, famosos leoneses e asturianos, que para o acerto desta guerra previno-vos para que não tenhais dissensões acerca de partilha das terras e demarcação das mesmas.

Em seguida, dando de rédeas a Rocinante e fincando-lhe as esporas, entrou furioso na hospedaria, gritando:

— Às armas! Às armas! Que

Com os melhores de Astúrias,
Sai Bernardo, de Leão;
Se depender de seu brio,
Franceses não passarão!

Todos ficaram pasmados de ouvir o que o cavaleiro armado dissera, sem saber a que atribuir tudo aquilo. Uns diziam que era louco; outros, que não, mas sim um cavaleiro de alta fidalguia, pois seu traje revelava isso; no final das contas, todos desejavam entrar na estalagem para conversar com ele. Mas o ermitão colocou-se à porta, vedando-lhes a passagem, e disse:

— Ide com Deus, senhores, que esse fidalgo está louco. Estamos levando-o para ser curado na casa dos orates de Toledo. Não o altereis mais do que ele já está alterado.

Ouvindo essas palavras ditas pelo venerável ermitão, foram-se todos embora. Enquanto isto, Sancho havia levado Rocinante à estrebaria, enquanto Dom Quixote e os demais de sua companhia dirigiam-se a um aposento, onde ele foi desarmado por Bracamonte e pelo ermitão. Bárbara, que estava coberta com o manto pardo deste último, sentou-se no chão, onde Dom Quixote a viu, dizendo-lhe:

— Soberana senhora, tende um pouco de paciência, que muito em breve serei levada a vosso famoso império das Amazonas, depois que fordes coroada rainha do vicioso reino de Chipre, em cuja pacífica posse colocar-vos-ei, após matar seu tirando dono, o valente Bramidão de Cortabigorna, na corte espanhola.

203

Para tanto, com toda a diligência entraremos amanhã na forte e bem protegida cidade de Siguenza, onde vos comprarei ricos vestidos, para substituir os que o aleivoso príncipe Dom Martin vos tirou, contra toda lei de razão e cortesia.

— Senhor cavaleiro — respondeu ela, — beijo as mãos de vossa mercê pela boa obra que me faz, sem que me deva qualquer favor. Quisera ter quinze anos e ser mais formosa que Lucrécia para servir a vossa mercê com todos os meus bens havidos e por haver. Todavia, pode crer que, se chegarmos a Alcalá, hei de servi-lo ali como espero poder fazê-lo, fornecendo-lhe duas franguinhas tenras que não passem de quatorze, lindas às mil maravilhas, e não muito caras.

Dom Quixote, sem entender a letra da canção de Bárbara, respondeu-lhe:

— Senhora minha, não sou homem assaz voltado aos prazeres de comer e do beber. Meu escudeiro Sancho Pança, sim, é mais dado a essas coisas. Contudo, se essas franguinhas forem empanadas, pagarei por elas e as levaremos nos alforjes, para comer em viagem. É bem verdade, porém, que meu escudeiro Sancho, se lhe der na telha, não há de deixar as franguinhas guardadas por muito tempo.

A boa senhora, vendo que Dom Quixote nada entender, voltou-se para o soldado, que estava rindo, e lhe disse:

— Ai, sofredora de mim, que inocente é este cavaleiro! Ainda tem muito que aprender. Mister será, se for a Alcalá, engordar o seu entendimento, que anda desnutrido e magro.

— Quem diz vossa alteza que está magro? — indagou Dom Quixote.

— Falava de vossa mercê — respondeu ela, — e isto é muito de estranhar, dada a sua boa condição.

— Senhora — replicou Dom Quixote, — de três gêneros de pessoa falava mal um filósofo moderno que conheci: do médico que tem sarna, do advogado que não tem maldade e do que se mete em expedições e batalhas, sendo gordo. E como, dada a minha profissão, vivo a empreender estas duas últimas, bem não será que esteja gordo, condição física de homens ociosos e que vivem sem preocupações. E tendo-as tantas, como tenho, não me seria possível estar gordo, mas sim ser magro como sou.

Neste ínterim, entrou Sancho correndo, batendo palmas e dizendo:

— Alvíssaras, senhor Dom Quixote, alvíssaras! Boas novas! Boas novas!

— Recompensar-te-ei por elas, filho Sancho — disse Dom Quixote, — se se tratar do paradeiro daquele estudante que roubou a grande rainha Zenóbia.

— Não, trata-se de coisa melhor — respondeu Sancho.

— Será então, porventura — indagou Dom Quixote, — que o gigante Bramidão de Cortabigorna se acha aqui e me procura para acabar a batalha que combinamos travar?

— Coisa incomparavelmente melhor — replicou Sancho.

— Conta-nos logo, então — insistiu Dom Quixote, — e se forem tão importantes como dizes, terás tua recompensa.

— Pois fiquem sabendo vossas mercês — respondeu Sancho — que o estalajadeiro me disse (e não é burla, pois eu próprio vi) que tem para nossa ceia um delicioso cozido, com quatro mãozinhas de vaca e uma libra de toucinho,

204

além de bofes e miúdos de carneiro, e umas rodelas de nabo. Pois basta dar-lhe cinco reais, à vista, e as próprias mãozinhas virão servir-nos de ceia por seus próprios pés.

Dom Quixote deu-lhe um tranco, dizendo:

— Olhem as boas novas que este tonto guloso nos trouxe! De muito boa gana lhe daria a recompensa de um garrote, se por aqui tivesse à mão.

Enquanto Dom Quixote dizia isto com cólera, muito sem ela entrou o hospedeiro, dizendo:

— Que desejam vossas mercês para a ceia? Basta pedir, que lhes será servido.

Dom Quixote pediu para si apenas dois pares de ovos assados, moles, e para aqueles senhores o que lhes aprouvesse; para a rainha Zenóbia, porém, que fosse preparado algum faisão, caso houvesse, porque se tratava de pessoa delicada e de gosto refinado, e qualquer outra iguaria poderia fazer-lhe mal.

O hospedeiro olhou bem aquela que Dom Quixote chamava de rainha, e disse:

— Não é vossa mercê aquela que ontem à noite jantou aqui com um estudante, e nos disse que ia a Saragoça casar-se com ele? Ontem, em vez de Zenóbia, como diz este cavaleiro, era a noiva de um que tanto carecia de barbas quanto de vergonha, e agora não o é mais? E por minha fé que, a noite passada, não comeu nenhum faisão, mas prato de mundongo que havia trazido consigo de Siguenza, envolto num guardanapo não muito limpo. E tampouco se passava por uma rainha.

— Irmão — respondeu ela, — nada vos peço. Trazei o jantar, que comerei o mesmo que estes senhores, pois este cavaleiro é quem nos está fazendo esta mercê a todos nós.

Foi-se o hospedeiro, serviu a mesa e cearam todos, com grande satisfação de Sancho, que servia, mas cujos olhos e alma iam atrás de cada bocado que seus amos devoraram.

Tirada a mesa, e depois que ele foi jantar, ficaram todos ali sentados. Disse então o ermitão a Dom Quixote:

— Vossa mercê, senhor, tratou-nos com grande fidalguia, a mim e ao senhor Bracamonte, durante todo este percurso, e estamos obrigadíssimos por isto. Todavia, como temos de seguir para outros destinos, ele para Ávila, sua terra natal, e eu para Cuenca, sirva-se de dar-nos licença para nos separarmos, e nas ditas cidades ordene o que se lhe oferecer, que tudo faremos para antedê-lo e com todo o nosso empenho, o mesmo oferecendo a seu diligente escudeiro Sancho.

Respondeu-lhes Dom Quixote que muito lhe pesava perder tão boa companhia, e que se outra coisa não era possível fazer, que fossem suas mercês com a benção de Deus. em seguida, ordenou a Sancho que desse a cada qual um ducado para as despesas do caminho, o que ambos receberam mui agradecidamente. Ele então prosseguiu, dizendo:

— Por certo, senhores, que só a duras penas se poderiam achar três pessoas tais como os que caminhamos de Saragoça até aqui, pois cada um de nós merece, por si, grande honra e fama; porque, como se sabe, por uma de três coisas se alcançam no mundo as duas que mencionei: ou pelo sangue, ou pelas armas, ou pelas letras, cada qual incluindo em si a virtude, para que seja perfeita a obtenção daquelas. Pelo sangue, é famoso o senhor Bracamonte, já que o seu é tão conhecido em toda a Castela; pelas armas, eu, pois em razão delas adquiri tanto valor no mundo, que já meu nome é conhecido em toda a sua redondez; pelas letras, o padre, de quem coligi ser tão grande teólogo que penso saberá dar conta de si em qualquer universidade, seja a Salmantina, seja a Parisiense ou a Alcaladina.

Sancho, que ao acabar sua refeição se pusera de pé atrás de Dom Quixote, escutando a conversa, intrometeu-se, dizendo:

— E eu, de onde tiro minha fama? Também não sou gente como os outros?

— Tu — respondeu Dom Quixote — tens fama de ser o maior comilão e guloso que jamais se viu.

— Pois saibam — retrucou Sancho, — burlas à parte, que não somente me toca um dos nomes que cada qual de vossas mercês possui e pelo qual se tornaram famosos, senão que também o sou pelos três juntos, ou seja: pelo sangue, pelas armas e pelas letras.

Riu-se Dom Quixote, dizendo:

— Ó simplório! E quando ou como mereceste possuir algum dos renomes que temos por nossas qualidades, para que tua fama, como a nossa, voe pelo orbe?

— Vou revelá-lo a vossas mercês — disse Sancho, — e não se riam de mim, corpo de meu saio! Primeiramente, sou famoso pelo sangue, porque, como é do conhecimento de meu senhor Dom Quixote, meu pai foi carniceiro em minha terra, e por isto sempre andava manchado pelo sangue das vacas, vitelas, cordeiros, ovelhas, cabritos e carneiros que matava, o qual lhe sujava os braços, as mãos e o avental. Pelas armas também sou famoso, porque um tio meu, irmão de meu pai, é amolador e limpador de armas brancas. Ele agora deve estar em Valência, ou em outro lugar qualquer, mas sempre afiando, aguçando e limpando espadas, montantes, adagas, punhais, estoques, facas, cutelos, lanças, alabardas, chuços, partasanas, peitorais e morriões, e todo gênero *armorum*. Quanto às letras, um cunhado meu e encadernador de livros em Toledo, e sempre anda com pergaminhos escritos, envoltos entre livraços tão grandes como a albarda de meu ruço, todos cheios de letras góticas.

Levantaram-se todos, rindo das tolices de Sancho, indo cada qual deitar-se onde o hospedeiro os levou.

CAPÍTULO XXIV

DE COMO DOM QUIXOTE, BÁRBARA E SANCHO CHEGARAM A SIGUENZA, E DO QUE ALI LHES ACONTECEU, PARTICULARMENTE A SANCHO, QUE SE VIU EM APUROS NO CÁRCERE.

Tão logo Deus enviou a manhã, Dom Quixote despertou. O caos que tinha em seu entendimento, e a confusão de ideias na qual trazia mergulhada a imaginação serviam-lhe de tão desregulado despertador, que mal o deixavam dormir meia hora seguida. Logo que acordou, pôs-se de pé, chamando Sancho aos gritos. O escudeiro mal conseguia despregar os olhos, mas teve de se levantar, acossado pela pressa de Dom Quixote. Enquanto o amo acertava o pagamento da refeição e do pernoite, Sancho encilhou Rocinante e o jumento.

Tomadas estas providências, saíram juntos da pousada, despedindo-se de Dom Quixote o ermitão e Bracamonte, o mesmo fazendo com Sancho Pança, que andava ocupado em fazer Bárbara montar numa burrica velha do hospedeiro, que o amo havia alugado até Siguenza, juntamente com uma roupa de sua mulher, ambas bem velhas e usadas. Seguiu com eles o hospedeiro, ao fim do dia chegaram à cidade, dirigindo-se a uma estalagem que seu guia lhes indicara. Lá chegaram acompanhados de um séquito de meninos, que seguiam atrás gritando:

— Ao homem armado, gente! Ao homem armado!

Tendo apeado, Dom Quixote pediu ao dono da pousada tinta e papel e, encerrando-se num quarto, escreveu meia dúzia de cartazes para pregar nas esquinas, os quais diziam assim:

O Cavaleiro Desamorado, flor e espelho da nação manchega, desafia a singular batalha aquele ou aqueles que não confessarem que a grande Zenóbia, rainha das Amazonas, que comigo vem, é a mais augusta e formosa mulher que se acha em toda a redondez do universo. Será defendida com os fios de minha espada sua rara e singular beleza na praça desta cidade, do meio-dia até o cair da noite, e o que tentar aceitar este desafio, este ponha seu nome ao pé deste cartaz.

Prontas as cópias, chamou Sancho e disse:

— Toma, Sancho, estes papéis, pega um pouco de grude ou cola, e vai pregá-los nas esquinas da cidade, de maneira que possam ser lidos por todos. Escuta atentamente o que disserem os cavaleiros que chegarem a lê-los; se ficam encolerizados, querendo sair em defesa de suas amadas damas; se proferem impropérios — pois a virtude é sempre invejada, — ou se se rejubilam pela honra que alcançarão só de poderem bater-se comigo; por fim, se te perguntam onde me encontro e onde está a Rainha minha senhora. Vai voando, meu Sancho, olha, escuta e guarda tudo, para que me saibas dar, quando voltares, inteira conta e relação, que eu, se necessário for, pouco me importando com o jantar, irei imediatamente castigar sua sandice e atrevimento, para que doravante se contenham outros tais como eles de dizer semelhantes desvarios contra quem tão bem há de saber castigá-los.

Sancho ficou algum tempo pensativo, com os papéis na mão, porque via com maus olhos a tarefa de afixar cartazes de desafio, antes preferindo que Dom Quixote o enviasse para buscar algum pernil de carneiro, visto estar com razoável apetite de jantar. Assim, cabisbaixo, disse-lhe:

— Valham-me as grelhas do senhor São Lourenço, meu senhor Dom Quixote! Será possível que, podendo a gente viver na lei e na paz da Santa Madre Igreja Católica Romana, queiramos meter-nos por nossa conta e risco em pendências e guerrências néscias, que de nada nos hão de servir, e tão sem pé nem cabeça? Quer vossa mercê que saia algum Barrabás a cavalo, desejoso de batalhar conosco, e que, estando ele nesta cidade descansado e preparado, tanto ele como seu cavalo, enfrentando a nós que estamos estafados, e ainda por cima Rocinante, que de tão moído nem consegue comer, e permita a misericórdia divina que nos derrote, fazendo-nos dar na casa de Judas com toda a nossa cavalaria? Não seria melhor, já que assim o deseja, pedir licença ao alcaide deste lugar para afixar estes cartazes? Já me estou vendo desta feita em quatro mil perigos, desastres e desventuras...

Dom Quixote respondeu:

— Ó néscio, ó pusilâmine, ó cobarde! Eras então quem pretendia receber a ordem de cavalaria em Madri, com pública honraria, em presença da sacra, cesárea e real majestade do Rei nosso senhor? Pois fica sabendo que o mel não é para a boca do asno, nem a ordem de cavalaria se costuma nem se pode dar senão a homens de brio, animosos, valentes e esforçados, e não a gulosos e preguiçosos como tu. Vai logo, e faze o que te mando, sem mais réplica!

Vendo o amo tão aborrecido, Sancho calou-se e se foi, maldizendo mil vezes quem com ele se havia juntado. Na tenda de um sapateiro, comprou um quarto de grude e, levando-o em cima da sola de um sapato velho, dirigiu-se à praça, na qual, por ser de tardinha, se encontravam alguns cavaleiros e fidalgos, além de muitas outras pessoas, todos tomando a fresca com o Corregedor.

Chegou-se Sancho sem dizer palavra a ninguém da Audiência e começou e pregar, nas próprias portas do prédio, um daqueles cartazes. Um alguazil que estava atrás do Corregedor, vendo aquele lavrador pregando na Audiência um cartaz em letras garrafais, pensando que fosse de alguma peça de teatro, chegou-se perto dele e disse:

— Que está pondo aí, irmão? És empregado dos comediantes?

Sancho respondeu:

— Que comediantes o quê! Isto que estou pregando, ignorante, não é para ti, é coisa para gente mais alta, gente de capa preta. Amanhã verás para que é.

Confuso, o alguazil leu o cartaz e, voltando-se para Sancho, que pregava outro cartaz num poste próximo, disse-lhe:

— Vem cá, homem do diabo, quem te mandou pregar aqui esses cartazes?

Sancho respondeu:

— Fica aí, homem de Satanás, que não quero contar.

Atraídos pela discussão, chegaram-se para perto o Corregedor e os que com ele se achavam. Perguntando o que era aquilo, respondeu-lhe o alguazil:

— Senhor, aquele lavrador anda afixando pela praça uns cartazes em que um fulano está desafiando todos os cavaleiros desta cidade para se baterem com ele.

— Afixando desafios! — exclamou o Corregedor. — Acaso estamos em tempo de carnaval? Traze-me um desses papéis, vamos ver de que se trata, e que não seja algum dislate que possa chegar aos ouvidos do Bispo antes que nós mesmos tenhamos notícia dele.

O aguazil arrancou o primeiro que achou afixado num poste, para levá-lo ao Corregedor. Vendo aquilo, Sancho ficou tão enfurecido, que avançou para ele com uma pedra na mão, ameaçando:

— Ó sandeu e descomunal alguazil! Pela ordem de cavalaria que meu amo recebeu, não fosse porque tenho medo de ti e desse distintivo real que trazes, e faria com que pagasses, com uma só pedrada, todas as alguazilarias que até aqui cometeste, para que outros como tu e como a puta que te pariu não se atrevessem, daqui por diante, e cometer semelhantes loucuras.

209

Vendo o Corregedor aquele lavrador com uma pedra na mão para atirar no alguazil, orndenou que o prendessem e o trouxessem a sua presença. Adiantaram-se alguns meirinhos para cumprir a ordem, mas Sancho, com o calhau na mão, não se deixava prender. Todavia, ao notar que a situação ia ficando grave, e que já desembainhavam as espadas para atacá-lo, largou a pedra e, segurando o barrete nas mãos, começou a dizer:

— Ah, senhores, pelo amor de Deus, deixem-me ir contar a meu amo como esses malandrins arrogantes não me estão deixando afixar os cartazes de desafio! Hão de ver como ele logo virá para cá como um cisne encantado, e não deixará nenhum desses pagãos com vida.

Os meirinhos, sem entenderem aquelas palavras, trouxeram-no bem seguro até o Corregedor, que estava lendo o cartaz. Por fim, ele o leu em voz alta para todos os circunstantes, que se divertiam bastante com aquilo. Então, voltando-se para Sancho, ele perguntou:

— Escuta, bom homem: quem te mandou pregar esses cartazes na Audiência? Por minha fé de fidalgo, isto há de custar, a ti e a quem te ordenou, mais caro de que pensas!

— Ah, desventurada da mãe que me pariu e da ama que me deu leite! — lamentou-se Sancho. — Foi meu amo, senhor (que amarga vida tenha!), que me ordenou que os pregasse. Bem que eu avisei para evitarmos batalhas nesta terra, pelo menos até que primeiro houvéssemos matado o gigantaço rei de Chipre, lugar aonde iremos levar a senhora rainha Zenóbia. Soltem-me, que lhes juro, por minha fé de Sancho Pança, que irei correndo contar-lhe o que se passa, e vossas mercês hão de ver como ele virá para cá, por seus pés ou pelos de Rocinante, e como fará tal carnificina que jamais se haja ouvido ou visto outra igual.

Perguntou-lhe o Carregador:

— Como se chama teu amo?

Sancho respondeu que seu nome verdadeiro era Martín Quijada, e que no ano anterior adotara o nome de Dom Quixote de la Mancha e a alcunha de Cavaleiro da Triste Figura; mas que atualmente, como havia largado Dulcineia del Toboso — ingrata causa da excessiva penitência que fizera na Sierra Morena, se bem que depois tenha merecido, como prêmio, a conquista do precioso elmo de Mambrino, — passara a chamar-se Cavaleiro Desamorado.

— Muito bem, por Deus! — disse o Corregedor. — E tu, como te chamas?

— Eu, senhor — respondeu ele, — pedindo perdão às honradas barbas que me escutam, chamo-me Sancho Pança. Embora não devesse ter aceito, tornei-me escudeiro infeliz do referido cavaleiro andante. Sou natural de Argamesilla de la Mancha, tendo sido concebido e dado à luz por meu pai e minha mãe, e batizado pelo Cura.

— Como podes ser filho de teu pai e tua mãe, se disseste há pouco que eras filho de asno e besta? — indagou, rindo, o Corregedor, ordenando em seguida ao alguazil e aos meirinhos que o levassem para o cárcere e o deixassem preso como dois pares de grilhetas, até que se elucidasse todo o caso. Depois, que procurassem por todas as pousadas do lugar, até encontrarem o amo daquele lavrador, trazendo-o à sua presença.

Levaram Sancho imediatamente para a cadeia, e as coisas que ele fez e disse pelo caminho e quando se viu aprisionado com dois pares de grilhetas, não há historiador, por diligente que seja, capaz de relatá-las fielmente.

Mas entre outros ditos ingênuos que dele se contam, dizem que ele falou, ao se ver preso às grilhetas:

— Senhores, por favor, tirai-me estes demônios destas travas de ferro! Não consigo andar com elas! Não era preciso colocá-las em mim, pois eu as daria por muito bem colocadas, sem que tivésseis de ter esse trabalho.

Deixando-o no cárcere, chegaram-se perto dele três ou quatro vagabundos que ali estavam presos, trazendo nas mãos uns canudos cheios de piolhos. Vendo aquele simplório, que parecia gente boa de Castela, a Velha, atrapalhando com as grilhetas que não lhe permitiam andar, despejaram-lhe pelo descoberto do pescoço mais de quatrocentos piolhos pelas costas abaixo, com o que lhe deram farto motivo de coçar-se e catar-se durante todo o tempo em que esteve aprisionando; e como eles lhe causavam tanto aborrecimento, não fazia senão lamentar-se de sua sorte e da hora em que havia conhecido Dom Quixote. arrancando-se as barbas, ora se despedia de sua mulher, ora do ruço, ora de Rocinante. Por fim, já desatinado com o incômodo causado pelas grilhetas, dirigiu-se a um dos prisioneiros, dizendo:

— Ah, senhor ladrão, que Deus lhe dê saúde igual à satisfação que demonstra por ver-me neste estado! Será que me pode tirar esses grilhões, que nem me deixam mexer? Se tiver de passar a noite com eles nos pés, não poderei de maneira alguma pregar os olhos.

Chegou um empregado do carcereiro que, escutando aquilo, disse-lhe:

— Irmão, se deres um real a meu amo, ele te deixará sem as grilhetas por esta noite, prestando-te bondosamente esse favor.

Ouvindo isto, tirou Sancho da algibeira uma bolsinha de couro, na qual tinha seis ou sete reais para as despesas do pernoite na hospedaria. Tiroi dela um real de prata e entregou-o ao rapaz, que imediatamente livrou-o das grilhetas.

Quatro ou cinco de seus companheiros de prisão, verdadeiras águias para encontrar coisas que ainda não haviam sido perdidas pelos donos, observando atentamente onde Sancho colocara a bolsa, tramaram entre si e, chegando-se um deles ao escudeiro, abraçou-o, dizendo:

— Oh, bom homem, como nos alegramos por terem tirado de ti aquelas malditas grilhetas Que vivas muitos e bons anos.

Com isto, enfiou sua mão sutilissimamente na algibeira de Sancho, num golpe certeiro e imperceptível, tirando dela a bolsa. É necessário dizer, porém, que no restante procedeu como homem liberal e honrado, pois convidou o logrado para acompanhá-lo a um ágape de biscoitos, frutas e vinho, que fez questão de pagar ele próprio.

Mas voltando a Dom Quixote, como este visse que Sancho demorava a voltar de sua missão, suspeitando do que poderia ter acontecido, entrou na estrebaria e rapidamente encilhou Rocinante. Depois, já montado e armado de escudo e lança, dirigiu-se para a praça, onde chegou a trote picado, acompanhado por uma chusma de meninos. Viram-no o Corregedor e todos os demais, admirando-se de figura daquele abantesma armado e rodeado de gente. Chegando-se para ver o que desejava o cavaleiro, ouviram que Dom Quixote, imaginando estar rodeado por príncipes, sem qualquer mesura ou cortesia, fincando o conto da lança em terra, começou a dizer-lhes com gravidade:

— Oh, vós outros, infanções, que porfiando nas lides não pudestes assentar-vos em nossas terras! Porventura não sabeis que Muça e Dom Julião — o primeiro, um mouro; o segundo, traidor de minha real coroa — andam a devastar as terras há tanto por mim possuídas, pretendendo ademais assentar-se nelas? Tão soberbos se acham com as vitórias que assaz contra a razão alcançaram, tendo os nossos fugido de suas iradas faces, não oferecendo a resistência que a tais infanções e homens de bem compete, sem considerar as coitas de nossas mulheres, nem os muitos desaguisados e esforços que aqueles malandantes, com infinitos tortos, cuidam de fazer em prol de Mafoma e em reproche de nossa fé, dizendo o que não se deve dizer, palavras repletas de mil sandices! Erguei, erguei vossos machetes ora inertes! Que saiam todos: Galindo, Garcilaso, o bom Maestre y Machuca, e Rodrigo de Narváez! E que morram Muça, Cegri, Gomel, Almoradi, Abencerraje, Tarfe, Abenamar, Said, melhores para caçar lebres que para travar combates! Fernando sou de Aragão, e Dona Isabel é minha amantíssima esposa e rainha, e de cima deste cavalo quero ver se há entre vós outros alguém tão valente,

> *Que aqui me traga a cabeça*
> *Desse mouro renegado*
> *Que, diante de meus olhos,*
> *De quatro cristãos deu cabo.*

Falai, falai! Não fiqueis mudos! Quero ver se nesta praça se encontra entre vós algum homem que, com os olhos injetados de sangue, saia em defesa da honra de sua dama, contra a grande formosura da rainha Zenóbia, que trago comigo, a qual por si só é bastante, conforme sei por longa experiência, a dar-vos bem o que fazer, todos juntos a cada qual por si. Portanto, dai-me logo a resposta, que um só sou, e manchego, que basta para quantos sois.

O Corregedor e todos quantos se encontravam com ele, ouvindo Dom Quixote proferir semelhantes palavras, não sabiam a que atribuí-las, nem que responder a elas. Mas quis Deus que, estando nesta confusão, chegassem à praça dois jovens fidalgos da cidade, os quais, vendo aquele ajuntamento e a celeuma que se fazia em torno daquele homem armado, chegaram-se ao Corregedor e aos demais, tendo um deles dito:

— Fiquem sabendo vossas mercês que o homem armado que contemplam causou-me, há dias passados, a mesma admiração que hoje lhes causa. De fato, há coisa de um mês, pouco mais ou menos, passou ele por aqui com esse mesmo traje, e ficou hospedado na Pousada do Sol, onde o vimos à porta Dom Alfonso e eu. Conversando então com ele, verificamos tratar-se de algum louco ou falto de juízo, pois disse-nos tantos disparates, acompanhados de gesticulação e esgares, falando ora do império de Trapisonda, ora da infanta Micomicona, aqui das profundas feridas que recebera em diferentes batalhas, ali de que fora curado pelo milagroso bálsamo de Ferrabrás, que nem conseguíamos entendê-lo. Porém, informando-nos com um lavrador assaz simplório que vinha com ele, e que dizia ser seu escudeiro, disse-nos este que seu amo era de um certo lugar da Mancha, fidalgo honrado e rico, além de grande apreciador de livros de cavalaria. Querendo imitar os antigos cavaleiros andantes, fazia dois anos que andava daquela maneira. Além disso, contou-nos ainda diversas coisas que haviam sucedido a ele e ao amo na Mancha e na Sierra Morena. Ficamos de fato boquiabertos, sem saber a que atribuir tudo aquilo, a não ser que o infeliz enlouquecera com a leitura dos livros de cavalaria, imaginando tratar-se de verdades autênticas aqueles relatos. Por isto, não façam caso vossas mercês do que ele disser. Antes, se quiserem divertir-se um pouco, perguntem-lhe algo e hão de ver que responde com tal serenidade, que até parece algum grão-príncipe dos antigos. E leia vossa mercê, senhor Corregedor, os dísticos que traz pintados no escudo no escudo: são tão ridículos, que servirão para confirmar cabalmente o que eu disse.

Ouvindo isto, o Corregedor voltou-se, chamou um alguazil e ordenou-lhe voltasse depressa ao cárcere e trouxesse até ele o lavrador que há pouco fora ali aprisionado, soltando-o em sua presença. E dirigindo-se a Dom Quixote, que aguardava sua resposta com ar atrevido, disse-lhe:

— Senhor cavaleiro, eu, o imperador, e todos estes duques, condes e marqueses que comigo estão, agradecemos muito a vossa mercê sua boa vinda a esta corte, pois coube-nos a honra de estarmos diante da flor da cavalaria manchega, o desfazedor dos agravos do mundo. Portanto, respondendo a seu desafio, dizemos que ninguém se atreve a travar batalha com vossa mercê, visto ser conhecido seu valor e espalhado seu nome por todo este império, senão por todo o universo. Assim sendo, damo-nos por vencidos e confessamos a formosura dessa senhora Rainha à qual se referiu. Só pedimos a sua mercê seja servido de honrar-nos ainda mais, permanecendo nesta corte quinze ou vinte dias, nos quais toda ela há de servi-lo e favorecê-lo, não conforme vossa mercê merece, mas segundo permite a nossa possibilidade. E queira permitir que eu e estes príncipes sigamos até sua casa, a fim de vermos essa senhora rainha, e para que, tendo a honra de beijar-lhes as mãos, possamos oferecer-lhe nossas vidas e fazendas.

Dom Quixote respondeu:

213

— Senhor imperador, é próprio de homens sábios e discretos arrimar-se ao conselho melhor e mais sensato; assim, como o são vossas mercês, reconhecendo o valor de minha pessoa, a força de meu braço e a justa razão que me leva a defender a formosura sem par da rainha Zenóbia, caíram em si quanto à realidade dos fatos, sem agirem como os energúmenos que, fiando-se no furor de seus indômitos corações, tiveram a louca pretensão de pelejarem contra mim; mas tanto eles como seus imitadores receberam e receberão a justa paga de suas sandices e arrogâncias. Portanto, respondendo ao que vossa serenidade e esses potentados me pedem, de que os honre com minha presença nesta corte quinze dias, respondendo não poder fazê-lo por ora de maneira alguma, pois tenho marcada fera batalha, contra o atrevido e membrudo gigante Bramidão de Cortabigorna, rei de Chipre, e já se aproxima a data prevista. Contudo, finda a batalha, afianço a vossas altezas que, não sendo estorvado por outra importante e nova aventura, como sói muita vez acontecer, voltarei a visitá-los, para enobrecer com minha presença este grandioso império.

Neste instante, chegou o alguazil com o desventurado Sancho, o qual, vendo Dom Quixote no meio de tanta gente, chegou-se a ele, dizendo:

— Ah, senhor Dom Quixote, não sabe — corpo não de Deus! — como acabo de passar por uma das mais terribilíssimas aventuras pelas quais não passaram nem o Preste João das Índias, nem o rei Cuco de Antiopia, nem quantos cavaleiros andantes se criam em toda a andantesca província. Na verdade, umas assombrações, ou então uns velhacões que estavam ali presos, furtaram-me a bolsa por arte de feitiçaria, e derramaram invisivelmente, pelo meu pescoço abaixo, mais de setecentos bilhões de piolhos! Mas garanto que tiveram seu castigo. Deixei-os arranjados como merecem, para que outros não se atrevam a tal doravante, com escudeiros tão andantes quanto o sou, e de estofo igual ao meu. Mirando-se em seu exemplo e vendo de molho as barbas de seus amigos, hão de deixar em chamas as suas.

— Oh, meu Sancho! — disse Dom Quixote. — Que aconteceu e que fizeste com esses malandrins e ladrões que dizes? Conta-me o castigo que lhes deste. Espancaste-os, por acaso?

— Fiz pior — disse Sancho.

— Coraste suas cabeças?

— Pior — respondeu ele.

— Partiste-os ao meio?

— Pior que isso — respondeu.

— Retalhaste em pedacinhos suas carnes, para deitá-las às aves do céu?

— Pior — replicou Sancho.

— Diz, então — perguntou Dom Quixote, — que castigo lhes infligiste?

— Pois digo — respondeu Sancho. — Pobres deles, como ficaram! Desafiei-os a jogar "o que é", e então perguntei: "O que é, o que é parece burro no pelo, na cabeça, nas orelhas, nos dentes, no rabo, nos pés e mãos, e em tudo o mais, inclusive na voz, mas que realmente não é burro?" e ninguém descobriu que era a burra. Veja vossa mercê se os não fiz de tolos, pois até agora estão bobos, sem saber o que dizer, de tão envergonhados por isto! E se eu não tivesse de vir aqui com tanta presteza, chamado que fui pelo senhor alguazil, iria deixá-los como temos, com outra adivinha que tinha na ponta da língua.

Riram-se todos da simploriedade de Sancho; mas Dom Quixote, sem fazer caso, fazendo-lhes sinais com as mãos, chamou atrás de si quantos quisessem ver e beijar as formosíssimas mãos da rainha Zenóbia. Todos quiseram ir. Pelo caminho, o Corregedor foi conversando com Sancho, rindo-se muito das suas bobagens. Assim, chegaram à Pousada do Sol. Entrando à frente Dom Quixote, desceu de Rocinante e, chamando Bárbara pelo nome de "invictíssima rainha Zenóbia" , saiu ela da cozinha, onde se achava, vestida com uma capa velha do dono da pousada, já que perdera seus vestidos no bosque, e já não mais dispunha da cobertura que o manto do ermitão lhe propiciara, nem da roupa velha da mulher do hospedeiro, que até então havia vestido.

Vendo-a, disse Dom Quixote, fazendo profunda mesura:

— Estes príncipes, soberana senhora, querem beijar as mãos de vossa alteza.

Enquanto Sancho entrava para o estábulo, a fim de desencilhar e dar de comer a Rocinante, saiu ela da hospedagem com a seguinte figura: descabelada, com a madeixa meio castanha e meio grisalha, cheia de lêndeas e algo curta; trajando a capa do hospedeiro, atada pela cintura, em lugar do fraldelim; era uma capa velhíssima, cheia de buracos, e tão curta, que deixava exposta meia perna e vara e meia de pés sujos de terra, calçados em rotas alpargatas, cujas pontas deixavam à mostra bom pedaços das unhas de seus dedos; os peitos, que se divisavam entre a camisa suja e o dito fraldelim, eram escuros e enrugados, e além disto tão compridos e murchos, que ficavam pendentes dois palmos; a cara suada mostrava o sujo da poeira do caminho e da fuligem da cozinha. Para aumentar sua beleza, destacava-se no rosto a encantadora cicatriz deixada pela navalhada que um dia lhe fora desferida. Resumindo: era tal sua aparência, que só podia mesmo agradar a um criminoso condenado a quarenta anos de boa vida nas galés.

Apenas despontou na porta, a chamado de seu benfeitor, quando, avistada pelo Corregedor e pelos cavaleiros e alguazis que o acompanhavam, sentiu-se tão envergonhada que quase deu meia-volta. Deteve-a o Corregedor, que lhe disse, dissimulado quando pôde o riso:

— Sois porventura a formosa rainha Zenóbia, cuja singular formosura tanto gabou o manchego senhor Dom Quixote? Se assim for, desnecessários serão seus desafios, pois só com vossa figura podereis defender-vos, não digo de todo o mundo, mas até mesmo do inferno. Vossa cara de réquiem e vosso aspecto luciferino, com essa cicatriz que o amplifica, e essa boca tão pouco servida de dentes, serão o bastante para servir de postigo de esterqueira a qualquer honrada cidade, e essas mamas compridas, revelam que mais pareceis criada de Proserpina, rainha do estígio lago, que pessoa humana, quanto menos rainha.

215

Sem saber o que fazer ou dizer, e receosa de que ele tivesse a intenção de aprisioná-la, talvez informado das práticas de feiticeiras que, como a seguir contaremos, lhe haviam sido imputadas em Alcalá, ela respondeu, entre lágrimas:

— Eu, senhor Corregedor, não sou rainha nem princesa, como afirma esse louco Dom Quixote, mas tão somente um pobre mulher natural de Alcalá de Henares, chamada Bárbara, que fui enganada por um estudante. Ele me fez sair de casa e, a seis ou sete léguas de Siguenza, deixou-me nua e desamparada, como estou, presa de pés e mãos numa árvore, tirando-me tudo quanto trazia. Quis Deus que, estando naquela situação aflitiva, passassem próximo daquele pinheiral Dom Quixote e esse lavrador que lhe serve de escudeiro, os quais me desataram, trazendo-me consigo e prometendo levar-me de volta à minha terra.

Ouvindo-a dizer que era natural de Alcalá, o Corregedor chamou um pajem seu que estava próximo e disse a Bárbara:

— Vedes aqui este rapazinho que de lá veio não faz um mês?

O pajem, observando-a bem, reconheceu-a e disse:

— Valha-te o diabo, Bárbara Navalhada! Quem te trouxe a Siguenza?

Seu amo perguntou-lhe se a conhecia, e ele respondeu que sim: ela era mundogueira na rua Bodegas de Alcalá; tinha fama de pouco asseada e, há cerca de dois meses, fora exposta junto à porta da igreja de San Yuste, no alto de uma escada, com uma carocha na cabeça, acusada de alcovitagem e feitiçaria. Dizia-se por lá que ela era especialista em revender donzelas já usadas como novas em folha, melhor do que Celestina.

Quando ela ouviu o que disse o pajem e viu que todos se riam, encheu-se de cólera e respondeu:

— Por vida de minha mãe, que mente esse pícaro desavergonhado! Se fui posta na escada, como ele disse, foi por causa da inveja de umas velhacas vizinhas; na verdade, foi querendo prestar um favor a certos amigos meus que me adveio todo esse mal. Mas afianço que não podem acusar-me de outra coisa, pois não estive ali como ladra, feito outras que são levadas todo dia por essas ruas. Por querer fazer o bem, me dei mal, e Deus seja louvado.

E começou a chorar em seguida, enquanto os demais se dobravam de rir.

Saiu da hospedaria Dom Quixote e, vendo-a a chorar daquela maneira, tomou-lhe na mão, dizendo:

— Não vos aflijais, formosíssima e poderosa rainha Zenóbia, que eu seria assaz malandante cavaleiro se não vos vingasse muito bem das sandices daquele estudante e das aleivosas que se vos fizeram. Podeis dizer sem reproche que, se formosa sois, é um dos melhores cavaleiros do mundo este que desfará tal torto.

E voltando-se para o Corregedor e seus acompanhantes, falou:

— Soberanos príncipes, sigo amanhã para a Corte. Se entrementes, como sói acontecer, algum cavaleiro tártaro ou rei tirano vier perturbar-voz a paz, cercando com seu forte exército esta vossa imperial cidade, chegando a afligir-vos em tal extremo que vos vejais compelidos, pela terrível fome e por falta de mantimentos, a devorar os próprios companheiros, os cavalos, os jumentos, os cães e as ratazanas, e as mulheres seus amados filhos, chamai-me onde quer que me encontre, que juro e prometo, pelo ordem de cavalaria que recebi, vir só e armado, como vedes, e entrar à noite por entre as hostes do pagão, provocando horrenda mortandade, atravessando pelo meio de exército e entrando, sem embargo das sentinelas, escaramuças e armas, na cidade, da qual logo saireis com grande alegria para recepcionar-me, acompanhados de numerosos círios ardentes, vendo-se nas janelas as luminárias a mostrar os encantadores serafins assombrados por meu valor, de formosura maior que a das três belas damas nuas que avistou o venturoso Páris no monte Ida, sendo impossível conter suas alacres vozes a saudar-me, dizendo: "Seja bem-vindo o valentíssimo cavaleiro!" E como não sei se então meu nome será Cavaleiro do Sol, ou dos Fogos, ou da Ardente Espada, ou do Escudo Encantado, não asseguro o cognome que me darão, mas sem dúvida sei que irão acrescentar: "Seja bem-vindo o desejado das damas, o Febo da discrição, o norte dos galantes, o açoite de nossos inimigos, libertadores de nossa pátria e, finalmente, a fortaleza de nossas muralhas." Depois, levar-me-á o rei para o seu real palácio, onde seus principais me haverão de servir e regalar, requestando-me importunamente sua filha, única sucessão e sem-par na beleza. Então, dando exemplo ao mundo, e aos cavaleiros andantes que nele me sucederem, de continência, cortesia e força, empregarei a minha dispensando os nupciais deleites que fui por algum benévolo astro para maiores e mais grandiosas empresas, para glória dos ditosos cronistas, mormente a de meu grande amigo Alquife, um dos maiores sábios do mundo, os quais hão de merecer, nos séculos dourados que estão por vir, a honra de relatar meus invencíveis feitos.

Nisto, saiu Sancho correndo da cozinha e disse:

— Venha vossa mercê, senhor, e que se danem quantos historiadores tiveram todos os cavaleiros andantes, desde Adão até o Anticristo — castigue Deus o muito filho da puta! — pois já é tarde, e o hopedeiro está dizendo que tem, para vossa mercê e a rainha Zenóbia, assado às mil maravilhas e acompanhado de alho e que se queime o pernil, que já está ficando duro de tanto aguardar-nos.

Ouvindo aquilo, foram-se embora o Corregedor e seus acompanhantes, em meio a risos e exclamações de espanto, uns lembrando-se dos disparates do amo e ingenuidades do escudeiro, outros estranhando o diferente gênero de loucura do infeliz manchego, efeito maldito dos nocivos e prejudiciais livros de fabulosas cavalarias e aventuras, dignos, tanto eles como seus autores, e mesmo seus leitores, de que as repúblicas bem regidas os desterrassem para bem longe de seus confins. Mas do que mais se admiraram foi de ver a facilidade que tinha Dom Quixote de usar a linguagem antigamente usada em Castela, durante os cândidos séculos do conde Fernán González, de Peranzules, de Cid Ruiz-Dias e de todos os demais antigos.

Com grande gosto, cearam Dom Quixote, e rainha Zenóbio e Sancho; os dois últimos, pela boa qualidade de ceia e pela fome como que se achavam; Dom Quixote, pelo orgulho que sentiu por ver o aplauso com que imaginou ser sido recebido pelos príncipes daquela cidade. Depois do jantar, chamando o hospedeiro, pediu-lhe que trouxesse ali um roupavelheiro, pois queria comprar um bom vestido para a rainha Zenóbia. Respondeu-lhe o homem que era impossível fazê-lo àquela hora, por ser há muito tarde, mas garantiu-lhe que iria bucá-lo logo que amanhecesse. Assim, foram-se deitar todos, cada qual em seu aposento.

AQUI TEM FIM A SEXTA
PARTE DO ENGENHOSO
FIDALGO DOM QUIXOTE
DE LA MANCHA

SÉTIMA PARTE

CAPÍTULO XXV

DE COMO, AO SAIR NOSSO CAVALEIRO DE SIGUENZA, ENCONTROU DOIS ESTUDANTES, E DAS GRACIOSAS COISAS QUE COM ELES SE PASSARAM ATÉ ALCALÁ.

Logo que amanheceu, foi o hospedeiro chamar, como ordenara Dom Quixote, um vendedor de roupas velhas, trazendo consigo o mais bem sortido do lugar. Ele trouxe consigo dois ou três vestidos de mulher, para que quem o mandara chamar pudesse escolher em que mais lhe agradasse.

Chegados à pousada, encontraram Dom Quixote e Sancho, que acabavam de se levantar. Tendo o hospedeiro dito de quem se tratava o sujeito que estava com ele, quis Dom Quixote ver as roupas e, saudando-o cortesmente, chamou a rainha Zenóbia para escolher a que fosse mais de seu gosto. Examinando-as, por fim resolveram que a de maior gala e elegância era um conjunto de saia, gibão e veste, todos encarnados, com gorbiões amarelos e verdes, e cordões azuis, de seda. Por tudo, pagaram doze ducados. Pediu Dom Quixote que Bárbara vestisse aquele traje, o que ela logo fez. Vendo-a Sancho toda de vermelho, disse, tomado de riso:

— Pela vida de minha amantíssima mulher Mari-Guitiérrez, minha única consorte, já que outra coisa não permite nossa Santa Madre Igreja: ó senhora rainha Zenóbia, quando a vejo com cara tão velhaca, ainda mais com esse lanho desigual que a atravessa, e vestida assim toda de vermelho, parece até que estou vendo, sem tirar nem pôr, uma égua velha que acabaram de esfolar para fazer crivos e joeiras com sua pele dura!

Foi-se o roupavelheiro satisfeito com a venda, do mesmo modo que ficou o hospedeiro, tendo acertado com Dom Quixote que este lhe pagasse vinte e seis ducados por uma razoável mula que acabava de lhe vender. O fidalgo ordenou que fosse posto no animal o maior toldo que se pudesse, para que à sua sombra pudesse a rainha Zenóbia seguir confortavelmente até a Corte, onde ele pensava fazer maravilhas, defendendo sua rara beleza e formosura em arena pública. Assim, fizeram todos com grande satisfação a refeição da manhã, e depois Dom Quixote, devidamente armado, pagou a hospedagem e saiu, dizendo a Sancho Pança que seguisse atrás devagar, acompanhando a rainha e cuidando de seu conforto e comodidade. Ele iria à frente, cuidando de não adiantar-se demais.

Sancho arreou o ruço e acomodou sobre ele a maleta com o dinheiro e as roupas. Então, chamando Bárbara, disse-lhe:

— Venha cá, senhora rainha: por vida de nossa mãe Eva, do modo como vossa majestade está vermelha, poderia ser a rainha de quantas papoulas há, não só nos campos de minha terra, como até mesmo nos de toda a Mancha.

E pondo-se no chão de gatinhas, como costumava fazer, voltou a cabeça, dizendo:

— Pode subir, e subida a veja na forca, a ela e a quem para cá nos trouxe este pesado carregamento de bacalhau!

Bárbara montou, dizendo:

— Ah, Sancho, que velhaco tu és! Cata-te, que se fortuna nos levar sem problemas a Alcalá, hás de receber prêmio melhor que imaginas.

— De que prêmios fala? — replicou ele. — Fique sabendo que se não forem de comer, e abundantes, não lhe daria um figo de ouro do tamanho de um punho por qualquer outra coisa que me for dada.

— Tens mau gosto, Sancho — disse Bárbara, — pois te preocupas mais com coisas de brutos que com as de homens. O prêmio que te darei, se chegarmos a Alcalá com a saúde que desejo, e ali permanecermos por alguns dias, será uma rapariga linda como uma pinha de ouro, para que te divirtas com ela por mais de suas sestas seguidas. Tenho-as lá muitas, ótimas e de bom parecer, e se teu amo também quiser algumas, poderá escolher, como se faz uma botica.

— Pois afianço, senhora rainha Zenóbia — disse Sancho, — que ficaria muito feliz se me arranjasse uma dessas moças, mas teria de ser bem formosa, de cascos fortes e bons bigodes, para que ninguém me vá perdê-la ou desencaminhá-la, dando motivo de riso ao diabo, fazendo suar alguma parteira, ou obrigando algum vigário ou cura a cristianizar algum *fructus ventris*.

— És um tolo — disse Bárbara — querendo-a com bigodes, pois não há Barrabás que chegue perto de uma assim. Deixa a meu cargo a escolha, que hei de buscar uma de tão boa carne, que a queiras morder, como quem morde uma perdiz.

— Arreda, diabo! — exclamou Sancho. — Isso não. Para longe, saio, não caia no meu raio, como dizem os sábios. Não sou como aqueles negros das Índias, ou aqueles luteranos de Constantinopla, que andam por aí mastigando carne humana. Só me faltava isso para que a Justiça, sabendo do fato, me castigasse. E comprovado a delito, seria condenado a remar em todas as trezentas galeras de Juan de Mena.

Assim conversando, emparelham com Dom Quixote, que enquanto os esperava travara conhecimento com dois jovens estudantes que também se dirigiam a Alcalá. Conversara com eles, falando-lhes num latim macarrônico cheio de solecismos, esquecido daquele castiço e puro que estudara quando jovem, em razão das perniciosas leituras de seus livros de cavalaria. Embora os dois jovens estivessem para arrebentar de riso ouvindo aqueles disparates, preferiam não contestá-lo, temerosos do humor colérico que sua feroz catadura fazia pressupor.

Quando chegou Sancho, vendo-os conversar daquela maneira, disse ao amo:

— Cuidado com esses que se vestem da mesma maneira, senhor, porque são da linhagem daqueles do colégio de Saragoça, os tais que me despejaram mais de setecentas cusparadas — mas com seu pão as comam, pois garanto que quase lhe custou a vida. É como se diz: fazer o mal sem olhar ao qual; fazer o bem, e o mal lá vem.

— Inverteste tudo, grande néscio — disse Dom Quixote; — mas vejamos que vingança tomaste, e se foi melhor que tua triste desforra na cadeia de Siguenza, contra aqueles que te deixaram em tão deplorável estado.

— Essa foi bem melhor — replicou Sancho, — e se bem que aquela não foi assim tão má. Mas escutai esta outra, pois irão gostar de minha presença de espírito. Era que era, que em hora boa seja...

Quando Dom Quixote escutou esse início, disse-lhe, rindo:

— Por Deus que és um simplório de marca maior! Começas a narrativa de tua vingança como se fosse um conto fabuloso.

— Vossa mercê tem razão, por vida minha! — concordou Sancho. — Corrigindo, digo que quando aqueles putíssimos estudantes, sem dúvida progenitores destes dois senhores de barbinhas juvenis, começaram a cuspir-me em cima e dar-me pescoções, depois daquela escarrada que já contei, com a qual um grandíssimo velhaco me tapou este pobre olho, comecei a encaminhar-me para a porta; porém, logo outro daqueles demônios, vendo-me caolho e correndo, pôs-me o pé na frente, dando-me um tão terrível tropeção, que vim a esborrachar-me do outro lado da porta. Mas de tudo isto tirei feroz vingança: tomando do barrete que caíra no chão, atirei-o num que estava perto de mim, acertando-lhe tremenda pancada em sua capa negra. Negra seria sua sorte se o golpe, em vez de aplicado com um barrete, o fosse com uma colubrina!

— Sois o diabo, senhor Sancho — disse um dos estudantes, — e se assim tratais aos que vestem uniforme, mesmo que não se trate de parentes meus, contrariamente ao que afirmastes, não quero guerra convosco, mas sim muita paz. E que eu possa servir-vos, assim como este meu companheiro, que sei pensar como eu em assunto tão justo como este, pelo tanto que durar este caminho.

— Vossas mercês — disse Dom Quixote — poderiam fazer a mercê de contar e referir para todos nós os curiosos enigmas dos quais me vinham dando notícia? Curiosos devem ser, porquanto engendrados por esses fecundos engenhos. Nós que professamos a ordem da cavalaria andantesca, movidos por fervorosos desejos, acicatados pelas prendas de alguma formosíssima dama, também apreciamos a poesia, que muitas vezes até cultivamos. Assim, cabe em nós uma ponta do furor divino, pois, como disse Horácio, *est Deus in nobis*.

— Mesmo ainda estando nos rascunhos — replicou o estudante, — teremos prazer em referi-los para vossas mercês.

— E grande privilégio terão — disse Dom Quixote — de poder fazê-lo em presença da grande rainha Zenóbia, que conosco está, pois seu raro discurso bastará para dar eterno valor àquilo que ela louvar, e ela há de dar seu ponderado parecer quanto às produções poéticas de vossas mercês.

Os estudantes olharam para Bárbara com sorrisos ambíguos e vergonha por parte dela, que em suas lisonjas e elogios logo entendeu o humor zombeteiro que havia por trás das palavras.

Um deles então disse:

— Com a condição de que Sancho, com seu eminente engenho, decifre o enigma, vou então lê-lo:

ENIGMA

Presa a uma forte corrente,
na parede pendurada,
fui, sem ter culpa formada,
condenada injustamente.
Se morta, não sou querida;
vivo e morro num momento,
e tendo a forma de vento,
por ele sou agredida.
Vivo em risco, sempre perto
da água, que me causa a morte,
e se, por falta de sorte,
caio ao chão, meu fim é certo.
Sou baixada, sou erguida,

> *e junto a Deus eu me encaixo;*
> *meu sustento fica embaixo;*
> *se ele acaba, perco a vida.*
> *Clareio a noite fechada,*
> *tornando tudo visível,*
> *e, embora não comestível,*
> *meu nome termina em "pada".*

Dom Quixote o fez repetir duas vezes o enigma, e da última lhe disse:

—Por certo, senhor estudante, que se trata de enigma excelente, sendo tal excelência a causa pela qual não alcanço seu significado. Assim, suplico a vossa mercê que o declare a nós, porque quero transcrevê-lo hoje à noite, quando estivermos na pousada, a fim de decorá-lo.

Sancho, que estivera calado, escutando com muita atenção, a testa apoiada na mão enquanto o estudante lia de novo o enigma, de repente mostrou-se alegre e disse:

— Eia, meu senhor Dom Quixote, vitória! Vitória! Já descobri o que é.

O estudante então disse:

— Bem que o suspeitava, senhor Sancho, e tive por impossível, desde o princípio, que a resposta pudesse escapar ao agudo juízo de vossa mercê. Assim, suplico-lhe sirva-se de dizer-nos o que vossa mercê deduziu.

Sancho ainda continuou pensativo por algum tempo, dizendo afinal:

— A resposta é uma destas duas coisas: ou montanha, ou ferrolho.

Deram todos uma gostosa risada com aquele disparate. Vendo Sancho que suas palavras tinham sido motivo de riso, replicou:

— Pois se não é nenhuma destas coisas que disse, então diga-nos vossa mercê o que é, por sua vida, que meu senhor e eu nos damos por vencidos.

O estudante respondeu:

— Pois saibam, meus senhores, que a resposta do enigma é *lâmpada*: ela está presa a correntes, sem culpa alguma, sempre pendurada a alguma parede. Tem a forma do vento, porque, como é fato comprovado pela experiência, o vidreiro a forja a sopros. Tem água, que pode ser a causa de sua morte, porque nas lâmpadas, enchendo-se a sua metade de água, esta logo há de apagá-la, se não estiver acompanhada de azeite. De que caindo em terra se quebra, não há que prová-lo com outros testemunhos que a própria experiência. Quando a estar ora baixada e ora erguida, é compreensível, pois enquanto se rezam os ofícios divinos, costuma estar no alto, vindo para baixo durante a noite. Também é verdade que se encaixa junto de Deus, pois de ordinário ela é colocada diante do Santíssimo Sacramento. Também é claro que, consumindo-se que lhe fica por debaixo, vai-se-lhe a vida, porque, acabando-se o azeite, ela apaga. Por fim, não há quem não veja que ela clareia a escuridão, e que seu nome termina em "pada", pois estas são as duas últimas sílabas de "lâmpada".

224

— Pela vida de quem me pariu — disse Sancho, — destes uma ótima explicação. Ah, filho da puta, velhaco; só o diabo poderia matar essa charada.

Dom Quixote também elogiou e rogou ao outro mancebo que recitasse o seu, porque suspeitava que não devia ser menos agudo que o do seu companheiro. O outro, sem se fazer de rogado, recitou o seu, que era assim:

ENIGMA

Eu tenho de andar por cima,
por ser, como sou, ligeiro;
de ovelha nasci primeiro;
o turco, só, não me estima.
Embora sempre redondo,
posso ter muitas feições;
cubro mais de dez milhões,
e animais também escondo.
Fico até acima dos reis;
sou gigante e sou nanico;
eu protejo o pobre e o rico,
quem cumpre e quem burla as leis.
Costumo andar entre as mãos,
quando o calor recrudesce,
e minha boca aparece,
se estou entre os cortesãos.
Logo no trono eu me assento,
inchado de presunção;
mas para que caia ao chão,
bastam cortesia e vento.

Nem bem terminara o inteligente estudante, quando Sancho se intrometeu, querendo passar-se por agudo, dizendo:

— Senhores, esse "estigma", ou como quer que se chame, é muito claro, e desde a primeira estrofe pude ver que outra coisa não poderia ser senão o toucinho, porque dele é que se pode dizer: " o turco, só, não me estima" . E se o turco não o come, nem faz caso dele, foi porque assim o ordenou aquele fariseu do Mafoma.

Dom Quixote rogou ao estudante que não fizesse caso dos disparates de Sancho, e que decifrasse logo o enigma, pois desejava muito saber a resposta. Ele então respondeu:

225

— Vossas mercês saibam que a resposta deste enigma é "chapéu". Ele tem de andar por cima, já que vai sempre sobre as cabeças. Nasceu primeiro de ovelha, porque de ordinário é feito de lã. O turco não o estima, porque entre eles não se usam chapéus, mas sim turbantes. Sempre redondo e de muitas feições: de fato, existem os altos, os baixos, os curvos, os achatados, os de abas largas ou estreitas, mas todos redondos. Cobre mais dez milhões de cabelos, entre os quais se criam os piolhos, como em bosque próprio de tais animais. Senta-se sobre reis e imperadores, sendo às vezes rasos, como os de Saboia. Trazem-nos os homens nas mãos, quando faz calor, e os cortesãos de boca para cima, quando praticam a cortesia do beija-mãos. Depois disto, voltam a assentá-los nos tronos de suas cabeças, de onde pode retirá-los o vento, quando sopra forte, ou a cortesia, quando se passa diante de quem a merece.

— Essa daí — disse Sancho — é mais velhaca de entender-se que a anterior. Mesmo assim, aposto com que quiser que, se a disserem de novo, acerto a resposta da primeira vez.

— Escutem só o ignorante! — exclamou Dom Quixote. — Dessa maneira, não há homem no mundo que responda errado: basta dizer antes a resposta certa.

— E quando foi que Sancho disse algo que não tenha escutado antes? — replicou Bárbara. — E não há o que se admirar, pois nunca ninguém disse o que primeiro não tenha aprendido e estudado. Se não, digam-me: quem saberia chamar as coisas por seu nome, ainda que as mais comuns, e que saberia rezar o *Pater noster*, que é o a-be-cê da nossa fé, se primeiro não lhe for ensinado repetidas vezes?

Alegrou-se Sancho infinitamente com o sensato abono que Bárbara lhe dera. E como todos o chamassem de esperto, e ele se sentisse como um rei, agradecendo aquelas palavras, disse Dom Quixote:

— Não se admirem vossas mercês da esperteza de sua majestade, porque se os fios de minha espada forem tão agudos como os conceitos de seu divino entendimento, não estaria sua real pessoa sem a pacífica posse de seu reino e o governo de suas amazonas, nem eu ainda teria de conquistar o reino de Chipre, ou ter de sujar minhas mãos no soberbo Bramidão de Cortabigorna. Mas deixemos isto para quando me vir na Corte, pois tais lembranças me provocam a cólera de tal sorte, que temo provocar, por causa dela, maior número de mortes que o causado por Deus no mundo com o dilúvio universal. E voltando a nossa aprazível conversa, suplico a vossas mercês dar-me as cópias desses enigmas, se porventura já dispõem das mesmas.

Um deles respondeu que iria escrevê-la na hospedaria, mas o outro tirou da algibeira uma cópia do enigma da lâmpada, dizendo:

— Fique vossa mercê com esta, pois tenho outra guardada.

Dom Quixote recebeu-a com satisfação. Ao entregá-la ao fidalgo, caiu da mão do estudante um outro papel. Pergutando Dom Quixote do que se tratava, respondeu-lhe o jovem que eram uns versos que acabara de fazer, dedicados a certa donzela pela qual sentia grande afeto, e cujo nome era Ana. Por causa disto, fizera os tais versos iniciando-os sempre pelo nome da amada, ou seja, por *ana*.

Dom Quixote rogou-lhe com notável instância que os lesse, seguro de que, sendo de sua autoria, não poderiam deixar de ser interessantíssimos. Assim, não sem algum orgulho, sentimento inseparável dos poetas, e com rara atenção dos ouvintes, pôs-se estudante o lê-los.

E eles assim diziam, segundo fielmente os extraí da história de nosso engenhoso fidalgo, cujo tradução lhes aprensento:

Coplas a uma dama chamada Ana

Ana, o que sinto é paixão
por ti, cujo nome traz
um N em meio AA:
duas Almas entre um Não.

Analisa os AA e o N:
A Ninguém Ames, senão
a mim, pois minha afeição
por ti é enorme e perene.

Anaxarte, um dos mais sábios,
tornou-se um dia homicida,
qual serás de minha vida,
só por um Não de teus lábios.

A nadar no fundo e escuro
mar do amor que me rodeia,
diviso a luz da candeia
de Ana, meu porto seguro.

Anátema a Igreja lança
sobre quem a fé perdeu;
não sobre alguém que, como eu,
tem mais que fé: tem confiança.

Anastácia foi mulher
de um santo rei, enquanto Ana
de minha alma é soberana,
e de mim faz o que quer.

Ananias e os amigos
cantaram dentro de um forno;
para mim, Ana é bochorno
de sufocantes perigos.

Analógico se chama
o que mantém grau e altura,
como tua formosura,
que se iguala a tua fama.

Anabatistas professam
ser de novo batizados;
pois duplico meus cuidados
e — ai de mim! — eles não cessam.

Anacoretas imito,
chorando em recolhimento;
mas, súbito, o meu tormento
aumenta, e o teu nome eu grito.

Anais fornecem à História
o relato de um evento;
nos anais do pensamento,
não sais da minha memória.

A Namur chamam de vila,
e a servem com lealdade;
para mim, Ana, és cidade,
e estarei pronto a servi-la.

— Interessantíssimas, sem dúvida — disse Dom Quixote quando o estudante acabou de ler os versos, — e, a meu ver, únicas em seu gênero.

Como de costume, intrometeu-se Sancho, dizendo:

— Senhor estudante, juro em minha consciência que são lindíssimas, se bem que me parece faltar-lhes falar na vida e morte de Anás e Caifás, pessoas de quem os quatro santos Evangelhos dão copiosa notícia. Não seria mau que também vossa mercê os lembrasse, ao menos para lisonjear os muitos e honrados descendentes que eles ainda hoje têm pelo mundo. Mas deixando isto de lado: seria possível fazer-me o obséquio de inventar outros versos semelhantes a esses que começam por Ana, só que começando por Mari-Gutiérrez, a qual, com o perdão de vossas mercês e pesar meu, é minha mulher e há de sê-lo até que Deus queira o contrário? Mas veja bem que, se resolver fazer tais versos, não me vá chamá-la de rainha, mas somente de almiranta, porque meu senhor Dom Quixote não me parece que esteja disposto a fazer-me rei; assim, forçosamente não hei de passar, por mal dor meus pecados, de almirante ou governador, desde que sua mercê conquiste alguma ilha ou península das que me promete. E por minha fé que, se ele e eu nos temos saído bem como seculares, melhor nos saímos como eclesiásticos, pois muito temos prosperado desde que estamos à cata de aventuras: o que já arranjamos de roxos pelo corpo, e o que já fomos benzidos e crismados por aí afora, até lembram os roxos e bentos que se encontram em Roma ou em Santiago de Galícia... Enfim, bem se diz por aí que, quem não pode deixar mais do que já tem, a morrer logo vem.

Com este bom entretenimento, chegaram de noite à pousada, sempre acompanhados dos dois estudantes, já que pouco caminhava Dom Quixote: não mais de quatro ou cinco léguas por dia. Com efeito, Rocinante não podia fazer jornadas maiores, pois não lhe davam condição para tal sua fraqueza e o peso de anos que carregava nas costas.

Assim sendo, caminharam três dias, sem que lhe sucedesse coisa digna de menção, embora em todo lugar por que passassem fossem notados e provocassem muitos risos, particularmente em Hita, pelo tratamento que Dom Quixote dispensava à rainha Zenóbia, a qual não era pouco conhecida em toda aquela região, nem menos dos estudantes, que todo dia relatavam suas virtudes a Dom Quixote, mas era impossível tentar dissuadi-lo do que a seu respeito imaginara a sua quimérica e louca fantasia.

CAPÍTULO XXVI

DOS ENGRAÇADOS ACONTECIMENTOS QUE SE PASSARAM ENTRE DOM QUIXOTE E UMA COMPANHIA DE ATORES, COM QUEM ELE SE ENCONTROU EM UMA AVENIDA PERTO DE ALCALÁ.

Caminhando Dom Quixote com seus acompanhantes, entre os quais se incluíam os dois estudantes aos quais nos referimos, sucedeu que, chegando a pouco mais de duas léguas de Alcalá, viram Sancho e seu amo que não daria tempo para entrarem com dia claro naquela cidade, conforme haviam planejado. Pesaroso com esta circunstância, perguntou Dom Quixote aos estudantes se haveria algum lugar antes de Alcalá onde pudessem pernoitar. Receosos de terem de passar a noite desconfortavelmente num descampado qualquer, responderam eles que a um quarto de légua dali havia uma venda, onde poderiam passar razoavelmente a noite.

Ouvindo a palavra "venda", praguejou Sancho, dizendo:

— Pelas entranhas da baleia de Jonas, meu senhor Dom Quixote, suplico-lhe que não cheguemos até de modo algum, pois isso que estes senhores chamam de venda são aqueles castelos encantados ao qual vossa mercê se refere, nos quais somos espancados invisivelmente por gigantes, duendes, fantasmas, energúmenos, assombrações e aparições, ou como quer que se chame esse que milhares de vezes tanto nos deram que chorar e curar — que o digam meus ossos escudeiris, já que os de vossa mercê sempre se saíram melhor com o remédio daquele precioso bálsamo, cuja eficácia só a mim não se revelou, pois não fui armado cavaleiro.

Não fez caso Dom Quixote dos receios e esconjuros de seu escudeiro, respondendo-lhe com animação:

— Venha o que vier, que para tudo estamos dispostos os cavaleiros andantes! Assim, vamos para lá, em nome de Deus.

Apenas deram trintas passos e avistaram a venda. Chegando a um tiro de arcabuz de distância, tendo Dom Quixote refletido sobre o que Sancho lhe dissera, falou ao escudeiro:

— Acabo de lembrar-me, Sancho, dos grandes trabalhos, infortúnios, desassossegos, transes, perigos e desastres que faz um ano passamos nos castelos semelhantes a este que ora vemos, e nos quais nos alojamos, devido a se achar ali secretamente escondido aquele sábio feiticeiro meu adversário, que sempre procurou e procura causar-me todo o mal que pôde e pode, através de suas malignas e perversas artes. O pior é que não me resta qualquer dúvida de que ele novamente se encontra neste castelo, interessado em causar-me algum grave dano, como de costume, e apesar de suas artes não superarem o valor da minha pessoa. O que se deve e se pode pois fazer para evitar-se este grande perigo é que tu e a senhora rainha, juntamente com este dois senhores estudantes, sigais atrás de mim como em linha de retaguarda, vagarosamente, pois pretendo ir na frente, a fim de verificar se é mesmo verdade tudo isto que suspeito.

Sancho replicou:

— Se vossa mercê me acreditasse desde o princípio, não nos meteríamos nessas contendas — queria Deus não venhamos todos a chorar! Mas siga em frente, como quer, e que Deus proteja, que nós outros seguiremos tão atrás como pudermos, se bem que não tão atrás como desejamos.

Adiantou-se Dom Quixote do grupo e, vendo perto da venda umas sete ou oito pessoas vestidas com trajes estranhos, puxou as rédeas de Rocinante, recuando até os da retaguarda e dizendo-lhes:

— Calem-se todos, senhores, e vejam à porta do castelo os abantesmas que lá se encontram.

Olharam todos para onde ele ordenara, ao mesmo tempo em que os da venda, vendo chegar aquele homem armado empunhando um escudo, coisa pouco ousada por aquelas bandas, e notando que ele se voltara para falar com uma mulher vestida de encarnado, chamaram outros que se achavam dentro, e não eram poucos, porque se tratava de uma importante companhia de comediantes, uma das mais conhecidas de Castela, que, por sugestão do autor das comédias, que também no local se achava, havia decidido passar ali a noite, a fim de ensaiar as peças que deveriam representar nos dias seguintes em Alcalá, teatro de consideração e apreço, pelos seus talentosos e seletos engenhos que abrilhantam toda a Espanha.

Por sua vez, vendo-os Dom Quixote a contemplá-lo enfileirados, e notando entre eles o autor, homem moreno e alto de talhe, que estava à frente de todos, tendo numa das mãos uma vareta, e na outra os papéis da comédia, que até pouco antes estivera lendo, começou a dizer:

— Posso agora ver, amigo Sancho, as imensas mercês que a cada dia recebo da sábia Urganda, minha benévola e fidelíssima protetora, pois hoje ela me fez claramente enxergar que nesta fortaleza se encontra aquele perverso feiticeiro Fristão, meu inimigo, aguardando-me com algum estratagema ou armadilha, arrogante e soberbo, esperando para ter-me entre duras cadeias, em sua obscura masmorra. Mas estando já bem advertido, quero de uma vez por todas dar cabo dele, se me for possível, para que doravante possa caminhar seguro e livre por todas as partes do mundo. E para que te certifiques, Sancho, e também vós, poderosíssima rainha, e vós outros, virtuosíssimos mancebos, que digo a verdade, não vedes entre aqueles soldados que à porta do castelo estão de sentinela um homem alto e moreno, com uma vareta na mão direita e um livro na esquerda? Pois aquele é o meu mortal inimigo, que aqui veio com o intuito de estorvar a batalha que jurei travar com o rei de Chipre, Bramidão de Cortabigorna, o qual, desse modo, poderá sair por aí a desmoralizar-me, espalhando que não me atrevi, por covardia, a chegar até a Corte e enfrentá-lo ali onde ele me aguardava para o combate. Se tal impedimento ocorrer, para mim seria pior que a morte; portanto, estou determinado a descobrir se de algum modo poderei extirpar do mundo a quem tantos males e danos causou e ainda causa até hoje.

Os estudantes, boquiabertos com os disparates que estavam escutando, tiraram os chapéus, e um deles disse a Dom Quixote:

— Tenha vossa mercê a bondade, senhor Dom Quixote, de pensar bem no que diz pensar fazer, pois sabemos muito bem que este lugar se trata de uma venda, e não de fortaleza ou castelo, e que ali não há soldados e guardá-la, conforme pensa vossa mercê: os que à porta se encontram são pessoas bem conhecidas na Espanha, pois que são comediantes; quanto ao que vossa mercê julga um feiticeiro, aquele é Fulano, o autor das comédias; e aquele outro que está com o ferragoulo caído sobre o ombro, é o célebre ator Beltrano.

E assim foi nomeando quase todos por seus nomes, já que os conhecia bem. Aborrecido, replicou Dom Quixote:

— É como eu disse, apesar de todos os que me quiserem contradizer. Outra vez afiaço que o de alto talhe é mencionado feiticeiro meu rival, o qual, com a varinha que traz na mão, descreve no ar os círculos, figuras e caracteres com os quais se invocam os demônios, e com aquele livro que traz na outra mão, pode conjurá-los, dar-lhes ordens e atraí-los, mesmo contra sua vontade. Para que vejais claramente ser verdade o que digo, ide à frente e dizei-lhe que sois pajens do Cavaleiro Desamorado que aqui vem, e haveis de ver o que acontece.

Eles logo obedeceram, com todo o prazer, e, chegando até os comediantes, contaram ao autor e à companhia quem era Dom Quixote, e o que fizera e dissera pelo caminho e em Siguenza, e como chamava de rainha Zenóbia a conhecida Bárbara Navalhada, fabricante de mundongos em Alcalá, que havia encontrado em seu caminho. Riram muito com essas informações que se lhes oferecia de um bom passatempo para aquela noite.

Estando nisto, foi-se chegando Dom Quixote pouco a pouco até a porta da venda. Vendo aquilo, Sancho apeou-se do ruço, esperando o desfecho de toda aquela história. Bárbara pediu-lhe que a ajudasse a descer, e ele o fez, tomando-a nos braços. E como fosse preciso que seu rosto roçasse o de Bárbara, ela logo reclamou:

— Ai, Sancho, que barbas duras e ásperas! Quero cair morta se não se parecem com cerdas de uma escova de limpar sapatos! Jesus do céu, que sacrifício não terá de azar a mulher que dormir contigo, todas as vezes que a quiseres beijar!

— E para que diabos — replicou Sancho — hei de querer beijá-la? Que as beije a mãe que as pôs no mundo, ou então Barrabás, que não tem muco no nariz. Para o que é deste mundo, não beijo a ninguém, a não ser o primeiro pão que como pela manhã, ou a botelha de vinho, a qualquer hora que a levanto.

— Ora, Sancho — retrucou Bárbara, — não te faças de bobo, meu irmão; sei que as mulheres não te sabem mal. Se te desses na telha de visitar-me de noite na cama em que tenho de dormir sozinha, chegando pé ante pé, e te enfiasses entre os lençóis sem que ninguém escutasse, como eu haveria de sofrer com teus carinhos! E o pior de tudo é que não teria coragem de gritar, assustando Dom Quixote e os demais hóspedes, pois melhor faria ficando calada e aceitando o que desse e viesse. E se acontecesse qualquer coisa, afinal de contas ninguém viria a saber, já que estaria escuro, e que nem eu, por vergonha, e nem tu, que és homem honrado, haveríamos de revelar o sucedido.

Sem entender a música de Bárbara, Sancho disse:

— Posso jurar que tem razão, pois quando não há gritaria e nem claridade para atrapalhar, durmo bem mesmo, e todo espojado na cama. E depois que caio no sono, nem um milhão de sinos estridentes me poderão acordar.

— Ai, infeliz de mim — respondeu Bárbara, — que lerdo és! Estás precisando de alguém que te faça voltar à estrada real. Dá-me a mão, ladrãozinho, que estou entorpecida e não me posso manter em pé.

Sancho ajudou-a, dizendo:

— Tome a mão, com todos os diabos, e devagar com essa história de ladrão, que não sou homem de burlas. Depois acontece de escutar isso algum escriba ou fariseu, dos muitos e maliciosos que há no mundo, e acabará por acusar-me à justiça, fazendo com que eu seja condenado a duzentos açoites.

Nisto, foram atraídos pela voz de Dom Quixote, que, chegando junto à cerca da venda, pondo o conto da lança em terra, dirigiu-se aos que se achavam à porta, nestes termos:

— Ó sábio feiticeiro: tu, quem quer que sejas, que desde o dia de meu nascimento, como pagão que és, a todos os cavaleiros que com meu forte braço trago acossados, tomando a fama que têm pelo mundo e revertendo-a a meu favor, fazendo-os pregoeiros de meus feitos e de sua covardia, os quais hão de igualar-me aos Alexandres, Césares, Aníbais e Cipiões antigos:dize-me, perverso e luciferino nigromante, por que fazes tantos e tão grandes males pelo orbe, contra toda lei natural e divina, saindo pelos caminhos e encruzilhadas, acompanhado dos energúmenos que nesta fortaleza se fortificam, prendendo, roubando e maltratando os cavaleiros que te não igualam em forças, e forçando as mulheres de alta categoria e honorabilidade, aquelas que, acompanhadas de astutos anões e diligentes escudeiros, saem pelas estradas reais com algumas cartas confidenciais tão ternamente amados por suas senhoras? E não só não te envergonhas de fazer o que digo, como, desumana e tiranicamente, tu as confinas neste castelo, não para protegê-las e acolhê-las, mas sim para deixá-las aprisionadas em cruéis e escuras masmorras, juntamente com outras numerosas princesas, além dos cavaleiros, pajens, escudeiros, carroças e cavalos que nele tens? Portanto, ó sanguinário, fero e indômito gigante, liberta imediatamente e sem réplica todos os que citei, devolvendo-lhes a roubada liberdade e os tesouros que lhes tomaste, e jura prostrado em terra, sob as mãos da formosa e sem-par grande rainha Zenóbia, que comigo vem, emendar-te dos erros do passado, e passar a, daqui por diante, favorecer as senhoras e donzelas, desfazendo os tortos da gente necessitada. Se assim agires, deixar-te-ei por mercê com a vida que há tantos anos deveria ter-te tirado, justamente. Mas se o não quiseres fazer, que saiam logo a enfrentar-me todos os que tens nesta fortaleza, a pé ou a cavalo, ou com gênero de armas que quiserem, todos juntos, conforme o costume da gente pagã e bárbara que sois. E não penses que por estar com esse livro e essa varinha nas mãos, e por seres mago e nigromante, hão de valer alguma coisa teus feitiços e encantamentos contra os fios de minha espada, porque comigo está, invisível, o sábio Alquife, meu cronista e defensor em todos os meus trabalhos, e a sábia Urganda, a Desconhecida, cuja ciência faz a tua não passar de ignorância. Saí, saí depressa, depressa!

Em seguida, começou a rodar com o cavalo para lá e para cá, fazendo curvetas que causavam riso entre os circunstantes. Vendo Sancho que os comediantes riam às gargalhadas das palavras que o amo lhes dirigira, e que a seu parecer eram tão dignas de amedrontá-los, ergueu a voz e lhes disse:

— Eia, soberbos e descomunais representados, oprimidores das vergonhosas infantas que estão aí atrás de vós erguendo aos céus suas humildes preces, pedindo que fiquem livres de vossa tirânica vida representativa: vamos acabar com isto! Se quereis dar-vos por vencidos perante meu senhor Dom Quixote, que seja logo, pois estamos ansiosos para entrar na venda, eu e a senhora rainha de Segóvia. E sabei que estamos prontos para o que der e vier, principalmente se nos derem e vierem umas cestas de pães, que a destroçá-los nos emprenharemos sua majestade e eu, enquanto meu senhor dá cabo de vós no combate que está prestes a travar — e bem travado eu possa vê-lo na casa de todos os gregos da Galícia!

Os atores estavam tão espantados, que nem sabiam que responder aos disparates de um e às simplicidades do outro; mas o autor, com quatro ou cinco companheiros, saiu da venda e, chegando até onde se achava Dom Quixote, disse-lhe:

— Senhor cavaleiro andante, estes senhores estudantes puseram-nos a par do grande valor, virtude e forças de vossa mercê, os quais são tais, que bastariam para sujeitar não só esta fortaleza ou castelo, onde há mais de setecentos anos que faço minha morada, como ao mais feroz e bravo gigante existente em toda a gigantesca nação. Portanto, eu e todos estes príncipes e cavaleiros que comigo estão, nos damos por vencidos e rendemos vassalagem a vossa mercê, suplicando-lhe desça desse formoso cavalo e deixe escudo e lança de lado, para que tais armas não constituía empecilho a que receba o devido serviço que estes seus criados lhe desejam prestar. Viva seguro de que, conquanto pagão, como o revelam minha mourisca aparência e membrudo talhe, mesmo assim só tenho liberados meus poderes para fazer mal a quem só eu sei. Venha para dentro vossa mercê, jante conosco e verá como folgará por conhecer-nos. Entre também com segurança a senhora rainha Zenóbia, aliás, Bárbara, pois todos apreciaremos saber dela qual das ervas lhe dá mais fastídio de noite: a arruda, ou a verbena, que se colhe na manhã do dia de São João?

— Oh falso feiticeiro! — bradou Dom Quixote. — Pensas enganar-me com tuas falazes e lisonjeiras palavras, para que eu, adentrando teu castelo em confiança, logo caia na cilada que tens armada, desejoso de ter-me em tuas mãos? Não me enganarás, pois já te conheço desde que em Saragoça me encerraste com algemas nas mãos e um grande tronco nos pés, naquele insuportável calabouço que conheces, e do qual me livrou o valoroso granadino Dom Álvaro Tarfe.

Sancho, que ficara escutando atentamente o que se passava, pôs-se ao lado de Dom Quixote e, mirando de alto a baixo o autor, disse-lhe por fim:

— Ah, paganíssimo filho da puta! Pensas que aqui não te entendemos? A outro osso com esse cão, que aqui todos somos cristãos, pela graça de Deus, dos pés à cabeça, e sabemos que três e quatro são nove. Não somos tolos, porque fomos criados em Argamesilla, próximo a Toboso. Se não queres acreditar, põe teu punho em nossa boca e haverás de ver se chupamos. Dá-te por vencido, estou dizendo, tu e todos esses luteranos que te rodeiam, se não queres que a fumaça nos suba aos narizes. Assim sendo, façamos as pazes logo, e voltemos a ser tão amigos como éramos antes.

Dando de esporas a Rocinante, disse Dom Quixote, colérico:

— Alto lá, Sancho, não faças as pazes com gente infiel e pagã, porque os cristãos não podemos acertar com eles senão uma trégua, quando muito.

— Pois, senhor — disse Sancho pondo-se diante de Rocinante, — se é verdade que vossa mercê é tão cristão quanto eu e isto Deus é quem sabe, pois quanto a mim já o era desde o ventre de minha mãe, quando já acreditava sem sombra de dúvida em Jesus Cristo e em quanto Ele manda, e nas santas igrejas de Roma, e em todas as suas ruas, praças, campanários e currais, de pés juntos, então vamos fazer agora essa trégua de que falou, pois já se faz tarde, e as tripas estão esporeando minha barriga, de tanta fome.

— Sai da frente, animal! — gritou Dom Quixote. — Sai, anda!

235

Em seguida, baixando a lança, investiu contra o autor, que o deixou aproximar-se, esquivando-se com habilidade e segurando o rocim pelas rédeas, fazendo-o estacar imediatamente. Rocinante ficou imóvel como se fosse de pedra. Logo os demais companheiros acorreram em auxílio do autor: um tomou-lhe a lança; outro, o escudo; um terceiro, agarrando-o pelo pé, revirou-o do cavalo. Além destes, acudiram também três ou quatro rapazes destes que auxiliam a representação, fazendo o papel de defunto, ou encarregados de pôr ou tirar os móveis de cena, donde serem chamados "morredores" e "bota-cadeiras" , os quais, segurando-o pelos pés e pelos braços, levaram-no contra a vontade para dentro da venda, onde o mantiveram por bom tempo contra o chão, sem poder levantar-se.

As coisas que o triste Cavaleiro Desamorado fez e disse ao se ver daquela sorte, deduzam-nas os curiosos bem das primeiras partes de sua história, porquanto o autor desta história sequer se atreve a referi-las, de tão extraordinárias e dignas de elegantíssimos exageros. O que posso dizer é que o autor ordenou aos moços que o mantivessem naquela posição, somente o soltando quando ele voltasse; em seguida, dirigiu-se com alguns companheiros em busca de Sancho, a quem encontrou nos braços de Bárbara, arrancando as barbas e chorando amargamente pelos padecimentos que seu amo sofria. Disse-lhe então o autor:

— Agora, Dom Velhaco, haveis de pagar-me por tudo o que dissestes. Levantai-vos, que não quero choro nem súplicas; o que quero é levar-nos logo para dentro do castelo, onde irei esfolar-vos muito bem, a fim de logo à noite cear vosso fígado, deixando o resto do corpo para assar e devorar amanhã, já que não me sustento de outra coisa que não seja carne humana.

Sancho, escutando aquela crudelíssima sentença, caiu no chão de joelhos e, cruzando as mãos debaixo do barrete, começou a implorar:

— Oh, senhor pagão, o mais honrado que há em todas as paganices! Pelas chagas do senhor São Lázaro, que na santa glória esteja, rogo-vos que tenhais misericórdia de mim e, se fordes servido, deixai que eu me despeça de Mari-Gutiérrez, minha mulher, pois ela é muito brava, e se souber que me comestes sem que eu tenha tentado despedir-me dela, vai achar que não passo de um indiferente, e nunca mais há de olhar para mim com a cara boa. Fazei isto, e prometo bem, e verdadeiramente voltar a este lugar no dia e hora que ordenardes, e queira Deus que, se o não fizer, me falte este barrete na hora de minha morte, que é quando maior precisão terei dele.

— Amigo — respondeu o autor, — esse pedido não posso atender.

E erguendo a voz disse:

— Hei, alguém aí de dentro! Traze-me logo aqui aquele tridente no qual costumo espetar homens inteiros, e põe este lavrador para assar, agora mesmo!

O pobre Sancho, ouvindo isto, voltou a cabeça e, vendo Bárbara conversando com um dos atores, rindo muito, disse-lhe com o espírito tomado de dor:

236

— Ai, senhora rainha de Segóvia, tenha compaixão do pobre Sancho, seu leal lacaio e servidor! Veja a atribulação em que me encontro! E já que é tão importante, fale a esse senhor mouro, pedindo-lhe que me tire aquelas partes que ele mais apreciar, mas que não me mate!

Bárbara dirigiu-se ao autor, dizendo:

— Suplico a vossa mercê, poderosíssimo senhor alcaide e nobre castelão deste alcáçar, que desta vez não tire a vida e os membros de Sancho, pois devo a ele muitos bons serviços. Apresento-me como fiadora de sua emenda, obrigando-o, caso contrário, a entregar todos os seus bens móveis e de raiz, havidos e por haver, ao castigo que vossa mercê ordenar que se lhes dê.

Respondeu o autor, com voz cavernosa e fingida cólera:

— Vossa mercê, senhora rainha da Rua das Bodegas de Alcalá, perdoe-me, mas de modo algum posso deixar de dar cabo deste vilão, a não ser que ele se torne mouro e proteste obediência a Mafoma e ao Alcorão.

— Pois eu digo, senhor turco — respondeu Sancho, — que creio em quantos Mafomas há de levante a poente, bem como em seu Alcorão, da maneira que vossa mercê ordenar, como o permite e consente a nossa Santa Madre Igreja, por quem darei a vida e a alma e quanto posso dizer.

— Pois é mister — disse o autor — que, com uma faca bem afiada, cortemos um pouco do mais-que-perfeito.

— Que mais-que-imperfeito, senhor, é esse que diz? Não entendo dessas algaravias.

— Digo — respondeu o autor — que, para que sejais um bom turco, primeiro será mister pegarmos uma boa faca e circuncidar-vos.

— Oh, senhor turco, pelas torqueses de Licodemos — lamentou-se Sancho, — não me come nada desse pedaço, porque minha mulher Mari-Gutiérrez o tem tão bem contado e medido, que sem perda de tempo o reconhece e pede que lhe preste contas, e por pouco que lhe faltasse, logo ela haveria de ver, e isso seria como tocar-lhe nas meninas-dos-olhos, e ela me diria que não passo de um perdulário e desperdiçador dos bens da natureza; e se a vossa mercê lhe parece necessário cortar-me alguma coisa, que não seja daí, porque, como digno, bem sabe que é necessário ter-se tudo em casa, e mesmo assim ainda falta; por isto, sugiro que corte um pedaço deste meu barrete, pois embora seja verdade que me há de fazer falta, esta será mais fácil de remediar que a outra.

O autor, tendo de virar-se para trás sem poder dissimular o riso pela simploriedade de Sancho, por fim se controlou e disse:

— Levantai-vos, senhor mouro novo; dai-me vossa mão e trata doravante de falar algaravia como eu, que estou prestes a ser promovido a arrais, faquir e grão-paxá.

— Por Deus, senhor — disse Sancho; — mesmo que me façam rabadão, antes queria chegar a minha terra, para poder acertar a venda de dois bois que tenho em casa, além de seis ovelhas, duas cabras, oito galinhas e um leitão, e para despedir-me de Mari-Gutiérrez em língua mourisca e contar-lhe como foi que tornei turco. Quem sabe também ela não quererá tornar-se turca? Só vejo um inconveniente nisso; onde é que vamos cortar nela? Nela toda, não há onde se possa retalhar...

Respondeu o autor, dizendo:

— Isso não importa: podemos cortar o polegar da mão direita, e é o quanto basta.

— Por minha fé — disse Sancho — que foi bem imaginado, pois a falta que ele fará será menor que a daquilo que me quer cortar. De fato, ela é péssima costureira; mesmo assim, talvez seja melhor circuncidá-la em outro lugar, deixando-a com o polegar, pois é bom que se tenham cinco dedos na mão, como ordena Deus nas obras de misericórdia.

— Onde então podemos circuncidar?

— Na língua — responde Sancho, — pois ela a tem mais comprida que a do gigante Golias, e é a maior faladeira e respondo na que há em todas as faladoras e terras de papagaios.

Assim conversando, aproximaram-se da porta da venda, onde os criados da companhia mantinham o bom fidalgo Dom Quixote sentado numa cadeira, desarmado, segurando-o tão fortemente que nem o deixavam mexer-se. Vendo isto, disse o autor a Sancho:

— Estais vendo, irmão, a sorte que coube ao vosso amo. Dizei-lhe que vos tornastes mouro, e tentai persuadi-lo a fazer o mesmo, caso queria livrar-te da atribulação em que se encontra. Se o não fizer, dentro de duas horas haveremos de assá-lo no mesmo espeto que estava reservado para vós.

— Deixei a tarefa comigo — respondeu Sancho, — que num piscar de olhos hei de convencê-lo a se tornar mouro.

Pôs-se o autor diante de Dom Quixote, dizendo-lhe:

— Então, cavaleiro como estais? Finalmente viestes parar em minhas mãos, das quais, antes que escapeis, estareis com as barbas tão longas, que até se arrastarão pelo chão, e as unhas dos pés e das mãos tão compridas como presas de elefante. Além disso, vosso corpo estará todo comido por lagartos, ratazanas, percevejos, piolhos, pulgas, moscas, mosquitos, vermes e outras asquerosas sevandijas, e estareis maniatado com grossíssima corrente num lúgubre cárcere, junto com outros de vosso jaez, à espera de que se acabem suas tristes e desventuradas vidas.

Dom Quixote respondeu:

— Não penses, ó sábio inimigo meu, que tuas loucas e vãs palavras e tuas prejudiciais obras hão de ser bastantes para fazer-me quebrar, e nem mesmo arranhar, o que devo guardar como verdadeiro cavaleiro andante, nem amedrontar-me com o sofrimento que poderão causar os trabalhos e atribulações com que me ameaças, pois estou certo de que, com o passar do tempo, e ao cabo de no máximo setecentos anos, hei de libertar-me desse teu cruel encantamento no qual me deixaste, contra toda a lei e razão, por mero capricho teu.

238

Não haverei de desesperar-me, ó desumano feiticeiro, pois antes do referido prazo algum novel príncipe grego há de tirar-me daqui, devendo ser aquele que sairá de Constantinopla à noite, sem se despedir de nenhuma pessoa da corte, e sem que o saibam seus pais. Ele o fará acicatado em sua honra e alentado com o conselho de enorme e sapientíssimo mago, seu amigo, e, depois de passar por medonhos transes, trabalhos e perigos, e alcançar grande honra por todos os reinos e províncias do universo, chegará aqui neste fortíssimo castelo, onde matará os feros gigantes que por tua prevenção defendem a entrada e guardam a ponte levadiça que a fortifica. Em seguida, ele dará cabo dos dois terríveis grifos, vigias inumanos de sua primeira porta. Então, entrando no primeiro pátio, e não escutando qualquer rumor ou avistando vivalma que se lhe oponha, ele se sentará cansado por pouco tempo no chão, ouvindo logo uma voz furiosa, saída de não se sabe onde, que lhe dirá: "Levanta-te, príncipe grego, que em aziaga hora e para teu dano entraste neste castelo." E apenas terminada esta frase, eis que há de surgir um ferocíssimo dragão deitando fogo pela boca e peçonha pelos olhos, com unhas mais compridas que adagas biscainhas, e uma cauda tão pontuda e comprida como um montante brunido, com a qual pode derribar ao solo tudo quanto encontrar pela frente. Contudo, há de matá-lo o dito príncipe, ajudado com invencíveis socorros por seu favorável e benévolo sábio; deste modo, todo o encantamento se há de desfazer, e ele, entrando vitorioso por outra porta mais interna, ver-se-á no meio de um aprazível jardim repleto de variegadas flores, e sombreado por diversas árvores carregadas de doces e aromáticos frutos, e sobre cujas copas estão pousadas cisnes, calandras, rouxinóis e mil outras jucundíssimas aves. Banham esse jardim mil regatos, sendo difícil discernir se suas águas seriam de cristal ou de leite. De um desses regatos sairá formosíssima ninfa trajando roçagante veste juncada de carbúnculos, diamantes, esmeraldas, rubis, topázios e ametistas; com rosto benévolo, há de entregar-lhe um molho de chaves de ouro e colocar-lhe na cabeça uma guirlanda de anho casto e amaranto; depois do quê desaparecerá, ao som de celestial música. Com as chaves que recebeu, o príncipe logo irá abrir as masmorras, concedendo a tão sonhada liberdade a todos os que ali se acham presos, inclusive a mim, a quem rogará ser por minhas mãos ordenado cavaleiro andante, e admitido como meu inseparável companheiro. Grato por seu empenho e obrigado por sua simpatia e discrição, nada lhe negarei, e então seguiremos pelo mundo por anos a fio, dando remate e cabo e quantas aventuras se nos oferecerem.

CAPÍTULO XXVII

ONDE SE DÁ PROSSEGUIMENTO AO QUE SE SUCEDEU ENTRE DOM QUIXOTE E OS ATORES.

Ficaram os comediantes admirados em grau extremo por ver o estranho gênero de loucura de Dom Quixote e ouvir os disparates que proferia. Sancho, que ficara escutando tudo o que ele dizia, oculto atrás do autor, apresentou-se-lhe e falou:

— Então, senhor Desamorado, como vai? Aqui estamos todos, pela graça de Deus.

— Oh, Sancho! — disse Dom Quixote. — Que estás fazendo? Fez-te algum mal esse nosso inimigo?

— Não, senhor — respondeu Sancho, — embora seja verdade que quase me vi com um espeto fincado no rabo, para ser assado e comido por este senhor mouro. Mas ele me perdoou, por que me tornei mouro também.

— Que estás dizendo, Sancho? — disse Dom Quixote. — Tornaste-te um mouro? Será possível que cometeste tão grande necedade?

— Que se danem as barbas do sacristão de Argamesilla — respondeu Sancho; — então não foi melhor isso do que ser comido, depois não tendo como ser cristão nem mouro? Não diga nada, eu é que sei o que faço. A primeira coisa a fazer é escapar; depois, a gente vê o que acontece.

Então o autor, apiedando-se das agonias e suores de Dom Quixote, e vendo já cansados de tanto rir os estudantes, Bárbara e toda a companhia, disse:

— Agora sus, senhor cavaleiro, não é mais tempo de dissimular e encobrir o que é mister que se descubra. E assim ficai sabendo, senhor Dom Quixote, que não sou aquele sábio que vive a perseguir-vos, mas sim um grande e fiel amigo vosso, e, como tal, sempre e em toda parte velei e velo por vós, sem jamais descurar de vosso bem-estar. Agora, para provar vossa prudência e sofrimento, fiz isto tudo que presenciastes. Mas basta: soltem-no todos logo, e que ele folgue e repouse pelo tempo que melhor lhe parecer neste meu castelo, que mantenho aparelhado para príncipes e cavaleiros tais como ele. Assim, dai-me, ó famosíssimo cavaleiro andante, um abraço, que aqui estou para servir-vos, e não para prejudicar-vos, como imaginastes. Ficai sabendo que viestes até aqui com a rainha Zenóbia em virtude de meu grande saber, porque importa muito a vós e a vossos servidores que chegueis à grande corte do Rei Católico, na qual há tempos já vos aguardam um milhão de príncipes, e de onde haveis de sair com grande aplauso e vitória.

Os criados imediatamente o soltaram, e o autor o abraçou, fazendo o mesmo todos os demais companheiros.

Vendo-se solto, e sem duvidar de que aquele nigromante havia dito somente a verdade, Dom Quixote levantou-se, abriu os braços e dirigiu-se ao autor, dizendo:

— Já me causava espanto, ó sábio amigo, o fato de não me haverdes ainda favorecido com vossa prudentíssima pessoa e eficazes ardis em tão pesada atribulação. Dai-me esses braços e tomais os meus, acostumados a desmembrar robustos gigantes e a castigar como merecem os inimigos vossos e meus.

Assim, todos se abraçaram repetidas vezes, com mostras de grande alegria. Chegando a mulher do autor para ver o rosto daquele a quem todos abraçavam, considerou sua ridícula figura e disse-lhe:

— Senhor cavaleiro, sou filha deste grande sábio seu amigo. Espero que, se necessitar de seu favor, ou se algum gigante ou mago me raptar, possa contar com o favorecimento de vossa mercê, que para tal será regiamente pago por meu pai.

— E, além disso — disse uma das atrizes, que ficara um pouco afastada, rindo-se — irá deixá-lo entrar de graça na comédia, bastando pôr-lhe nas mãos meio real.

Dom Quixote respondeu:

— Não necessitas, soberana senhora, solicitar minha ajuda no que toca a servir-vos, tendo eu tantas obrigações com respeito a vosso sábio pai. Podeis crer que, embora todo o universo se conjurasse contra vossa beldade, e quanto sábios e magos nascem no Egito viessem à Espanha para tocar-vos num único cabelo de vossa cabeça, eu sozinho, sem precisar de recorrer ao grande poder de vosso pai, bastaria, não só para defender-vos e arrancar-vos de suas mãos, como para colocar nas vossas suas aleivosas e falsas cabeças.

Nisto, chamou-o o autor, dizendo:

— Senhor cavaleiro, o jantar está pronto, e as mesas já foram postas; assim, sirva-se vossa mercê de nos honrar com sua companhia, porque depois temos um negócio de importância a resolver.

Disse isto porque planejavam ensaiar mais tarde uma comédia que pretendiam encenar em Alcalá e na Corte.

Sancho, que não cabia em si de assombrado e contente por ver o amo livre, chegou-se ao autor e lhe disse:

— Ah, senhor sábio! Isso de tornar-me mouro, já que sua mercê nos deu a conhecer seu valor, há de continuar valendo? Porque, pensando em Deus e examinando minha consciência, acho que não poderia de maneira nenhuma fazer isso.

Perguntou-lhe o autor:

— E por que não?

Sancho respondeu:

— Porque hei de quebrar diariamente a lei de Mafoma que manda não comer toucinho nem beber vinho. E sou tão velhaco observador dessa lei, que vendo um dos dois à mão, não deixarei de cair em tentação.

Disse-lhe então um clérigo que por acaso se encontrava na venda:

— Se vossa mercê, senhor Sancho, prometeu a esse sábio mago tornar-se mouro, não ligue para tal promessa, pois eu, pela virtude que me concede a bula de composição, absolvo-a dela e de suas consequências, prescrevendo-lhe como penitência não comer ou beber coisa alguma durante três dias inteiros. Basta que cumpra esta leve penitência para que volte a ser tão bom cristão quanto era antes.

— Ah, senhor licenciado — replicou Sancho, não me dê tal penitência! Não digo três dias, mas que fossem três horas, e não me atreveria a cumpri-la, mesmo sabendo que com isto me haveriam de queimar na fogueira. A penitência que vossa mercê me pode ordenar é que não durma com os olhos abertos, não beba com os dentes cerrados, não vista embaixo da camisa e tire as roupas para fazer minhas necessidades. Esses sacrifícios, ainda que tenham sua dificuldade, dou-lhe a palavra de cumprir, em nome de Deus e de minha consciência.

Assim conversando, aproximaram-se da mesa para o jantar, e antes de se sentarem, estando todos de pé e tirados os chapéus, o clérigo deu a bênção em latim, e a refeição teve início. Disse então o autor:

— Saibam vossas mercês, senhores, que o motivo pelo qual Sancho não tirou seu barrete durante a bênção foram os restos da condição de mouro que lhe sobraram. É bem verdade que ele ainda não se circuncidou, tendo adiado a cerimônia porque, cheio de lágrimas, rogou-se não cortá-lo naquela parte em que de ordinário se executa a circuncisão, mas sim na ponta de sua carapuça, já que sua mulher tem muito ciúme daquela outra, e vive a pedir-lhe conta dela.

E continuou contando tudo que sucedera entre eles há pouco. Assim, transcorreu o jantar, findo o qual, depois de tiradas as toalhas, o autor dirigiu-se a Dom Quixote e lhe disse que, em sua homenagem, ordenara que representassem uma comédia, na qual tanto ele próprio como sua filha tomariam parte.

Dom Quixote agradeceu-lhe com grande comedimento e, sentando-se no pátio da venda em companhia de Bárbara, do clérigo, dos dois estudantes, de Sancho e dos demais que estavam na pousada, assistiu ao ensaio da bem urdida, comédia *O Testemunho Vingado*, do insigne Lope de Vega Cárpio, na qual um filho acusa a Rainha sua mãe de, na ausência do Rei, cometer adultério com certo criado, levantando esse falso testemunho instigado pelo demônio e indignado com o fato de ter-lhe ela negado um cavalo cordovês que ele muito apreciava, em virtude de ordem expressa que neste sentido lhe fora dada pelo Rei seu esposo. Chegando a comédia nesse ponto, quando Dom Quixote viu a mulher do autor, que ele pensava ser sua filha, e que então representava a Rainha, em grande aflição, e notando que não havia quem defendesse sua causa, levantou-se com repentina cólera, dizendo:

— Isto é uma enorme maldade, traição e aleivosia que se comete contra Deus e toda lei, em prejuízo da inocentíssima e castíssima senhora Rainha! Aquele cavaleiro que levantou tal testemunho não passa de um covarde e fementido traidor; por isto, aqui o desafio publicamente a travar comigo batalha singular, sem outras armas além desta que comigo trago: minha espada!

Dizendo isto, sacou da espada com incrível fúria e começou a desafiar o ator que representava o príncipe, o qual, rindo-se assim como os demais da néscia cólera de Dom Quixote, veio à frente da cena com sua espada nua, dizendo-lhe que aceitava a batalha, mas que queria travá-la na Corte, diante de Sua Majestade, daí a vinte dias. E olhando por perto para ver se achava algo que servisse de penhor, avistou uma albarda encostada num poste da venda, com uma retranca por cima. Tomando-a, disfarçou o riso e atirou-a sobre Dom Quixote, dizendo:

— Alçai, cobarde cavaleiro, essa rica e preciosa cinta, como penhor e sinal de que nossa batalha se haverá de travar diante de Sua Majestade, no tempo que estabeleci.

Dom Quixote abaixou-se e tomou-a nas mãos, e vendo que todos estavam rindo, disse:

— Não é próprio de valentes princípes rirem-se do fato de que um traidor e aleivoso como esse aí tenha ânimo para batalhar comigo. Antes deveriam chorar, vendo a senhora rainha tão aflita, se bem que não foi pouca a sua ventura de me encontra presente em tal transe, para que não prossiga semelhante traição.

E voltando a cabeça, disse a Sancho:

— Ó meu fiel escudeiro, toma esta preciosa cinta do filho do Rei e guarda-a na maleta para daqui a vinte dias, quando haverei de matá-lo em punição do falso testemunho que levantou contra minha senhora, a Rainha.

Sancho tomou-a e disse ao amo:

— Para que quer vossa mercê que ponhamos esta retranca na maleta entre a roupa branca, estando ela tão suja? Mande esse sujeito para o diabo! Acho melhor prendê-la na cilha do ruço, e ela ali irá até que engrantemos o dito cujo.

— Ó néscio! — exclamou Dom Quixote. — Chamas isto de retranca!

— Mas que diabo é isto — replicou Sancho — se não uma retranca?

— Não vês, animalaço — retrucou Dom Quixote, — que se trata de uma riquíssima cinta do filho do Rei, como o mostram essas franjas douradas, de cada qual pende uma esmeralda, ou um rubi, ou um diamante?

243

— O que aqui vejo — respondeu Sancho, — se não estou bêbado, é uma tira de esparto com dois cordéis nas pontas, e muito sujos, por sinal, mostrando que serve de retranca em algum jumento.

— Pode haver uma loucura tal — disse Dom Quixote — como a desse escudeiro que diz ser retranca esta preciosa cinta de tafetá encarnado?

— Pois digo e repito duzentas vezes — confirmou Sancho — que isto é tão retranca como não é minha avó. Fora de discussão.

Espantaram-se todos com aquela disputa. Chegou-se então o autor e, tomando a retrancas na mão, disse a Sancho:

— Veja bem vossa mercê o que diz e abra bem os olhos, pois esta retranca, que assim parece para o deste mundo, na realidade é uma cinta, e de enorme valor; quanto ao que parece para o outro mundo, disto nada posso dizer.

— Pois ela é o que eu disse — redarguiu Sancho. — Não sou cego, e já gastei mais retrancas deste tipo do que as estrelas que há no limbo.

Nisto, saiu da estrebaria um lavrador, a quem pertenciam albarda e a retranca, o qual, chegando perto de Sancho, disse-lhe:

— Passa para cá minha retranca, irmão, que ela não está aí para teu uso.

Ouvindo isto, Sancho alegrou-se e, voltando-se cheio de riso para os circunstantes, disse-lhes:

— Bendito seja Deus, senhores, que agora ficarão satisfeitos! Garanto que, ainda que lhes pese, são obrigados a confessar meu julgamento, vendo que acertei desde a primeira vez que isto aqui era uma retranca, coisa que não foram capazes de ver, apesar de terem tanto conhecimento e sabedoria.

Dizendo isto, entregou a retranca ao lavrador. Vendo isto, Dom Quixote aproximou-se dos dois e, puxando bruscamente a retranca, tomou-a, dizendo:

— Ah, vilão soez! Quando foste capaz de possuir uma cinta tão preciosa como esta, tu e tua infame linhagem?

Em seguida, já tratava de guardá-la consigo, quando o lavrador, não compreendendo toda aquela burla, tentou impedi-lo, segurando-o pelo braço. Dom Quixote reagiu, dando-lhe um repelão, mas como o lavrador era robusto e forte, ao contrário de Dom Quixote, deu-lhe um empurrão no peito que o fez cair ao chão de costas; então, saltando em cima do fidalgo, arrancou-lhe a retranca das mãos. Sancho aproximou-se para ajudar o amo, e aplicou dois ou três fortes socos na cabeça do lavrador, que, voltando-se para ele como um leão, espremeu-lhe na cara a retranca por duas ou três vezes.

Enquanto os comediantes riam a bom rir, os estudantes procuraram separar os brigões, e Bárbara ajudava a levantar Dom Quixote. A cólera do fidalgo era imensa, e maior ainda o sofrimento de Sancho, que tapava com as mãos o nariz, de onde jorrava sangue, em razão da esfregada de retranca que sofrera. Furioso, o escudeiro seguiu para o estábulo atrás do lavrador, dizendo:

— Espera, espera, descomunal arrieiro, e verás se não te obrigo a confessar, ainda que não queiras, que és bem melhor do que eu, no que toca a ser velhaco, puto e filho de outro igual a ti.

245

Dom Quixote ergueu a voz, chamando-o:

— Volta, filho Sancho, e deixa que ele se vá, levando consigo a desonra, já que infamemente fugiu da batalha sem ousar esperar-nos. Mas que esperar de um sandeu que nem esse aí? Já te disse muitas vezes que, ao inimigo que foge, cede-lhe a ponte de prata. E quando ao fato de nos levar a preciosa cinta, não há que se espantar, porque muitos ladrões, segundo já li nos livros, assaltaram e roubaram cavaleiros andantes, levando não somente seus preciosos cavalos, como até mesmo suas ricas armas, roupas e joias.

— Não me espanto do furto — replicou Sancho, — pois vossa mercê já deve estar acostumado a que ladrões se atrevam a furtar-lhe joias preciosas, como aconteceu em Saragoça, quando um desses tais tirou-me das mãos as reais faixas da ave félix, ou lá como se chama, que vossa mercê acabara de ganhar no torneio.

Encolerizou-se Dom Quixote com aquela notícia, dizendo:

— Mas como, vilão, não me contaste logo ali o que aconteceu, para que eu desse ao atrevido ladrão a merecida punição?

— Calei-me para evitar aborrecimentos a vossa mercê — respondeu Sancho, — e por temor de que aquela raiva lhe provocasse alguma cólica. Bastam as que já tive por causa disso, e as lágrimas que me custaram aquelas malfadadas tiras.

E dizendo isto começou a chorar, repetindo:

— Ai, tiras de minha alma! Desditosas as mães que vos pariram e que tal desgraça puderam contemplar! Não vos olvideis, suplico-vos pelas entranhas de Cristo, deste vosso fiel e leal servidor, que enquanto viver não se esquecerá de vós e de vossa boníssima condição. Mal proveito façam ao ladrão vossa doçura e sabor!

Fê-lo calar-se Dom Quixote, dando-se por pago com suas lágrimas e com o perdão que ele em seguida lhe pediu por aquela perda. Saindo de seu assento o autor, tomado de riso, segurou-o pelo braço e lhe disse:

— Vossa mercê, senhor cavaleiro, travou com galhardia esta batalha, e será razão para que repousemos, o fato de já ser tarde e de estar vossa mercê cansado. Deixemos a comédia por aqui.

E levando Dom Quixote e Sancho a um mau aposento que lhes havia reservado, só saiu dali depois de certificar-se de que um ambos estavam deitados e de que a porta estava bem trancada, com receio de que seus criados levassem a cabo a peça que haviam planejado passar em Sancho, dando-lhe um banho de água fria.

Pela manhã, seguindo o conselho dos estudantes, o autor e toda a companhia deixaram a venda e seguiram para Alcalá, sem avisarem Dom Quixote. Este levantou-se um pouco tarde, pelo cansaço provocado pelas pendências passadas. O vendeiro abriu-lhe a porta, e a primeira coisa que ele fez foi perguntar a Sancho pela rainha Zenóbia, e se ela recebera o tratamento que merecia sua real pessoa.

— Eu, senhor — respondeu Sancho, — como estive tão ocupado na sangrenta batalha travada contra aquele que nos furtou a retranca, ou cinta, ou como é sua graça, nem me lembrei dela; porém, pelo que pude escutar, dois daqueles criados da companhia fizeram o favor de levá-la consigo, com não pequeno gosto dela. E fizeram isto para não dar motivos de falatório a quem quer que seja.

Neste instante, chegaram Bárbara e os estudantes no aposento, e ela assim o saudou:

— Muito bons dias tenha a flor dos cavaleiros. Como passou vossa mercê a noite?

— Oh, senhora rainha! —respondeu Dom Quixote. — Perdoe vossa mercê o descuido havido com sua real pessoa! A culpa é desse negligente Sancho: ordenei-lhe andar sempre diante de vossa mercê para atender a todos os seus desejos, vigiando-a face a face, e ele acabou se descuidando, de tão moído com as batalhas da noite passada, segundo me acaba de confessar.

A isto respondeu Sancho:

— Eu, senhor, continuamente lhe vigio a face; mas como a tem tão velhaca, todas as vezes que a vejo e contemplo aquele "saibam quantos", me dá vontade de cantar para ela o "Reza, Carola", como o faziam os meninos a uma beata velha que há uns anos atrás não saía da porta da casa do nosso cura.

— Que passes muito mal — respondeu Bárbara, — velhaco, e deixa-me em paz, em nome de Cristo! Cuidado para que não vás penar no outro mundo (cala-te, boca!), pois sei dar boas dores de cabeça a outros mais espertos do que tu. O pandeiro que trago está em mãos que o sabem tocar.

Os estudantes aconselharam Sancho:

— Senhor Sancho, não moleste vossa mercê a senhora Rainha, que sabe fazer o que diz, e melhor com obras que com palavras. Para quê, diga, quer ver-se alguma noite voando pelas chaminés, entre prateleiras, pratos e espetos, sem sabe como e por quê, e chorando porque não quis obedecê-la?

— Se ela tem esse poder — respondeu Sancho — de me fazer sair voando pelos ares, hei de queixar-me a quem por toda a sua vida a faça vogar nas galeras.

— Então não sabe vossa mercê — replicou um dos estudantes — que as mulheres não são condenadas a remar?

— E quem disse que ela irá remar? — disse Sancho. — Sua serventia há de ser a de servir de refresco para a chusma. Para isso, sei que não lhe há de faltar habilidade. E estando ali com toda a comodidade, até ficará parecendo uma nuvem, já que para os condenados há de parecer mulher, pelo menos em alguma coisa.

— Como pode ser isso — estranhou um dos estudantes — de parecer nuvem e mulher ao mesmo tempo?

Respondeu Sancho:

— É que ela há de encher-se no mar, como fazem as nuvens, daquilo que depois, entre trovões e relâmpagos, despejará sob a forma de chuva na terra. Isso há de acontecer se ela se emprenhar em viagem, já que algum tempo depois, entre gritos e suspiros, há de botar a carga para fora. Ademais, é claro que as mulheres — todas — parecem nuvens, pois nunca sabemos onde e como despejam aquilo que também ignoramos onde e como entrou nelas.

Riram os estudantes, e Bárbara também, da conclusão astrológica de Sancho. Mas Dom Quixote, que de risonho não tinha mais que a raiz e potência remota, voltou-se com semblante zangado para Bárbara, dizendo-lhe:

— Vossa mercê não faça caso do que possa dizer este néscio, que outra coisa não diz senão disparates. O que por agora importa na Corte, a não ser que se me ofereça alguma obrigatória ocupação e perigosa aventura, passível de deter-me em Alcalá.

E chamando o dono da pousada, acetou as contas apenas agradecendo por tudo, já que as despesas haviam sido pagas pelo autor da companhia, compadecido da loucura de Dom Quixote e ingenuidade de seu escudeiro, e dando-se por bem pago pelos maus pedações que lhe fizera passar, e que tantos e tão bons entretenimentos haviam proporcionado a ele e aos seus companheiros.

Montou Dom Quixote em Rocinante, armado como de costume, Sancho no ruço e Bárbara na mula, deixando para trás os estudantes, que preferiram não entrar em Alcalá, que tão perto se encontrava, em companhia tão bem moldada para zombarias, debiques e vaias, qual era Dom Quixote, a quem disse Bárbara, logo que começaram a caminhar:

— Senhor cavaleiro, vossa mercê prestou-me enorme favor trazendo-me de Siguenza até aqui, vestindo-me e dando-me de comer e de montar, tratando-me enfim como se fosse sua irmã. Porém, se não for contrariar suas ordens, gostaria de ficar em Alcalá, que é minha terra, e onde, se em alguma coisa puder servi-lo, hei de fazê-lo o melhor que puder, bastando que tal o ordene.

— Senhora rainha de Zenóbia — respondeu Dom Quixote, — muito me espanta ouvir tal decisão, e ainda mais vinda de pessoa tão sensata e tão afeita a tantos e perigosos caminhos, passando por reinos incógnitos, com o único fito de encontrar-me, atraída pela fama do meu valor e de minha pessoa! Como é possível que agora, quando já se acha na companhia de quem tanto desejou e procurou, queria assim deixar-me, sem levar em conta o muito que fiz e penso fazer em seu serviço, nem nas desgraças que se lhe podem oferecer, face aos atrevimentos de seus inimigos e vassalos rebeldes, sem o respeito devido ao grande valor de sua pessoa, vendo-a distante do meu amparo e apoio? Assim, para evitar esses e outros maiores inconvenientes que se lhe podem oferecer, suplico a vossa mercê, quão encarecidamente posso, prossiga comigo até a Corte, que ali não ficarei muitos dias, mesmo que os grandes de lá, cientes de minha chegada, queiram deter-me, jubilosos por estarem a meu lado, podendo comigo aprender as artes marciais. Ali verá vossa mercê o que a seu serviço hei de fazer; e depois de matar o rei de Chipre, Bramidão de Cortabigorna, com quem tenho aprazada a batalha, e o outro filho do rei de Córdova, que ontem levantou aquele grave falso testemunho contra sua mãe, deixarei à escolha de vossa mercê regressar a Chipre ou ficar na corte de Espanha. Destarte, pelo amor que tem por mim, sei que fará o que agora lhe suplico.

Ouvindo o que dissera Dom Quixote a Bárbara, Sancho chegou perto dele e disse-lhe, cheio de cólera:

— Por Deus, senhor; não sei para que quer que levamos conosco a senhora Rainha. Muito melhor será que ela fique aqui em sua terra, que havemos de economizar com isto. Para que carregar esse fardo sem nenhum proveito? Bonito isso de entrarmos na Corte levando conosco esse saco de esterco! Mande-a para o diabo, e pare com essas súplicas, pois o ruim, quando lhe rogam, logo se faz de rogado, e não nos faltará sem ela a misericórdia de Deus. que vão para o inferno ela, Judas Iscariotes, quem os pariu e quem nos fez conhecê-los! Afianço que, se me sobe o nariz à mostarda e perco o controle, mesmo que só um pouquinho, sou capaz de apertar-lhe o gasganete até que ela deixe, no chão de sua terra, mais cuspe e mais muco que deixa o enforcado ao pé da forca. Todo o mundo tratando essa sem-vergonha com favores e mesuras, chamando-a de rainha e princesa, quando ela não passa daquilo que ela sabe melhor que ninguém, e que aqueles estudantes nos contaram. E agora ei-la aqui querendo passar-se por importante! Pague-nos a saia e o saiote encarnado, e a mula, e tudo o quanto nos custou, e adeus, que vou-me embora, ou, como dizia Aristóteles, vamos, gente, que uva madura não espera. Garanto que, se não fosse estar presente meu amo, arrancava-lhe tudo a sopapos — ela que não me conhece!

— Ah, vilão — exclamou Dom Quixote. — Quem és tu para te meteres com a senhora Rainha? Porventura mereces descalçar-lhe o sapatinho?

— Sapatinho! — zombou Sancho. — Em Siguenza, ela me pediu que conseguisse que vossa mercê lhe comprasse um par de sapatos, e quando lhe perguntei que número calçava, respondeu que era entre quinze e dezenove, ou um pouquinho maior.

— Então não vês, insensato, que as amazonas são gente varonil e, como andam sempre nas lides, não podem ser tão delicadas e formosas de pés como as damas da Corte, que sempre estão escarrapachadas e ociosas em seus estrados, donde serem mais ternas e feminis que as valorosas amazonas?

Com não menor resolução Bárbara replicou Sancho e suas malícias, que muito a haviam ofendido, dizendo:

— Não pretendia, senhor Dom Quixote, passar daqui; entretanto, sabendo que trago contentamento a vossa mercê e causo ódio a esse velhaco do Sancho, decidi continuar até Madri, e ali servir a vossa mercê em quanto me ordenar, para dar uma lição a esse vilão que vive com a pança cheia de alho.

— Vilão? — retrucou Sancho. — Vilão seja eu diante de Deus, que para o deste mundo pouco importante sê-lo ou deixá-lo de ser. Mas quanto à outra coisa que disse, que vivo empanturrado de alho, isso é mentira, pois não comi esta manhã na venda senão cinco cabeças, pelas quais o ladrão, do vendeiro teve a coragem de cobrar um quarto de real! Olha só se isso é capaz de me empanturrar! Mas deixando isso de lado, diga-me, por sua vida, senhora rainha: que é pior, passar a noite com os criados da companhia, comendo com eles pela manhã uma saborosa carninha no espeto, acompanhada de dois bons azumbres de vinho, como me contou o vendeiro que fez sua mercê, ou comer, como eu, cinco cabeças de alhos crus?

— Se estive como eles, irmão — respondeu Bárbara, — não foi para prejudicar ninguém: sou livre como o cuco e não tenho marido a quem prestar contas, graças a *Domino Dio, et vivit Domine*,[14] que assim agi mais porque estava meio frio do que por velhacaria, conforme suspeitas tu que és um grande malicioso.

— Malicioso, diz? — replicou Sancho. — Por minha fé que não ousaria dizer, por detrás, isso que me diz pela frente! Mas vá lá, que há mais linguiças que dias, e, embora bobos, sabemos muito bem chupar o dedo.

250

CAPÍTULO XXVIII

DE COMO DOM QUIXOTE E SUA COMPANHIA
CHEGARAM A ALCALÁ, ONDE ELE SE LIVROU
DA MORTE DE ESTRANHA MANEIRA, E DO
PERIGO QUE ALI OCORREU, POR QUERER
ENFRENTAR ARRISCADA AVENTURA.

Dom Quixote cuidava como podia para que a rainha Bárbara o honrasse na entrada que pensava fazer na Corte, desejando que ela não fizesse caso dos atrevimentos de seu escudeiro. Assim, disse-lhe:
— Suplico a vossa mercê, altíssima senhora, não repare em coisa alguma que lhe diga esse animal, mas que dissimule com ele, assim como faço, por não passar de quem é, mas sendo de utilidade nestes caminhos. E como já nos encontramos em Alcalá, penso ser melhor seguirmos por trás destas muralhas, sem passarmos pelo meio da cidade, que é grande e muito populosa. Parece-me que também será acertado que vossa mercê se cubra o rosto com esse precioso véu, até que passemos do lado de lá, visto que todos a conhecem; assim, quando estivermos nela, poderemos pernoitar, se assim quisermos, nalguma hospedaria, sem que ninguém o saiba, para entrarmos pela manhã em Madri, enquanto ainda está fresco.

Assim foi feito, e quando começaram a rodear o muro, dirigiu-se Bárbara a Sancho, dizendo-lhe:

— Eh, galante senhor, sejamos amigos, por tua vida, para de me aborrecer, que te perdoo tudo o que entre nós se passou.

—Amigos? — replicou Sancho. — Antes prefiro ser amigo de um diabo dos infernos, embora vossa alteza e ele sejam uma coisa só.

— Pois pela vida de minha mãe — insistiu Bárbara, — haveremos de fazer as pazes antes de chegarmos a Madri.

— Pois pela vida de meu ruço — continuou Sancho, — antes disso há de conseguir Pônico Pilatos que eu seja seu amigo.

Bárbara então disse:

— Eia, leão feroz!

Sancho respondeu:

— Eia, cobra venenosa!

Mas Dom Quixote, vendo a animosidade dos dois e as farpas que trocavam pelo caminho, intrometeu-se:

— Agora chega, Sancho! Não és o meu escudeiro, e não tenho de pagar teu salário, conforme combinamos, tendo tu que me servires em tudo, bem e pontualmente? Portanto, em virtude deste acerto, quero e exijo que agora, sem nenhuma réplica, sejas amigo de minha senhora a rainha Zenóbia. Convido a ambos que deixem de lado essas desavenças, em sinal e firmeza das futuras e perpétuas amizades, pois não é bom que sejamos três e mal-avindos.

— Por certo, meu senhor — concordou Sancho, — que o farei, ainda que somente por causa desse convite, e embora fosse justo que, em razão de meu valor, fosse mister que diversas pessoas de conta mo rogassem, como por exemplo meia dúzia de cônegos de Toledo, ou então uns quantos cardeais; mas vá lá, pois é vossa mercê quem o ordena. Eia, senhora rainha, venham de lá essas mãos, se bem que preferia umas de vaca bem cozidas, e acompanhadas do devido tempero — afianço que me seriam de melhor proveito.

Rindo-se, Bárbara estendeu-lhe a mão e lhe disse:

— Toma, meu amor, esta mão de rainha. Posso juntar que mais de dois príncipes escolásticos, dos da corte alcaladina, lá de onde esta noite pernoitaremos, apreciaram sobremodo receber este favor.

Vendo-os Dom Quixote de mãos dadas, adiantou-se um pouco, imaginando em sua fantasia o que faria na Corte com a rainha Zenóbia, e antevendo as batalhas que travaria contra o gigante e o filho traidor do rei de Córdova, e como se daria a conhecer aos reis e aos grandes da corte.

Indo assim tão absorto e fora de si, não prestava atenção ao que a Sancho vinha dizendo Bárbara:

— Daqui por diante, amigo Sancho, haveremos de querer-nos com a paixão que entre si têm dois bem-casados, pois foi Dom Quixote o padrinho de nossas pazes. E em confirmação delas, quero que durmamos juntos esta noite, na pousada em que pernoitarmos, pois meu coração me diz que deverá soprar um vento frio que há de obrigar-me a que me cubra com alguma manta, como a do pelo de vossa mercê, meu senhor Sancho. Algo me diz, porém, que não precisarei rogar muito para que isso aconteça, pois meu amigo tem mais de velhaco que de bobo.

Sancho de modo algum entendeu onde Bárbara queria chegar, e respondeu:

— Cheguemos com saúde à pousada e jantemos em sinal de nossa amizade, esperando aquilo que meu amo nos prometeu. Quanto ao da manta, não faltarão duas ou três, que hei de pedi-las ao dono para que as ponha em sua cama. Além disso, pode ficar com a minha, pois duvido que faça tanto frio que me obrigue a querer uma.

Vendo Bárbara que ele nada entendera, falou mais claro:

— Ora, Sancho, se teu amo terá de alugar duas camas, uma para mim e outra para ti, não será melhor economizarmos o real de uma das duas, para com ele comprarmos um bom prato de mundongo e um pão de quarta, a fim de que fiques redondo como um pião e possas mandar o diabo para de onde ele saiu?

— Por minha fé que tem razão — respondeu Sancho. — Economizaremos, sem que meu amo o saiba, esse real, que bem poderei dormir aqui ou acolá, desde que, como disse, possamos regalar-nos com esse real.

Vendo Bárbara a sonsidão de Sancho, desistiu de tratar daquele assunto. Assim, apressaram o passo, até que alcançaram Dom Quixote. Este, vendo-os ali perto, disse:

— Parece-me que é tarde para que cheguemos ainda hoje a Madri. Não será mau que passemos esta noite em Alcalá, e que amanhã sigamos nosso caminho. Fará bem vossa mercê, senhora rainha, mantendo-se encoberta e encerrada num aposento, tapando o rosto à mesa durante as refeições, para não ser reconhecida.

Ela disse que faria conforme ele ordenasse, que em tudo o obedeceria, e assim chegaram a uma pousada situada aquém da porta que chama de Madri. Entrando todos, ordenou Dom Quixote a Sancho que tratasse das cavalgaduras, e pediu ao hospedeiro um aposento secreto e bem adereçado, que destinou à rainha Zenóbia. Em seguida, pôs-se a passear pelo pátio, sem tirar as armas. Foi então que escutou o toque de quatro clarins, seguido do som rouco de atabales. Aquilo causou-lhe notável surpresa e ele então parou, atento, tentando compreender o que seria. Ao cabo de algum tempo, depois de imaginar um desvairado discurso, chamou Sancho e lhe disse:

— Ó meu bom escudeiro Sancho: ouves porventura essa suave música de clarins e atabales? Pois saibas que é sinal indubitável de que nesta Universidade estão para acontecer algumas célebres justas ou torneios, para alterar o festivo casamento de alguma famosa infanta que deve ter-se casado aqui. A tais torneios há de ter acudido um cavaleiro estrangeiro, cujo nome não se tornou ainda renomado, por se tratar de mancebo novel; todavia, não obstante sua pouca idade, no início de suas famosas façanhas já derrotou todos os cavaleiros desta cidade, e os que da Corte para aqui acorreram, atraídos pelas festas, nas quais queriam tomar parte, o que por certo o já fizeram. Ou então pode tratar-se de um ferrabrás que, depois de vencer e derrubar todos os seus desafiantes, tornou-se senhor absoluto de todas as joias das citadas justas, não havendo cavaleiro, por mais valente que seja, capaz de atrever-se a enfrentá-lo na arena pela segunda vez. Por isto, estão os príncipes tão pesarosos, que dariam o que pudessem para que Deus lhes deparasse algum cavaleiro excepcional, apto a fazer baixar a crista desse cruel e soberbo pagão, e assim deixando alegre toda a terra e arrematando as festas com esse fecho de ouro. Assim sendo, Sancho meu, encilha-me logo o Rocinante, que para lá quero ir, adentrando a praça com garbo e galhardia, enquanto, jubilosos pela minha chegada, aqueles que ocupam seus doirados balcões, seus altos mirantes e seus cobertos tablados erguerão entre si um alegre murmúrio, dizendo: "Eia, que Deus sem dúvida permitiu que nos venha esse galhardo cavaleiro estrangeiro defender a honra dos naturais, vendo que nenhum deles pôde resistir aos incomparáveis brios deste fero gigante!" Nisto hão de tocar todas as trombetas, charamelas, sacabuxas e atabales, ao som dos quais começará meu valente corcel a corcovear e relinchar, ansioso por entrar na batalha, e todos se calarão, e eu pouco a pouco me aproximarei do cadafalso onde se encontram juízes e cavaleiros; e obrigando meu cavalo ensinado a prostrar-se de joelhos diante deles duas ou três vezes, farei uma cortês mesura, ordenando-lhe depois rodear a praça ampla entre galhardos corveteios e terríveis saltos. Chegando ao local onde se encontra o temido ferrabrás, reconhecendo-o, aproximar-me-ei de onde se acham as hastas de rijo lenho, escolhendo dentre elas a que melhor me parecer. Então, aproximando-me dele, sem que lhe faça qualquer cortesia ou saudação, dir-lhe-ei "Quero enfrentar-te em combate, cavaleiro, mas sob condição de ser a todo e qualquer transe, ou seja, quem vencer, será o vencedor geral das justas, podendo cortar a cabeça do adversário, a fim de presenteá-la à dama que melhor lhe parecer." Sendo ele soberbo, por certo concordará. Assim, puxando as rédeas de Rocinante para deixar o sol onde melhor me convier, começarão a tocar as trombetas, ao som das quais os dois valorosos guerreiros arrancaremos como o vento. Ele não errará o golpe, mas hei de defendê-lo com meu escudo e, dada a força do golpe, torcerei um pouco o corpo, donde se despedaçará a lança e voarão seus pedaços pelo ar. Mais destro que ele, acertá-lo-ei no meio da viseira com tal força, que, sendo-lhe arrancada da cabeça, ele cairá por terra pelas ancas do cavalo, tal a violência do golpe. Porém, sendo ligeiro, ele logo se porá de pé e carregará sobre mim com a espada na mão. Eu, por minha vez, não querendo vantagem de espécie alguma, saltarei do cavalo em terra, coisa que muitos julgarão loucura, e, tomando de minha cortante espada, daremos início a um duro combate. Não podendo esquivar-se de meus golpes, ele me rogará que descansemos um pouco, de esfalfado que se acha; mas não atenderei a seus rogos: com as duas mãos, tomarei da espada e, erguendo-a com heroica determinação, descê-la-ei com tal fúria sobre sua desarmada cabeça, que, acertando-o em cheio, hei de abri-lo até a altura do peito, seguindo-se a tão terrível golpe tão horrenda queda, que toda a praça há de estremecer, fazendo vir ao solo mais de quatro parapeitos e tablados. Os gritos do povo serão muitos; a alegria dos juízes, enorme; o contentamento dos cavaleiros derrotados, extremo; aplauso do vulgo, singular, e inaudita a música que soará em exaltação ao meu sucesso. A partir daí, hão de suceder comigo tias fatos, que árdua será a tarefa dos historiadores vindouros em anotá-las e relatá-las. Portanto, Sancho, rápido: traga-me o Rocinante!

Sancho, tomado de profunda tristeza por ver que a desejada refeição sofria um adiantamento, foi encilhar o animal. Enquanto estava ocupado nisto, chegou-se a Dom Quixote o dono da pousada, e lhe disse:

— Senhor cavaleiro, pode vossa mercê desarmar-se, pois que chegou cansado. Diga-me o que deseja jantar, que este moço aqui o há de preparar com capricho.

— Por Deus — disse Dom Quixote, — como se pode ser assim tão desinteressado? Estais vendo o que se passa na praça, a desonra de vossa pátria e a afronta feita a vossos cavaleiros; vedes que posso prestar-lhes ajuda, e me vindes com assuntos de jantar! Pois digo que não quero jantar, nem cear, nem comer bocado algum até que possa honrar com minha pessoa esta Universidade e matar todos aqueles que forem contrários a isso. É uma grande, uma enorme vergonha que um só gigante renda e sujeite uma cidade como esta! Portanto, ficai com Deus e vede se já está chegando o meu escudeiro com o cavalo.

O dono da pousada desculpou-se:

— Perdoe-me vossa mercê, mas imaginei que tudo o que disse antes a seu criado era alguma história da carochinha, ou tirada dos livros de cavalaria de Amadis de Gaula; mas se vossa mercê quer ir armado assim como se acha para prestar honras ao catedrático, todos hão de ficar-lhe muito agradecidos.

— Que catedrático o quê! — respondeu Dom Quixote.

Três ou quatro que estavam junto à porta observando aquele homem armado disseram-lhe então:

— Se vossa mercê pretende ir ao desfile, pode fazê-lo, que já está na hora. O catedrático deve estar chegando ao mercado. Fique sabendo que aqui não há justas, nem os gigantes a que vossa mercê se referiu; o que está havendo é um desfile promovido pela Universidade, em honra de um doutor médico que obteve a cátedra de Medicina com mais de cinquenta votos além dos necessários, e conduzem diante dele, para abrilhantar a festa, um carro triufal, com as Sete Virtudes e uma celestial música dentro, e tal que, a não ser a que tocaram no ano passado, durante o desfile em honra do catedrático que obteve a cátedra de Teologia, jamais se escutou outra igual. As trombetas e os atabales que vossa mercê está ouvindo significa que os desfilantes devem estar passando por todas as ruas principais. São mais de dois mil estudantes, carregando palmas nas mãos e gritando: "Fulano victor!"

— Apesar do que todo o mundo disser — replicou Dom Quixote — e apesar de quantos como vós que me queriam contradizer, é assim como eu disse.

Nisto, chegou Sancho com o cavalo, no qual Dom Quixote montou. O animal estava tão cansado, que mesmo sendo esporeando, mal conseguia menear, e não havia casa na qual não fizesse menção de entrar.

Sancho ficou num aposento com Bárbara, que procurava manter-se incógnita de todos, conforme dissemos há pouco.

Nosso cavaleiro caminhou por aquelas ruas pouco a pouco, seguindo sempre rumo ao som das cornetas, até que por fim encontrou a multidão, no meio da rua principal da cidade. Quando avistaram aquele homem armado, todos pensaram tratar-se de algum estudante que, pretendendo alegrar a festa, vinha fantasiado daquele modo. Dom Quixote, colocando-se à frente do carro triunfal que seguia diante do catedrático, vendo aquela enormidade que se movia sem que fosse puxada por mulas, cavalos ou qualquer outra alimária, espantou-se muito, especialmente quando prestou atenção na doce música que saía de seu interior.

Seguiam em cima do carro dois estudantes com máscaras, vestidos e ataviados de mulheres. Um representava a Sabedoria, ricamente trajada, com uma coroa de louros na cabeça, trazendo na mão esquerda um livro e na direita um castelo de papelão muito bem construído. À sua frente, um cartaz com letras góticas dizia:

Sapientia aedificavit sibi domum. [15]

A seus pés estava a Ignorância, despida e envolta em curiosas cadeias de folha-de-flandres, tendo sob os pés dois ou três livros, e à frente um cartaz onde se lia:

Qui ignorat, ignorabitur. [16]

Do outro lado da Sabedoria, vinha a Prudência, vestida de azul claro, com uma serpente na mão e este cartaz:

Prudens sicut serpense. [17]

Com a outra mão, como que afogava uma velha cega, que se segurava em outro cego, e entre os dois um cartaz que dizia:

Ambo in foveam cadunt. [18]

Pôs-se Dom Quixote diante do carro e, imaginando um dos mais desvairados discursos que jamais proferira, disse em voz alta:

— Ó tu, mago feiticeiro, quem quer que sejas, que com tuas más e perversas artes guias este carro enfeitiçado, no qual estão presas tantas damas e essas duas senhoras, uma nua e encadeada, a outra sem olhos e sofrendo as violências com que a trata seu esposo, que procura não soltá-la de modo algum, sendo as duas, como sua beldade demonstra, filhas herdeiras de grandes príncipes ou senhores de famosas ilhas, e tudo isto para trancafiá-las em cruéis masmorras! Deixa-as logo aqui, livres, sãs e salvas, restituindo-lhes todas as joias que lhes surripiastes! Caso o não queiras, acomete-me então com todo o poder do inferno,

256

que a todas elas libertarei com a força de minhas armas, porquanto se sabe que os demônios, com que os de tua profissão se comunicam, nada podem contra os cavaleiros gregos e cristãos, um dos quais sou eu.

Dom Quixote prosseguiria com seu desarrazoado, mas os que estavam à frente do desfile, vendo que aquele homem armado estava estorvando a passagem do carro, aproximaram-se dele e, imaginando tratar-se de algum estudante fazendo burlas, disseram-lhe:

— Ora, senhor Licenciado, deixe-se disso; fique de lado e dê passagem ao desfile, que está ficando tarde.

Dom Quixote respondeu-lhes:

— Sem dúvida sois, vil canalha, criados desse perverso feiticeiro que leva presas essas formosas infantas. Sendo assim, aguardai, que para os inimigos reservo o pior.

E, empunhando a espada, aplicou num estudante, que vinha montado numa mula tão terrível golpe, que este teria ficado em muito maus lençóis, não fosse ter-se esquivado com rapidez, no que também contou com a ligeireza da mula. O fidalgo então golpeou outro que vinha atrás do primeiro, e de revés acertou a cabeça de sua mula com tanta força, que lhe abriu na testa uma ferida de meio palmo.

No mesmo instante, todos começaram a gritar e espalhar-se. A música parou. A pé e a cavalo, várias pessoas chegaram perto de onde estava Dom Quixote, sem contudo aproximar-se demais, receosas de sua fúria. Ele, por sua vez, continuava arrojando cutiladas e espadeiradas a torto e a direito, com tamanho ímpeto, que se o cavalo estivesse em melhores condições grandes desgraças teriam ali acontecido.

Vendo todos que aquele sujeito não estava brincando, como de início haviam pensado, foram fechando o cerco em torno deles, atirando-lhe paus e pedras. Três tijolos atirados das janelas vizinhas acertaram-lhe o morrião, e por certo o teriam matado, se ele o não estivesse trazendo. No meio de toda aquela gritaria, e sem fazer caso das pedras que cortavam o ar, dez ou doze cavaleiros arremeteram-se contra ele e, segurando-o pelos pés, enquanto outros mantinham Rocinante imóvel, derrubaram-no do cavalo, tomando-lhe a espada e o escudo das mãos. Para completar, aplicaram-lhe vários socos, e teriam esganado ali mesmo, se a Fortuna o não houvesse guardado para maiores transes.

Se ele saiu com vida dali, foi devido ao autor da companhia teatral, que o conhecera na véspera, o qual passou por ali, atraído pela gritaria do povo. Avistando aquele homem armado que a multidão arrastava pela rua principal, suspeitou que se tratava de Dom Quixote, o que logo lhe foi confirmado por outros da companhia que estavam com ele. Compadecidos de sua situação, conseguiram, não sem custo, que os estudantes o deixassem à sua guarda, e que tratassem de prosseguir com o desfile. Alcançado seu intento, o autor dirigiu-se a Dom Quixote, dizendo-lhe:

— Que é isso, senhor Cavaleiro Desamorado? Que tenebrosa aventura foi essa? Que nigromante deixou-o em tal apuro? Então sempre conseguiram superar seu valor à custa de encantamentos! Mas paciência e bom ânimo, pois eis aqui

257

outro mago mais sábio, este seu grande amigo, que se há pouco o não acode, deixaria vossa mercê incapacitado de prosseguir com suas cavalarias andantes. Mas que tragédia houve aqui: vejo vossa mercê com os dentes banhados em sangue, sem escudo, sem espada e sem cavalo. Parece que os estudantes levaram tudo com eles...

Ergue-se Dom Quixote e, quando reconheceu o autor, disse-lhe demonstrando alegria:

— Já me espantava, sábio Alquife, meu bom cronista e amigo, que me deixásseis de favorecer nesta grande atribulação e má situação em que me encontro, em razão da lerdeza de meu cavalo — má Páscoa dê-lhe Deus! E como ele se foi, ó sábio fiel, fazei com que retorne a mim, ou então dai-me um outro, para que eu possa buscar aqueles traidores, filhos de outros tais, e os desafie para um combate, tomando a vingança que sua soberba e viciosa vida merece.

Ouvindo aquilo, o autor pediu a um de seus companheiros que tentasse encontrar o cavalo, o escudo e a espada de Dom Quixote, resgatando tudo e restituindo-se ao seu legítimo dono. O ator saiu pelas ruas fezendo perguntas, e logo conseguiu encontrar o cavalo numa hospedaria, e o escudo e a espada numa pastelaria, onde se achavam empenhados. Resgatando um por um, levou-os ao autor, que os repassou a Dom Quixote. O fidalgo, atribuindo a restituição aos seus poderes mágicos, agradeceu com enormes mostras de contentamento.

O autor, perguntando pelo paradeiro de Sancho e de Bárbara, ficou sabendo que o fidalgo os havia deixado numa pousada situada junto à Porta de Madri.

— Pois vamos logo para lá — disse ele, — e nada de réplicas, porque agora mando eu.

Respondeu Dom Quixote dizendo que não deixaria de obedecer-lhe por coisa alguma do mundo, especialmente sendo ele pessoa tão sábia, em cujas mãos há dois dias depositara sua proteção. O autor mandou um criado seguir antes deles, levando o cavalo, o escudo e a lança de Dom Quixote, com o qual seguiu a pé, de braço dado, até a pousada. Ali, chegando, ordenou ao hospedeiro que o não deixasse sair aquela tarde de nenhuma maneira, a pé ou a cavalo, o que ele cumpriu rigorosamente.

Vendo Sancho o amo com os dente ensanguentados, disse-lhe:

— Corpo de São Quintino, senhor Desamorado! Já não lhe disse quatrocentas mil dúzias de milhões de vezes que não nos metessemos naquilo que não nos vai nem nos vem, especialmente quando se tratar de estudantes? Aposto que encheram vossa mercê de cusparadas, como fizeram comigo em Saragoça! Vá lavar-se, pecador que sou, pois está com o nariz todo sujo de sangue.

— Ó Sancho, Sancho! —respondeu Dom Quixote. — Aqueles malandrins que assim me deixaram, como têm de agradecer ao sábio Alquife, meu amigo! Não fosse por ele, e eu teria feito tal carnificina deles, que seus velhos pais muito teriam de enterrar, e suas mulheres que chorar, durante todos os dias de sua vida. Mas há de chegar o tempo em que paguem de uma só vez pelo que já fizeram, estão fazendo e hão de fazer.

258

Respondeu o hospedeiro, ao escutá-lo:

— Por sua vida, senhor cavaleiro, não se meta com estudantes. Nesta Universidade há mais de quatro mil, e são tais, que quando se mancomunam e juntam, chegam a fazer tremer a terra. Dê graças a Deus por terem-no deixado com vida, o que já não é pouco.

— Ah, galinha covarde! —disse Dom Quixote. — És um dos mais vis cavaleiros que cingem espada. Pensas acaso que o valor de minha pessoa, as forças de meu braço e a ligeireza de meus pés, e acima de tudo o vigor de meu coração, fazem com que eu seja tão pusilânime quanto tu? Juro pela vida da rainha Zenóbia, que é a que hoje mais aprecio, que só pelo que disseste, estou quase montando de novo em meu cavalo e entrando outra vez na cidade, ali não deixando nenhuma pessoa viva, mas dando cabo até mesmo de cães e gatos, homens e mulheres, e quantos viventes racionais e irracionais ali habitam, para depois assolá-la com fogo, até que ela se torne, como outra Tróia, escarmento do furor grego ante todas as nações. Sancho, traze-me logo Rocinante, que quero mostrar a este cavaleiro, ou hospedeiro, ou o que quer que seja, que sei melhor obrar que prometer.

— Isso do cavalo, senhor cavaleiro armado — replicou o hospedeiro, — desta vez não poderá ser, porque o autor da companhia de comediantes me encarregou de não permitir tal coisa de modo algum; por isto, mandei fechar com chave a porta da estrebaria.

— Que comediantes, que nada! — retrucou Dom Quixote. — Pode haver no mundo alguém que me diga o que devo fazer? Prometo-te que haverás de agradecer é àquele sábio meu amigo que aqui me trouxe, e cujo conselho não devo afrontar de nenhum modo. Não fora isto, e hoje faria algo que deixaria memória por muitos e muitos séculos.

— Pode ser que fizesse — concordou o hospedeiro, — mas por ora entre vossa mercê para jantar, pois os que se acham à porta não aguentam mais de tanto rir, o que está atraindo muitos rapazes até aqui. Daqui a pouco, nem caberemos nesta pousada.

Dizendo isto, tomou-o pela mão e subiu até onde estava Bárbara. Ali aconteceram engraçadíssimos colóquios, sempre temperados com as simplicidades de Sancho.

Jantaram juntos bem e com prazer, indo depois repousar, especialmente Dom Quixote, que muito o necessitava, devido ao que tivera de enfrentar na venda e na rua principal da cidade. Quando ele se deitou, porém, deu-lhe na telha de querer preparar a beberagem que dizia ser o bálsamo precioso de Ferrabrás, com o qual iria curar-se das mortais feridas que sentia nos dentes. Todavia, foi-lhe impossível prepará-lo, porque o hospedeiro, conhecendo sua loucura, disse que seria impossível encontrar àquela hora os ingredientes que ele queria.

CAPÍTULO XXIX

COMO O VALOROSO DOM QUIXOTE CHEGOU A MADRI COM SANCHO E BÁRBARA, E DO QUE LHE SUCEDEU À ENTRADA DA CIDADE COM UM FIDALGO.

Na manhã seguinte, levantou-se o valoroso cavaleiro bem descansado, por haver passado uma noite repousada. Chamando Sancho, ordenou-lhe aparelhar Rocinante, o palafrém da Rainha e o ruço, dar-lhes de comer e encilhá-los, enquanto o hospedeiro preparava a refeição que haviam combinado na noite anterior.

Fez-se tudo assim. Depois de comerem ensopado de carneiro e frangos, e acertadas as contas, subiu Dom Quixote em Rocinante; a rainha Bárbara, velada — apesar da grande curiosidade de todos os da pousada, que queriam ver-lhe o rosto, porém não o conseguindo, — montou na mula, com a ajuda de Sancho; este sentou-se escarrapachado no ruço, e os três deixaram apressadamente a pousada. E foi tanta a pressa com que caminharam, que às três e meia da tarde chegaram perto de Madri, junto da bica chamada de Alcalá, de onde haviam saído depois das nove horas.

Vendo Dom Quixote o calor que fazia, ouviu o conselho de Bárbara e resolveu apear no prado de São Jerônimo, para repousar e desfrutar do frescor de seus álamos, junto da fonte que se chama Dourada. Ali ficaram os três até pouco depois das seis horas, descansando e dormindo, enquanto as cavalgaduras ficaram pastando. Às seis horas, vendo as pessoas que geralmente saíam a passear pelo Prado, decidiram montar e entrar na Corte. Vendo Dom Quixote tantas pessoas, cavalos e carroças dirigindo-se para o mesmo lugar, parou um pouco e, puxando as rédeas de Rocinante, resolveu também passear pelo Prado, contra a vontade de Bárbara e de Sancho, que em vão tentavam demovê-lo da ideia, especialmente porquanto já o viam seguido por mais de cinquenta pessoas. A cada passo, novos cavaleiros engrossavam o séquito, cheios de espanto e riso por verem aquele homem armado de lança e escudo, mormente, sem saberem o propósito de tudo aquilo.

Ia Dom Quixote tento mais ufano quanto mais gente via atrás de si, e de tempos em tempos parava para permitir que todos lessem os escritos, sem contudo dirigir a palavra a ninguém. Outros vaiavam aquela figura exótica, acompanhada de um criado simplório e uma mulher coberta por véu e vestida de encarnado, imaginando tratar-se de alguma bufonaria.

Sucedeu então que, seguindo Dom Quixote à frente de seus dois acompanhantes, que não conseguiam demovê-lo daquela ideia, viu aproximar-se uma rica carroça, puxada por quatro elegantes cavalos brancos, a qual era acompanhada por mais de trinta cavaleiros e diversos lacaios e pajens que seguiam a pé. Deteve-se Dom Quixote logo que a viu, no meio do caminho por onde ela haveria de passar, posto o conto da lança em terra e aguardando sua chegada com grave postura. Os que então chegavam, vendo tanta gente, que tomava meia rua, precedia por aquele homem armado de todas as peças e protegido por um grande escudo, voltaram-se para o que vinha dentro da carruagem, um importante fidalgo que saíra para tomar a fresca, e lhe disseram:

— Senhor, ali está um magote de gente, em meio à qual se vê um homem armado, com um escudo do tamanho de uma roda de moinho. Não sabemos, nem ninguém nos pôde informar, quem é ele e a que propósito se veste desse jeito.

Ouvindo isto, o cavaleiro pôs a cabeça fora da carruagem e ordenou a um alguazil que estava perto para informar-se a respeito de tudo aquilo. Ele saiu, mas logo em seguida acercou-se da carruagem um dos lacaios do séquito e disse ao fidalgo:

— Saiba vossa senhora que já vi, em Saragoça, aquele homem armado. Isto foi há cerca um mês, quando ali estive para levar a Dom Carlos o convite de casamento de vossa senhoria. Na casa dele, tive a oportunidade de conhecer o escudeiro desse sujeito meio louco, que havia participado de um torneio que acabara de realizar-se. Pelo que me dissera, trata-se de um rico e honrado fidalgo de não sei qual lugar de Mancha, o qual, abusando da leitura dos livros de cavalaria, que considerava verídicos, acabou perdendo a razão e imaginando ser ele próprio um cavaleiro andante; assim, saiu de sua terra e passou a correr mundo, vestido da maneira que está vendo. Seu escudeiro é um pobre lavrador, seu conterrâneo: é aquele que vem a seu lado, montado num jumento. É um sujeito curioso, muito engraçado e extremamente glutão.

262

E assim foi contando tudo o que acontecera a Dom Quixote em Saragoça com o açoitado, durante o torneio, e como o secretário de Dom Carlos fingira ser o gigante Bramidão de Cortabigorna, e que ele sem dúvida estava na corte para atender ao desafio que então lhe fora feito. Tudo isto ele ficara sabendo por intermédio dos criados de Dom Carlos.

Tudo aquilo causou grande espanto ao cavaleiro, que logo se propôs levar para casa aquelas estranhas figuras, a fim de divertir-se com elas aquela noite.

Neste momento, voltou o alguazil, dizendo:

— Aquele homem, senhor, é uma das mais raras figuras que vossa senhora já teve a oportunidade de ver. Chama-se, segundo diz, Cavaleiro Desamorado, e traz no escudo umas frases e figuras ridículas. Vem acompanhado de uma mulher toda vestida de encarnado, que ele diz ser a grande Zenóbia, rainha das amazonas.

— Pois levem a carruagem até lá — ordenou o fidalgo, — e vamos ouvir o que ele diz.

Quando chegaram mais perto, Dom Quixote fez Rocinante andar e, pondo-se ao lado da carroça, dirigiu-se ao que nela vinha, em voz arrogante que todos podiam escutar, dizendo:

— Ínclito e soberano príncipe Perianeu de Pérsia, cujo valor e esforço bem experimentou o nunca vencido Dom Belianis de Grécia, vosso mortal inimigo e rival dos amores da sem-par Florisbela, filha do imperador da Babilônia, a quem em diversos locais destes bem que pensar, com ele travando singulares batalhas, sem que jamais algum dos dois sobrepujasse o outro, sendo vosso lado assistido pelo prudentíssimo sábio Fristão, meu inimigo. Eu, como cavaleiro andante, amigo de buscar aventuras pelo mundo e de experimentar as forças dos bravos e valorosos gigantes e cavaleiros, acabo de ingressar nesta corte do Rei Católico, onde, tendo chegado aos meus ouvidos o grande valor de vossa pessoa, que é tal qual muitas vezes li naquele autêntico livro, a mim me pareceu seria mal feito se deixasse de experimentar minha ventura contra vosso invencível esforço hoje, aqui neste Prado, diante de todos estes vossos cavaleiros e das demais pessoas que nos contemplam. E isto faço por ser único e singular amigo e afeiçoado do príncipe Dom Belianis de Grécia, por diversas razoes: a primeira, por ser ele cristão e filho de imperador também cristão, ao passo que sois pagão, oriundo das casas e casta do imperador Otão, grão-turco e sultão da Pérsia: a segunda, para eliminar o estorvo que sois para aquele meu amigo, tão grande quanto vós, a fim de que assim possa ele desfrutar com maior facilidade dos saborosos amores que lhe pode propiciar a infanta Florisbela, pois clarissimamente se vê e se sabe que ele merece muito mais do que vós, a quem não hão de faltar outras formosas turcas com quem possais casar, sendo impossível que deixe de haver muitas dessas tais em vossa terra. Destarte, deixareis Florisbela para meu amigo Dom Belianis de Grécia. E se não sairdes logo desta vossa carruagem, cavalgando vosso precioso corcel e empunhando vossas encantadas armas para combater comigo amanhã, exporei publicamente diante de toda esta corte e de seu rei vossa cobardia e vosso diminuto ânimo, tão logo dê cabo do gigante Bramidão de Cortabigorna, rei de Chipre, e do aleivoso filho do rei de Córdova. Portanto, respondei-me logo com brevidade; caso contrário, dai-vos por vencido, que sairei à cata de outras aventuras.

Espantaram-se todos dos disparates que acabavam de ouvir, e começaram a trocar comentários entre si, rindo do cavaleiro e de sua figura. Mas Sancho, que estivera muito atento a tudo o que seu amo havia dito, moveu o asno para junto da carroça e falou:

— Senhor Pirineus, vossa mercê não conhece bem meu amo como eu conheço. Pois saiba que ele é um homem que já guerreou com outros melhores que vossa mercê, pois já lutou contra gente biscainha, gente de Yanguas, cabreiros, meloeiros, estudantes, e outros. Já conquistou o elmo de Membrinho, e é conhecido da rainha Micomicona, do grande Ginesillo de Pasamonte e até mesmo da senhora rainha Segóvia, que aqui se encontra. Além disto, saiba que, em Saragoça, acometeu a mais de duzentas pessoas que levavam um açoitado pelas ruas, conforme se deve saber por aqui. Portanto, veja que somos muito ocupados; nossos animais estão cansados; eu e a senhora Rainha, com fome; assim, dê-se logo por vencido, como meu amo lhe suplica; vamos continuar amigos como antes, e pare de buscar três pés ao gato, pois se os desta terra forem com os da minha, não haverão de ter menos de quatro. Deixe-nos ir com Barrabás para nossa pousada, e tenham vossa mercê e todos esses hereges persianos uma péssima hora.

O cavaleiro ordenou ao alguazil a seu lado respondesse em seu nome, convidando-os para visitá-lo à noite em sua casa. Ele o fez, dizendo a Dom Quixote:

— Senhor Cavaleiro Desamorado: em extremo folgamos todos os circunstantes por havermos visto e conhecido hoje, em vossa mercê, um dos melhores cavaleiros andantes que se poderiam encontrar em Grécia, no mui feliz tempo de Amadis e de Febo. Por isto, damos graças aos deuses, como pagãos que somos, por termos merecido ver neste corte ao que tanta fama e renome tem no mundo, e que excede a quantos ainda hoje ostentam armaduras e cavalgam poderosos corcéis. Portanto, excelso príncipe, o senhor Perianeu aceita com prazer o repto de vossa mercê, mesmo sabendo que dele não sairá vitorioso, mas com a finalidade de poder-se gabar onde quer que se ache — pressupondo que vossa mercê há de poupar-lhe a vida, — por haver batalhado contra o melhor cavaleiro do mundo; deste modo, ser derrotado por tal campeão só poderá resultar em infinita glória para ele e lustre para sua descendência. Porém, dependendo da aquiescência de vossa mercê, tal combate poderá ser aprazado esta noite em sua casa, onde ele e eu esperamos que se alojem vossa alteza e os seus, pois ali os regalaremos e serviremos com todas as honras, especialmente no que concerne à senhora rainha Zenóbia, a quem ele deseja em extremo conhecer. Sendo assim, roga-lhe ele que, para que todos demos graças aos deuses por ver sua peregrina formosura, seja servida de descobrir-nos o rosto, dissipando a nuvem que encobre seus dois belos sóis, cujo resplendor há de alumiar a redondez da terra, detendo até mesmo o doirado Apolo em sua luminosa esfera, embasbacado ante tal beleza, por si só bastante para dar-lhe luz e ofuscar a de sua bela Dafne.

Dom Quixote chegou-se a Bárbara, solicitando-lhe que descobrisse o rosto para o príncipe Perianeu de Pérsia, mas ela esquivou-se o quanto pôde de fazê-lo. Neste ínterim, Sancho, escanchado em seu asno, chegou-se ao estribo da carruagem e, sem sequer tirar o barrete, disse:

— Senhor pagão, eu e meu senhor Dom Quixote de la Mancha, Cavaleiro Desamorado por mar e por terra, dizemos que beijamos as mãos de vossa mercê pelo favor que nos faz, convidando-nos a cear em sua casa, assim como o fez em Saragoça Dom Carlos, que muitos anos viva, e digo-lhe que iremos de muito boa vontade todos os três, em corpo e alma, assim como aqui nos encontramos. Mas a senhora rainha Segóvia acaba de piscar-me o olho, querendo dizer que não pode agora descobrir a cara, até que esteja com a que usa nas festas, e que é bem melhor que a que está usando agora. Queira vossa mercê perdoá-la.

Dom Quixote, porém, chegou-se à carruagem pelo lado oposto, puxando a mula de Bárbara pelas rédeas. Ela veio contra a vontade, já de rosto descoberto, mais apropriado para assustar crianças do que para ser admirada pelos adultos. Vendo-a os circunstantes tão feia e enrugada, e notando a cicatriz mal cortada e pior costurada, não conseguiram conter as gargalhadas. Observando Sancho que o cavaleiro da carruagem, após contemplar a fealdade de Bárbaras e teste-munhar a loucura de Dom Quixote, persignou-se, disse-lhe:

— Age bem vossa mercê fazendo o sinal-da-cruz, a melhor coisa do mundo, segundo afirma nosso cura, para afugentar os demônios. De fato, a senhora rainha não é um desses tais: mas com dez anos a mais, além dos muitos que já tem, pouco lhe faltará para tornar-se um.

O cavaleiro, dissimulando o quanto pôde, dirigiu-se a Bárbara:

— Por certo, senhora rainha Zenóbia, que agora posso asseverar que tudo o que o senhor Cavaleiro Desamorado nos disse a seu respeito é uma grande verdade. Ele pode ter-se por ditoso em levar consigo tanta nobreza pelo mundo afora, para humilhar e envergonhar todas as damas que nele vivam, especialmente nesta corte. Diga-nos vossa mercê de onde é e para onde vai com esse valente cavaleiro, por favor, e aceite o convite que faço a ele, a vossa mercê e a esse bom homem que não tem papas na língua, sendo meus hóspedes esta noite.

Bárbara então respondeu:

— Se vossa mercê é servido, senhor, não sou nenhuma rainha Zenóbia, como afirma este cavaleiro, mas tão-somente uma pobre mulher de Alcalá; que vive do trabalho do honrado ofício de mundongueira. Por minha desgraça, um velhaco de um estudante me iludiu, tirando-me de minha casa e levando-me para a dos seus pais, fingindo que queria casar-se comigo; porém, antes de lá chegar, roubou-me quanto eu tinha, deixando-me num pinheiral, amarrada e em camisa. Passando por ali este cavaleiro e outras pessoas, desamarraram-me e me levaram a Siguenza. Ele — e apontou Dom Quixote, que naquele momento exibia orgulhosamente as pinturas do escudo para os circunstantes — tanto carece do juízo, quanto lhe sobra de piedade. Comprou-me este vestido e esta mula e fez-me seguir com ele até Alcalá, chamando-me sempre da rainha Zenóbia e saindo em praça pública mais de uma vez para defender o que diz ser minha formosura, sendo eu tal como meus pecados, conforme bem pode ver vossa senhoria. Embora eu quisesse ficar em minha terra, ele instou comigo para que o acompanhasse até esta Corte, onde diz que há de matar um filho do rei de Córdova e um certo gigante, o rei de Chipre, e que há de fazer-me rainha daquele reino. Eu, para não pagar com ingratidão os muitos favores que lhe devo, vim com ele, na intenção de regressar à minha terra o mais depressa que puder. Peço-lhe que me deixe cobrir o rosto de novo, pois os presentes estão rindo muito, e isso poderia provocar alguma reação furiosa de Dom Quixote.

Dito isto, puxou as rédeas e foi para perto de Dom Quixote. Sancho então dirigiu-se ao fidalgo:

— Vossa mercê pôde ver, senhor, como a senhora Rainha é uma pessoa boa. Que Deus lhe favoreça naquelas coisas em que mais dela se sirva, e nos perdoe se ela não tem a boa figura que meu amo gabou e que vossa mercê merece, mas dela foi a culpa, a máxima culpa, pois já lhe perguntei muitas vezes por que é que aquele *persignum crucis* que ela tem na cara não está noutro lugar mais difícil de se ver; seria bem melhor assim. Ela me respondeu que a que dão, não se escolhe; por isto, vamos logo com isso, que a noite já vem chegando, e com ela a hora de jantar, e garanto a vossa mercê que, pela graça de Deus, nem preciso mais de salsa e mostarda para comer, pois a fome que tenho servirá de tempero.

Com isto, sem mais delongas, começou a arrear o asno e foi-se para onde estavam Bárbara e Dom Quixote, no meio de toda aquela gente que escutava atentamente sua peroração a propósito de Rasura e Lain Calvo, que o fidalgo dizia conhecer, afirmando que se tratava de gente honrada e disposta, se bem que nenhum deles chegava a seus pés, pois ele era Rodrigo de Bivar, outrossim conhecido por Cid Campeador. Tendo ouvido Sancho essas últimas palavras, disse:

— Ah, meus pecados, arrenego de quantos Cides há em toda a Cideria! Vamos, senhor, que estas pobres cavalgaduras estão de tal sorte que nem conseguem falar, de tão cansadas e mortas de fome.

— Quão mal, ó Sancho — replicou Dom Quixote — conhecendo este cavalo! Juro que se lhe perguntasse, e ele soubesse responder-te, o que prefere, se ficar escutando meus relatos de guerras, batalhas e nobrezas de cavaleiros, ou então meia fanega de cevada, ele haveria de responder que mais lhe apraz ouvir-me, mesmo que eu fale até o dia do Juízo, do que comer e beber. Sei com certeza que ele não se furtaria a ficar a escutar-me dias e noites, e com muita atenção.

Neste momento, chegou um criado do nobre, dizendo a Dom Quixote:

— Senhor Cavaleiro Desamorado, meu senhor suplica-lhe que venha comigo a sua casa, pois quer que vossa mercê, a rainha Zenóbia e seu fiel escudeiro sejam seus hóspedes e convidados esta noite e todos os demais dias que a vossa mercê aprouver, até que tenha lugar o desafio que irão acertar.

— Senhor cavaleiro — respondeu Dom Quixote, — com notável gosto iremos servir o príncipe Perianeu. Assim sendo, faça o favor de guiar-nos, que todos o seguiremos.

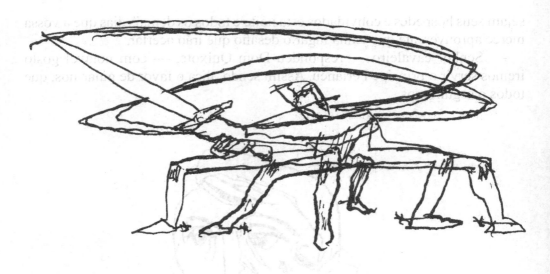

CAPÍTULO XXX

DA PERIGOSA E DUVIDOSA BATALHA QUE NOSSO CAVALEIRO TRAVOU COM UM PAJEM DO NOBRE E UM ALGUAZIL.

Começaram a caminhar o criado, Dom Quixote, Sancho e Bárbara até a casa do nobre que os convidara, com não pequena admiração de quantos os topavam pelas ruas, e não menor trabalho do criado em explicar a uns e outros o humor e o nome do cavaleiro armado, a qualidade da dama, para onde estavam indo e para que fim ele os levava.

Depois de tantos incômodos, eis que chegaram à casa do nobre. O criado providenciou o trato das cavalgaduras e introduziu os três num rico aposento, dizendo a Dom Quixote:

— Aqui, senhor cavaleiro, pode vossa mercê repousar, tirar as armas e sentar-se nesta cadeira, até que meu senhor venha vê-lo. Ele não deve demorar.

Dom Quixote respondeu que não estava acostumado a desarmar-se jamais, por qualquer motivo que fosse, especialmente em terras de pagãos, onde a pessoa não sabe em quem poderá confiar, nem o que pode facilmente suceder aos cavaleiros andantes, em detrimento do valor de suas pessoas.

— Senhor — respondeu o criado, — aqui somos todos amigos e desejamos servir aos cavaleiros da qualidade de vossa mercê. Assim, pode sentir-se à vontade nesta casa, sem cuidados nem receio de contrária fortuna.

Todavia, vendo que ele não queria mesmo desarmar-se, foi-se embora, dizendo-lhe que agisse como achava melhor, e aguardasse a vinda do amo, deixando-os com um pajem de guarda, para maior segurança, e a fim de evitar que ele saísse da casa.

Dom Quixote começou a andar pelo aposento. Vendo-se Bárbara a sós com ele, aproveitou a boa ocasião que se lhe oferecia e disse:

—Já cumpri minha palavra, senhor Dom Quixote, vindo com vossa mercê até a Corte; assim, suplico-lhe que me despache o mais rápido que puder, pois tenho de regressar à minha terra, onde me esperam negócios de importância. Além do mais, receio, Deus no livre e guarde, que aquele alguazil que acompanhava o nobre da carruagem, a quem vossa mercê chamava de príncipe de Pérsia, nos tenha mandado trazer a esta casa com o intuito de saber quem é vossa mercê e quem sou eu. Por certo, vendo que estamos juntos, há de pensar que estamos amancebados, e acabará, mandando-nos prender na cadeia, onde temo que seremos rigorosamente castigados e desfeiteados. Creia-me vossa mercê, e cuide-se de que não lhe façam com isto gastar o pouco dinheiro que lhe resta, tendo depois de voltar sem coisa alguma para sua terra, forçado a mendigar para sobreviver. Assim, veja bem como devemos proceder, pois em tudo seguirei de boa vontade seu parecer.

— Senhora rainha Zenóbia —disse-lhe Dom Quixote, — sei indubita-velmente que o cavaleiro da carruagem é o príncipe Perianeu de Pérsia, e que o pretenso alguazil é um seu honrado escudeiro. Portanto, fique sem medo. Peço-lhe, como favor pessoal, que permaneça comigo pelo menos seis dias nesta Corte; depois, eu próprio haverei de levá-la a sua terra, com mais honras do que pode imaginar.

— Por Deus, senhor Dom Quixote — interrompeu Sancho nesse momento, — que aquele que ia na carruagem, que dissemos ser pagão, ouvi não sei quanto dizerem que era alguém que não sei que, sei quem, homem boníssimo e cristão, e afirmo que tal me parece ser; primeiro, por sua caridade, pois nos convidou a jantar e a comer com tanta liberalidade; segundo, porque, se fosse pagão, claro está que deveria vestir-se como mouro, de vermelho, verde ou amarelo, com alfanje e turbante; entretanto, ei-lo qual Deus o fez e sua mãe o pariu e vossa mercê bem viu, todo de preto, assim como estavam todos os que acompanhavam; além do mais, nenhum falava em paganês, mas sim em romance, como nós.

Dom Quixote retrucou com cólera, dizendo:

— Podeis dizer, tu e a rainha, o que quiserdes, que ele é mesmo, sem dúvida alguma, o que eu disse.

Então Bárbara chamou o pajem que estava à porta e indagou;

— Diga-nos, senhor mancebo: aquele senhor que estava na carruagem, acompanhado de tanta gente lá no Prado, e que falou comigo e com este cavaleiro, quem é?

O pajem disse quem era ele e qual sua posição, informando como ordenara expressamente que os trouxesse a sua casa.

— E que quer ele de nós? — perguntou Sancho. — Não nos vejamos em outra atribu-lação como a que me vi na cadeia de Siguenza, tão atacado de piolhos, que os que desde então ainda me perturbam dariam para encher meia dúzia de travesseiros.

— Nenhuma coisa pretende meu senhor — respondeu o pajem — senão propiciar-lhes bom passadio e desfrutar de bons momentos de entretenimento.

— Dizei-me, ó pajem — disse Dom Quixote: — vosso amo não se chama Perianeu de Pérsia, filho do grão-sultão da Pérsia e irmão da infanta Impéria, rival do nunca vencido Dom Belianis de Grécia?

Riu-se muito o pajem escutando tantos disparates, e respondeu:

— Nem meu senhor é príncipe da Pérsia, nem turco, nem jamais esteve lá, nem viu Dom Belianis de Grécia, cujo livro mentiroso tenho em meu quarto.

— Ó pajem vil e de infame ralé! — exclamou Dom Quixote. — Chamas de mentiroso um dos melhores livros que os famosos gregos escreveram! Tu e teu bárbaro amo turco é que sois mentirosos! Amanhã, hei de fazê-lo confessar tal verdade diante do Rei, com os fios desta minha espada.

— Pois digo — replicou o pajem — que meu senhor é muito bom cristão, cavaleiro dos bons, e muito conhecido em Espanha. Quem disser o contrário, mente e é velhaco.

Ouvindo isso, Dom Quixote brandiu a espada e se atirou sobre o pajem, rápido como o raio. Vendo o que lhe podia acontecer, o rapaz precipitou-se pela escada abaixo, passando pela porta e chegando até a rua, onde começou a gritar:

— Venha aqui fora difamar meu senhor, velhaco, que há de lhe sair caro!

Dizendo e fazendo, pegou uma pedra do chão e atirou-a contra Dom Quixote, que saiu à rua armado, empunhando a espada, cobrindo-se com escudo e arrojando-se contra o pajem. Este, apanhando outra pedra, acertou-lhe o peito com tanta força, que se ele não tivesse armado teria corrido risco de vida. Ao ruído que faziam, ajuntou-se muita gente. Vendo aquele homem armado, com espada e escudo, ameaçando e atacando o pajem do conhecido nobre, não sabiam que dizer. Chegaram também dois alguazis acompanhados de seus soldados, e, vendo o que se passava, um deles aproximou-se de Dom Quixote, intencionado a tomar-lhe a espada, e lhe disse:

— Que fazeis, homem de Barrabás? Estais louco? Como vos atreveis a atacar o pajem de uma pessoa dotada das prendas que tem o dono desta casa? Dai-me logo essa espada e vinde para a prisão, pois digo-vos que esta burla vos haverá de custar mais de quatro pares de dias de reclusão.

Sem responder palavra, Dom Quixote firmou-se num dos pés, ergueu a espada e desfechou contra o pobre alguazil violenta espadeirada na cabeça, da qual logo escorreu sangue. Assustado, o ferido começou a vociferar, dizendo:

— Acudam a Justiça, que este homem me matou!

Vários soldados, alguazis e populares acorreram e desembainharam suas espadas contra Dom Quixote. este, satisfeito, bradou:

— Saia Perianeu de Pérsia com todos os seus aliados! Dar-lhes-ei saber, a ele e a quantos nesta casa vivem, que não passam de cães, inimigos da lei de Jesus Cristo!

Enquanto isto, segurando a espada com as duas mãos, desfechava golpes e torto e a direito. O pobre Sancho, que estava junto à porta contemplando o que seu amo fazia, disse em voz alta:

— Aí, senhor Dom Quixote! Não se renda a esses velhacos turcos, que só querem levá-lo para o Alcorão e circuncidá-lo, contra a sua vontade! Depois disso, hão de querer meter-lhe umas travas de ferro nos pés, como fizeram comigo em Siguenza!

Finalmente, foram tantos os que se precipitaram sobre o nosso bom fidalgo, que acabaram por conseguir tomar-lhe a espada. Em seguida, meia dúzia de soldados agarraram-no e amarraram suas mãos às costas.

Aconteceu de passar por ali, enquanto durava a refrega e principiava a anoitecer, um alcaide que estava passeando a cavalo. Vendo aquele ajuntamento, perguntou qual era a causa, e um dos circunstantes lhe disse:

— É uma enorme falta de vergonha, senhor! Um homem armado de todas as peças entrou nesta casa, onde vive aquele nobre que vossa mercê conhece, e quis matar dentro dela um de seus pajens. Quando certos alguazis quiseram prendê-lo por isto e pela resistência que lhes opunha, ele temerariamente acertou-lhe em cheio uma violenta espadeirada.

— Mau caso! — comentou o alcaide.

E, chegando onde os soldados continham Dom Quixote sem conseguir arrastá-lo dali, tamanha a sua resistência, ordenou que o largassem. Levantaram-no então do chão e puseram-no de pé. Vendo-o de mãos atadas e cheio de ira, disse-lhe o alcaide:

— Vinde aqui, homem do diabo! De onde sois? Qual é o vosso nome? Como vos atrevestes a invadir a casa de uma pessoa de tão ilustres dotes?

Respondeu-lhe Dom Quixote:

— E tu que tantas perguntas fazes, ó homem de Lucifer, quem és? O que tens a fazer é seguir teu caminho de ir para o diabo, sem te meteres naquilo que não é de tua conta. Quem quer que eu seja, sou cem vezes naquilo que não é de tua conta, e que a vil puta que te pariu, como eu te faria confessar em altas vozes, se pudesse montar meu precioso cavalo e retomar a lança e o escudo que me foram roubados por esta soez e infame canalha. Mas hei de dar-lhes o castigo que seu louco atrevimento merece, matando o rei de Chipre, Bramidão de Cortabigorna, com que acertei combater diante do Rei Católico. Ao mesmo tempo, tirarei vingança do príncipe Perianeu de Pérsia, dono desta casa, se ele não punir a descortesia que me foi feita neste real palácio, sendo eu Fernán Gonzalez, primeiro conde de Castela.

O alcaide ficou boquiaberto ante os disparates que ouvia. Um dos soldados disse-lhe então:

— Saiba vossa mercê, senhor, que este homem é mais velhaco que tolo. Agora que reconhece a loucura que cometeu, quer fazer-se de doido, para que não o aprisionemos.

— Pois basta — disse o alcaide. — Levem-no para a prisão e ponham-no a ferros até amanhã, quando haverá a audiência e saberemos qual o veredito.

Os soldados voltaram a agarrar Dom Quixote, que de novo resistiu o quanto podia. Já era próximo das nove horas. Foi então que o nobre retornou de sua saída e, vendo aquele ajuntamento em sua porta, dirigiu-se ao alcaide e indagou-lhe o motivo daquilo. Este contou-lhe tudo o que o homem armado fizera e dissera. Riu-se muito o fidalgo e, depois de contar ao alcaide quem era Dom Quixote, e que fora por ordem sua que o haviam trazido até ali, rogou-lhe que o soltasse, assumindo a responsabilidade por sua libertação. Ele se obrigava a entregá-lo caso se constatasse a falsidade daquelas informações, ou se tal fosse requerido pela Justiça. Quanto aos danos causados e à cura do alguazil ferido, ele também assumiu os custos, prometendo dar-lhe uma generosa recompensa pelos maus tratos que sofrera. Seu pedido foi secundado por todos os que acompanhavam o nobre, ansiosos que estavam para passar a noite desfrutando do entretenimento que lhes prometia o humor do preso e dos que vinham em sua companhia. Face aos rogos e garantias de gente tão importante, viu-se obrigado o alcaide a condescender com seu desejo, e ordenou aos soldados que libertassem e entregassem ao dono da casa. Este, vendo o fidalgo livre, disse-lhe:

— Mas que é isto, senhor Cavaleiro Desamorado? Que aventura é essa que lhe sucedeu?

Dom Quixote respondeu:

— Não é nada, meu senhor Perianeu de Pérsia. Eu não quis denegrir meu valor enfrentando esta gentalha reles, embora creia que um deles levou o pagamento por sua louca ousadia.

Nisto, aproximou-se Sancho, que ficara de longe assistindo aos padecimentos do amo. Tirando o barrete, falou:

— Ó senhor príncipe, seja muito bem-vindo! Livre meu amo desses alcaides velhacos, piores que os de minha terra, pois se atreveram a querer levá-lo arrastado para a cadeia, como se ele não fosse tão bom como o rei, como o papa e como o que não tem capa! Pude ver tudo, e se não fosse por vossa mercê, acredito que o teriam levado. Se eu não estivesse com medo deles, ter-lhes-ia aplicado uns bons sopapos.

— Pois podes estar certo — disse o cavaleiro — que se eu não fosse tão amigo do alcaide, e se não fosse pelo respeito que ele me tem, que o senhor Dom Quixote estaria agora em maus lençóis.

Em seguida, tomando Dom Quixote pela mão, disse-lhe:

— Venha vossa mercê, senhor príncipe da Grécia, e entre em minha casa, que agora tudo estará bem, menos para os velhacos que o desacataram, pois estes serão castigados como merecem.

E despedindo-se gentilmente de alguns que o acompanhavam, como já o fizera do alcaide, entrou em casa com Sancho e Dom Quixote. Os soldados ficaram no meio da rua sem sua presa, como que abobalhados, pasmos de ver o nobre dando o braço àquele sujeito e chamando-o de príncipe.

CAPÍTULO XXXI

DO QUE SUCEDEU A NOSSO INVENCÍVEL CAVALEIRO EM CASA DO NOBRE, E DA CHEGADA ALI DE SEU CUNHADO DOM CARLOS, EM COMPANHIA DE DOM ÁLVARO TARFE.

Entrando em casa, ordenou o nobre a seu mordomo que levasse Dom Quixote, Bárbara e Sancho ao quarto que lhes havia reservado, e que lhes servisse uma ceia boa e abundante. Terminada a refeição, ordenou que o mesmo mordomo trouxesse Bárbara a sua presença, para dar início aos entretenimentos que ele e os cavaleiros que com ele cearam esperavam desfrutar, ouvindo os disparates de Dom Quixote; antes disto, porém, esperavam que Bárbara lhes informasse sobre o princípio e causa de sua loucura.

Ela desceu, um tanto perturbada, sem saber por que queriam vê-la sozinha. Em presença dos cavaleiro, disse-lhes seu anfitrião:

— Diga-nos a verdade nua e crua, senhora rainha Zenóbia, a respeito de sua vida e da desse galante e valoroso cavaleiro andante que tanto a zela e defende.

— Minha vida, ilustríssimos senhores, já lhes contei quando nos encontramos no Prado. Ela é como a terra da Galícia: cheia de altos e baixos. Chamo-me Bárbara de Villalobos, nome herdado de uma avó que me criou em Guadalajara — Deus a tenha em bom lugar. Velha sou, moça já fui, e quando o era, tive os enleios que outras têm, não faltando quem me requestasse e me gabasse; nem a mim me faltaram as ordinárias debilidades das demais mulheres, crendo mais do que devia nos elogios sobre meu talhe e graça, ditos pelo velhaco do poeta que se encarregou de tirar-me a pudicícia. Entreguei-a e entreguei-me, amando-o e mentindo às pessoas que me pediam conta de meus passos. Logo

275

se ficou sabendo em toda a Guadalajara o que eu andava fazendo, pois nada há mais evidente que uma mulher que perdeu o recato: sua língua, suas mãos, seus pés, seus olhos, seus meneios, suas vestes, seus adornos, tudo revela e exibe sua própria desonra. Ciente do que acontecia, minha avó não resistiu à mágoa e morreu. Foi grande a minha dor, aumentada pelo fato de que já me deixara meu ingrato sedutor. Herdando os bens de minha avó, vendi os móveis, levantei o dinheiro que pude e mudei-me para Alcalá, onde vivo há mais de vinte e seis anos, ocupada em servir a todo mundo, principalmente aos de capa preta e toga comprida, pois sou efetivamente inclinada às letras, embora as minhas não excedam ao fazer e desfazer bem uma cama, preparar com arte saborosos miúdos, por mais graúdos que sejam, e, sobretudo, acertar no ponto da olha-podrida e abafar na hora certa uma escudela de repolho, legumes e caldo. O restante da desgraça que me tirou daquela vida boa já revelei a vossa senhoria no Prado, dando-lhe conta de como me deixei iludir pelo socarrão daquele aragonês, que me fez crer queria casar-se comigo, e que assim me fez vender meus móveis e acompanhá-lo até sua terra. Melhor companhia sua será a desgraça, pois ele cumpriu direito o que me prometera! Sei que fui tonta; por isto, mereci o que recebi. Ele levou-me para um pinhal e roubou-me tudo que eu levava comigo, deixando-me espancada, maniatada e seminua. Passou por ali esse mentecapto manchego e o tonto do Sancho Pança, além de outros que os acompanhavam até Siguenza, e foram eles que me libertaram, tendo Dom Quixote dado a mim a roupa que trago, pelo que me vejo obrigada a segui-lo, até que se canse de chamar-me de Rainha Zenóbia, e de sofrer, ele e seu escudeiro, as bordoadas e injúrias que os vi receber em Siguenza e na venda próximo a Alcalá, onde o autor de certa companhia de comediantes fê-lo passar por tais e tantas, que por pouco acabariam ali mesmo suas desventuradas aventuras.

Em seguida, relatou tudo quanto lhes havia sucedido na venda e em Alcalá, até chegar ao ponto em que se achavam no Prado, e tudo isto com tal desembaraço e donaire, que todos se admiraram e riram não pouco. Para complementar a farsa, mandaram chamar Dom Quixote e Sancho, e chegados ambos a sua presença, aquele armado e este de barrete na cabeça, disse o dono da casa ao cavaleiro:

— Seja bem-vindo o nunca vencido Cavaleiro Desamorado, defensor de gente necessitada, desfazedor de tortos e endossador de justiças.

E, fazendo-o sentar junto dele, e Bárbara junto do cavaleiro, pois ela assim o exigiu, prosseguiu, enquanto as demais pessoas da casa seguravam o riso:

— Que está achando vossa mercê desta corte, desde que aqui chegou? Diga-nos o que pensa de sua grandiosidade, e perdoe-me o atrevimento de querer alojar em minha modesta morada pessoas de tão singular valor, quais são vossa mercê e a senhora rainha das amazonas, aceitando o ardente desejo que tenho de servi-los, e com o qual espero suprir a falta de obras.

— Aceito-o de coração, invicto príncipe Perianeu — respondeu Dom Quixote, — e o mesmo faz a poderosa rainha Zenóbia, que aqui se acha honrando

276

esta sala. Tempo virá em que eu possa pagar com juros tão bons serviços, e será quando, indo com o duque persa Alfirão à grande cidade de Persépolis, faça casar vossa mercê, contra a vontade de todos, com a bela irmã que ele tem. Eis que então tornar-me-ei, devido à bela inscrição que trarei no escudo, o Cavaleiro da Rica Figura: ali estará representada a imagem da infanta Florisbela de Babilônia.

— Suplico a vossa mercê — tornou o dono da casa, homem de galhardo humor —não volte a tocar nessa tecla da infanta Florisbela, ciente que está de que seus encantos até me matam. Faça-me a mercê de não prosseguir com esse assunto, que logo se há de patentear a justiça de minha pretensão e tal respeito; mas isto será depois da batalha campal que acertamos travar.

— E cuja realização não admite delongas — completou Dom Quixote.

Ouvindo isto, intrometeu-se Sancho Pança na conversa, dizendo:

— Por Deus, senhor pagão, que vossa mercê é tão homem de bem quanto qualquer outro que já vi em toda a Paganaria, mesmo sendo um mau cristão, já que é turco, como todos sabem. Assim, não gostaria de vê-lo jogando fora sua vida, já que pretende enfrentar meu amo. Seria horrível morrer por nossas mãos quem em sua casa nos fez o obséquio de alimentar-nos como papagaios, com tantos e tais guisados, que podiam transformar em corpo a alma de uma pedra. Sabe com quem queria eu que se batesse Dom Quixote? Com esses demônios de alguazis e de beleguins que a cada passo nos preparam terríveis desaguisados, tais como o que acabamos de enfrentar, e que deixou amo e criado na maior aflição em que nos deparamos, desde que andamos por esses mundos à caça de aventuras. E se não fosse porque vossa mercê houvesse em boa hora ali chegado, meu senhor haveria de ver-se como em Saragoça: em vias de ser açoitado. Mas juro pela vida dos três reis do Oriente, e de quantos haja no Poente, que se pego algum em campo aberto, podendo sem risco fazer dele o que quiser, hei de fartar-me de dar-lhe bons sopapos, acertando-o neste e naquele lugar, dando uns por cima e outros por baixo.

Dizia isto com tal cólera, aplicando socos no ar, como se realmente estivesse sovando um alguazil. Com tanta gesticulação, acabou deixando cair o barrete no chão. Abaixando-se para apanhá-lo, disse:

— Agradeça que me caiu o barrete; não fosse isto, o vagabundo teria levado o que merece, para que nunca mais se atrevesse, ele ou outro tal qual, bater-se com um escudeiro andante honrado como eu, e de tão valoroso amo como é meu senhor Dom Quixote.

Riram todos os que se achavam na sala daquela cólera insana. Disse então o dono da casa:

— Eu, senhor Sancho, não posso deixar de enfrentar o senhor Cavaleiro Desamorado, e certamente hei de sair vitorioso desse encontro, porque meu valor é conhecido, e singular é a ajuda que sempre recebo de certo mago que me protege.

— Isso veremos — replicou Dom Quixote. — Minha confiança provém dos meus feitos.

Pareceu-lhes então que era melhor se recolhessem para dormir levantando-se de sua cadeira, disse o nobre a Dom Quixote:

— Pense bem no que vai fazer pelejando comigo, senhor Desamorado, e durma com esse pensamento.

— Numa boa cama ele há de dormir melhor —disse Sancho, — e o mesmo faremos eu e a senhora rainha.

— Boas camas não faltarão — disse o nobre.

E, mandando que os levassem a seus aposentos, foram todos dormir.

Dois ou três dias passaram-se assim, tendo os da casa ótimos momentos de entretenimento com os três hóspedes, mas sem jamais deixá-los sair à rua, conhecendo-lhes o humor e prevendo o alvoroço que haveriam de causar na Corte. Ao cabo desse tempo, quis Deus que chegassem de viagem Dom Carlos e seu amigo Dom Álvaro, a quem o primeiro não quisera deixar sozinho em Saragoça, por ocasião de um mal-estar que ali o acometera. Não fora isto, e já teriam chegado à Corte há muito tempo. Alvoroçou-se e regozijou-se toda a casa com sua chegada, já que ansiosamente os esperavam para celebrar e concluir o casamento do nobre. Este logo contou aos novos hóspedes sobre os ótimos momentos de entretenimento que os aguardavam com três curiosas figuras que estavam em sua casa, descrevendo-os um por um e relatando seus ridículos entremezes. A notícia agradou sobremaneira a Dom Carlos e Dom Álvaro, que estavam preocupados com o que teria acontecido a Dom Quixote e ávidos de saber o que ele estaria fazendo na corte. Assim, depois do jantar, vindo para a sala o cavaleiro, Sancho e Bárbara, de cuja vida também já haviam sido informados pelo nobre, resolveram os convidados não se darem a conhecer. Baixando os chapéus sobre o rosto, sentados ao lado do dono da casa, ficaram quietos escutando o que dizia o falso Perianeu a seus três hóspedes:

— Brevemente, valoroso manchego, medirei minha espada com a vossa, se perseverardes na renitente ideia de não vos renderdes a mim, e de não mais favorecerdes Dom Belianis de Grécia. Haverei de por certo inflingir-vos infamante derrota, pois aqui a meu lado está o sábio Fristão, meu diligentíssimo cronista e protetor.

Dizendo isto, mostrou Dom Álvaro, que, não deixando que vissem seu rosto, pôs-se logo de pé, ficando entre Dom Quixote e Sancho (Bárbara já ocupara seu assento ordinário), e disse com voz soturna e arrogante:

— Cavaleiro Deasmorado da infanta Dulcineia del Toboso, a quem por tanto tempo adoraste, serviste, cantaste e respeitaste, e por cujos desdéns fizeste tão áspera penitência na Sierra Morena, conforme se conta em certos anais que correm por aí, escritos em humilde idioma por mãos de não sei que Alquife: és porventura Dom Quixote de la Mancha, cuja fama anda espargida pelas quatro partes da orbe? Se o és, por que então te encontras aqui, vivendo tão ociosa quanto cobardemente?

Dom Quixote, ouvindo isto, voltou-se para o lado e disse:

— Responde tu, Sancho, a este sábio Fristão, que não merece ouvir de minha boca a resposta que espera. Não gosto de meter-me com gente sem palavra, quais são esses feiticeiros e nigromantes.

Alegre por ouvir o que lhe dizia e mandava seu amo, Sancho colocou-se defronte de Dom Álvaro e, cruzando os braços, disse com voz furiosa:

— Soberbo e descomunal sábio: fica sabendo que somos esses tais das quatro partes do mundo por quem perguntaste, assim como tu és filho de tua mãe e neto de teus avós.

— Pois esta noite — prosseguiu Dom Álvaro — terei de fazer um tão forte encantamento em prejuízo vosso, levando pelos ares a rainha Zenóbia e colocando-a em algum lugar dos Pirineus, para ali fritá-la e comê-la. Depois disso, voltarei para fazer o mesmo contigo e com teu escudeiro Sancho Pança.

— Pois nós estamos dizendo — replicou Sancho — que nem nos passa pela cabeça irmos para lá. Se quer levar a rainha Segóvia, bom proveito; teremos muito prazer com isto, e o diabo carregue a quem disser o contrário, pois ela não nos serve senão para dar despesas. Entre mula e vestido, já gastamos com ela mais de quarenta ducados, sem falar no que ela comeu. E o mais interessante é que quem depois fica com a melhor parte são os criados dos comediantes! Como amigo teu que sou, porém, advirto-te que penses bem antes de comê-la; ela é um tanto velha, e sua carne deve estar dura como todos os diabos. Assim, sugiro que a ponhas num panelão — espero que tenhas um — juntamente com couve, nabo, alho, cebola e toucinho, e deixes tudo cozinhando durante três ou quatro dias. Só assim ela ficará comível, macia como carne de vaca; mesmo assim, não te invejo o prato.

Dom Álvaro, depois disto, não consegui prosseguir com a farsa. Rindo como todos os demais, voltou-se para Dom Quixote, abriu os braços e disse:

— Ó meu prezado Cavaleiro Desamorado! Venha de lá um abraço! Olhe bem para mim e veja que quem aqui se encontra é seu grande amigo Dom Álvaro Tarfe!

Dom Quixote reconheceu-o e logo se alegrou, dizendo:

— Ó meu senhor Dom Álvaro! Seja bem-vindo! Já me espantava de ver a temerária arrogância do sábio Fristão, mas agora vejo que era uma burla – e não das más — com a qual vossa mercê conseguiu iludir a mim e a meu criado Sancho.

Sancho, logo que também reconheceu Dom Álvaro, ajoelhou-se a seus pés e, segurando o barrete nas mãos, falou:

— Ó meu senhor Dom Tarfe! Seja vossa mercê tão bem-vindo quanto o seria um panelão do tamanho daquele no qual acabamos de guisar a rainha Segóvia! Perdoe minha cólera, que não era contra vossa mercê, e sim contra aquele maldito sábio que queria levar-nos para os Pirineus, a quem por mil vezes estive tentado a esmurrar com estes meus pecadores punhos fechados , aplicando-lhe merecida sova, mas sempre contando com a ajuda de Dom Quixote, no caso de que ele quisesse reagir.

Dom Álvaro respondeu:

— Agradeço-vos muito, senhor Sancho, pelo belo tratamento que me queríeis dispensar, apesar do que vos dispensei em minha casa e na do senhor Dom Carlos em Saragoça; ou já vos esquecestes dos saborosos pratos que ali vos servimos?

— Falando nisto, — disse Sancho, — onde está o senhor Dom Carlos?

Foi ele próprio quem respondeu:

— Está aqui para servir-vos.

Dizendo isto, levantou-se e foi abraçar Dom Quixote e Sancho, que se alegraram em extremo por vê-lo.

— Eu não teria chegado a esta corte, senhor Dom Quixote, — prosseguiu Dom Carlos, — se não tivesse de apadrinhá-lo na batalha que terá de travar contra Bramidão, o rei de Chipre, dando-lhe o que ele merece. Contaram-me que ele se acha na praça principal, desafiando diariamente todos os cavaleiros que por ali passam e derrotando-os um por um, não havendo quem lhe faça frente. Isto tem deixado não pouco envergonhados o Rei e os grandes do reino, que há tempos aguardam que Deus lhe traga algum cavaleiro capaz de derrotar e cortar a cabeça de tão infernal monstro.

Dom Quixote respondeu:

— Pois já me parece, senhor Dom Carlos, que os pecados e maldades do rei de Chipre bradam aos céus, já tendo chegado ao seu auge. Assim, esta tarde, sem falta, hei de aplicar-lhe o castigo que suas más obras pedem.

— Pode ficar confiante, senhor Dom Carlos — confirmou Sancho, — de que hoje mesmo daremos cabo desse demônio de gigante que tão cansados nos traz. Mas para que veja Dom Quixote não ter sido em vão que recebi a ordem da escuderia, também digo que quero travar batalha, diante de todo o mundo, com aquele escudeiro negro do gigante, aquele que vi em Saragoça na casa do senhor Dom Álvaro. Parece-me que ele não usa espada nem qualquer outro tipo de arma, mas que anda de mãos abanando, do mesmo jeito que eu. Assim, em vez de abaná-las, irei fechá-las, travando com ele sanguinolenta peleja de murros, sopapos, pontapés, beliscões e mordidas. Se ele é escudeiro de um gigante pagão, sou-o de um cavaleiro andante cristão e manchego; escudeiro por escudeiro, Valladolid em Castela; amo por amo, Lisboa em Portugal. Que vá ele e vá a negra de sua mãe para o diabo que os carregue! Trate ele de fugir de mim como o demônio da cruz, especialmente se eu puder comer, antes da peleja, meia dúzia de cabeças cruas de alho, tendo um bom vinho tinto de Villarbledo para empurrá-las para dentro! Com isto, os golpes que lhe darei serão suficientes para derrubar um penhasco! Ah, pobre escudeiro negro, que terrível tarde te espera! Melhor seria se houvesse ficado em Monicongo com teus irmãos pretinhos, ao invés de vir morrer a tapas, nas mãos de Pança. Fiquem vossas mercês com Deus, que vou pôr mãos à obra.

280

Deteve-o Dom Carlos, dizendo:

— Aguarda, amigo, que ainda não é hora de pelejar. Não te preocupes e deixa esse assunto a meu cargo.

— Faço-o com o máximo prazer — respondeu Sancho — e beijo as mãos de vossa mercê pelo obséquio que me presta. O homem beija as mãos que preferia ver cortadas.

— Oh, Sancho! — estranhou Dom Carlos. — Tanto mal te fiz que me querias ver de mãos cortadas?

— Não leve a sério — respondeu ele, — pois foi apenas um refrão que me veio à boca, assim como tantos outros. Ao contrário, que Deus que sempre veja essas mãos honradas mostrando-me e oferecendo-me aqueles benditos pratos de alfândegas e pelotas de manjar-branco que havia em Saragoça, pois eu não iria fazer-me de rogado ante tal oferecimento.

Depois disto, voltou-se Dom Quixote para o nobre, dizendo:

— Eis aqui, príncipe Perianeu, a nata dos meus amigos, que darão a vossa mercê bastante notícia de meu valor e minhas façanhas, mostrando-lhe a temeridade que representa sua não rendição e fazendo-o desistir da infante Florisbela, em favor de Dom Belianis, meu parente próximo.

— Pois então, senhor Dom Quixote — indagou Dom Álvaro, — pretende este príncipe batalhar contra vossa mercê?

— Tamanho é seu atrevimento — respondeu ele, — que quer entrar em combate comigo, coisa que me dói na alma, pois não queria ser o verdugo de quem tão honrada e hospitaleiramente me alojou. Mas o que posso fazer por ele, a fim de que tenha mais tempo de vida, será entrar primeiro em batalha com o rei Bramidão de Cortabigorna, e logo em seguida com o aleivoso filho do rei de Córdova, em defesa da inocência da rainha sua mãe.

— Não é pouco a mercê que a todos nos faz — disse-lhe Dom Carlos — adianto essa batalha, pois com efeito queremos todos que se poupem dissensões entre dois príncipes tão poderosos, quais o são Perianeu e vossa mercê. Com o tempo, espero poder arranjar suas pretensões, sem prejuízo de nenhuma das partes.

— Quanto ao senhor príncipe pagão — disse Sancho, — suas qualidades são tais que me fazem desejar servi-lo mesmo nessa batalha. E já começando a fazê-lo, dou-lhe um conselho: não vá para o combate antes de estar bem alimentado, que a tarde é comprida, sendo mesmo acertado levar alguma coisa leve, como um fiambre, para comer enquanto repousam, já que o cansaço costuma despertar a fome. Ofereço-me eu mesmo para levar tudo sobre meu ruço, se assim quiser, nuns alforjes grandes que tenho. Comprometo-me ainda a falar com meu amo, depois que ele o derrubar e estiver a pique de lhe cortar a cabeça, pedindo-lhe que a corte bem devagar e com suavidade, para que lhe faça menos mal.

O príncipe Perianeu agradeceu os bons serviços que ele lhe queria prestar, aceitando ao mesmo tempo o adiamento da batalha, afirmando a Dom Quixote que muito desejava sua amizade e que temia ter de combatê-lo, mormente depois das referências ao seu valor, abonadas por Dom Carlos e Dom Álvaro. Este então disse:

— Parece-me, senhores, que estes assuntos estão bem encaminhados; assim, o melhor que faremos é repousar, pois amanhã teremos muito trabalho para avisar toda a corte da vinda do senhor Dom Quixote e do motivo que aqui o trouxe, qual seja o seu grande desejo de libertá-la das maldades do insolente rei Bramidão.

A todos pareceu boa a ideia de encerrar aquela conversação prolixa; deste modo, saíram da sala, dirigindo-se cada qual para o seu aposento.

Sancho, mal pôs os pés fora da sala, foi abordado pelos criados de Dom Álvaro e de Dom Carlos, que ele já conhecia. Depois de saudá-los, perguntou pelo cozinheiro coxo. Um dos criadores lhe respondeu:

— Por minha fé, senhor Sancho, que vossa mercê está prosperando a olhos visto! Não estranharei se terminar seus dias como rufião. Por minha vida que a moça não é nada má! Escolheu uma bem roliça, sinal de bom gosto. Mas guarde-a dos gaviões desta corte e escute bem este conselho: não vá deixar que algum alcaide daqui o pilhe com o furto nas mãos, ou não lhe haverão de faltar bons anos perdidos nas galés, pois na Corte essas prebendas são distribuídas com larga generosidade.

— Não é minha a moça — replicou Sancho, — mas sim do diabo que a colocou em nosso caminho no meio de um bosque. Se alguém dentre vossas mercês quiser ficar com ela, esteja à vontade, que até a roupa que ela veste custou nosso dinheiro. Juro não por Deus que se me dessem por causa dela, não digo duzentos açoites e condenação às galés, mas quatro mil bispados, nem assim havia de querê-la, preferindo deixá-la para Barrabás e toda a sua linhagem. Mas antes faria com que ela se recordasse de mim enquanto vivesse.

Assim conversando, subiram com ele até seu quarto, fazendo-o dizer dois mil disparates por conta da parte da ceia que lhe havia cabido.

CAPÍTULO XXXII

EM QUE TÊM PROSSEGUIMENTO AS GRACIOSAS DEMONSTRAÇÕES DADAS POR NOSSO FIDALGO DOM QUIXOTE E SEU FIDELÍSSIMO ESCUDEIRO SANCHO, NA CORTE, ACERCA DE SEU VALOR.

    Resolveram o nobre e Dom Carlos que a primeira coisa a fazer, depois de saírem de casa e assistirem à missa, seria beijar as mãos de Sua Majestade e de alguns eminentes membros do Conselho, participando-lhes o casamento que em breve se realizaria. Assim o fizeram, acompanhados de Dom Álvaro e outros amigos que haviam aparecido para visitar Dom Carlos. Já se haviam levantado Dom Quixote, Bárbara e Sancho, na hora em que eles estavam saindo de casa, tendo sido difícil convencê-los a não os acompanharem, especialmente no caso de Dom Quixote, que teimava em honrá-los com sua companhia, montado em Rocinante. Prometendo que haveriam de buscá-lo tão logo houvessem comunicado aos maiorais a razão de sua vinda, conseguiram convencê-lo, deixando com ele alguns guardas, instruídos para não deixarem que ele ou qualquer outro de sua companhia saísse da casa sob qualquer pretexto. Quando já se achavam na rua, Sancho apareceu numa das janelas, dizendo em voz alta:

    — Senhor Dom Carlos, se acaso topar por aí com aquele escudeiro negro meu rival, diga-lhe que lhe beijo as mãos e lhe peço que se prepare para que hoje à tarde ou amanhã possamos acabar aquela batalha que ele sabe, contra um dos melhores escudeiros dos que têm barba em tufos. Diga-lhe ainda que o desafio a ver quem dos dois, depois da batalha, ceifa melhor ou mais depressa. Dou-lhe de vantagem dois ou três feixes, mas com a condição de que primeiro haveremos de comer um gostoso coelho cozido com alho, que sei preparar às mil maravilhas.

Puxou-o Dom Quixote pelo saio com raiva, dizendo-lhe:

— Será possível, Sancho, que para ti não possa haver guerra, conversação ou passatempo que não seja de coisas de comer? Deixa estar que o escudeiro negro há de cair em cima de ti desferindo sopapos com ambas as mãos, obrigando-te a largar o que tiveres nelas para te defenderes.

— Não há perigo — replicou Sancho, — porque penso em ir prevenido para a peleja, levando na mão esquerda uma grande bola de pez de sapateiro, bem mole, para que aquele negro, quando quiser acertar-me um murro no nariz, acabe esmurrando a bola de pez e, com a fúria do golpe, ficará com a mão pregada, sem conseguir soltá-la; assim, vendo-o com a mão direita inútil, hei de aplicar-lhe tantos e tais sopapos no nariz, que este, de negro, há de tornar-se vermelho, de tanto sangue que há de escorrer.

Por fim, o nobre, Dom Carlos e Dom Álvaro fizeram suas visitas, tendo a ventura de poder beijar as mãos e manter a longa conversa com Sua Majestade, podendo tratar de seus assuntos com ele e com os demais senhores a quem tinham obrigação de participar o casamento. Na última de suas visitas, feita a um amigo de sua mesma qualidade, casado com uma dama de muito bom gosto, contaram ao casal sobre os hóspedes que tinham em casa e os agradáveis momentos que passavam com eles. Encareceram tanto o divertido humor de seus convivas, que o casal rogou-lhes insistentemente para que os levassem a sua casa aquela tarde, a fim de se divertirem um pouco.

Comprometeram-se a fazê-lo, com a condição de que ele se passasse pelo grão-arquipâmpano de Sevilha, e sua mulher pela arquipampanesa, uma vez que Dom Quixote só se impressionava com príncipes de nomes bombásticos, visto imaginar-se em sua loucura ser um cavaleiro andante desfazedor de agravos e defensor de reinos, reis e rainhas; deste modo, dera-lhe na telha de que uma horrenda mundogueira de Alcalá, que ele forçava a acompanhá-lo, era a rainha Zenóbia, e não podia imaginá-la como menos que isso, em razão da frequente e vã leitura dos livros fabulosos de cavalaria, que o fazia dar crédito a todas as quimeras que neles se contam, tendo-as por verdadeiras.

Tendo concertado esse plano, voltaram a sua casa para almoçar, levando a Dom Quixote um recado da parte de Arquipâmpano, dizendo que todos haveriam de visitá-lo à tardinha. Dom Quixote e Sancho deveriam ir de coche, por ser próprio dos príncipes da Corte passearem assim durante aqueles meses, e não a cavalo.

Dom Quixote e Sancho aprovaram a ideia e, quando chegou a hora, os coches foram preparados e dentro deles entraram todos, inclusive Dom Quixote, armado de todas as peças. Pouco depois, chegavam à casa de Arquipâmpano, que logo foi avisado por seus pajens da chegada dos visitantes. Conforme haviam planejado, este assentou-se sob um dossel, no salão, onde o nobre, Dom Carlos e Dom Álvaro entraram com grande respeito e dissimulação, cumprimentando-o com exagerada cortesia. O salão já se encontrava cheio de pessoas, que eram os moradores da casa e alguns amigos convidados para a diversão. Numa das extremidades, reclinada num amplo sofá, ficou a mulher do Arquipâmpano, rodeada de aias e criadas. O dono da casa ordenou que os visitantes se assentassem junto dele, mas Dom Álvaro, voltando à entrada, tomou da mão de Dom Quixote e o apresentou cortesmente ao Arquipâmpano, dizendo:

— Aqui tem vossa alteza, senhor dos fluxos e refluxos do mar, poderosíssimo arquipâmpano das Índias oceânicas e mediterrâneas, do Helesponto e da gente Arcádia, a nata e a flor de toda a cavalaria manchega, amigo de vossa alteza e grande defensor de todos os seus reinos, ilhas e penínsulas.

Dito isto, foi sentar-se, deixando Dom Quixote no meio da sala. O cavaleiro pôs-se a olhar em derredor, com semblante grave, apoiando no chão o conto da lança. Assim ficou por algum tempo, calado, até que viu que todos já haviam visto e lido as figuras e dizeres que trazia no escudo. Notando que esperavam que ele falasse, fê-lo, por fim, com voz serena e grave:

— Magnânimo, poderoso e sempre augusto arquipâmpano das Índias, descendentes dos Heliogábalos, Sardanápalos e demais imperadores antigos; eis em vossa presença o Cavaleiro Desamorado, do qual provavelmente já ouviste falar, que, após percorrer a maior parte de nosso hemisfério, onde derrotou e matou infinito número de ogros e de descomunais gigantes, desencantando castelos, libertando donzelas, e depois de haver desfeito tortos, vingado reis, vencido reinos, sujeitado províncias, libertado impérios e trazido a desejada paz às mais remotas ilhas, ponderando acerca de todo o restante do mundo, constatei não haver, em toda a sua redondez, rei ou imperador mais digno e merecedor de minha amizade, conversação e trato que vós, alteza, pelo valor de vossa pessoa, lustre de vossos progenitores, grandeza de vosso império e patrimônio, e, principalmente, pela qualidade que mostra vossa bela e robusta presença. O que aqui vim fazer, magnânimo monarca, não foi honrar-me convosco, pois honra assaz tenho adquirida, nem buscar vossas riquezas e reinos, porquanto disponho dos impérios de Grécia, Babilônia e Trapisonda, para quando os quiser; nem trocar cortesias ou quaisquer outras graças e virtudes com vossos cavaleiros, que mal pode aprender quem é conhecido por todos os príncipes de bom gosto como espelho e modelo de virtudes, educação e de toda a moderação e boa ordem militar; o que aqui procuro é que me tenhais por verdadeiro amigo, pois disto vos resultará não somente honra e proveito, como também suma alegria e contentamento, por ser óbvio que todos os imperadores do mundo, vendo-me do vosso lado, hão de render-vos, mal que lhes pese, vassalagem, enviar-vos tributos, multiplicar embaixadores, com o único propósito de estabelecer convosco invioláveis e perpétuas tréguas, enquanto em vossa casa eu estiver, e assim o farão compelidos pelo tremor que, com o estrondo de meu nome e a glória de minhas façanhas, lhes entrará pelos ouvidos até o íntimo de seu coração. E para que vejais que a fama de minhas obras que escutastes não se trata tão-somente de palavras que o vento leva consigo, mas sim de valentias heroicas e conquistas célebres, rematadas com suma felicidade, e felicidade que resulta em prol da ordem da cavalaria andantesca, quero que logo me venha às mãos, em vossa presença, aquele soberbo gigante Bramidão de Cortabigorna, rei de Chipre, com quem há mais de mês tenho aprazada batalha para diante de vós e de todos os vossos grandes, em cuja presença hei de cortar-lhe a monstruosa cabeça, oferecendo-a à grande Zenóbia, formosíssima rainha das amazonas, com cuja presença ao lado me honro, e a quem penso dar o dito reino de Chipre, ao tempo em que este braço a restitua no seu, que o Grão-Turco lhe usurpou. Esta será a primeira de uma série de vitórias. Depois dela, espero castigar certo filho do rei de Córdova, tão aleivoso que, em minha presença, levantou falso testemunho contra uma rainha, de quem é enteado. Por fim, hei de fazer desistir da vida ou de sua pretensão o príncipe Perianeu de Pérsia, quanto aos amores da infanta Florisbela, já que os solicita meu grande amigo Belianis de Grécia, e eu não cumpriria com o que devo, por ser quem sou, se não o deixasse sem pretendente tão importante em tão grave pretensão. Portanto, alteza, mandai logo que os três venham nesta ordem a esta real sala, que de novo os repto e desafio.

Dito isto, calaram-se todos, espantados com os concertados disparates daquele homem, e com a gravidade e seriedade com que ele os dizia. Ninguém sabia como poderia responder-lhe. Ao cabo de alguns instantes, porém, foi o próprio Arquipâmpano que falou:

— Folgo infinito, galhardo manchego, de que quisestes eleger minha corte e aceitar os serviços que penso prestar para vosso bem e glória, e para o aumento de meus estados, e mais ainda me rejubilo por ter ocorrido vossa chegada num tempo em que tão oprimido me tem esse bárbaro príncipe de Cortabigorna a quem vos referistes. Todavia, por ser árdua a empresa do duelo que com ele aprazastes, quero, para sobre isto deliberar com mais acordo, que o adieis até que eu tenha consultado meus grandes. Já os desafios feitos aos príncipes Perianeu e o de Córdova são de menor consideração, e facilmente se resolverão mais tarde, quando eles souberem de vosso triunfo sobre o rei de Chipre. Peço, portanto, que consintais primeiramente no adiamento de vossa batalha. Em segundo lugar, peço que vos afasteis o quanto puderdes das damas de minha casa e corte pois, estando nela, e sendo o Cavaleiro Desamorado, tão galante, bem disposto, valente e bem-falante, por força hão de estar todas elas com grande expectativa, disputando entre si sobre qual há de ser a ditosa e bem-afortunada que vos mereça. E não tenho intenção de que caseis com nenhuma delas, pois pretendo dar-vos a mão da infanta minha filha, que ali vedes, tão logo vos veja coroado imperador da Grécia, Babilônia e Trapisonda, e daqui em diante receberei a mercê de que, como futuro genro meu, tenhais esta casa como vossa, servindo-vos dela e de meus próprios cavaleiros e criados.

Dom Carlos, depois disto, chamou Sancho por um lado da cadeira e lhe disse:

— Já é hora, amigo Sancho, de que o poderoso Arquipâmpano te conheça e veja teu bom senso. Assim, não percas a ocasião que se te apresenta. Vai lá e dize-lhe com boa vigorosa retórica que se sirva de dar-te licença de travar combate com aquele escudeiro negro. Se o venceres, é certo que ele te concederá a ordem de cavalaria tornando-te tão cavaleiro e tão famoso, por toda a tua vida, quanto o é Dom Quixote.

Ouvido tal conselho, dirigiu-se Sancho para o meio da sala, ajoelhando-se aos pés do amo, de barrete na mão,e disse em voz alta:

— Meu senhor Dom Quixote de la Mancha, se alguma mercê já lhe fiz neste mundo, suplico-lhe, pelos bons serviços de Rocinante, que é a pessoa que mais pode com vossa mercê, me conceda, em pagamento disso, licença para dirigir meia dúzia de palavras a este senhor Arquipântano. Penso ser isto de grande importância, pois vendo ele meu engenho, sem dúvida me concederá, mais dia menos dia, a ordem de cavalaria, com as mesmas caras e coroas que vossa mercê possui.

Dom Quixote respondeu:

— Dou-te a licença, Sancho, mas com a condição de que não profiras nenhuma das ignorâncias que costumas dizer.

— Para isso — disse Sancho, — bom remédio será que se ponha vossa mercê atrás de mim e, vendo que soltei alguma, puxe-me pela falda de saio, pois assim me desdirei de tudo quanto houver dito.

Chegou-se imediatamente Dom Quixote ao cavaleiro que tinha por Arquipâmpano e disse-lhe:

— Para que vossa alteza, senhor meu, veja que, como verdadeiro andante trago comigo um escudeiro de qualidade, e fidelíssimo para levar e trazer recados às princesas e cavaleiros com quem se me oferecer entrar um contato, suplico-lhe escute este que aqui lhe apresento, chamado Sancho Pança, natural de Argamesilla de la Mancha, homem de excelentes prendas e qualidades, e que tem para tratar com vossa alteza assunto de grande importância, se para tanto lhe for concedida a devida licença.

O Arquipâmparo disse que lhe concedia, já que pudera observar no porte, nos trajes e na fisionomia do escudeiro que ele não poderia ser menos sensato que o amo.

Sancho então pôs-se no meio da sala e, voltando a cabeça, disse a Dom Quixote:

— Dê-me vossa mercê essa lança, para que eu fique como ficou vossa mercê quando falou com o Arquipâmpano.

Respondeu-lhe Dom Quixote:

— Para que diabos a queres? Não vês que não estás armado como eu? Já começaram as ignorâncias!

— Continue contando — replicou Sancho. — Já tenho uma.

E fazendo um arco com as mãos, sem tirar o barrete, e acompanhado dos risos de todos que o contemplavam, quedou-se durante alguns instantes calado, até que os demais se silenciaram. Ele então começou a falar, procurando fazê-lo no mesmo estilo empregado por Dom Quixote, a cujas palavras estivera não pouco atento:

— Magnânimo, poderoso e sempre arbusto arco do pântano das Índias...!

Dom Quixote puxou-o pelo saio, dizendo:

— Fala "augusto arquipâmpano das Índias" e continua com siso.

Ele, voltando a cabeça, disse:

— Que diferença há entre *arbusto* e *augusto*, quando se trata de *pântano*? Não dá no mesmo?

E prosseguiu dizendo:

— Vossa mercê há de saber, senhor descendente do imperador Hélio Glóbulos e de Guardanápalos, que me chamo Sancho Pança, o escudeiro, marido de Mari-Gutiérrez por cima e por baixo, se já de mim e dela não ouviu falar. Pela graça de Deus e da santa sede apostólica, sou cristão, e não pagão como o príncipe Perianel, e aquele velhaco escudeiro negro. Há muitos e muitos dias ando por aí montado em meu ruço, acompanhando meu senhor pela maior parte deste nosso...

E voltando a cabeça para o amo, perguntou:

— Como diabos se chama aquele negócio?

— Maldito sejas — exclamou Dom Quixote. — "Hemisfério", — idiota!

— Mas o que quer vossa mercê? — replicou Sancho. — Faça de conta que já tenho duas ignorâncias, e basta. Pensa que o homem pode ter tanta memória quantas tem o missal? Diga-me o nome do negócio, e tenha paciência, que já perdi de novo o fio da meada.

— Já te disse — respondeu Dom Quixote: — chama-se "Hemisfério".

— Digo então — prossegui Sancho, — voltando à minha história, senhor rei do Hemisfério, que até agora não matei nem destrocei aqueles gigantes dos quais meu amo falou; ao contrário, fujo deles como da maldição, porque o que vi em Saragoça, na casa do senhor Dom Carlos era tal, que chego a duvidar que a torre de Babilônia pudesse igualá-lo! Por isto, não quero nada com ele, que lá se avenha com meu amo. Com quem quero provar minhas unhas é com o escudeiro negro que ele traz consigo, que negra páscoa lhe dê Deus. Ele, sim, é meu inimigo mortal, e não descansarei até que possa lavar as mãos em seu sangue negro, aqui nesta sala, em presença de todas vossas mercês. Fazendo isto, confio que vossa altura há de ordenar-me cavaleiro, embora não se possa dizer que eu já não o seja, quando estou montado em meu ruço. Só advirto que na peleja não hão de deixar-me desprotegido nem meu amo, nem o senhor Dom Carlos e o senhor Dom Álvaro, para o que der e vir. Além do mais, não haveremos de lutar com paus ou espadas, pois correríamos o risco de nos machucamos sem querer, tendo que nos tratar depois. Não, nosso duelo há de ser na base de educados sopapos e pescoções, podendo surgir de vez em quando um pontapé, alguma dentada — e assim for, São Pedro que o bendiga. É bem verdade que mesmo sendo assim, terá não pouca vantagem o velhaco do negro, porque há mais de dois anos e meio que não troco sopapos com ninguém, e isto, se não é praticado, facilmente se esquece, como a *Ave Maria*. Mas o remédio estás nas mãos do senhor Dom Álvaro. Onde está ele? Apareça, criatura!

— Estou aqui, senhor Sancho — respondeu Dom Álvaro. — Pode dizer, que estou escutando e farei tudo o que for de seu gosto.

— Pois o que há de fazer — prosseguiu Sancho — é colocar nele uns antolhos de cavalo quando sair à peleja, para que, não me enxergando, ele erre os golpes, enquanto eu, chegando devagarzinho, ora por este, ora por aquele lado, possa acertar-lhe mil murraços, até que o faça apresentar-se de joelhos perante minha mulher Mari-Guitiérrez, pedindo-lhe que me rogue perdoá-lo. Eis aqui, senhor arbusto rei, vendida a batalha e rendido o escudeiro negro. Depois disto, não haverá senão armar-me cavaleiro, que não sou de brincadeiras, e a cachorro velho não adianta tiu-tiu!

— Por certo, Sancho — disse o Arquipâmpano, — mereceis a ordem de cavalaria que reclamais. Ela vos será concedida no dia em que se concluir a batalha com o rei de Chipre, juntamente com outras mercês que recebereis. Mas contai-me, para dar-me prazer, as façanhas do senhor Dom Quixote e as aventuras enfrentadas por esses Hemisférios, que eu e a Arquipampanesa minha mulher, além da infanta minha filha e de todos estes cavaleiros, muito haveremos de apreciar vosso relato.

Tendo liberdade de falar, Sancho dela usou sem parcimônia, relatando tudo quanto lhes havia acontecido outrora e recentemente, sem se deixar interromper por Dom Quixote, que, encolerizado, o contestava, contradizia e desmentia. E ele assim contou o que lhes sucedera em Ateca, na ida e na volta, em Saragoça, com a rainha Segóvia no bosque, em Siguenza, na venda, em Alcalá e até mesmo na própria Corte.

O amo repreendeu-o asperamente quando ele encerrou o relato, passando os dois a discutir porfiadamente sobre a autenticidade da retranca do burro, o que fez os circunstantes prorromperem em gargalhadas. Isto obrigou Dom Quixote a dizer-lhes:

— Assaz me espanto, senhores, de que gente tão grave se ria tão levianamente das coisas que a cada dia acontecerem ou podem acontecer aos cavaleiros andantes. Tão honrado quanto eu era o forte Amadis de Gaula; não obstante, recordo-me de haver lido, tendo um feiticeiro conseguido aprisioná-lo, embora por engano, numa obscura masmorra, tentou compensar seu erro, enviando-lhe ali um remédio composto de areia e água fria, o que quase acaba de vez com seus dias.

Ouvindo essas palavras, e temeroso de que Dom Quixote não as rematasse com um dilúvio de cutiladas sobre todos os presentes, preferiu o Arquipâmpano levantar-se da cadeira e, na intenção de atalhar a cólera que já ia tomando conta do fidalgo, chegou-se à sua mulher e lhe perguntou o que achava ela do valor do amo e do criado. Ela disse que se tratava de pessoas maravilhosas, o que fez Dom Carlos retrucar:

— Pois falta a vossa alteza contemplar o melhor de tudo, que é a rainha Zenóbia; não concordas, Sancho?

O escudeiro respondeu, olhando para as damas presentes:

— Garanto, senhoras, que podem vossas mercês ser aquilo que forem, mas por Deus e em minha consciência, juro que ela as excede em mil coisas: primeiro, porque tem os cabelos alvos como um copo de neve, enquanto suas mercês os têm tão pretos como o escudeiro negro meu adversário. E quanto ao rosto, ah! Ela não lhes fica atrás! Juro, não por Deus, que o dela é bem maior que uma rodela, mais cheio de rugas que os calções dos soldados, mais vermelho que sangue de vaca. Ademais, ela tem meio palmo de boca a mais que vossas mercês, e boca mais desembaraçada, pois dentro dela não tem tantos ossos e obstáculos para o que puser em seus esconderijos. Digo ainda que ela pode ser conhecida até dentro de Babilônia, pela linha equinocial que tem junto dessa boca. Quando às mãos, são chatas, curtas e cheias de verrugas. As tetas são compridas como abóboras de verão. Mas para que cansar-me em descrever sua formosura, se basta dizer que ela tem, em um só pé, mais que vossas mercês com todos os seus juntos? Para meu senhor Dom Quixote, ela é um verdadeiro mimo: diz ele que a sua formosura é maior que a da estrela Vênus na hora em que o sol se põe; acho um pouco exagerado, pois se assim fosse, quando ela saísse de casa por volta de meia-noite, os galos começariam a cantar.

Todos apreciaram extremamente o perfil traçado por Sancho, rogando a Dom Carlos que trouxesse a rainha Zenóbia no dia seguinte, àquela mesma hora. Ele o prometeu e, voltando-se para o seu futuro cunhado, que num canto do salão tentava sossegar Dom Quixote, insistiu com o fidalgo para que deixasse Sancho ficar aquela noite na casa do Arquipâmpano. Vendo que o próprio dono da casa é quem fazia tal pedido, e que ele não podia ser contrariado em suas intenções, conforme lhe lembraram o nobre, Dom Álvaro e Dom Carlos, o cavaleiro asquiesceu. Depois disto, despedindo-se todos de suas altezas, voltaram para casa, seguindo Dom Quixote satisfeito por ver que já começavam a conhecê-lo e a temê-lo os da Corte.

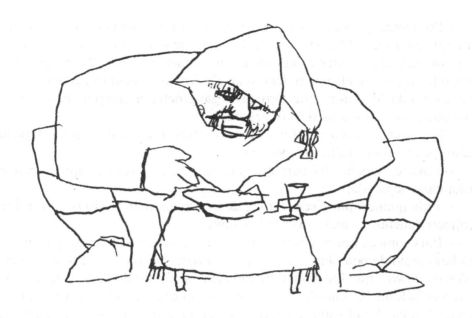

CAPÍTULO XXXIII

EM QUE CONTINUAM AS FAÇANHAS DE NOSSO DOM QUIXOTE E A BATALHA QUE O ANIMOSO SANCHO TRAVOU CONTRA O ESCUDEIRO NEGRO DO REI DE CHIPRE, JUNTAMENTE COM A VISITA QUE FEZ BÁRBARA AO ARQUIPÂMPANO.

Aquela noite, ficaram contentíssimos o Arquipâmpano e sua mulher, pela agradável noite que lhes propiciou Sancho e suas engraçadas simplicidades, uma das quais, e não a menor, foi ter dito, quando viu que serviam o jantar e lhe mandaram sentar numa mesinha, pequena, junto da maior em que estavam os senhores e sua filha, uma belíssima criança:

— Corpo não de Deus! Por que hão de sentar, nessa mesa tão grande, uma meninota tão pequena, do tamanho de um punho? E por que lhe põem à frente esses pratos tão grandes, maiores que a tina de Mari-Guitiérrez, deixando-me nesta mesinha menor que uma arca, sendo eu grande como uma tarasca de Toledo, e tendo tantas barbas como Adão e Eva? Se é pelo pagamento, tão bons são os dois reais e meio que tenho na algibeira, para pagar o que comer, como quantos quer que tenha o rei e quantos deram os judeus a Judas por Jesus Cristo. Se duvidam, olhem-nos.

E dizendo isto, levantou-se e mostrou três reais sujos e engordurados, jogando-os sobre o guardanapo da senhora. Todavia, vendo que ela já ia apanhá-los, pensou que queria tomá-los para si, e logo os recolheu com fúria, dizendo:

— Por Deus, que sua mercê não irá embolsá-los antes que eu tenha jantado, e muito bem jantado! Vejo bem já lhe haviam enchido os olhos, como aconteceu com aquela galega gorducha da venda, a quem meu amo chamava de princesa! E se não fosse porque ela não tinha roupas tão luxuosas como as de vossa mercê, nem essa roda de moinho que carrega no gasganete, juraria por Deus e por esta cruz que ela era vossa mercê em pessoa.

Celebraram todos a ladainha de estultícias que ele desfiara, enquanto o mestre-sala o repreendia, dizendo-lhe:

— Cala-te, Sancho; foi para que jantasses mais à vontade que te pusemos nesta mesa separada.

— Pois quando mais separardes dessas avezinhas cozidas para mim — replicou Sancho, — mais à vontade jantarei.

— Pois começa por este prato aqui — disse-lhe o mestre-sala, passando-lhe um bom prato de pombinhos com sopa dourada. Sancho logo comeu aquele, e todos os demais que lhe passaram, tão sem escrúpulo de consciência, que era uma verdadeira bênção de Deus olhá-lo, no que se entretiveram todos os circunstantes. Vendo que terminara o jantar e que a senhora afrouxara a gorjeira, Sancho indagou:

— Não vai dizer-me, pela vida de quem a malpariu, a troco de que está carregando no pescoço essa coleira parecida com as que usam os mastins dos pastores de minha terra? Se é assim que tratam as pessoas da casa, como será que tratarão os podengos daqui?

Logo em seguida, tirou de novo o dinheiro e disse:

— Agora vossa mercê pode pegar e tirar o quando custou o jantar, que não quero ir dormir sem pagar, o que devo. Era assim que sempre agíamos meu senhor Dom Quixote e eu pelo caminho, pois é isso, conforme me dizia o cura, que mandam os mandamentos da Igreja, ao dizer que devemos pagar os dízimos e as primícias.

O senhor tomou o dinheiro, dizendo:

— Dou-me por satisfeito com o que tenho aqui, pela comida e pela cama, e mais pela meia diária de amanhã.

— Beijo-lhe as mãos pela mercê — respondeu Sancho. — Para tais oferecimentos, com fio de arame me farão ficar mais parado que ventoinha de telhado. E vou tomá-lo pela palavra, mesmo sabendo que faço muita falta para meu senhor; quanto a isto, hei de desculpar-me com ele, dizendo que não encontrei a casa. Além do mais, quantas vezes não levamos meia dúzia de bordoadas por uma boa refeição? E mesmo assim foi barato, pois muitas vezes essas bordoadas foram de graça, sem comida alguma para compensá-las.

O dono da casa ordenou que o levassem a dormir, e o mesmo fizeram todos os que ali se achavam. Do mesmo modo fizeram, em sua casa, o nobre, Dom Carlos, Dom Álvaro, Dom Quixote e Bárbara, depois de lauto jantar. Lá, porém, houve um princípio de pendência quando o dono da casa disse a Bárbara que se

292

preparasse para visitar, no dia seguinte, o Arquipâmpano e a Arquipampanesa, que a esperavam, e ela se escusou, dizendo que não queria aparecer a pessoa alguma, pois isto iria causar-lhe grande vergonha, já que não passava de uma pobre mundongueira, cujo nome era Bárbara perante a lei de Deus e dos homens. Que se dessem por satisfeitos com a paciência com que até então sofrera as pesadas burlas e caçoadas que o senhor Dom Quixote fazia e queria que todos também fizessem com ela. Ouvindo isto, disse-lhe o fidalgo:

— Por quanto possa suceder no mundo, não negue vossa majestade, suplico-lhe, senhora rainha Zenóbia, sua grandeza, nem a encubra, dizendo uma blasfêmia tão grande quanto essa que agora disse. Já estou cansado de ouvi-la repetindo essa história de mundongueira; vamos parar com isso. Embora eu saiba claramente quem é vossa majestade e qual é seu valor, é necessário que a conheça todo o mundo; assim, vá vossa alteza falar com quem o senhor príncipe Perianeu e estes cavaleiros lhe rogarem, que entre damas tais como a Arquipampanesa e a infanta sua filha há de campear sua beldade. Fio-me em que, vendo-a, todos haverão de estimá-la e respeitá-la como merece e todos desejamos.

Sensatamente, ela achou melhor não se fazer mais de rogada, conhecendo o que devia a Dom Quixote e lembrando-se que até então só levara vantagem em condescender com suas loucuras, já que com isso podia desfrutar de boa vida; assim, prontificou-se a ir.

Chegada a manhã, o Arquipâmpano foi à missa, levando consigo Sancho, ao qual perguntou pelo caminho se sabia ajudar missa. Ele respondeu, dizendo:

— Sim, senhor, embora seja verdade que, de uns dias a esta parte, como andamos metidos tanto nesse demônio de aventuras, se me varreu da memória a confissão e tudo o mais, só me restando a lembrança de como se faz para acender velas e secar as galhetas. Entretanto, saiba que eu costumava tocar divinamente o órgão da igreja de minha terra (não visivelmente, pela frente, mas invisivelmente, por trás dele), e todos sentiam a minha falta no dia que eu não podia ir tocar.

Riram-se todos daquilo e, acabada a missa, voltaram à casa para comer. Depois de novos momentos agradáveis com Sancho, disse-lhe o Arquipâmpano:

— Quero que daqui em diante fiqueis em minha casa e me sirvais. Dar-vos-ei salário maior que o pago pelo Calaveiro Desamorado. Aliás, também eu sou cavaleiro andante, e tenho mister de servir-me de um escudeiro como vós, nas aventuras que se me oferecerem. Assim, para obrigar-vos desde agora, dar-vos-ei uma roupa nova, como princípio de pagamento. Mas dizei-me: quanto vos paga por ano o senhor Dom Quixote?

A isto, Sancho respondeu:

— Será possível, Sancho, que se eu vos desse mais presentes que vos dá vosso amo, todo mês uma roupa e um par de sapatos novos, além de um ducado de salário, recusaríeis servir-me?

Ele respondeu:

— Não está nada mau; mesmo assim, só o serviria com a condição de que me comprasse um bom ruço para ir por esses caminhos, pois saiba que sou péssimo caminhante a pé. Outra coisa: teríamos de levar uma boa maleta de dinheiro, para que não nos víssemos nos infortúnios que há um ano atrás deparamos naquelas vendas lá da Mancha. Por fim, vossa mercê teria de me prometer ilha ou península, do mesmo modo que o fez Dom Quixote desde o primeiro dia que o sirvo, pois mesmo não tendo muito bom expediente para governar, saberíamos Mari-Gutiérrez e eu juntos destrinchar os desaforos que naquelas ilhas se cometessem. É verdade que também ela é um tanto inculta, mas acredito que, desde que saí por aí, deverá ter aprendido alguma coisa a mais.

— Pois eu me obrigo, Sancho — continuo o pretenso Arquipâmpano, — a cumprir todas essas condições, a fim de que fiqueis em minha casa, trazendo aqui vossa mulher para servir à Grã-Arquipampanesa, pois me disseram que ela é extremamente hábil em vazar pérolas para fazer colares.

— Vazar pérolas? Melhor seria dizer para esvaziar garrafas, habilidade na qual ela rivaliza bem com a rainha Segóvia.

Depois disto, puseram fim à conversa, para fazerem a sesta, tendo o dono da casa avisado alguns amigos seus para que lá fossem aquela noite, a fim de desfrutarem do entretenimento que lhes haveriam de propiciar o cavaleiro andante, seu escudeiro e a dama que os acompanhava. O mesmo haviam feito Dom Carlos, o nobre e Dom Álvaro. Chegada a hora e providenciados os coches, lá se foram eles, seguindo Bárbara ao lado de Dom Quixote, conforme este havia exigido. Com este entremez e os risos de todos os que os viam no coche, chegaram à casa do Arquipâmpano. Tendo subido ao salão e ocupado seus ordinários assentos os cavaleiros e as damas, entrou Dom Quixote, armado de todas as peças, trazendo gentilmente a rainha Zenóbia pela mão. Vendo-os entrar, levantou-se Dom Álvaro Tarfe e, prostrado diante do Arquipâmpano, disse-lhe:

— O Cavaleiro Desamorado, poderoso senhor, e a sem-par rainha Zenóbia vêm visitar vossa alteza.

Sancho, apenas ouviu o nome do amo, levantou-se do chão em que se achava sentado e, correndo para junto dele, ajoelhou-se a seus pés e lhe disse:

— Seja meu senhor muito bem-vindo, e graças a Deus que aqui nos achamos todos. Mas diga-me vossa mercê: lembrou-se de dar de comer ao ruço da noite passada? O pobre deve estar triste por não me ter visto desde ontem. Assim, suplico-lhe que lhe diga, em meu nome, quando o vir, que lhe beijo muitas vezes as mãos, e também ao meu bom amigo Rocinante. Por ter sido convidado a noite passada para jantar e dormir, e hoje para almoçar, tudo isto por apenas dois reais e meio — por este preço, valha-me a Mãe de Deus! — pelo senhor Arquipâmpano, não fui vê-los, mas tenho guardado para eles, bem aqui no peito, um belo par de pernas de corujinhas reais.

Não fez caso Dom Quixote destes disparates, e prosseguiu caminhando altivamente com a rainha Zenóbia até pôr-se em presença do Arquimpâmpano, a quem falou:

— Poderoso senhor e temido monarca: aqui em vossa presença está o Cavaleiro Desamorado, com a excelentíssima rainha Zenóbia, cujas virtudes, graça e formosura, com vossa boa licença, tenho de defender em praça pública, do nascer ao pôr do sol, contra todos os cavaleiros, por ser ela rara e sem-par.

Dizendo isto, soltou-lhe a mão e, enquanto os circunstantes, espantadíssimos, comentavam entre si a loucura de um e a feiura da outra, voltou-se Dom Quixote para Sancho e perguntou-lhe como passara aquela noite na casa de Arquipâmpano, e que lhe dissera acerca de seu brio, fortaleza e postura. Neste meio tempo, Bárbara, tendo ido para onde a chamaram, os cavaleiros e damas presentes, pôs-se de joelhos e ficou esperando, calada e envergonhadíssima, o que eles lhe diriam. Estes não se cansavam de contemplar sua fealdade, acentuada pela roupa encarnada, e, rindo sem parar, não conseguiam dizer-lhe uma só palavra. Falou então o Arquipâmpano:

— Levantai-vos, senhora rainha Zenóbia. Agora posso ver o bom gosto do Cavaleiro Desamorado que vos traz, entendendo que, sendo ele o desamorado que é, e não querendo saber das mulheres, conforme me confidenciou, com razão vos traz consigo, a fim de que, contemplando vosso rosto, com maior facilidade consiga delas se afastar, embora se lhe pudesse lembrar o refrão de que *qui amat rana, credit se amare Dianam.*[19] Não obstante, sou de opinião que, se todas as mulheres fossem qual sois, todos os cavaleiros do mundo seriam desamorado em sumo grau.

O que estava mais próximo de sua esposa perguntou-lhe que achava da rainha Zenóbia, que o Cavaleiro Desamorado afirmava ser um modelo de formosura.

— Asseguro — respondeu ela — que poucas tenham sido as oportunidades que ele teve de pelejar em defesa de sua beldade.

Em seguida, o Arquipâmpano prosseguiu seu diálogo com a rainha Zenóbia, perguntando-lhe sobre sua vida. Inteirado do nome, do estado e do ofício de Bárbara, assim como do motivo que a fazia seguir Dom Quixote, perguntou-lhe se gostaria de tornar-se camareira de sua mulher, que necessitava de quem a ajudasse a criar uma menina, ofício que lhe parecia que ninguém faria melhor que ela. Ela se escusou, alegando estar pouco afeita às coisas palacianas, sendo nisto ajudada por Sancho, que advogou sua causa, dizendo:

— Vossa mercê não perca tempo em tentar convencê-la a mudar de rumos, pois o diabo dessa rainha não sairá dessa vida de preparar miúdos de carneiro e cozinhar mãos de vaca, já que outra coisa não sabe fazer.

E, chegando-se a ela, segurou-lhe a saia encarnada, um palmo e meio mais curta do que deveria estar, dizendo-lhe:

— Abaixe essa saia, senhora Segóvia, com todos os satanases, que suas pernas estão aparecendo até perto do joelho! Diga-me: como quer que a tomem por rainha, e formosa, se deixa descobertas as canelas e mostra esses calções vermelhos sujos de lodo?

E voltando-se para o Arquipâmpano, disse-lhe:

— Por que pensa vossa mercê que meu amo mandou que a rainha Segóvia traga as saias altas e descubra os pés? Pois fique sabendo que ele assim procede porque, como vê que ela tem tão má catadura, além daquela cicatriz no rosto que lhe toma toda a região do bigode direito, quer com essa invenção fazer um *noverint universi* [20] que mostre a todos que a contemplarem que ela não é um diabo, já que não tem pés de galo, mas de gente, conforme todos podem ver e rever, estando tão expostos como estão, pela bondade e ajuda de Deus.

Disse-lhe então Dom Quixote:

— Posso apostar, Sancho, que estás de barriga cheia e estômago repleto, do jeito que gostas. Cuida para que não se me ferva o sangue e eu resolva igualar o que corre nas veias do teu corpo, esquentando-te as costas.

Sancho respondeu:

— Estou de barriga cheia, sim, mas isto me custou dois reais e meio.

Interrompendo essa discussão de dever e haver, Dom Álvaro pediu que Dom Quixote e Sancho se afastassem para o lado e, fazendo uma grande mesura, disse ao Arquipâmpano, da porta da real sala:

— Aqui está. Excelso monarca, um escudeiro negro, criado do rei de Chipre Bramidão de Cortabigorna, o qual traz uma embaixada a vossa alteza e vem fazer não sei que desafio ao escudeiro do Cavaleiro Desamorado.

Ouvindo aquilo, Sancho empalideceu e disse:

— Pois diga-lhe logo, pelas entranhas de Jesus Cristo, que não estou aqui, e que por isto não me é possível aceitar esse desafio... Qual o quê! Corpo da alma do Anticristo, pode dizer a ele que entre, que estou esperando. Que entrem o negro e a puta negra sua mãe, pois hei de fazer com que ele se lembra bem de mim e do dia em que seu negro pai o engendrou, se meu amo e o senhor D. Carlos me ajudarem.

Aqui há de se advertir que Dom Álvaro e Dom Carlos haviam ordenado que o secretário pintasse o rosto de preto, como fizera em Saragoça, e prosseguisse com o embuste do desafio ali iniciado.

Entrou pois o secretário, tintos o rosto e as mãos, e vestido de veludo negro, com uma comprida corrente de ouro no pescoço, grossos anéis nos dedos e brincos enormes nas orelhas. Sancho logo reconheceu, e disse:

— Sê muito bem-vindo, monte de fumo. Que queres aqui? Eis-nos à tua espera, meu amo e eu, e muito cuidado com o que falares. Pela vida de meu ruço, estás parecido com os montes de piche que se usam em Toboso para calafetar as tinas!

O secretário dirigiu-se para o meio da sala e, sem qualquer cumprimento ou mesura, manteve-se calado por algum tempo. Finalmente, voltou-se para Dom Quixote e falou:

— Cavaleiro Desamorado, o gigante Bramidão de Cortabigorna, rei de Chipre e meu senhor, manda-me a ti para que digas quando queres acabar a batalha marcada para esta corte. Ele acabou de chegar de Valladolid, onde matou, sem ajuda de ninguém, mais de duzentos cavaleiros, sem outras armas que uma clava de aço que possui. Dá-me logo a resposta, para que eu possa transmiti-la a meu amo.

296

Antes que Dom Quixote respondesse, voltou-se Dom Carlos para seu secretário disfarçado de negro, dizendo:

— Senhor escudeiro, com licença do senhor Dom Quixote, quero responder-vos, por também tocar-me ser vingado das soberbas palavras de vosso amo. Assim, digo por ambos que se há de realizar a batalha domingo à tarde, no lugar que suas altezas determinarem, já que ali deverão comparecer. A ele caberá escolher as armas e estabelecer as regras do duelo. E se outra coisa não se vos oferece, podeis ir com Deus.

O secretário respondeu:

— Antes que eu me vá, quero desforrar-me de um soberbo e descomunal escudeiro do Cavaleiro Desamorado, chamado Sancho Pança, que assevera ser melhor e mais valente que eu. Portanto, se ele se acha entre vós, que saia aqui, para que eu o pique em miúdas fatias com meus dentes, deitando-as para pasto das aves de rapina.

Calaram-se todos. Vendo Sancho o silêncio geral, disse:

— Agora que é mister, será que não aparece um diabo que fale por mim, em agradecimento e paga pelas tantas vezes que falei em nome dos outros?

E, chegando-se ao secretário, disse-lhe:

— Senhor escudeiro negro: Sancho Pança, que sou eu, não está aqui no momento. Poderás achá-lo, contudo, na Porta do Sol, em casa de um padeiro, concluindo a perigosa aventura de dar cabo de uma fornada de empadas. Vai lá dizer-lhe de minha parte que eu mandei chamá-lo agora mesmo para duelar contigo.

— Como — estranhou o secretário — podes dizer que não estás aqui, se és Sancho Pança? A não ser que não passes de uma galinha...

— Tu, sim, não passas de um galão — replicou Sacho, — pois queres que eu esteja aqui contra a minha vontade, e que eu seja Sancho Pança, escudeiro do Cavaleiro Desamorado e marido de Mari-Gutiérrez, minha mulher. E se nego o que sou, mais honrado era São Pedro e negou a Jesus Cristo, que era melhor do que tu e que a puta que te pariu, por mal que pese; se assim não for, dize o contrário.

Os circunstantes não puderam conter o riso ante tais disparates. Sancho, recobrando novo ânimo, prosseguiu:

— E fica sabendo, se já não sabes, que estou aguardando que pouco a pouco me chegue a cólera, para que possa lutar contigo. E se achas que vou deixar-me picar em pedacinhos miúdos para que tu, com essa cara de cozinheiro do inferno, os atire aos pardais, fica sabendo que eu, com minha cara de páscoa, farei talhadas de melão à obra. Mas de que maneira queres que seja o combate?

— De que maneira poderia ser — estranhou o secretário, — senão com nossas cortadoras espadas?

— Que absurdo! — exclamou Sancho. — De modo algum, porque o diabo é sutil, e de onde não se pensa, pode suceder facilmente uma desgraça. Já pensaste se a ponta de uma espada atinge o olho do outro, sem querer? Quantos dias não durará o tratamento? O que se há de fazer, se te parecer bem, será lutarmos a golpes de barrete: eu com o meu, e tu com essa carapuça vermelha que tens na cabeça. Pelo menos, trata-se de material macio, que não há de causar muitos danos ao adversário. Se preferires, porém, podemos travar um combate a pescoções, mas o melhor será aguardarmos o inverno, para travarmos uma guerra de pelotas de neve: ganha quem conseguir arrancar o barrete da cabeça do outro.

— Prefiro — disse o secretário — o combate a pescoções, aqui mesmo nesta sala.

— Então espera um pouco — respondeu Sancho. — És demasiado apressado! Ainda não estou completamente preparado para pelejar.

Aborreceu-se Dom Quixote e disse:

— Parece que tens excessivo medo desse negro. Acho que é impossível saíres bem desse combate.

— Oh! Dane-se quem me pariu — exclamou Sancho — e quem me mete nessas brigas sem propósito! Não sabe vossa mercê que não venho em sua companhia para lutar contra este, aquele ou aquela, mas somente para servi-lo e dar de comer ao Rocinante e ao ruço, sendo por isto que recebo o salário que combinamos? Tento se me faz que entregue essas lutas a Judas ou a quem me trouxe aqui. Corpo não de Deus, não vê vossa mercê o que está acontecendo? Eis o senhor Arquipântano, sua mulher e seus antepassados, e o príncipe Perianel, e os senhores Dom Carlos, e Dom Álvaro, e os demais, desqueixando-se de tanto rir, e vossa mercê aí, armado como um São Jorge, contemplando sua rainha Segóvia; depois não há de querer que eu sinta medo, estando diante de meu inimigo,com a vela na mão, como se costuma dizer. O certo seria que todos entrassem no meio desta disputa e nos levassem a fazer as pazes, pois isso seria praticar, de uma só vez, as sete obras de misericórdia.

— Disseste bem, Sancho — concordou Dom Álvaro; — assim, pelo respeito que me deveis, senhor escudeiro, fareis as pazes com ele e desistireis de vossa pretensão e desse desafio, pois basta o que acertaram entre si vossos dois amos, para que, em virtude disto, seja considerado vencido o escudeiro do amo derrotado.

— Considero tal solução grande mercê que se me faz — respondeu o secretário, — porque, para dizer a verdade, já se me bamboleava a alma dentro das carnes, de medo do valoroso Sancho. Mas não terei estas tréguas por válidas se não nos dermos os pés.

— Darei os pés e tudo o mais que tenho — disse Sancho, — em troca de nunca mais ver-te com meus olhos.

Dizendo isto, levantou e estendeu-lhe o pé, do que se aproveitou o secretário para segurá-lo, dando-lhe um grande tombo. Em seguida, saiu correndo da sala, acompanhado das risadas de todos, exceto de Dom Quixote, que ajudou Sancho a se levantar, dizendo-lhe:

— Sinto muito tua desgraça, Sancho, mas podes considerar-te o vencedor, pois tal aleivosia foi à traição, aproveitando o estado de trégua e, o que é pior, seguida de fuga infamante. Mas se quiseres que o traga aqui para que te vingues, dize-me, que irei atrás dele como um raio.

— Não, corpo de tal! — exclamou Sancho. — Pior será se brigarmos com as mãos! É como vossa mercê sempre diz: ao inimigo que foge, cede-lhe a ponte de prata.

Nisto, avisaram que era hora do jantar: o tempo havia passado sem que o sentissem, tão absortos os deixaram aqueles e uma infinidade de outros disparates. O Arquipâmpano exigiu que todos os presentes jantassem com ele, o que foi aceito com geral satisfação. O jantar foi também repleto de engraçadíssimos chistes e depois foram todos repousar, uns em seus quartos, outros em suas casas, sendo que Sancho continuou pernoitando em casa do Arquipâmpano, embora contra a sua vontade.

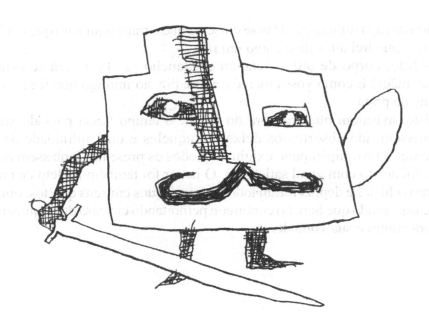

CAPÍTULO XXIV

DO FIM QUE TEVE A BATALHA ACERTADA ENTRE DOM QUIXOTE E BRAMIDÃO DE CORTABIGORNA, REI DE CHIPRE, E DE COMO BÁRBARA FOI RECOLHIDA NAS ARREPENDIDAS.

Muitos e excelentes dias passaram, com Dom Quixote, Sancho e Bárbara, não só aqueles senhores, com vários outros que tomaram conhecimento de seus bons humores, dos dislates de um e das simplicidades do outro. A coisa chegou a tal ponto, que eles acabaram por tornar-se a diversão geral da corte.

O Arquipâmpano, para maior recreação, mandou que fizesse uma curiosa vestimenta para Sancho, com perneiras amarradas, que ele dizia serem "calças indianas". O escudeiro ficava engraçadíssimo com essa roupa, especialmente quando cingia a espada e punha um novo barrete que lhe deram. Para persuadi-lo a andar com espada na cinta, disse-lhe que ele seria armado cavaleiro, pela vitória alcançada contra o escudeiro negro; para tanto, foi organizada uma festa muito concorrida. O problema é que o juízo de Dom Quixote andava piorando tanto e tão rapidamente, devido aos aplausos com que via aquela gente nobre celebrar suas façanhas, ainda mais depois de ver seu escudeiro armado cavaleiro, que, movidos pelo escrúpulo, viram-se obrigados o Arquipâmpano e o príncipe Perianeu a pararem de excitá-lo, separando-o da companhia de Bárbara e evitando suas aparições em público. Com Sancho, porém, não tomaram tais precauções, porque ele, embora simplório, não perigava do juízo.

Comunicaram a decisão a Dom Álvaro, que deu a ela sua aprovação, dizendo-lhes que se encarregaria, com a ajuda do secretário de Dom Carlos, quando regressasse a Córdova daí a oito dias, de levá-lo em sua companhia até Toledo, ali o deixando para tratar-se na Casa do Núncio, pois não lhe faltavam amigos naquela cidade que o pudessem ajudar em tal empresa. Disse que se obrigava a isso pelo escrúpulo de se julgar causador de sua saída de Argamesilla para Saragoça, por lhe haver informado sobre as justas que ali se realizavam, louvando sua valentia e deixando-lhe suas armas. Preferia, porém, fazer tudo isto depois de acertar seu combate com o gigante Cortabigorna, pois isto lhe fervia na cabeça, sendo impossível persuadi-lo a enfrentar nova aventura, antes de concluir aquela que tanto o obsedava. O que se podia fazer era dar ordem para que no dia seguinte se realizasse o duelo na Casa del Campo, local mais adequado, pois ali se poderia promover uma lauta ceia, com numerosos convidados, já que por certo seria engraçadíssimo o remate daquela aventura, especialmente se os arranjos fossem deixados a cargo do engenho do secretário.

Agradou a todos a sugestão de Dom Álvaro, encarregando-se o Arquipâmpano de reservar o lugar e providenciar a ceia. Só rogou a Dom Carlos fizesse o favor de persuadir Sancho a permanecer em sua casa e trazer para lá Mari-Gutiérrez, que ele se encarregaria de ampará-los e sustentá-los até o fim de suas vidas. Ele e sua mulher apreciavam muito o natural de Sancho, e estavam certos de que também apreciariam o de Mari-Gutiérrez. E para que nenhum dos protetores e protegidos de Dom Quixote ficasse sem encargos e benefícios, pediu a Dom Álvaro que persuadisse Bárbara a aceitar ser recolhida a um pensionato de arrependidas, pois ele se encarregaria de providenciar-lhe o dote e a renda necessária para ali viver honradamente.

Encarregando pois cada qual de fazer quanto pudesse com respeito ao personagem que se lhe era recomendado, chegado o prazo assinalado para o combate contra Bramidão, foram os ditos senhores, acompanhados de diversos outros de sua mesma categoria e nobreza, à Casa del Campo, onde já se achavam outros fazendo sala à mulher do Arquipâmpano e a outras damas que ali haviam chegado mais cedo.

Os senhores levaram consigo Dom Quixote, armado de todas as peças, além de sua coragem, e com ele a rainha Zenóbia e Sancho. Um palafreneiro vinha trazendo Rocinante, que com a boa vida que estava levando mostrava-se mais nédio, e um pajem vinha carregando a lança.

Neste meio tempo, o secretário de Dom Carlos entrara dentro de um dos bonecos gigantes que saem na procissão do Santíssimo Sacramento, conforme o uso da Corte, para prosseguir com a farsa de Bramidão. Chegados ao teatro onde se desenrolaria a burla, e ocupados os assentos — isto depois de bons momentos de conversação e de um aprazível passeio pelos pomares, — tendo-se sentado Dom Quixote no que lhe fora reservado, chegou-se a ele Sancho, dizendo:

— Então, senhor Cavaleiro Desamorado? Como vai? Passam bem o honrado Rocinante e meu discreto ruço? Não lhe mandaram nenhum recado para mim? Asseguro que vossa mercê não lhes deu os que lhe pedi para transmitir-lhes, senão eles me teriam respondido. Mas sei o que devo fazer: é desocupar-me dos assuntos palacianos, tomar papel, pena e tinta, e escrever-lhe meia dúzia de linhas, que não me haverá de faltar algum pajem, ou vagem, ou como quer que se chame, para levar meus recados aos dois.

Respondeu Dom Quixote:

— Rocinante está bem, e já irás vê-lo realizando maravilhas, ao enfrentar o cavalo indômito de Bramidão. Do ruço, nada digo, filho, a não ser que deve estar apreciando bastante a Corte, pelo pouco que aqui trabalha e pela vida boa que está levando.

Sancho então replicou:

— Nisto posso ver que somos meio aparentados, pois temos a mesma condição: juro, meu senhor, que nunca em minha vida comi melhor e passei tão bem, desde que estou com o Arquipâmpano. Pouco se lhe dá de gastar oito ou nove reais por dia para dar-me de comer; isto sem falar da cama em que durmo: juro, não pode Deus, que melhor cama não têm as almas do limbo, por mais filhas de reis que sejam. O problema é que, com tal vida, ando esquecendo os assuntos de aventuras e combates. E que me diz destas calças indianas que estou usando? São muito é desconfortável, porque, se por um lado não faço estes cordões passarem por trinta buracos, elas caem para os lados; por outro lado, se passo os cordões por todos esses buracos, que dificuldade tirá-las no caso de uma necessidade! É preciso desfazer toda a trama, buraco por buraco, e eles não me ajudam de modo algum, ainda que lhes suplique de barrete na mão, e por mais que me vejam com a alma nos dentes de trás! Além do mais, quase não posso mexer, e que dizer de me abaixar para assoar o nariz! E isto por mais cheio de muco que ele esteja! Ah, filhas da puta, e que difícil é trabalhar na colheita com elas! Não me atreveria a ceifar doze canteiros num dia, se os estivesse vestindo. Não sei como podem os habitantes das Índias ceifar, ou mesmo mover-se com elas, sem levar um tombo a cada passo. Creio que os pajens do Arquipâmpano devem ter nascido lá nas Índias de Sevilha, e já vestidos com essas calças-peidorreiras, de tanto que saltam e brincam com elas. Não sei se os cavaleiros andantes já as usavam naquele tempo; quanto a mim, digo que, todas as vezes que quero urinar, tenho que desfazer a trama da frente; mesmo assim, metade do que devia sair fica aqui dentro. Boas são as calças que se usam em minha terra: se dá na gente algum aperto súbito, basta desfazer um nó, que elas descem na hora! Mil vezes roguei ao Arquipântano que fizesse para ele dessas calças, tão abertas embaixo como em cima, de mescla das boas. Não lhe custarão mais de vinte reais, sem falar no conforto que lhe irão trazer. Só que ele vive dizendo que vai mandar fazer uma para ele, mas nunca o faz.

Nisto, escutaram um alarido entre os pajens que estavam à porta. Dom Álvaro ordenou-lhe que ficassem quietos, mandou Sancho sentar-se aos pés do Arquipâmpano e, depois disto, entrou no salão o secretário de Dom Carlos, metido dentro do gigantesco boneco, trazendo na cinta uma espada de pau pintada, de três varas de comprimento e um palmo de largura. Vendo-o assomar à porta, Sancho logo começou a gritar:

— Olhai, senhores, uma das mais desaforadas bestas que há em toda a Bestolândia! É este o demônio do Cortabigorna, que há mais de quatro meses veio lá do fim do mundo só para perseguir meu amo! São tão endiabradas as suas armas, que só para carregá-las é necessário reunir dez juntas de bois! Se não acreditais, olhai a espada que ele traz: dizem que pode com ela cortar pelo meio uma bigorna de ferreiro! Que não há de fazer ele então com meu pobre senhor Dom Quixote? Pelas chagas de Deus, fazei com que ele se vá daqui para onde está Barrabás, onde bem poderá travar combates com a porca da sua mãe! E não ides pensar que isto pouco nos interessa, porque de um só golpe ele poderá rachar pelo meio a dez ou doze de nós, com a mesma facilidade que eu racharia a alma de Judas com um piparote, se a tivesse diante de mim.

Ordenou-lhe Dom Quixote que se calasse, até saber o que o gigante queria, pois sua resposta dependia daquilo. O gigante, então, colocou-se no meio do salão e, depois de mover a cabeça para todos os lados, fazendo com que todos se calassem, disse, com voz pausada:

— Minha presença aqui demonstra, ó Cavaleiro Desamorado Dom Quixote de la Mancha, como cumpri a palavra que te dei em Saragoça, de vir à corte do Rei Católico para, diante de seus nobres, realizar a batalha singular que entre nós dois foi acertada. Hoje é o dia, portanto, em que tua existência há de ter fim, graças aos fios de minha temida espada, pois hei de derrotar-te e tornar-me senhor de todas as tuas vitórias, contando-te a cabeça e levando-a comigo para meu reino de Chipre, onde a fixarei à porta de minha casa, sobre um cartaz que dirá: "A flor manchega morreu às mãos de Bramidão". Hoje é o dia em que, afastando-te do mundo, poderei coroar-me pacificamente rei de todo ele, visto não haver mais forças que mo impeçam. Por fim, hoje é o dia em que levarei comigo todas as damas que nesta sala se acham, para Chipre, a fim de fazer delas o que me der mais gosto, em meu rico e vasto reino, pois hoje começa Bramidão e acaba Dom Quixote de la Mancha. Portanto, se és cavaleiro, e tão valoroso como todo o orbe assevera, vem lutar, que outras armas não trago senão esta espada forjada na frágua de Vulcano, ferreiro do inferno, a quem adoro e reverencio como deus, juntamente com Netuno, Marte, Júpiter, Mercúrio, Palas e Proserpina.

Dito isto, calou-se. Quem respondeu foi Sancho, que se levantou, dizendo:

— Cuidado, Dom Gigantaço: se ficais por aí a burlar, chamando de deuses todos esses beberrões que citastes, e o sabe a Santa Inquisição, em má hora viestes à Espanha!

Logo em seguida, Dom Quixote, cheio de cólera e altivez, levantou-se, empunhou a espada e disse, com vagar e gravidade:

— Não penses, ó soberbo gigante, que as arrogantes palavras com que sóis espantar os cavaleiros de pouco vigor e ânimo sejam bastantes para deitar uma isca de temor em meu indômito coração, sendo eu aquele que todo o mundo conhece e do qual ouviste falar em todos os reinos e províncias por onde passaste. Hás de ver que vim a esta corte com o único propósito de buscar-te, a fim de aplicar-te aqui o castigo que tuas más obras há tanto tempo fizeram por merecer. Mas já me parece não ser mais tempo de palavras, e sim de ação, que sói ser testemunha e prova da firmeza dos corações e do valor dos cavaleiros. E para que não te vanglories de que entrei na batalha com a vantagem de estar armado de todas as peças, enquanto tu só tens tua espada, que embora mais curta e mais fina que a tua, é regida e governada por mão mais destra e valorosa.

Em seguida, voltando-se para Sancho, disse-lhe:

— Levanta-te, meu fiel escudeiro, e ajuda-me a me desarmar. Logo verás a destruição que farei deste gigante, teu e meu inimigo.

Levantou-se Sancho, respondendo-lhe:

— Não seria melhor, senhor, que todos os que aqui estamos, mais de duzentas pessoas, arremetêssemos juntos contra ele? Uns poderiam agarrá-lo pela camisa, outros pelas pernas, outros pela cabeça e outros pelos braços, até fazê-lo dar uma gigantada no chão; depois lhe enfiaríamos todas as espadas que temos, cortando-lhe a cabeça, depois as pernas. E depois disto, asseguro que, se me deixarem sozinho com ele, hei de dar-lhe mais pontapés do que poderiam caber em seus bolsos, além de lavar as mãos em seu traiçoeiro sangue.

— Faze o que te disse, Sancho — retrucou Dom Quixote, pois o andamento da coisa não pode ser como imaginas...

Sancho então desarmou-o, ficando o bom fidalgo com a roupa sobre o corpo. Sua aparência era horrível: como era alto e seco, e estava então magérrimo, o fato de andar armado todos os dias, e mesmo algumas noites, o tinham consumido e arruinado de tal modo, que parecia a figura da morte, o esqueleto vestido que costumam pôr nos cemitérios que ficam nas entradas dos hospitais. Tinha sobre o saio negro as marcas do peitoral, do espaldar e da gola, e o resto da roupa, ou seja, o gibão e a camisa, estava meio apodrecido de suor: não seria possível menos em quem tão tarde se desarmava.

Quando Sancho viu seu amo daquele jeito, notando que todos se espantavam de sua figura descarnada, disse-lhe:

— Juro por minha alma, senhor Cavaleiro Desamorado, que quando o vejo assim comprido e magro, penso estar enxergando um daqueles pangarés velhos que os donos largam pelos campos para que ali venham a morrer.

Indiferente a isto, voltou-se Dom Quixote para o gigante e falou:

— Eia, tirano e arrogante rei e Chipre; saca de tua espada e vem provar o efeito dos cortantes fios da minha.

Dizendo isto, deu dois passos para trás e arrancou da bainha a espada meio enferrujada, avançando pouco a pouco na direção do gigante. Este, vendo-o aproximar-se, num átimo sacudiu de seus ombros a armação de papelão, transformando-se imediatamente numa jovem riquissimamente trajada. Assim se disfarçara o secretário, mancebo de bela aparência, e com tal apuro que qualquer pessoa que o não conhecesse enganar-se-ia facilmente, julgando tratar-se com efeito de uma mulher. Ficaram embasbacados todos que não sabiam do plano; Dom Quixote, porém, não demonstrou qualquer surpresa: descansando a ponta da espada no chão, quedou-se imóvel, esperando o que iria dizer aquela donzela que há pouco era um gigante. E ela então falou:

— Valoroso Cavaleiro Desamorado, honra e apreço da nação manchega: espantadíssimo estarás, sem dúvida, vendo tão medonho gigante transformado em terna e formosa donzela. Não te assombres: sou a infanta Burlerina, a qual talvez já tenhas ouvido falar, filha do desditoso rei de Toledo, o qual, sendo perseguido e cercado pelo aleivoso príncipe de Córdova, useiro e vezeiro em levantar falsos testemunhos contra sua própria madrasta, dele tem recebido com frequência embaixadores com o recado de que o sítio só seria levantado, e restituídas as terras ora sob o domínio daquele príncipe, ser o rei lhe enviasse logo sua filha Burlerina — eu! — para que ele de mim se servisse a seu bel-prazer, tendo de seguir acompanhada de doze donzelas, as mais formosas do reino, e levando comigo doze milhões em ouro em pó, do mais fino que se produz na Arábia, para ressarcimento dos gastos resultantes da guerra e do cerco. Se não forem cumpridas tais exigências, jura pelos deuses imortais não deixar pessoa viva em Toledo, nem pedra sobre pedra. Vendo-se reduzido a tão triste necessidade, não podendo resistir com suas forças às do seu adversário, mas antes correndo o risco de morrer, não só ele, como todos os seus vassalos, nas garras cruéis de tão poderoso inimigo, a não ser que condescendesse com sua iníquia condição, meu aflito pai mandou pedir-lhe quarenta dias de prazo para providenciar aquela soma e as doze donzelas. Se passado esse tempo ele não se manifestasse, poderia o príncipe cumprir integralmente sua ameaça. Foi então, ó invicto manchego! Que um tio meu, o famoso nigromante e sábio Alquife, que por ti nutre grande estima, tomando conhecimento do grande perigo que corríamos eu, sua sobrinha, e meu pai, seu irmão, lançou mão de poderoso encantamento, transformando-me aparentemente neste gigante que aqui está estendido, e enviando-me sob esse disfarce, porquanto assim poderia assegurar minha honestidade, em busca de ti por todo o mundo, sem deixar reino, ilha ou província fora desta busca. E foi tanta a minha ventura, que, encontrando-te em Saragoça, não achei melhor maneira de tirar-te dali e trazer-te a esta corte, que só dista doze léguas de Toledo, que a de inventar toda esta história de desafio. Portanto, ó magnânimo príncipe, se há em ti algum rastro de piedade e sombra do infinito amor que pela ingrata Dulcineia de Toboso tiveste, mesmo que ora sejas o Cavaleiro Desamorado, pelo que o exige a amizade que tens por meu tio

Alquife, e pelo que merecem as esperanças que em ti ele depositou, suplico-te que, deixadas de lado todas as aventuras que nesta corte se te podem oferecer, e todas as honras que nela seus príncipes te prestam, siga logo comigo em defesa e amparo aquele afligido reino, a fim de que, travando batalha singular com o maldito príncipe de Córdova, o venças, livrando meu venerável pai de sua torpe tirania. Prometo e juro pelo deus Marte ser eu mesma o prêmio desses teus trabalhos.

Dito isto, calou-se, esperando a resposta de Dom Quixote. Quem lhe respondeu, porém, foi Sancho, que se encontrava atônito com tudo o que vira e ouvira. Disse ele:

— Senhora rainha de Toledo, não tem vossa mercê que jurar por esse tal de Marte, nem mesmo pelo seu filho Martinho, pois meu amo irá sem falta matar esse velhaquíssimo príncipe de Córdova, e eu sem falta lá estarei com ele. Assim sendo, pode seguir antes de nós e informar nossa ida ao senhor seu pai. Avise a ele que mande preparar uma boa ceia para quando chegarmos, e que tome a providência de deixar-nos esse principezinho amarrado num poste, nu em pelo, que lhe asseguro viver, do seu nome, do nome de seu pai e até do de sua mãe.

A todos causou notável prazer a disparatada resposta de Sancho. Mas em seguida interveio Dom Quixote, suprindo com a gravidade de suas palavras as tolices do escudeiro. E ele assim disse à dama:

— Por certo, senhora infanta Burlerina, que não vos ama nem estima quem assim vos faz tantos caminhos percorrer, mesmo que se trate de meu grande amigo Alquife, o sábio, vosso tio. Pelo muito que lhe devo, qualquer coisa faria para defender o reino de seu irmão, vosso pai, rei de Toledo. Mas já que se interpõe o perigo da liberdade de vossa nobre e formosíssima pessoa, maiores serão as obrigações que me moverão a acudir com prazer ao remédio da referida necessidade. Portanto, respondo que irei em pessoa favorecer e socorrer vosso pai. O que resta é fazer que digais quando e como quereis que partamos, que pronto e disposto estou para acompanhar-vos, a fim de vingar-vos desse tirano príncipe. Já nos conhecemos os dois, e há tempos aguardava esta oportunidade, pois já o desafiei, mas ele, cobardemente, sempre conseguiu fugir-me.

O príncipe Perianeu, vendo a nova aventura que se havia oferecido a Dom Quixote, e a maneira rápida e bem imaginada que Dom Álvaro e o secretário de Dom Carlos haviam idealizado para facilitar a ida de Dom Quixote para a Casa do Núncio de Toledo, disse ao fidalgo:

— Confesso haver desistido, senhor Cavaleiro Desamorado, de minhas pretensões quanto à infanta Florisbela de Grécia, largando mão da ideia de entrar em batalha contra quem pode dar garantia de vitória a reinos inteiros, mesmo estando deles ausente. Assim, dou-me publicamente por vencido, com não glória de vossa mercê, vergonha minha e satisfação do príncipe Dom Belianis de Grécia.

Rejubilou-se Dom Quixote com aquelas palavras, agradecendo-as e apresentando ao príncipe seus protestos de amizade. O mesmo fez Sancho, que ansiava pelo encerramento daquela pendência. Por ordem do Arquipâmpano, ele se levantou e dirigiu-se respeitosamente à infanta Burlerina, trazendo-a para o meio

306

da sala pela mão. Vendo isto, prorromperam em risos os cavaleiros e damas presentes, sabendo que se tratava do secretário de Dom Carlos, e não de uma mulher, conforme imaginavam Dom Quixote e seu escudeiro. Este, ouvindo as risadas e não se contendo, disse:

— De que se riem eles e elas, corpo de quem os não pariu? Nunca viram uma filha de rei padecendo tormentos? Pois fiquem sabendo que eu e meu amo todo dia topamos com uma por esses caminhos; se não, que sirva de exemplo a grande rainha Segóvia. Pois digo-lhes que o que se há de fazer, senhoras é, deixar esta infanta durma esta noite com uma de vossas mercês; se não for possível, minha cama está a seu dispor, e beijo-lhe as mãos.

Depois disto, levantaram-se todos para cear, enquanto o secretário tratava de desaparecer. A ceia foi excelente, e depois dela prosseguiram os disparates de Dom Quixote e Sancho. Todos louvaram a intenção do Arquipâmpano, quando souberam que se tratava de enviar Dom Quixote a Toledo, para se curar na Casa do Núncio. E voltando para sua casa nos coches, do mesmo modo que na vinda, ficou Sancho na do Arquipâmpano, como se costume, enquanto Bárbara a se recolher a uma casa de mulheres de sua qualidade, dizendo-lhe que seria o melhor a fazer, e que além do mais correspondia ao desejo do Arquipâmpano, que se propunha a pagar a entrada e propiciar-lhe renda suficiente para o resto de sua existência. Ela, convencida de suas boas razões, e ciente do quanto lhe custaria regressar a Alcalá, onde sua desventura já era de conhecimento geral, não tendo o que comer, nem como ganhar a vida, aquiesceu ao pedido, prometendo ficar onde quer que a pusessem, donde se efetuar seu recolhimento daí a dois dias, sem que Dom Quixote sequer soubesse do arranjo. Quando deu por falta dela, persuadiram-no de que seus vassalos a haviam tirado secretamente da Corte, levando-a de volta para o seu reino.

CAPÍTULO XXXV

DA CONVERSA HAVIDA ENTRE DOM CARLOS E SANCHO PANÇA SOBRE SE ESTE QUERIA VOLTAR PARA A SUA TERRA OU ESCREVER UMA CARTA PARA SUA MULHER.

Estava já Dom Carlos em vésperas de celebrar o casamento de sua irmã com o nobre, e queria, atendendo o desejo do Arquipâmpano, que Sancho se fixasse em Madri. Assim, para obrigá-lo a que, trazendo para Corte sua mulher, não pensasse mais em voltar para a sua terra, disse-lhe, num dia em que se viu a sós com ele na casa do Arquipâmpano:

— Já sabes, meu bom Sancho, como, desde que te conheci em Saragoça, desejo teu bem, e o cuidado com que te servi à mesa com minhas próprias mãos na primeira noite em que entraste em minha casa, e quanta mercê te dispensaram nela meus criados, particularmente o cozinheiro coxo. Fica sabendo que o que me levou a assim proceder foi reconhecer em ti um homem de bem e de boas entranhas, lastimando que uma pessoa de tua idade e qualidade tanto padecesse na companhia de um louco como o é Dom Quixote, coisa que não poderia resultar senão em mil desgraças, uma vez que suas loucuras, seus desatinos e imprudências não podem prometer bom sucesso nem a ele, nem a quem com ele seguir. E não digo coisa que já não conheças por experiência própria desde o ano passado. E se assim não for, dize-me: alcançastes com vossas antigas aventuras, senão muitas cacetadas e bordoadas, noites ruins e dias piores, além de muita fome, sede e cansaço, não falando daquela vez em que quatro vilões te sacudiram na manta, não respeitando as barbas que tens? Pois vê se foi mesmo o que padeceste nesta última saída! As ilhas, províncias, penínsulas e governos que conquistastes, tu e teu amo, foram tornar-vos saco de pancadas em Ateca, alvo de desditas em Saragoça, diversão de pícaros na cadeia de Siguenza, motivo de zombaria em Alcalá, e, por fim, de mofa e escárnio nesta corte. Quis Deus que aqui chegasses no final de tuas peregrinações: agradeça-lhe, pois sem dúvida Ele o permitiu para que aqui se rematassem teus sofrimentos, do mesmo modo que ocorreu com Bárbara, agora recolhida numa casa de mulheres virtuosas e arrependidas, longe de Dom Quixote, podendo passar o resto de sua vida com conforto e sem necessidades, graças à caridade do Arquipâmpano, tão grande que, não satisfeito com o ampará-la, trata agora de fazer o mesmo com teu amo. Assim, prepara-te para perdê-lo, ainda que o não queiras, porque dentro de quatro dias ele será enviado a Toledo, para ser tratado com desvelo na Casa do Núncio, hospital para onde levam os que, como ele, estão enfermos da mente. E sua grandeza não se contenta em amparar estes que citei, mas trata com maior empenho e maior amor e amparar mais de perto a ti, dentro de sua própria casa, aqui onde estás sendo tratado há tantos dias com todo o conforto, abundância e comodidade. O que tens a fazer, portanto, é procurar conservar esse privilégio, aproveitando que aqui todos te apreciam, a estendê-lo a tua mulher Mari-Gutiérrez, a quem aconselho que mandes buscar. Para tanto, providenciarei mensageiro seguro e pagarei as despesas, sabendo que isto causará grande alegria ao Arquipâmpano, que há de dar a ambos um bom quatro, um salário condigno e excelente ração por todos os dias de vossas vidas, que hão de transcorrer alegres e despreocupadas num dos melhores lugares do mundo. O que tens a fazer, portanto, é concordar com este pedido, dando-me em breve a resposta que merece o zelo e desvelo que te dispenso.

Dito isto, ficou Dom Carlos à espera da resposta de Sancho, que se manteve calado por algum tempo, até que por fim disse:

— Enormes foram, por certo, senhor Dom Carlos, os favores que vossa mercê e o Arquipâmpano me cumularam durante todos estes dias, embora eu peça perdão se por acaso não foram tão grandes quanto mereço, conforme bem sei, e penso que, para pagar-me pelo que eu valho, não seriam bastante todas as moedas que têm todos os mercadores de roupas usadas que há nesta terra. Mesmo assim, agradeço por tudo, deixando à disposição de vossa mercê, em Argamessila, as vinte e seis cabeças de gado miúdo que tenho, sem falar em dois bois e um leitão grande como os que por aqui se criam, o qual pretendemos matar, se Deus quiser, no dia de São Martinho, quando ele já deverá estar do tamanho de uma vaca. Assim, peço-lhe que me dê um prazo para responder-lhe: alguns meses, se for possível, que essas coisas de mudar de terra não são daquelas que se possam decidir de afogadilho. O que farei será trocar ideias com minha Mari-Gutiérrez, ou, se não for possível isto, escrever-lhe, conforme vossa mercê

309

sugeriu. E se ela disser que sim com uma só mão, direi o mesmo com as duas, e muito satisfeito. Vossa mercê pode buscar tinta e papel, por favor, e vamos escrever a carta agora mesmo, para que eu possa dizer-lhe tudo isto, como quem reza a ave-maria. E digo "vamos escrever", porque tão bem faz quem faz, como quem manda fazer, já que eu, por meus pecados, não sei escrever mais do que o sabe um defunto, ainda que houvesse um tio meu que escrevesse lindamente; infelizmente, eu era um velhaco tão grande, que quando me mandavam à escola em menino, eu ia é para as figueiras e vinhas, onde me fartava de uvas e figos: daí ter saído melhor comedor que escrevinhador.

Dom Carlos ficou contente com a resposta, e resolveram deixar a carta para depois de comer. E tendo ele comido com o Arquipâmpano, contou-lhe durante a refeição que já obtivera o sim de Sancho quanto a trazer sua mulher para a Corte, faltando apenas escrever-lhe a carta, o que ele próprio faria logo em seguida, bastando que lhe trouxessem tinta, papel e Sancho, para que lhe ditasse o texto. Imediatamente providenciaram tudo e, apenas havia Dom Carlos começado a dobrar a folha de papel, quando Sancho lhe disse:

— Sabem o que acho, senhores? Acho que seria melhor e mais acertado voltar para casa e abandonar de vez todas essas histórias de aventuras, pois já faz seis meses que de lá saí e estou andando por aí feito um vagabundo, atrás de meu senhor Dom Quixote, em paga de uns míseros nove reais de salário mensal. E até agora ainda não vi a cor desse dinheiro; primeiro, porque ele diz que me dará o ruço por conta do pagamento; segundo, porque muito mais que isto há de valer o governo da primeira ilha, península, reino ou província que ele conquistar. Mas como vossas mercês irão levá-lo, como disse Dom Carlos, para que ele seja o núncio de Toledo, e eu não posso ser eclesiástico, desde agora renuncio a todos os direitos e posses que me possam pertencer de suas conquistas, por herança ou inventário, e decido regressar a minha terra, agora que está chegando o tempo da semeadura, quando poderei ganhar lá na aldeia dois reais e meio por dia, além da comida, sem precisar andar por aí à cata de presentes. Portanto, burlas à parte. Vossa mercê, senhor Arquipâmpano, mande devolver-me logo meus calções pardos, e fique lá com estas suas calças indianas — que o fogo as consuma! — e ordene que me deem também meu saio e o outro barrete, e adeus, que estou de saída. Sei que minha Mari-Gutiérrez e todos os de minha terra me estarão aguardando, pois lá me querem como a luz de seus olhos. Quem de lá me arranja confusões com pajens, que não me largam o dia todo, e com esses demônios de cavaleiros, que não fazem senão encher-me a paciência com vem-cá-Sancho, vai-lá-Sancho? E embora a gente aqui se alimente muito bem, se não sempre com a boca, mas pelo menos sempre com os olhos, entretanto, no que toca a salários, paga-se muito mal, e muitas vezes já vi que impingem culpas aos criados para negar-lhes ou reduzir-lhes a ração, ou despedi-los muito mal pagos. E se houver problemas de saúde, não há senhor que mande nem mordomo que execute obra de caridade com os pobres serviçais. Por isto, bem dizem os pícaros da cozinha que "vida de palácio é vida animal: só se vive de esperança e se morre no hospital". Isto é fato, senhor Dom Carlos, não há que replicar: amanhã, sem mais delongas, penso em dar às de vila-diogo. É bem verdade que se o senhor Arquipâmpano me assegurasse um ducado por mês e dois ou três pares de sapatos por ano, com garantia de não me retomar judicialmente nada disso mais tarde, e vossa mercê fosse fiador dessa promessa, sem dúvida poderia ter-me como criado por muitos dias. Por isto, se tal for sua determinação, basta efetuá-la, e já poderá encomendar-me seu par de mulas, dizendo-me cada noite o que tenho de fazer pela manhã, onde tenho de arar, ou ceifar, ou arrancar essa ou aquela erva daninha; e quanto ao demais, pode deixar a meu cargo, que não terá motivos de queixas. Confesso, porém, que tenho dois defeitos: um, é que sou um pouco comilão; outro, é que algumas vezes, para despertar-me pela manhã, será preciso que o amo venha até minha cama e me bata com algum sapato, pois deste modo desperto como um gamo e, depois de dar de comer a meu ventre e aos animais, vou logo em seguida à forja para preparar a relha, manejo o fole enquanto o ferreiro faz seu trabalho e estou de volta em casa uma hora antes do amanhecer, cantando pelo caminho sete ou oito seguidilhas que conheço, lindíssimas, e, quando chego, para refrescar o ânimo, ponho para assar quatro cabeças de alhos, acompanhando-as com duas ou três goladas no odre que tenho ao local de trabalho. E quando alvorece, subo, depois de tomada essa providência, na mula castanha, que é a mais gorda...

Já ia prosseguir, mas atalhou Dom Carlos, espantado com a simploriedade de seu discurso, e lhe disse:

— Faça-se, portanto, exatamente como te aconselhei, pois serão cumpridas todas as condições que estabeleceste.

— Por minha fé, que duvido — replicou Sancho, — já que se trata de quem não teve vergonha de tomar, de um escudeiro como eu, dois reais e meio pela primeira ceia que me deu. Não, nada quero com ele; quero apenas que Deus o mande para aqueles lugares onde mais dele se sirva.

Disse-lhe então o Arquipâmpano, vendo que Sancho se referia a ele:

— Ficai certo, Sancho, de que cumprirei tudo que em meu nome vos prometeu o senhor Dom Carlos, e melhor do que poderíeis desejar, e que em minha casa não vos há de faltar a graça de Deus.

— Em minha terra — respondeu Sancho — dá-se o nome de "graça-de-Deus" a uma gostosa fritada de ovos e torresmos, que sei preparar às mil maravilhas. Com o primeiro dinheiro que receber, hei de fazer uma para que eu e o senhor Dom Carlos a possamos provar, e sei que iremos até chupar os dedos, depois de comê-la.

— Terei todo o prazer — respondeu Dom Carlos, — mas há de ser com a condição de que, por deferência a minha pessoa, deixes de usar barrete e passes a usar chapéus, como é costume na Corte.

— Nunca em minha vida gostei de chapéu — replicou Sancho, — nem sei como me ficaria um deles, porque os barretes me assentam na cabeça como a bênção de Deus. É uma cobertura utilíssima, pois, se faz frio, a gente o puxa até cobrir as orelhas; se venta, tampa-se o rosto com ele, como se um capucho; além disto, não se corre o risco de que caia, com a mesma segurança com que se sabe que a roda do moinho se move. Ele não fica balançando para todos os lados, como os chapéus, que quando enfrentam um torvelinho, saem voando e rodando por esses campos como se tomados por algumas maldições; e, além do mais, uma dúzia de chapéus custa o dobro de meia dúzia de barretes, já que cada um não custa mais que dois reais e meio, pronto e acabado.

— Até parece, Sancho — disse-lhe o Arquipâmpano, — que conheceis a necessidade que tenho de vós, e que nada devo exigir para que fiqueis em minha casa, já que pedis tantas regalias. Mas para que vejais minha liberalidade, amanhã mandarei pagar-vos dois anos de salário adiantado, para vós e para vossa esposa. E chegando ela, vestir-vos-ei a ambos com belíssimos trajes.

— Beijo as mãos de vossa mercê — respondeu Sancho — por esse obséquio. Agora só resta saber se as terras de vossa mercê que tenho de semear este outono estão distantes. Como as não conheço, será mister visitá-las domingo que vem, e também conhecer as mulas e ficar informado de suas baldas, e se estão em ordem as correias e todo o restante dos aparelhos, porque não quero que vossa mercê depois vá dizer de mim que sou descuidado.

— Tudo se fará, Sancho — replicou Dom Carlos — da maneira que desejas. Assim sendo, vamos tratar de escrever a carta para a tua mulher.

— Assim seja, com a graça de Deus — concordou Sancho. — Mas saiba vossa mercê que ela é um pouco surda, sendo mister escrever em letras bem grandes, para que ela as escute. Pode pôr a cruz e escrever: "Carta para Mari-Gutiérrez, minha mulher, na Argamesilla de la Mancha, perto de Toboso." Bem, agora, diga-lhe que com isto termino, sem deixar de rogar por sua alma.

— Que estás dizendo, Sancho? — estranhou Dom Carlos. — Nada lhe escreveste ainda, e já queres que se ponha "Com isto termino"?

— Deixe estar, que é assim mesmo — replicou Sancho. — Quer saber melhor do que eu o que tenho de dizer? O diabo me leve se com isto não acabei perdendo o fio da meada, que ia levar-me à mais linda astrologia que se podia imaginar. Mas espere lá que já me lembro. "Deves saber que, desde que saí de Argamesilla, não nos vimos até hoje. Minha saúde, dizem todos que é muito boa; só me doem os olhos de tanto ver as coisas do outro mundo; queria Deus que o mesmo ocorra com os teus. Conta-me como vão as bebidas, e se há suficiente vinho na Mancha para matar a sede que minha presença te causa, e vê se limpas bem a hortinha das ervas más que costumam invadi-la. Manda-me os calções velhos de pano pardo que estão sobre o galinheiro, porque aqui o Arquipâmpano me deu uns calções indianos que nem que deixam mexer. Vou guardá-lo para

312

ti: quiçá te assentem melhor, especialmente porque sem muito trabalho poderás nele guardar tua garrafinha de vinho, pois têm na frente uma porta que se abre e se fecha com um só cadarço. Se queres vir, já te disse o que nos pagará o Arquipâmpano por mês. Assim, quero que venhas para cá antes mesmo que esta carta te chegue às mãos, para servir a Arquipântana, trazendo todos os bens móveis e de raiz contigo, sem deixar um palmo de terra, nem uma folha de árvore; e não sejas respondona, que já estou cansado de tuas impertinências, e tanto será o de mais como o de menos, e não tenha eu de dizer-te, como costumo fazer, com a tala na mão: Olha que te esfrego, burra de meu sogro."

Escritas estas palavras, voltou-se para Dom Carlos, dizendo-lhe:

— Saiba vossa mercê, senhor, que as mulheres de hoje são diabos e, quando lhes dá na telha, não fazem nada que preste, mesmo que as queimem. Pois por minha fé que isso eu não admito! Comigo é assim; do contrário, sai da frente, morena!

Dizendo isto, tirou o cinto e segurou-o com fúria, dizendo que saberia o modo como tratar com Mari-Gutiérrez, melhor que o papa.

Espantados ficaram o Arquipâmpano e todos os que estavam na sala com aquela demonstração de simplicidade, imaginando que Sancho em seguida iria descer o cinto no próprio Dom Carlos. Mas ele não o fez, e prosseguiu a carta, dizendo:

— "Já te disse, mulher, aqui teremos ótima vida. Ainda que sejas inimiga de ficar na casa de fidalgos, hás de saber que o Arquipântano é tão homem de bem, que até jurou que, quando chegares aqui, ele há de vestir-nos aos dois, adiantando-nos dois anos de salário, o qual é de um ducado ao mês por cabeça, isto é, um para a minha e um para a tua. Vê, portanto, que se pelo menos vivermos mil meses, haveremos de amealhar considerável fortuna. Do senhor Dom Quixote, só te digo que está mais valente que nunca. Eles o fizeram núncio de Toledo; assim, se precisares dele, poderás encontrá-lo naquela cidade, se por lá passares. A Arquipântana, vossa ama, com quem haverás de conviver, beija-te as mãos e tem mais vontade de escrever-te que de ver-te. É mulher muito honrada, segundo diz seu marido, embora tal não me pareça, pois sempre a vejo à-toa, e desde que estou aqui, jamais a vi em cima da roca. Rocinante, dizem que está bem, e qe se tornou um cavalo educado e gentil. Não creio que o ruço tenha mudado tanto, pelo menos tal não demonstram suas poucas palavras, a não ser que ele se cale pelo enfado de estar há tanto tempo aqui na Corte. E pensa que nada mais há a dizer, pois o que era necessário já foi aqui dito, e tão bem quanto o poderia dizer o melhor boticário do mundo; além disto, já estou suando só de ficar tirando estas letras do destunto."

— Vê bem, Sancho — disse Dom Carlos, — se queres ainda dizer alguma outra coisa, que aqui estou às ordens para escrevê-las. Papel é o que não falta, glória a Deus.

— Pode fechar a carta — garantiu Sancho, — e dane-se Mafoma.

313

— Como fechar, se não está assinada? — indagou Dom Carlos. — Dize-se de que modo costumas firmar.

— Grande coisa! — respondeu Sancho. —Saiba que Mari-Gutiérrez pouco se importa com essas retóricas! Não preciso firmar para ela, que crê firme e verdadeiramente em tudo o que afrima e crê a Santa Madre Igreja de Roma. Assim, para ela não é preciso firmação nem confirmação.

Dito isto, foi lida a carta em voz alta, entre as gargalhadas dos presentes e atenção de Sancho, a quem se dirigiu o Arquipâmpano, dizendo:

— Que achará Dom Quixote de ficardes agora em minha casa? Não queria que ele se aborrecesse e viesse atrás de mim para desafiar-me a um duelo, obrigando-me a deixar-vos voltar com ele, contra a minha vontade.

— Não precisa vossa mercê ter medo — tranquilizou Sancho, — que hei de falar-lhe claramente antes que ele vá para Toledo, e lhe devolverei o ruço, a maleta e a desaforada luva do gigante Bramidão, que dentro dela guardei na noite em que ele a atirou no chão, desafiando-a na casa do senhor Dom Carlos, para que ele a devolva à infanta Burlerina, ou a dê de presente ao arcebispo, quando se torne núncio de Toledo, porque eu não quero nada que não me pertença. Vou dizer-lhe ainda que vá com Deus, pois de hoje em diante arrenego das tais pelejas, e para todo o sempre, pois delas saí pelado e esfolado — que o digam minhas pobres costas! Há coisa de dois meses, numa venda, saí-me tão mal de uma delas, que por pouco não me fizeram converter-me em mouro uns comediantes, e quase que me circuncidaram, só não o fazendo porque lhes roguei entre lágrimas que não me tocassem naqueles arrebaldes, pois seria o mesmo que tocar nas meninas dos olhos de Mari-Gutiérrez. Depois disso, custou-me boas bordoadas a defesa de uma retranca que meu amo dizia ser uma preciosa cinta. E mesmo assim ele gosta tanto de mim, que acredito irá conceder-me o que me prometeu, ou seja, o governo de algum reino, província, ilha ou península. Contudo, hei de dizer-lhe que não poderei ir para lá com ele, por já estar apalavrado com vossa mercê. O que ele poderá fazer é enviar-me a dita, pois tão homem serei para governá-la cá como lá. Mas sabe vossa mercê o que estou pensando? É que, como daqui a Argamesilla não se achará um mensageiro certo, o melhor será que eu mesmo vá lá, pois conheço o caminho. Asseguro-lhe que chegarei lá depressa, entregarei a carta a minha mulher, em mãos, e logo depois voltarei para cá.

— Se for assim Sancho — perguntou o Arquipâmpano, — para que escrever, se ireis lá em pessoa? Não vos preocupeis com isto, que hei de encontrar quem leve a carta com brevidade, e traga logo a resposta, que duvido será tão elegante quanto a vossa carta, na qual mostrais haver estudado em Salamanca toda a ciência escrivística que ali se ensina, conforme se vê pelas sentenças com que a enriquecestes.

— Não estudei em Salamanca — respondeu Sancho, — mas tenho um tio em Toboso que foi eleito pela segunda vez mordomo do Rosário, e que, segundo

314

o cura, escreve tão bem quanto o barbeiro. E como o visitei muitas vezes em sua casa, alguma coisa de sua habilidade devo ter aproveitado. Porque, como dizem, quem é teu inimigo? É o de teu ofício; vendo arca aberta, o mau peca na certa; e, finalmente, quem furta ao ladrão, digno é de perdão; assim, de tanto vê-lo, aprendi a escrever cartas; e se lhe furtei algo referente a isto, como se vê nesse papel, não importa, que ele bem me devia tal coisa, pois dia e meio estive ceifando trigo com ele, e leve o diabo outra moeda se ele não me pagou senão um real, e dos brancos; e para minha mulher, que no mês de março foi limpar seu terreno e ficou doze dias trabalhando em sua herdade, não lhe pagou senão um real dos amarelos, que nem sabemos quanto vale. Por isto, eu me dou melhor com as quartas e oitavas, que são moedas correntes, e as hão de aceitar o próprio rei e o papa, gostem ou não gostem.

Depois disto, levantaram-se da mesa para sair a passeio deixando o Arquipâmpano ordem com o secretário de que enviassem logo dois criados com aquela carta a Argamessila, recomendando que não voltassem de lá sem a mulher de Sancho, de modo algum, fazendo o possível para trazê-la rápida e confortavelmente.

Assim se fez. Chegou Mari-Gutiérrez à Corte com os criados quinze dias depois, sendo ali recebida por Sancho com curiosas honras. Nos dias que se seguiram, o Arquipâmpano foi o senhor a quem menos faltou entretenimento na Corte. E não só ele, mas muitos que ali viviam, além de todos os de sua casa, desfrutaram de alegres momentos de conversação e passatempo durante muitos meses, com Sancho e Mari-Gutiérrez, não menos simplória que o marido.

Os acontecimentos que sucederam a este bom e cândido casal remeto à história que deles se escreverá com o correr do tempo, pois são tais que por si sós pedem alentado volume.

315

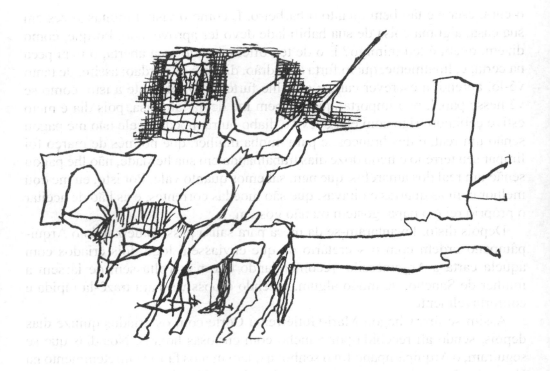

CAPÍTULO XXXVI E ÚLTIMO

DE COMO NOSSO BOM CAVALEIRO
DOM QUIXOTE DE LA MANCHA FOI LEVADO
A TOLEDO POR DOM ÁLVARO TARFE,
E ALI RECOLHIDO À CASA DO NÚNCIO,
PARA QUE SE PROVIDENCIASSE SEU TRATAMENTO.

Quando Dom Álvaro já se preparava para voltar a Córdoba, e se despedira de todos os senhores da corte a quem devia a obrigação de fazê-lo, na véspera de sua partida arquitetou um plano para tirar Dom Quixote dali. A ideia era a de que, quando em casa do Arquipâmpano houvessem acabado de jantar, entraria um criado, com roupas finas de viagem, dizendo que vinha de Toledo em nome de infanta Burlerina, com ordem de buscá-lo, a fim de que ele seguisse para lá em sua companhia, com a possível urgência, para levantar o cerco da cidade e livrá-la dos maus tratos que lhe impunha o aleivoso príncipe de Córdova. O criado foi muito bem instruído quanto ao que devia fazer e ao que teria de fazer a Dom Quixote quando lhe desse o recado, e também a caminho e em Toledo, onde, por ordem do Arquipâmpano, iria acompanhá-lo, para mais encobrir o logro, trazendo-lhe depois as notícias do fidalgo e de como este se achava.

Chegando a noite e a hora marcadas, quando acabavam de jantar na casa do príncipe Perianeu o Arquipâmpano, Dom Carlos, Dom Quixote e Dom Álvaro, tendo este avisado a Dom Quixote de que partiria no dia seguinte para Córdova, e perguntado se queria mandar algo para Toledo, por onde ele haveria de passar, quando entrou na sala o pajem do Arquipâmpano, galhardamente adereçado, o qual, depois de haver saudado cortesmente todos os circunstantes, voltou-se para Dom Quixote e lhe disse:

— Cavaleiro Desamorado, a infanta Burlerina de Toledo, cujo pajem sou eu, beija-vos as mãos humildemente e suplica, quão encarecidamente pode, que vos sirvais de partir amanhã sem falta comigo, rápida e discretamente, rumo à grande cidade de Toledo, onde ela e seu aflito pai, além dos mais importantes do reino, há tempos vos esperam, pois não faltam mais de três dias para que se cumpram os quarenta que o inimigo príncipe de Córdova lhes concedeu de prazo para deliberar ou a entrega da cidade, ou a aceitação dos desumanos tributos que lhes pediu. Se vós, com vosso valoroso braço, não os socorreis, sem dúvida serão todos miseravelmente assassinados, a cidade saqueada, queimados os templos, e os cimentos das torres e das almeias ocuparão as alegres ruas, suas pedras servindo de calçada e pavimento. A Infanta minha senhora, e o Rei, por certo postigo que o inimigo desconhece, estão a vossa espera com os melhores cavaleiros de sua corte, para que no dia seguinte, logo que amanheça, tocando de repente o alarma, com a ajuda e proteção de Santiago possamos cair-lhes em cima, colhendo-os descuidados, num assalto tal que o inimigo sem dúvida há de ser implacavelmente vencido por vós. Depois disto, como modesto prêmio de vossas inauditas grandezas, desde que assim queirais, casar-vos-ei com a formosíssima infanta Burlerina, que já recusou diversos filhos de reis e príncipes, só para casar-se convosco. Portanto, valoroso cavaleiro, ide repousar para que, saindo de manhã, cheguemos em boa hora à imperial cidade de Toledo que há muito tempo anseia por vossa ajuda.

Dom Quixote, com muita calma, respondeu-lhe, dizendo:

— Em ótima hora aqui chegaste, venturoso pajem, pois poderei seguir em companhia de Dom Álvaro, que me acaba de dizer que também há de seguir amanhã para Toledo. Portanto não há senão que prepares todo o necessário para que, alvorecendo, partamos juntos, e possa eu chegar com tão honrosa companhia em socorro do Rei vosso senhor e da infanta Burlerina, sobrinha do sábio Alquife, meu bom amigo. É bem verdade que não me parece boa ideia dar-me o tal prêmio que disseste, ou seja, a mão da dita infanta, depois de derrotado e morto o aleivoso príncipe de Córdova, seu inimigo, e saqueado seu campo, pois com efeito, sendo eu conhecido no mundo por Cavaleiro Desamorado, não ficará bem que ande por aí em amores até que se passem algumas dúzias de anos, porquanto poderia suceder, como de fato ocorreu muitas vezes a outros cavaleiros andantes, que andando eu por tanta e tão vária multidão de Babilônia, Transilvânia, Trapisonda, Ptolemaida, Grécia ou Constantinopla. Se

317

isto me suceder, conforme creio que poderá ocorrer, a partir desse dia terei de chamar-me o Cavaleiro do Amor e enfrentarei notáveis trabalhos, perigos e dificuldades em sua honra, até que, depois de libertar seu reino ou império do fortíssimo inimigo que o terá cercado, revelarei meu amor à dita infanta, em seu próprio quarto de dormir, aonde entrarei bem armado, com prudentes passos, através de um jardim, guiado por uma astuta camareira sua, numa noite escura. A princípio, por ser pagã, causar-lhe-á perturbação saber-me cristão; não obstante, enfeitiçada por minhas qualidades e persuadida pelas palavras com as quais lhe demonstrarei a verdade de nossa santa religião, irá casar-se comigo, entre festejos públicos, durante os quais será batizado todo o seu reino, ela inclusive. Mas suceder-me-ão tais e tão notáveis lutas, devido a certos motins provocados por vassalos invejosos, que darão muito que contar aos historiadores vindouros.

Vendo Dom Álvaro que ele já começava a disparatar, levantou-se e disse:

— Vamos repousar, senhor Dom Quixote, porque temos de madrugar para chegar a tempo a Toledo, dado o perigo que há em demorarmos.

Dito isto, voltou-se para o pajem, dizendo:

— E quanto a ti, discreto embaixador da nobre infanta Burlerina, vai jantar e em seguida deitar na cama que o mordomo te indicará.

Saiu o pajem da sala, e com ele todos os demais, indo cada qual para sua cama, sem que Dom Quixote sequer notasse a ausência de Sancho, como se jamais o houvesse visto, o que foi particular permissão de Deus. É verdade que, pela ,manhã, ao se levantar, enquanto os criados de Dom Álvaro e o pajem do Arquipâmpano encilhavam os animais, deu por falta do escudeiro e perguntou por ele, mas Dom Álvaro conseguiu enganá-lo, dizendo que não se preocupasse, pois ele já se preparava para acompanhá-los, devendo seguir pouco depois, como costumava fazer.

Depois de uma boa refeição e de se despedir do príncipe Perianeu e de Dom Carlos, saíram eles da Corte e rumaram para Toledo, oferencendo-se-lhes pelo caminho diversas ocasiões de riso, particularmente em Jetafe e Illescas.

Chegando à vista de Toledo, disse Dom Quixote ao pajem da infanta Burlerina:

— Parece-me, amigo, que seria interessante, antes de entrarmos na cidade, fazermos uma escaramuça no campo do inimigo, pois estou bem armado e ele mostra estar despreocupado do perigo que tão perto o ronda. Com isto, começaríamos a baixar-lhe a crista, que tão erguida tem.

Respondeu o pajem:

— A ordem que trago do Rei e da Infanta é para que sigamos sem barulho algum até onde nos estão esperando.

— Sábia ordem essa — assentiu Dom Álvaro, — pois não há dúvida de que poderia pôr em risco nossa vitória o simples fato de vossa mercê lhes dar o menor motivo que fosse para se prevenirem, o que fatalmente ocorreria depois do alarido que faríamos, pois é certo que, escutando-o, logo as despertas sentinelas atentariam para a presença de inimigos.

— De fato — concordou Dom Quixote, — trata-se de acertadíssimo parecer, e pelo menos me assegura de que os colherei de repente. Assim, ó pajem, guia-nos por onde deveremos entrar sem sermos pressentidos. Lembra-te, porém, de que, se estivéssemos sós, eu certamente teria feito sanguinolenta matança entre esses andaluzes antes de que entrássemos na cidade, destroçando esses pagãos que se atreveram a chegar aos sacros muros de Toledo.

O pajem foi caminhando um pouco adiante, guiando direto à porta que chamam Puerta del Cambrón, deixando à mão esquerda a de Visagra. Mas como Dom Quixote não notasse sinal de preparativos de guerra ao redor da cidade, vendo, ao contrário, entrar e sair despreocupadamente pela porta de Visagra quem assim o quisesse, disse espantado para o pajem:

— Dize-me, amigo, onde o príncipe de Córdova tem assentado seu campo? Não vejo por aqui nenhum aparato de guerra.

— O inimigo é astuto, senhor — respondeu o moço, — e, assim, alojou-se do outro lado do rio, onde nossa artilheira não lhe pode causar danos.

— Ele entende pouco da arte militar — retrucou o cavaleiro, — pois não enxerga, o néscio, que deixando estas duas portas livres e desembaraçadas, podem os de dentro receber facilmente os socorros e provisões que precisarem, como com efeito o estão fazendo hoje, quando estou entrando na cidade. Enfim, nem todos sabem tudo.

Entraram, pois, pela Puerta del Cambrón. Dom Quixote seguia pelas ruas olhando para todos os lados, querendo saber quando e onde viriam recebê-lo o Rei, a Infanta e os grandes da corte.

Na entrada, Dom Álvaro fingiu que queria ficar para esperar Sancho, pois assim poderia prosseguir livremente e sem o séquito de meninos que se formou atrás de Dom Quixote. Ordenou, contudo, que dois ou três criados seus acompanhassem o pajem do Arquipâmpano e Dom Quixote, e foi assim, ladeado por eles e seguido pro uma incrível multidão de meninos, atraídos por aquela estranha figura armada, que chegou o infeliz fidalgo às portas da Casa do Núncio. Ficando do lado de fora os criados de Dom Álvaro, sob o pretexto de estarem de guarda, entrou ele sozinho com o pajem e um cavalariço que levava Rocinante. Apeando-se, disse o pajem do Arquipâmpano a Dom Quixote:

— Vossa mercê, senhor cavaleiro, fique aqui, enquanto subo para contar à senhora Infanta sua chegada secreta e ansiada.

Subindo uma escada, deixou o fidalgo sozinho no meio do pátio. Este, olhando para os lados, viu quatro ou seis aposentos com portas gradeadas, e dentro deles muitos homens, alguns com correntes, outros com grilhetas, e outros com algemas, sendo que uns estavam cantando, outros chorando, muitos rindo, não poucos perorando; enfim, cada louco com a sua mania. Surpreso com aquilo, perguntou ao cavalariço:

— Amigo, que casa é esta? Por que estão aqui estes prisioneiros, alguns dos quais demonstram tanta alegria?

O moço, que já fora instruído por Dom Álvaro e o pajem do Arquipâmpano sobre como proceder com Dom Quixote, respondeu:

— Senhor cavaleiro, vossa mercê há de saber que todos estes daqui são espias do inimigo, que conseguimos apanhar de noite dentro da cidade, e que agora mantemos presos para castigá-los quando assim quisermos.

Prosseguiu Dom Quixote, perguntando-lhe:

— Mas por que estão tão alegres?

Respondeu o moço:

— É porque lhes disseram que daqui a três dias se entregará a cidade ao inimigo; assim, a esperada vitória e próxima liberdade fazem com que não sintam as presentes agruras.

Estando nisto, saiu de um aposento um rapaz com uma caldeira na mão. Tratava-se de um dos loucos que já estavam recobrando algum juízo. Quando escutou o que o cavalariço dissera a Dom Quixote, prorrompeu em gargalhadas, dizendo:

— Senhor armado, este moço o está enganando! Saiba que aqui de dentro são tão malucos como vossa mercê. Se não acredita, espere um pouco e verá como depressa o metem numa cela: Sua figura, seu talhe e suas armas não prometem outra coisa, senão que o estão iludindo esses guardiões sem-vergonha, preparando-se para pôr-lhe umas belas correntes e dar-lhe umas boas tundas, até que recobre o siso, queira ou não queira: foi assim que fizeram comigo.

O cavalariço disse-lhe para calar-se, que ele era um mentiroso e beberrão.

— Em boa fé — replicou o louco — te digo que, se não acreditas que digo a verdade, posso apostar que também vieste aqui com a mesma finalidade da que trouxe este pobre armado.

Dom Quixote apartou-se dele rindo e, chegando perto de uma das grades, olhou com atenção para dentro da cela, vendo um homem de cócoras vestido de negro, com um barrete imundo na cabeça e grossa corrente no pé, além de grilhetas que lhe serviam de algemas. Ele mirava fixamente o chão, tão sem pestanejar que parecia estar profundamente absorvido por alguma ideia. Dom Quixote dirigiu-lhe a palavra, dizendo:

— Ei, bom homem, que estás fazendo aqui?

O encarcerado levantou a cabeça devagar e, vendo Dom Quixote armado de todas as peças, chegou-se pouco a pouco às grades, segurando-as e observando atentamente o cavaleiro, sem nada dizer. Dom Quixote ficou surpreso com tudo aquilo, e seu espanto mais aumentou quando, a umas vinte perguntas que lhe fez, ele a nenhuma respondeu, não fazendo outra coisa que mirá-lo de cima até embaixo. Ao cabo de um longo instante, porém, pôs-se de repente a rir, com mostras de grande satisfação, para em seguida desandar a chorar amargamente, dizendo:

— Ah, senhor cavaleiro, se soubésseis quem sou, sem dúvida seríeis tomado por grande lástima, porque haveríes de saber que, por profissão, sou teólogo; em ordens, sacerdote; em Filosofia, Aristóteles; em Medicina, Galeno; em cânones, Azpilcueta; em Astrologia, Ptolomeu; em Leis, Cúrcio; em Retórica,

Túlio; em Poesia, Homero; em Música, Enfião; finalmente, em sangue, nobre; em valor, único; em amores, raro; em armas, sem segundo; em tudo, o primeiro. Sou princípio de desditosos e fim de venturosos. Os médicos me perseguem, porque lhes digo, com Mantuano:

His etsi tenebras palpent, este data potestas
Excrutiandi aegros hominisque impune necandi. [21]

Os poderosos me atormentam porque com Casaneu lhes digo:

Omnia sunt hominum, tenui pendentia fila,
Et súbito quae valuere ruunt. [22]

Os temerosos, odientos e avaros gostariam de ver-me queimado, porque sempre trago na boca estas palavras:

Quatuor ista, timor, odium, dilectio, sensos,
Saepe solent hominum rectos pervertiri sensos. [23]

Os detratores não me deixam viver, porque lhes digo que todo aquele que enodoa a fama, um dia haverá de restituí-la sua condição limpa:

Imponens, augens, manifestans, in malum vertens
Qui negat aut minuit, tacuit , laudetve remisse. [24]

Os poetas me têm por herege porque, a respeito da satisfação com que leem seus versos, repito o que disse Horácio:

Indoctum, doctumque fugat recitator acerbus,
Quem vero arripuit tenet, occiditque legendo,
Non missura cutem nisi plena cruoris birudo. [25]

Também os historiadores se aborrecem comigo, porque lhes digo:

Exit in imeensum fecunda licentia vatum,
Obligat histórica nec sua verba fide. [26]

Os soldados não podem aceitar que lhes exiba e recite as palavras de Alciato:

Cedant arma togae, et quamvis duríssima corda,
Eloquio pallens ad sua vota trahit. [27]

Os letrados não podem tolerar que lhes lance no rosto, vendo-os tratar de assuntos referentes a leis, sem guardar a de Deus, o recato de seus predecessores sábios, que diziam:

Erubescimus dum sine lege loquimur. [28]

As damas preparam-me mil armadilhas, porque alardeio:

Sidera non tot habet coelum, nec flumina pisces
Quot scelerata gerit faemina mente dolos. [29]

As casadas arrenegam de que haja quem delas diga:

Pessima res uxor, poterit tamen utilis esse
Si propere moriens det tibi quidquid habet. [30]

As meninas não toleram ouvir:

Verba puellarum foliis leviora caducis
Irritaque ut visum est ventus, et aura ferunt;
Ut corpus teneris, sic mens infirma puellis. [31]

As formosas apupam quando ouvem que:

Formosis levtitas semper amica fuit, [32]

muito embora seja verdade que de todas se pode dizer:

Quid sinet inausum faeminae praeceps furor? [33]

Os ociosos amantes queriam que se destarrasse minha língua do mundo, pois ela sempre lhes repete:

Otio si tollas perire cupidinis artes,
Contemptaeque jacente, et sine luce faces. [34]

Os sacerdotes se envergonham de que lhes repita o que disse Judite aos de sua velha lei:

Et nuc, fratres, quoniam vos estis presbiteri in populo Dei, ete ex vobis pendet
anima illorum ad eloquium vestrum, corda corum erigit. [35]

O real poder, que, como o amor, não admite companhia,

Non Bene cum sociis regna venusque manet, [36]

é tal, que a seu respeito bem se poderia repetir o que disse Ovídio em certa epístola, quando uma rainha requestada respondeu a quem a cortejava:

Sic meus hinc vir abest ut me custodiat adsens,
Na nescis longas regibus esse manus? [37]

Esse, pois, ó valorisíssimo príncipe! São os motivos que me têm aqui: é que repreendo as razão de Estado, fundadas na conservação dos bens materiais, aos quais chama o Apóstolo de esterco, e na violação da lei de Deus, como se, guardando-a, de humildes origens não teria Davi ascendido à condição de poderoso rei, nem de invicto capitão o grande Judas Macabeu, e como se não soubéssemos que todos os reinos, nações e províncias que com motivações materiais e tão-somente humanas trataram de dilatar os estados, acabaram por destruí-los miseravelmente.

Prosseguiu o louco com sua arenga, com assombro de Dom Quixote, o qual, vendo que ele não lhe dava ensejo de falar, disse-lhe aos gritos:

— Amigo sábio, não vos conheço, nem jamais vos vi em minha vida; todavia, causou-me tanta pena a prisão de pessoa tão douta, que não pretendo sair daqui antes de conceder-vos a preciosa liberdade, conquanto seja contra a vontade do Rei e da infanta Burlerina, sua filha, que este real palácio ocupam. Portanto, ó tu que estás com essa caldeira na mão, traze-me logo as chaves deste aposento e deixa que dele saia, livre, são e salvo, este grande sábio, pois esta é a minha vontade.

Ouvindo isto, riu-se o louco da caldeira e respondeu:

— Eia, que os touros é que estão certos Por minha fé que vieste em bom lugar purgar teus pecados. Em má hora entrastes por essa porta.

Dizendo isto, subiu a escada, deixando-o com o clérigo louco, que disse a Dom Quixote.

— Não acredite, senhor, em pessoa alguma desta casa, porque não há mais verdade aqui que em livros impressos em Genebra. Mas se quer que lhe preveja o futuro, em paga de boa obra que me fará concedendo-me a liberdade que me prometeu, dê-me a mão através destas grades, que lhe direi o que lhe sucedeu e que lhe haverá de suceder, visto conhecer bastante da quiromancia.

Tirou Dom Quixote a luva, crendo piamente em suas palavras, e enfiou a mão por entre as grades. Mal o fez, porém, quando, sobrevindo ao louco uma repentina fúria, aplicou no fidalgo três ou quatro cruéis mordidas, cravando-lhe os dentes no polegar com tal força, que pouco faltou para decepá-lo. Com a dor, Dom Quixote começou a dar gritos, ao som dos quais acudiram o cavalariço e outros três ou quatro da casa, puxando-o dali com tanta força que acabaram conseguindo que o louco o soltasse e voltasse para o fundo da cela, rindo satisfeitamente. Vendo-se solto e ferido, Dom Quixote ficou fora de si e, sacando da espada, vociferou:

— Juro, ó falso feiticeiro! Que se não fosse desonra minha pôr as mãos em gente de vossa laia, vingar-me-ia agora mesmo de tamanho atrevimento e loucura!

Neste instante, desceram o pajem do Arquipâmpano e cinco ou seis dos que tomavam conta do hospício. Vendo Dom Quixote com a espada na mão, da qual o sangue escorria copiosamente, suspeitando do que pudesse ser aquilo, acercaram-se dele, dizendo:

— Que não morra mais ninguém, senhor cavaleiro armado!

Em seguida, um tomou-lhe a espada, outros seguraram seus braços e os demais puseram-se a desarmá-lo, resistindo ele o quanto podia, mas de pouco valeram seus esforços. Pouco depois, meteram-no numa daquelas celas muito bem amarrado, na que havia uma cama limpa e arranjada.

Depois de tudo se acalmar, o pajem do Arquipâmpano recomendou-o com grande empenho aos mordomos da casa, explicando-lhes seu gênero de loucura e contando-lhes quem era, de onde procedia e quais as qualidades de sua pessoa. Para mais despertar-lhes o interesse, deu-lhes uma certa quantidade de reais. Em seguida, foi ter com Dom Quixote, dizendo-lhe:

— Vossa mercê, senhor Martín Quijada, encontra-se agora num lugar onde haverão de cuidar de sua saúde e zelar por sua pessoa com o cuidado e a caridade possíveis. Fique sabendo que a esta casa chegam outros tão bons como vossa mercê, enfermos desse mesmo mal, e Deus permite que em poucos dias saiam curados e inteirados do juízo que ao chegarem aqui lhes faltava. O mesmo confio que há de suceder a vossa mercê: que caia em si e esqueça as leituras e quimeras dos vãos livros de cavalaria que a tal extremo o reduziram. Cuide de sua alma e reconheça a mercê que lhe fez Deus, não permitindo que morresse por esses caminhos, em decorrência das desastradas ocasiões frente às quais suas loucuras tantas vezes o puseram.

Dito isto, foi-se com os criados de Dom Álvaro até a pousada onde este se hospedara, prestando-lhe conta de tudo, da mesma forma que o fez com o Arquipâmpano, tão logo regressou à Corte.

Deteve-se Dom Álvaro durante ainda alguns dias em Toledo, tendo visitado e levado algum conforto a Dom Quixote, procurando tranquilizá-lo o quanto lhe foi possível, e obrigando a fazerem o mesmo os empregados do hospital, para tanto lançando mão de não poucos presentes. Aos amigos influentes que tinha em Toledo, recomendou insistentemente que cuidassem daquele enfermo, visto que com isto prestariam grande favor a Deus e particularíssima mercê a ele. Só depois disto retornou a sua terra, lá chegando após viagem sem incidentes.

Estes relatos acerca da terceira saída de Dom Quixote puderam ser recolhidos, com não pouco trabalho, nos arquivos manchegos, e são tão verídicos como os que recolheu o autor das primeiras partes que se acham impressas.

Quanto ao que toca ao final desta prisão e de sua vida, disto não se sabe ao certo. Mas existem rumores e tradições correntes entre velhíssimos manchegos de que ele se curou e saiu da Casa do Núncio, e de que, passando pela Corte, esteve com Sancho, o qual, como então se achava muito próspero, lhe deu algum dinheiro para que ele voltasse a sua terra, vendo que seu juízo parecia ter-se assentado. O mesmo fizeram o Arquipâmpano e o príncipe Perianeu para que ele comprasse uma cavalgadura, a fim de seguir viagem com mais conforto. Quanto a Rocinante, deixou-o Dom Álvaro na Casa no Núncio, a serviço da qual acabou seus honrados dias, por mais que outros afirmem o contrário.

Só que, como tarde a loucura se cura, dizem que, deixando a Corte, ele voltou à sua mania, e que, depois de comprar outro cavalo melhor, voltou a Castela a Velha, na qual lhe sucederam estupendas e inauditas aventuras, levando como escudeiro uma jovem que estava fugindo do amo para o qual trabalhava, porque em sua casa a haviam engravidado sem que ela se desse conta, muito embora ela não deixasse de ter dado alguma colaboração para o fato; receosa disto, decidira sair pelo mundo.

Levou-a consigo o bom cavaleiro sem saber que se tratava de uma mulher, até que ela veio a dar a luz no meio de um caminho, em sua presença. O prodigioso evento deixou-o com o dono de uma pousada em Valdestillas, chamando-se o Cavaleiro dos Trabalhos. Os quais, não faltará melhor pena que os celebre.

AQUI CHEGA AO FIM A SEGUNTA PARTE
DA HISTÓRIA DO ENGENHOSO FIDALGO
DOM QUIXOTE DE LA MANCHA

FRASES E EXPRESSÕES LATINAS
CONSTANTES DO ORIGINAL

Além das dificuldades naturais que a tradução do latim de per si oferece, acrescente-se o fato de que estar frases e expressões, no original espanhol, achavam-se não raro estropiadas, chegando em certos casos a impossibilitar completamente sua compreessão. Foi de inestimável valia a ajuda prestada pelo Pe. Pedro Cenoz Senosiáin, da Ordem das Escolas Pias, na reconstituição das palavras e no deslindamento dos verdadeiros enigmas que algumas delas constituíram para um tradutor pouco afeito à língua de Horácio. Ao Pe. Pedro, meu muito obrigado. Na oportunidade, estendo meu agradecimento aos professores Miguel Angel Sanz y Sanz e Oscarino da Silva Ivo, que também me ajudaram a transpor alguns difíceis obstáculos encontrados durante a tradução deste livro. (E. A.)

1. *"O que não deve ser visto", porque o invejoso não suporta ver o bem de outrem.*

2. *A caridade é paciente e benigna; não é invejosa, não opera o mal e não se ensoberbece; não é ambiciosa a alegra-se com a verdade.*

3. *Casa de Jetro* (sogro de Moisés em cuja casa este procurou refúgio, escondendo-se dos egípcios que o perseguiam).

4. *A fúria do leão ensina-nos a ser indulgentes com os abatidos.*

5. *Tu, Áustria, que desde os tempos atávicos diriges as rédeas da Império, não és obra dos homens, mas dos numes.*

6. *Quem ama as ovelhas, cruel será com os lobos.*

7. *Do nascer ao pôr do sol.*

8. *A Rei Felipe, César invicto / máximo e feliz triunfador de todos os reis / de orbe e do mar / sucessor de Carlos, o Católico / digníssimo príncipe de toda a Espanha / defensor da Fé e da Igreja de Cristo / a Fama perene dedica esta estátua de ouro / em sinal de vitória.*

9. *Não há virtude, ó grande Principe, que não orne teu espírito com a sua nobreza.*

10. *As coisas costumeiras não causam sofrimento.*

11. *Até a morte* (o latim falado por Sancho deixa muito a desejar).

12. *Chamei-vos e me rejeitastes; por isso, regozijar-me-ei com a vossa destruição.*

13. *Deus o abandonou; persegui-o, prendei-o: ninguém o salvará.*

14. *Graças a Deus, e viva Deus.*

15. *A Sabedoria construiu uma casa para si.*

16. *Quem ignora, ignorado será.*

17. *Prudente como a serpente.*

18. *Caem ambos no poço.*

19. *Quem ama a rã, julga amar Diana.*

20. *Distintivo universal.*

21. *Mesmo àqueles que apalpam às cegas foi dado o poder de torturar e matar impunemente os doentes.*

22. *As coisas humanas pendem de tênues filamentos; qualquer pedra pode derrubá-las.*

23. *Estas quatro coisas: o temor, o ódio, o amor e a paixão costumam com frequência perverter a sensatez dos homens.*

24. *Quem nega, diminui ou profere vãos louvores, na verdade nada disse.*

25. *O recitador impertinente afugenta doutos e ignorantes, levando à exaustão o ouvinte desprevenido; ele é como a sanguessuga, que só larga a vítima quando repleta de sangue.*

26. *Fecunda e imensa é a licença conferida aos poetas, cujas palavras não são coagidas pela fidelidade à história.*

27. *Cedam as armar à toga, pois o artista da palavra consegue cativar mesmo os mais obstinados.*

28. *Enrubescemos quando nossas palavras se afastam da lei.*

29. *Tantos astros não há nos céus, nem nos rios tantos peixes, quantos os embustes que arquiteta a mente celerada das mulheres.*

30. *A esposa é um péssimo negócio; contudo, pode tornar-se útil, se, morrendo logo, deixar-te em herança quanto possui.*

31. *Quanto às meninas, suas palavras são mais inconsistentes do que as folhas que caem, e seu juízo tão frágil quanto o seu corpo.*

32. *A leviandade foi sempre amiga das formosas.*

33. *A que não se atreve o furor demente das mulheres?*

34. *Se suportas que as artes de Cupido pareçam com o ócio, elas não só hão de jazer desprezíveis, como hão de tornar-se fachos sem luz.*

35. *E agora irmãos, já que sois anciãos do povo de Deus, e que de vossa palavra depende a alma desse povo, infundi coragem em seu coração.*

36. *O poder e o prazer não admitem sócios.*

37. *Meu marido ausentou-se e está longe para proteger-me mas não sabes que os reis têm braços compridos?*

Este livro foi composto com a tipografia Times New Roman
e impresso pela Meta Brasil.